숨마쿰라우데
[반복 수학 문제집]

스타트업 중학수학

3-상

반복 학습이 진정한 실력을 키운다!

수학을 어떻게 하면 잘 할 수 있을까요?

『반복 학습이 기적을 만든다』라는 책의 저자는

"공부를 잘하는 학생은 '반복'에 강한 학생이다.

그들은 자기가 얼마만큼 '반복'하면

그 지식을 자기 것으로 만들 수 있는지 잘 알고 있다."

고 말하면서 반복하는 습관을 가지는 것이

실력을 높이는 방법이라고 설명하였습니다.

숨마쿰라우데 스타트업은 반복 학습의 중요성을 담아

한 개념 한 개념 체계적으로 구성한 교재입니다.

한 개념 한 개념 매일매일 꾸준히 공부하고

부족한 개념은 반복하여 풀어 봄으로써

진정한 실력을 쌓을 수 있기를 바랍니다.

집필진과 검토진 쌤들의 추천 코멘트!!

반복수학교재 스타트업 이래서 추천합니다

김승훈쌤(세종과학고)

기초를 다지는 것은 실력 향상을 위해서 중요합니다. 단계형 교육과정인 수학에서는 더욱 그렇습니다. 스타트업은 기초문제를 유형별로 나누고 문제를 해결하기 위한 방법과 노하우를 풍부하게 제공하여 혼자서도 충분히 학습할 수 있는 책입니다. 여러분의 수학실력 향상을 위한 첫 계단이 될 수 있는 책입니다.

김광용쌤(용산고)

수학은 복잡하고 어렵다는 편견은 잠시 내려놓고 천천히 할 수 있는 것부터 해볼까요? 꾸준히 운동하면 근육이 생기는 것처럼 수학에서도 반복적인 문제풀이는 수학적 능력을 기르는 좋은 방법이 될 수 있습니다. 스타트업이 여러분에게 수학하는 즐거움을 알게 해주는 그 시작이 되었으면 합니다.

김용환쌤(세종과학고)

아무리 개념을 잘 알아도 반복적으로 익혀놓지 않으면 실제 시험에서 당황하기 쉽습니다. 수학을 잘 한다는 것은 내용을 잘 알고 있는 것인데 그 내용을 잘 알기까지 많은 반복 연습이 따르는 것입니다. 자기 것으로 만드는 반복 연습에 스타트업이 많은 도움을 줄 것입니다.

이서진쌤(메가스터디 강사)

유형별로 반복적인 문제풀이를 해나감으로써 개념을 익히기 안성맞춤입니다. 특히 개념을 익히기에 쉬운 문제들로 구성되어 있어 수학을 시작하는 학생들에게 부담감이 없을 것 같습니다. 또한 유형을 공부하고 난 다음 리뷰테스트로 한 번 더 복습할 수 있게 되어 있어 좋습니다. 고등 수학! 스타트업으로 시작해 보세요!

왕성욱쌤(중계동)

시험에 자주 출제되는 유형별로 개념 설명이 잘 되어 있고 같은 페이지에 바로 적용해서 풀 수 있는 확인문제들이 있어서 개념을 확실하게 다지기에 좋은 교재입니다. 수학을 두려워하는 학생들도 차근차근 풀어나가다 보면 자신감을 갖고 기본기를 잘 쌓을 수 있는 교재입니다.

주예지쌤(메가스터디 강사)

스타트업은 반복학습하여 익힐 수 있도록 문제들이 잘 구성되어 있습니다. 꼭 알아야 하는 기본 개념과 개념을 이해하고 문제에 적용하는 팁이 알차게 들어 있는 교재입니다. 쉬운 문제로 구성되어 있어 매일매일 부담없이 공부할 수 있는 교재입니다.

정연화쌤(중계동)

문제만 많이 구성되어 있는 느낌의 교재들은 책을 펼치기도 전에 빡빡한 디자인에 지치기 쉬운데요. 스타트업은 한 페이지에 한 개념씩 구성되어 있어 가볍게 시작할 수 있습니다. 개념이해를 돕는 유형별 기초문제! 풍부한 문제해결의 노하우와 팁! 알기 쉽고 자세한 풀이! 최근 수학의 기조인 개념이해와 기초실력 향상을 반영한 책입니다.

김미경쌤(인천)

집에서 혼자 공부할 수 있는 교재이고 학원 수업용, 숙제용으로 안성맞춤인 교재입니다. 쉬운 문제들이지만 학교 시험에 꼭 나오는 문제들로 구성되어 있어 좋습니다. 특히 단순 계산만 하는 것이 아니라 학교시험맛보기 코너를 통해 시험 문제 유형을 확인할 수 있어 좋았습니다. 주위 학생들에게 꼭 추천하고 싶은 교재입니다.

1 숨마쿰라우데 **스타트업**의 **개념 설명**은?

❶ 소단원별로 중요 개념을 한 눈에 볼 수 있게 구성했습니다.

❷ 한 개념 한 개념씩 다시 풀어 설명해 놓았습니다.

❸ 개념마다 선생님의 팁을 통해 꼭 기억할 부분을 확인할 수 있습니다.

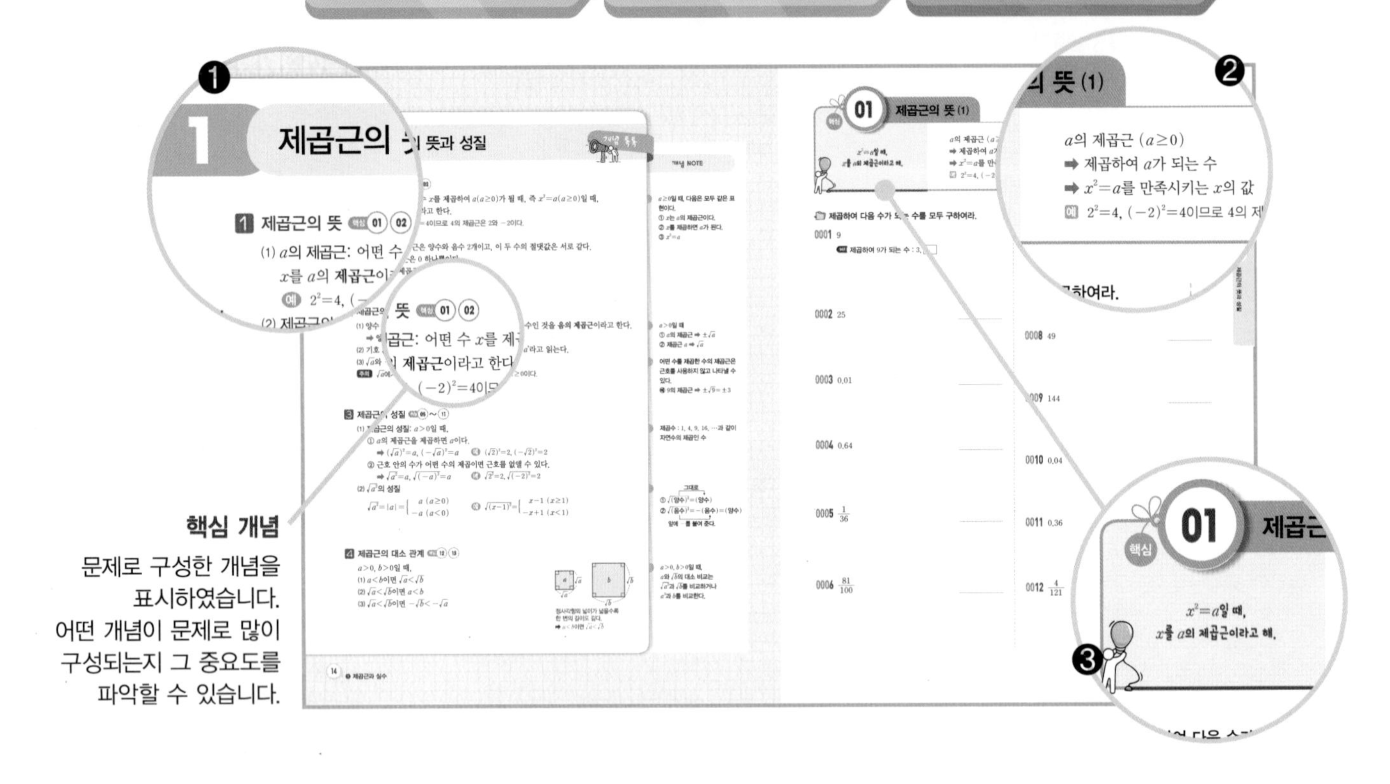

핵심 개념
문제로 구성한 개념을 표시하였습니다.
어떤 개념이 문제로 많이 구성되는지 그 중요도를 파악할 수 있습니다.

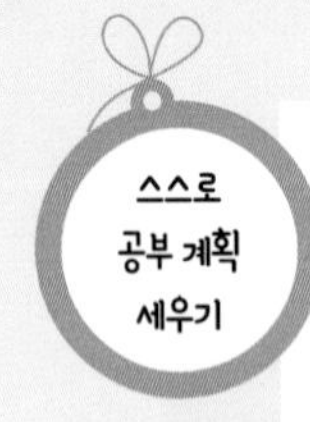

소단원별 학습 플래너를 이용하여
스스로 공부 계획을 세워 봅시다~

YOU CAN DO IT!
스타트업으로 공부하면

1. 계산력이 향상된다.
2. 수학에 자신감이 생긴다.
3. 스스로 공부하는 습관이 생긴다.

	학습 내용	공부한 날짜	반복하기
1. 제곱근의 뜻과 성질	**01.** 제곱근의 뜻(1)	월 일	□□
	02. 제곱근의 뜻(2)	월 일	□□
	03. 제곱근의 표현	월 일	□□
	04. a의 제곱근과 제곱근 a	월 일	□□
	05. 제곱근의 성질(1)	월 일	□□
	06. 제곱근의 성질(2)	월 일	□□
	07. 제곱근의 성질을 이용한 계산	월 일	□□
	Mini **Review** Test(01~07)	월 일	□□
	08. 문자를 포함한 식에서 근호 없애기(1)	월 일	□□
	09. 문자를 포함한 식에서 근호 없애기(2)	월 일	□□
	10. 제곱수를 이용하여 근호 없애기(1)	월 일	□□
	11. 제곱수를 이용하여 근호 없애기(2)	월 일	□□
	12. 제곱근의 대소 관계	월 일	□□
	13. 제곱근을 포함한 부등식	월 일	□□
	Mini **Review** Test(08~13)	월 일	□□

2 숨마쿰라우데 **스타트업**의 **문제 구성**은?

❶ 각 개념을 확실히 잡을 수 있도록 쉬운 문제로 구성했습니다.

❷ 학교 시험 맛보기로 실전 연습을 할 수 있습니다.

❸ Mini Review Test를 통해 실력을 확인할 수 있습니다.

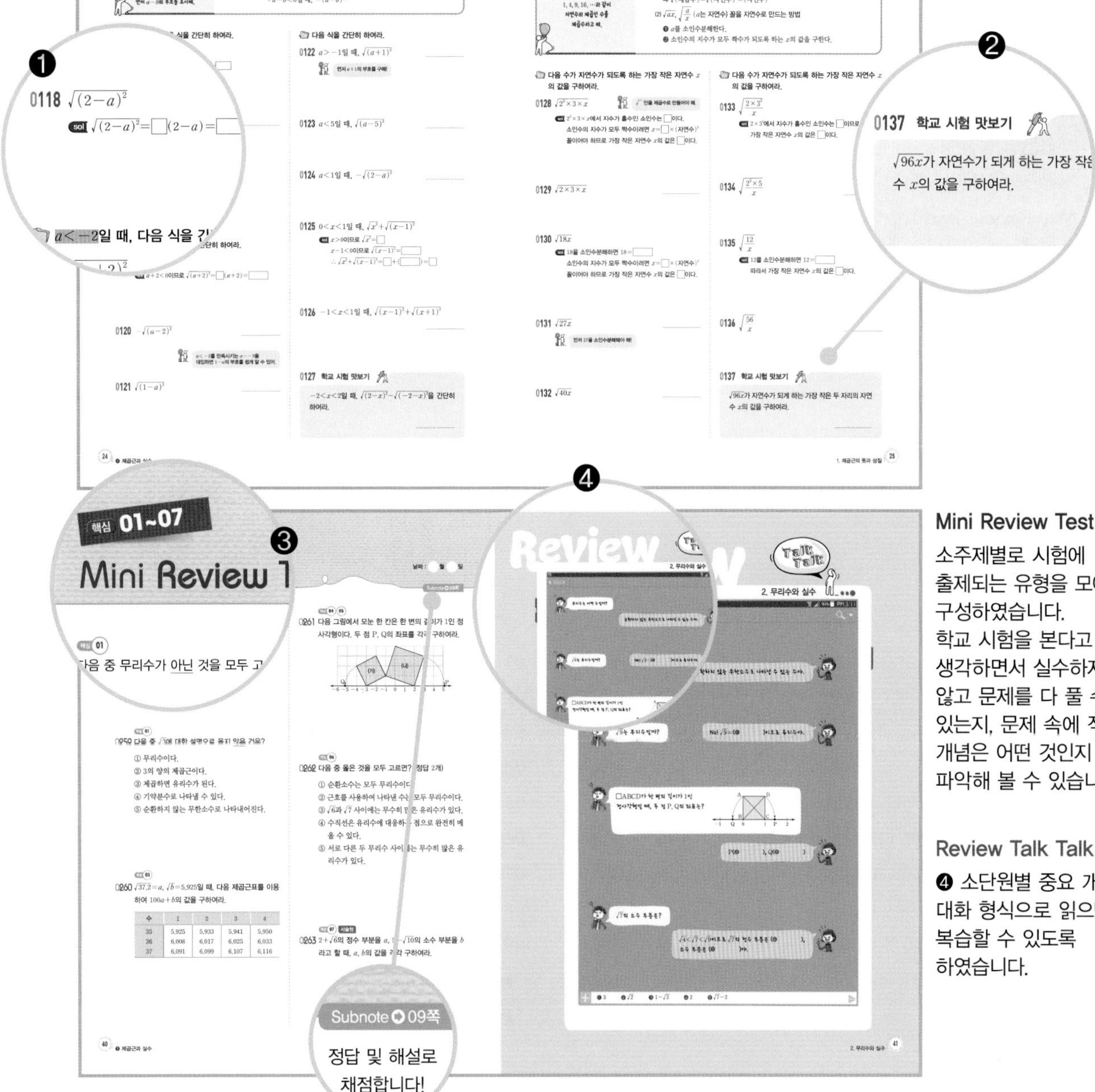

Mini Review Test

소주제별로 시험에 출제되는 유형을 모아 구성하였습니다. 학교 시험을 본다고 생각하면서 실수하지 않고 문제를 다 풀 수 있는지, 문제 속에 적용된 개념은 어떤 것인지 파악해 볼 수 있습니다.

Review Talk Talk

❹ 소단원별 중요 개념을 대화 형식으로 읽으면서 복습할 수 있도록 하였습니다.

1 제곱근과 실수

01 제곱근의 뜻과 성질

02 무리수와 실수

2 제곱근을 포함한 식의 계산

03 제곱근의 곱셈과 나눗셈

04 제곱근의 덧셈과 뺄셈

3 다항식의 곱셈과 인수분해

05 다항식의 곱셈

06 인수분해

4 이차방정식

07 이차방정식의 풀이 (1)

08 이차방정식의 풀이 (2)

09 이차방정식의 활용

CONTENTS

5 이차함수

10 이차함수의 그래프 (1)

11 이차함수의 그래프 (2)

12 이차함수의 그래프 (3)

숨마쿰라우데 STARTUP 중학수학 3-상

50일 완성 학습 PROJECT

● 핵심개념 130개를 하루에 30분씩 50일 동안 내 것으로 만들어 보자!

START UP 플래너

단원	소단원	핵심	차시	학습 날짜	이해도
1 제곱근과 실수	1. 제곱근의 뜻과 성질	01~04	01일차	월 일	☺😐☹
		05~07	02일차	월 일	☺😐☹
		Review test | 08~09	03일차	월 일	☺😐☹
		10~11	04일차	월 일	☺😐☹
		12~13 | Review test	05일차	월 일	☺😐☹
	2. 무리수와 실수	01~03	06일차	월 일	☺😐☹
		04~05	07일차	월 일	☺😐☹
		06~07 | Review test	08일차	월 일	☺😐☹
2 제곱근을 포함한 식의 계산	3. 제곱근의 곱셈과 나눗셈	01~03	09일차	월 일	☺😐☹
		04~06	10일차	월 일	☺😐☹
		07~09	11일차	월 일	☺😐☹
		10 | Review test	12일차	월 일	☺😐☹
	4. 제곱근의 덧셈과 뺄셈	01~03	13일차	월 일	☺😐☹
		04~06	14일차	월 일	☺😐☹
		07~09 | Review test	15일차	월 일	☺😐☹
3 다항식의 곱셈과 인수분해	5. 다항식의 곱셈	01~03	16일차	월 일	☺😐☹
		04~07	17일차	월 일	☺😐☹
		08~10 | Review test	18일차	월 일	☺😐☹
		11~13	19일차	월 일	☺😐☹
		14~16	20일차	월 일	☺😐☹
		17 | Review test	21일차	월 일	☺😐☹
	6. 인수분해	01~03	22일차	월 일	☺😐☹
		04~06	23일차	월 일	☺😐☹
		07~09	24일차	월 일	☺😐☹
		10~11 | Review test	25일차	월 일	☺😐☹
		12~14	26일차	월 일	☺😐☹
		15~17	27일차	월 일	☺😐☹
		18 | Review test	28일차	월 일	☺😐☹

공부는 이렇게~

01	계획 세우기	작심 3일이 되지 않도록 자신에게 맞는 계획표를 세워 보자!
02	개념 익히기	매쪽 문제 풀이를 하기 전 개념과 원리를 확실하게 이해하자!
03	문제 풀기	개념을 다양한 문제로 익혀 보자!
04	오답노트 만들기	문제 풀이 후 틀린 문제는 오답노트에 정리하자! [key] 또는 [말풍선]에서 참고해야 할 사항도 오답노트에 정리하자!
05	오답노트 복습	다음날 공부하기 전에 오답노트를 꼭 점검하고 진도를 나가자!

단원		핵심	차시	학습 날짜	이해도
4 이차방정식	7. 이차방정식의 풀이 (1)	01~03	29일차	월 일	☺😐☹
		04~06	30일차	월 일	☺😐☹
		07~09	31일차	월 일	☺😐☹
		10 | Review test	32일차	월 일	☺😐☹
	8. 이차방정식의 풀이 (2)	01~03	33일차	월 일	☺😐☹
		04~06	34일차	월 일	☺😐☹
		07~09	35일차	월 일	☺😐☹
		10 | Review test	36일차	월 일	☺😐☹
	9. 이차방정식의 활용	01~03	37일차	월 일	☺😐☹
		04~06	38일차	월 일	☺😐☹
		07 | Review test	39일차	월 일	☺😐☹
5 이차함수	10. 이차함수의 그래프 (1)	01~03	40일차	월 일	☺😐☹
		04~06	41일차	월 일	☺😐☹
		07~08 | Review test	42일차	월 일	☺😐☹
	11. 이차함수의 그래프 (2)	01~03	43일차	월 일	☺😐☹
		04~06	44일차	월 일	☺😐☹
		07~09	45일차	월 일	☺😐☹
		10 | Review test	46일차	월 일	☺😐☹
	12. 이차함수의 그래프 (3)	01~03	47일차	월 일	☺😐☹
		04~05 | Review test	48일차	월 일	☺😐☹
		06~08	49일차	월 일	☺😐☹
		09~11 | Review test	50일차	월 일	☺😐☹

1 제곱근과 실수

이미 배운 내용

[중학교 1학년]
- 소인수분해
- 정수와 유리수

[중학교 2학년]
- 유리수와 순환소수
- 식의 계산
- 피타고라스 정리

이번에 배울 내용

1. 제곱근의 뜻과 성질
- 제곱근의 뜻
- 제곱근의 성질

2. 무리수와 실수
- 무리수와 실수
- 무리수를 수직선 위에 나타내기

1 제곱근의 뜻과 성질

스스로 공부 계획 세우기

	학습 내용	공부한 날짜	반복하기
1. 제곱근의 뜻과 성질	**01.** 제곱근의 뜻(1)	월 일	□□
	02. 제곱근의 뜻(2)	월 일	□□
	03. 제곱근의 표현	월 일	□□
	04. a의 제곱근과 제곱근 a	월 일	□□
	05. 제곱근의 성질(1)	월 일	□□
	06. 제곱근의 성질(2)	월 일	□□
	07. 제곱근의 성질을 이용한 계산	월 일	□□
	Mini **Review** Test(**01**~**07**)	월 일	□□
	08. 문자를 포함한 식에서 근호 없애기(1)	월 일	□□
	09. 문자를 포함한 식에서 근호 없애기(2)	월 일	□□
	10. 제곱수를 이용하여 근호 없애기(1)	월 일	□□
	11. 제곱수를 이용하여 근호 없애기(2)	월 일	□□
	12. 제곱근의 대소 관계	월 일	□□
	13. 제곱근을 포함한 부등식	월 일	□□
	Mini **Review** Test(**08**~**13**)	월 일	□□

1 제곱근의 뜻과 성질

개념 NOTE

1 제곱근의 뜻 핵심 01 02

(1) a의 제곱근: 어떤 수 x를 제곱하여 $a(a\geq0)$가 될 때, 즉 $x^2=a(a\geq0)$일 때, x를 a의 **제곱근**이라고 한다.

예 $2^2=4$, $(-2)^2=4$이므로 4의 제곱근은 2와 -2이다.

(2) 제곱근의 개수

① 양수의 제곱근은 양수와 음수 2개이고, 이 두 수의 절댓값은 서로 같다.

② 0의 제곱근은 0 하나뿐이다.

③ 음수의 제곱근은 없다.

> $a\geq0$일 때, 다음은 모두 같은 표현이다.
> ① x는 a의 제곱근이다.
> ② x를 제곱하면 a가 된다.
> ③ $x^2=a$

2 제곱근의 표현 핵심 03 04

(1) 양수 a의 제곱근 중에서 양수인 것을 **양의 제곱근**, 음수인 것을 **음의 제곱근**이라고 한다.

➡ **양의 제곱근: $\sqrt{a}$, 음의 제곱근: $-\sqrt{a}$**

(2) 기호 $\sqrt{\ }$를 **근호**라 하고, $\sqrt{a}$를 '제곱근 a' 또는 '루트 a'라고 읽는다.

(3) $\sqrt{a}$와 $-\sqrt{a}$를 한꺼번에 $\pm\sqrt{a}$로 나타내기도 한다.

주의 $\sqrt{a}$에서 근호 안의 수 a는 음이 아닌 수이다. 즉, $a\geq0$이다.

> $a>0$일 때
> ① a의 제곱근 ➡ $\pm\sqrt{a}$
> ② 제곱근 a ➡ $\sqrt{a}$

> 어떤 수를 제곱한 수의 제곱근은 근호를 사용하지 않고 나타낼 수 있다.
> 예 9의 제곱근 ➡ $\pm\sqrt{9}=\pm3$

3 제곱근의 성질 핵심 05 ~ 11

(1) 제곱근의 성질: $a>0$일 때,

① a의 제곱근을 제곱하면 a이다.

➡ $(\sqrt{a})^2=a$, $(-\sqrt{a})^2=a$　　예 $(\sqrt{2})^2=2$, $(-\sqrt{2})^2=2$

② 근호 안의 수가 어떤 수의 제곱이면 근호를 없앨 수 있다.

➡ $\sqrt{a^2}=a$, $\sqrt{(-a)^2}=a$　　예 $\sqrt{2^2}=2$, $\sqrt{(-2)^2}=2$

(2) $\sqrt{a^2}$의 성질

$$\sqrt{a^2}=|a|=\begin{cases} a & (a\geq0) \\ -a & (a<0)\end{cases}$$

예 $\sqrt{(x-1)^2}=\begin{cases} x-1 & (x\geq1) \\ -x+1 & (x<1)\end{cases}$

> 제곱수 : 1, 4, 9, 16, …과 같이 자연수의 제곱인 수

> ① $\sqrt{(\text{양수})^2}=(\text{양수})$ — 그대로
> ② $\sqrt{(\text{음수})^2}=-(\text{음수})=(\text{양수})$ — 앞에 $-$를 붙여 준다.

4 제곱근의 대소 관계 핵심 12 13

$a>0$, $b>0$일 때,

(1) $a<b$이면 $\sqrt{a}<\sqrt{b}$

(2) $\sqrt{a}<\sqrt{b}$이면 $a<b$

(3) $\sqrt{a}<\sqrt{b}$이면 $-\sqrt{b}<-\sqrt{a}$

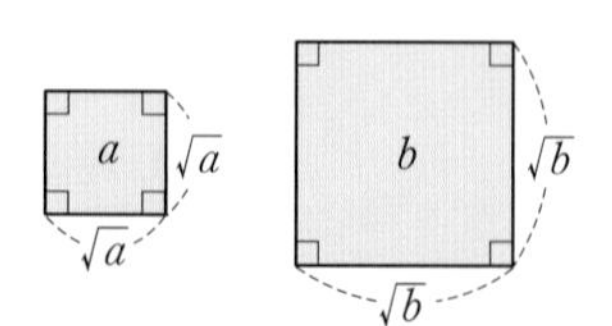

정사각형의 넓이가 넓을수록 한 변의 길이도 길다.
➡ $a<b$이면 $\sqrt{a}<\sqrt{b}$

> $a>0$, $b>0$일 때, a와 $\sqrt{b}$의 대소 비교는 $\sqrt{a^2}$과 $\sqrt{b}$를 비교하거나 a^2과 b를 비교한다.

제곱근의 뜻 (1)

Subnote 02쪽

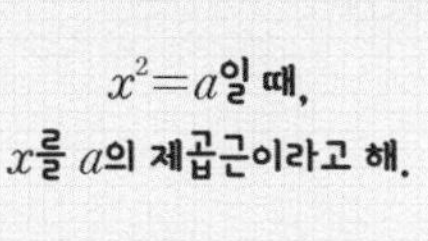

a의 제곱근 $(a \geq 0)$

➡ 제곱하여 a가 되는 수

➡ $x^2=a$를 만족시키는 x의 값

예 $2^2=4$, $(-2)^2=4$이므로 4의 제곱근은 2, -2이다.

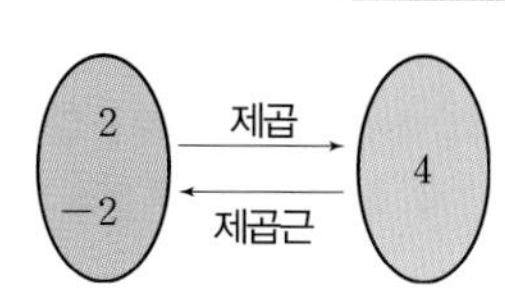

제곱하여 다음 수가 되는 수를 모두 구하여라.

0001 9

sol 제곱하여 9가 되는 수 : 3, ☐

0002 25 ________

0003 0.01 ________

0004 0.64 ________

0005 $\frac{1}{36}$ ________

0006 $\frac{81}{100}$ ________

다음 수의 제곱근을 모두 구하여라.

0007 16

sol 16의 제곱근 ➡ 제곱하여 ☐이 되는 수

➡ $x^2=$☐을 만족시키는 x의 값

➡ ☐와 ☐

0008 49 ________

0009 144 ________

0010 0.04 ________

0011 0.36 ________

0012 $\frac{4}{121}$ ________

02 제곱근의 뜻 (2)

날짜 : 월 일 

Subnote 02쪽

핵심

제곱하여 음수가 되는 수는 없어. 즉, 음수의 제곱근은 없어.

(1) 양수의 제곱근은 절댓값이 같은 양수와 음수 2개가 있다.
(2) 0의 제곱근은 0 하나뿐이다.
(3) 음수의 제곱근은 없다.

다음 수의 제곱근을 모두 구하여라.

0013 1 ________

0014 0 ________

0015 -1 ________

음수의 제곱근은 …?

0016 2^2 ________

key $2^2=4$이므로 4의 제곱근을 구한다.

0017 $(-3)^2$ ________

0018 $(-0.8)^2$ ________

0019 $-\frac{4}{25}$ ________

다음 중 옳은 것은 ○표, 옳지 않은 것은 ×표를 하여라.

0020 0의 제곱근은 없다. ( )

0021 제곱하여 49가 되는 수는 7, -7이다. ( )

0022 제곱하여 0.09가 되는 수는 없다. ( )

0023 -16의 제곱근은 4, -4이다. ( )

0024 $(-5)^2$의 제곱근은 5, -5이다. ( )

0025 81의 제곱근은 2개이고, 두 제곱근의 합은 0이다. ( )

0026 모든 수의 제곱근은 2개이다. ( )

03 제곱근의 표현

날짜 :  월  일

Subnote 02쪽

2의 제곱근은 $\sqrt{2}$, $-\sqrt{2}$ 이고, 이것을 한꺼번에 $\pm\sqrt{2}$로 나타내기도 해.

(1) 양수 a의 제곱근 중에서 양수인 것을 **양의 제곱근**, 음수인 것을 **음의 제곱근**이라 하고, 기호 $\sqrt{\ }$를 사용하여 다음과 같이 나타낸다.

양의 제곱근 : $\sqrt{a}$, 음의 제곱근 : $-\sqrt{a}$

(2) 기호 $\sqrt{\ }$를 **근호**라 하고, $\sqrt{a}$를 '제곱근 a' 또는 '루트 a'라고 읽는다.

(3) $\sqrt{a}$, $-\sqrt{a}$를 한꺼번에 $\pm\sqrt{a}$로 나타낸다.

다음을 구하여라.

0027 3의 양의 제곱근 ______

0028 3의 음의 제곱근 ______

0029 3의 제곱근 ______

0030 10의 음의 제곱근 ______

0031 $\frac{1}{5}$의 음의 제곱근 ______

0032 0.7의 제곱근 ______

다음을 근호를 사용하지 않고 나타내어라.

0033 $\sqrt{9}=(\square$의 양의 제곱근$)=\square$

제곱수의 제곱근은 근호를 사용하지 않고 나타낼 수 있어.

0034 $-\sqrt{25}=(\square$의 음의 제곱근$)=\square$

0035 $\sqrt{0.16}$ ______

0036 $-\sqrt{1.44}$ ______

0037 $\sqrt{\frac{121}{81}}$ ______

0038 학교 시험 맛보기

$\sqrt{16}$의 양의 제곱근을 x, $\sqrt{100}$의 제곱근을 y라고 할 때, x, y의 값을 각각 구하여라.

______

key 근호를 포함한 수의 제곱근을 구할 때, 먼저 주어진 수를 간단히 한다.

핵심 04 a의 제곱근과 제곱근 a

날짜 : 월 일

Subnote 02쪽

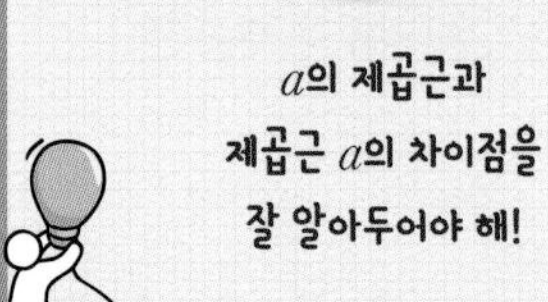

$a>0$일 때	a의 제곱근	제곱근 a
뜻	제곱하여 a가 되는 수	a의 양의 제곱근
표현	$\sqrt{a}$, $-\sqrt{a}$ → 2개	$\sqrt{a}$ → 1개

다음을 구하여라.

0039 1의 제곱근 ________
제곱근 1 ________

key 어떤 수의 제곱인 수의 제곱근은 근호를 사용하지 않고 나타낼 수 있다.

0040 5의 제곱근 ________
제곱근 5 ________

0041 $\frac{1}{4}$의 제곱근 ________
제곱근 $\frac{1}{4}$ ________

0042 $\frac{1}{11}$의 제곱근 ________
제곱근 $\frac{1}{11}$ ________

0043 0.5의 제곱근 ________
제곱근 0.5 ________

0044 0.25의 제곱근 ________
제곱근 0.25 ________

다음 중 옳은 것은 ○표, 옳지 않은 것은 ×표를 하여라.

0045 제곱근 0은 0이다. ( )

0046 제곱근 4는 2이다. ( )

0047 제곱근 8은 $\sqrt{8}$이다. ( )

0048 $(-3)^2$의 제곱근은 -3이다. ( )

0049 -10의 제곱근은 $-\sqrt{10}$이다. ( )

0050 12의 제곱근은 $\pm\sqrt{12}$이다. ( )

0051 $\sqrt{16}$의 제곱근은 ±4이다. ( )

핵심 **05** 제곱근의 성질 (1)

날짜 : 월 일

Subnote ➔ 02쪽

√ 와 제곱이 만나면 √ 와 제곱이 사라져.

$a>0$일 때, a의 제곱근을 제곱하면 a이다.
➡ $(\sqrt{a})^2=a$, $(-\sqrt{a})^2=a$

예 2의 제곱근은 $\pm\sqrt{2}$이므로 $(\sqrt{2})^2=2$, $(-\sqrt{2})^2=2$

다음 수를 근호를 사용하지 않고 나타내어라.

0052 $(\sqrt{3})^2$

sol $\sqrt{3}$은 □의 양의 제곱근이므로 $(\sqrt{3})^2=$□

0053 $(\sqrt{5})^2$ ________

0054 $\left(\sqrt{\frac{1}{2}}\right)^2$ ________

0055 $(\sqrt{0.1})^2$ ________

0056 $(-\sqrt{3})^2$ ________

key $-\sqrt{3}$은 3의 음의 제곱근이다.

0057 $(-\sqrt{7})^2$ ________

0058 $\left(-\sqrt{\frac{1}{6}}\right)^2$ ________

0059 $(-\sqrt{0.4})^2$ ________

다음 수를 근호를 사용하지 않고 나타내어라.

0060 $-(\sqrt{3})^2$

sol $(\sqrt{3})^2=$□이므로 $-(\sqrt{3})^2=$□

0061 $-(\sqrt{6})^2$ ________

key 제곱을 한 후 −부호를 붙인다.

0062 $-\left(\sqrt{\frac{1}{3}}\right)^2$ ________

0063 $-(\sqrt{1.2})^2$ ________

0064 $-(-\sqrt{3})^2$ ________

0065 $-(-\sqrt{10})^2$ ________

0066 $-\left(-\sqrt{\frac{4}{5}}\right)^2$ ________

0067 $-(\sqrt{1.4})^2$ ________

06 제곱근의 성질 (2)

날짜 :  월  일

핵심

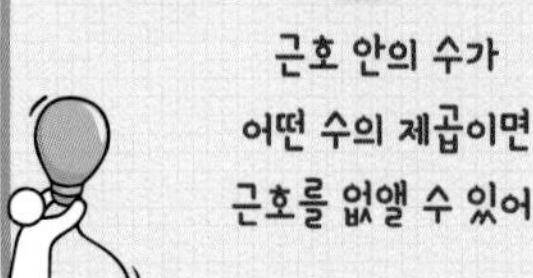

근호 안의 수가
어떤 수의 제곱이면
근호를 없앨 수 있어.

$a>0$일 때

(1) $\sqrt{a^2}=a$　　(2) $\sqrt{(-a)^2}=a$

(3) $-\sqrt{a^2}=-a$　　(4) $-\sqrt{(-a)^2}=-a$

다음 수를 근호를 사용하지 않고 나타내어라.

0068 $\sqrt{2^2}$

sol $\sqrt{2^2}=\sqrt{4}=$(4의 □의 제곱근)$=$□

0069 $-\sqrt{11^2}$ ________

0070 $\sqrt{(-5)^2}$ ________

0071 $-\sqrt{(-13)^2}$ ________

0072 $\sqrt{\left(\frac{5}{7}\right)^2}$ ________

0073 $-\sqrt{\left(\frac{9}{8}\right)^2}$ ________

0074 $-\sqrt{(-0.8)^2}$ ________

다음 수를 근호를 사용하지 않고 나타내어라.

0075 $\sqrt{9}$

sol $\sqrt{9}=\sqrt{\square^2}=$□

0076 $-\sqrt{36}$ ________

0077 $\pm\sqrt{225}$ ________

0078 $\sqrt{0.04}$ ________

0079 $-\sqrt{1.44}$ ________

0080 $\pm\sqrt{\frac{49}{16}}$ ________

0081 학교 시험 맛보기 

다음 중 그 값이 나머지 넷과 다른 하나는?

① $(\sqrt{7})^2$　② $\sqrt{49}$　③ $\sqrt{(-7)^2}$
④ $(-\sqrt{7})^2$　⑤ $-\sqrt{(-7)^2}$

핵심

07 제곱근의 성질을 이용한 계산

날짜 : 월 일

Subnote 02쪽

제곱근의 성질을 이용하여 근호를 없애고 계산을 해.

$a>0$일 때

(1) $(\sqrt{a})^2=a$ (2) $(-\sqrt{a})^2=a$

(3) $\sqrt{a^2}=a$ (4) $\sqrt{(-a)^2}=a$

다음을 계산하여라.

0082 $\sqrt{(-3)^2}+\sqrt{7^2}$

sol $\sqrt{(-3)^2}+\sqrt{7^2}=\square+7=\square$

0083 $(\sqrt{5})^2+(-\sqrt{3})^2$ ______

0084 $\sqrt{6^2}-\sqrt{(-6)^2}$ ______

0085 $\sqrt{121}+\sqrt{81}$ ______

0086 $\sqrt{64}-\sqrt{49}$ ______

0087 $-\sqrt{1.44}-\sqrt{(0.1)^2}$ ______

0088 $-\left(\sqrt{\frac{4}{3}}\right)^2+\sqrt{\left(\frac{5}{3}\right)^2}$ ______

다음을 계산하여라.

0089 $\sqrt{9^2}\times(-\sqrt{3})^2$

sol $\sqrt{9^2}\times(-\sqrt{3})^2=9\times\square=\square$

0090 $-\sqrt{(-4)^2}\times\sqrt{5^2}$ ______

0091 $(-\sqrt{14})^2\div\sqrt{(-2)^2}$ ______

0092 $-\sqrt{\frac{16}{25}}\times\sqrt{\left(\frac{15}{2}\right)^2}$ ______

0093 $\sqrt{225}\div(-\sqrt{10})^2$ ______

0094 $\sqrt{\frac{9}{16}}\times\sqrt{\left(-\frac{2}{3}\right)^2}$ ______

0095 학교 시험 맛보기 

다음을 계산하여라.

(1) $(-\sqrt{3})^2+\sqrt{25}-\sqrt{(-4)^2}$ ______

(2) $-\sqrt{225}\div\sqrt{(-5)^2}\times\sqrt{\left(-\frac{4}{3}\right)^2}$ ______

핵심 01~07

Mini Review Test

날짜 : 월 일

Subnote 03쪽

핵심 01

0096 다음 중 제곱근을 바르게 구한 것은?

① $4 \Rightarrow 2$　② $0.25 \Rightarrow \pm 0.05$
③ $(-6)^2 \Rightarrow \pm 6$　④ $8 \Rightarrow \sqrt{8}$
⑤ $\frac{3}{5} \Rightarrow -\sqrt{\frac{3}{5}}$

핵심 03

0097 $\sqrt{81}$의 양의 제곱근을 x, $(-2)^2$의 음의 제곱근을 y라고 할 때, $x+y$의 값을 구하여라.

핵심 03

0098 다음 중 근호를 사용하지 않고 제곱근을 나타낼 수 있는 것을 모두 고르면? (정답 2개)

① 3　② $0.\dot{1}$　③ $\frac{1}{8}$
④ 0.01　⑤ 0.4

핵심 03

0099 다음 수의 제곱근을 구하여라.

(1) $\sqrt{36}$　(2) $\sqrt{0.64}$

핵심 01~04

0100 다음 중 옳은 것을 모두 고르면? (정답 2개)

① 제곱근 12는 $\pm\sqrt{12}$이다.
② $\sqrt{6}$은 6의 양의 제곱근이다.
③ $(-5)^2$의 제곱근은 ± 5이다.
④ -2는 -4의 음의 제곱근이다.
⑤ 음이 아닌 모든 수의 제곱근은 2개이다.

핵심 05 06

0101 다음 중 그 값이 나머지 넷과 다른 하나는?

① $\sqrt{5^2}$　② $(-\sqrt{5})^2$　③ $(\sqrt{5})^2$
④ $-\sqrt{(-5)^2}$　⑤ $\sqrt{(-5)^2}$

핵심 07 서술형

0102 A, B가 다음과 같을 때, $A+B$의 값을 각각 구하여라.

$$A=(\sqrt{4})^2+\sqrt{(-7)^2}-(-\sqrt{81})$$
$$B=\sqrt{12^2}\times\sqrt{\left(-\frac{1}{8}\right)^2}\div\left\{-\left(-\sqrt{\frac{3}{4}}\right)^2\right\}$$

핵심 07

0103 다음을 계산하여라.

$$(\sqrt{17})^2-\sqrt{(-6)^2}\div\sqrt{\left(-\frac{4}{3}\right)^2}-\sqrt{\left(\frac{1}{2}\right)^2}$$

08 문자를 포함한 식에서 근호 없애기 (1)

날짜 : 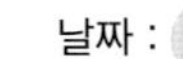  월  일

Subnote 03쪽

근호 안이 문자일 때는 먼저 그 문자가 양수인지 음수인지 확인해.

$$\sqrt{a^2}=|a|=\begin{cases} a\ (a\ge 0) \\ -a\ (a<0) \end{cases}$$

$\sqrt{(\text{양수})^2}=(\text{양수})$
$\sqrt{(\text{음수})^2}=-(\text{음수})$ ← 양수

$a>0$일 때, 다음 식을 간단히 하여라.

0104 $\sqrt{a^2}$

sol $a>0$이므로 $\sqrt{a^2}=\square$

0105 $\sqrt{(3a)^2}$ ________

0106 $\sqrt{(-a)^2}$

sol $-a<0$이므로 $\sqrt{(-a)^2}=\square(-a)=\square$

0107 $-\sqrt{(-2a)^2}$ ________

근호 밖의 −는 근호 안에서 나온 수 앞에 붙여.

0108 $\sqrt{(2a)^2}+\sqrt{(-3a)^2}$ ________

key 먼저 $\sqrt{(2a)^2}$, $\sqrt{(-3a)^2}$의 근호를 벗긴다.

0109 $\sqrt{(-4a)^2}-\sqrt{(5a)^2}$ ________

$a<0$일 때, 다음 식을 간단히 하여라.

0110 $\sqrt{a^2}$

sol $a<0$이므로 $\sqrt{a^2}=\square$

0111 $\sqrt{(4a)^2}$ ________

0112 $\sqrt{(-a)^2}$

sol $-a>0$이므로 $\sqrt{(-a)^2}=\square$

0113 $-\sqrt{(-5a)^2}$ ________

0114 $\sqrt{(-3a)^2}+\sqrt{(6a)^2}$ ________

근호 안이 양수이면 부호는 그대로!
근호 안이 음수이면 부호는 반대로!

0115 학교 시험 맛보기

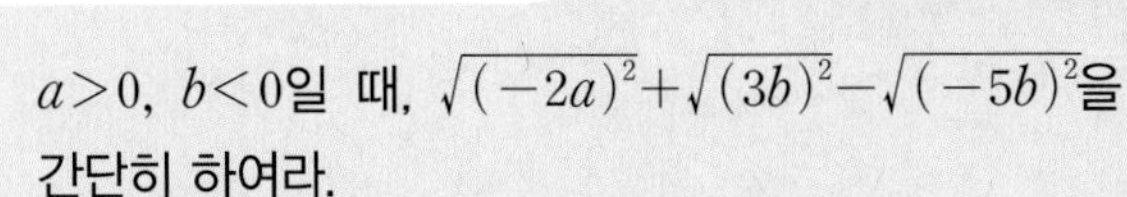

$a>0$, $b<0$일 때, $\sqrt{(-2a)^2}+\sqrt{(3b)^2}-\sqrt{(-5b)^2}$을 간단히 하여라.

____

09 문자를 포함한 식에서 근호 없애기 (2)

날짜 : 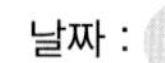 월  일 

Subnote ⊙ 04쪽

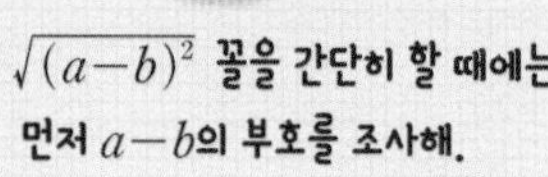

$$\sqrt{(a-b)^2}=\begin{cases} a-b>0\text{일 때, } a-b \\ a-b<0\text{일 때, } -(a-b) \end{cases}$$ 결과가 양수

$a>2$일 때, 다음 식을 간단히 하여라.

0116 $\sqrt{(a-2)^2}$

sol $a-2>0$이므로 $\sqrt{(a-2)^2}=\square$

0117 $-\sqrt{(a-2)^2}$ ______

0118 $\sqrt{(2-a)^2}$

sol $\sqrt{(2-a)^2}=\square(2-a)=\square$

$a<-2$일 때, 다음 식을 간단히 하여라.

0119 $\sqrt{(a+2)^2}$

sol $a+2<0$이므로 $\sqrt{(a+2)^2}=\square(a+2)=\square$

0120 $-\sqrt{(a-2)^2}$ ______

$a<-2$를 만족시키는 $a=-3$을 대입하면 $a-2$의 부호를 쉽게 알 수 있어.

0121 $\sqrt{(1-a)^2}$ ______

다음 식을 간단히 하여라.

0122 $a>-1$일 때, $\sqrt{(a+1)^2}$ ______

먼저 $a+1$의 부호를 구해!

0123 $a<5$일 때, $\sqrt{(a-5)^2}$ ______

0124 $a<1$일 때, $-\sqrt{(2-a)^2}$ ______

0125 $0<x<1$일 때, $\sqrt{x^2}+\sqrt{(x-1)^2}$

sol $x>0$이므로 $\sqrt{x^2}=\square$

$x-1<0$이므로 $\sqrt{(x-1)^2}=\square$

$\therefore \sqrt{x^2}+\sqrt{(x-1)^2}=\square+(\square)=\square$

0126 $-1<x<1$일 때, $\sqrt{(x-1)^2}+\sqrt{(x+1)^2}$ ______

0127 학교 시험 맛보기

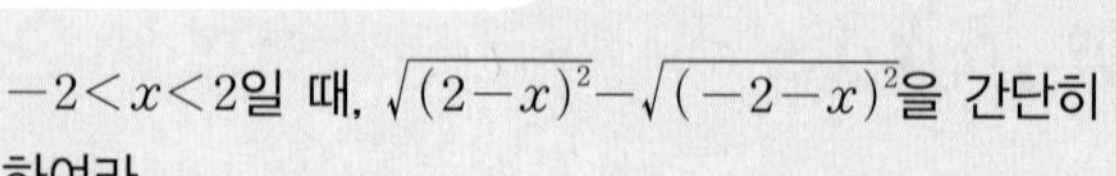

$-2<x<2$일 때, $\sqrt{(2-x)^2}-\sqrt{(-2-x)^2}$을 간단히 하여라. ______

핵심 10 제곱수를 이용하여 근호 없애기 (1)

날짜 :  월 일

Subnote ➲ 04쪽

1, 4, 9, 16, …과 같이 자연수의 제곱인 수를 제곱수라고 해.

(1) 근호 안의 수가 제곱수이면 근호를 없애고 자연수로 나타낼 수 있다.

➡ $\sqrt{(\text{제곱수})}=\sqrt{(\text{자연수})^2}=(\text{자연수})$

(2) $\sqrt{ax}$, $\sqrt{\dfrac{a}{x}}$ (a는 자연수) 꼴을 자연수로 만드는 방법

❶ a를 소인수분해한다.

❷ 소인수의 지수가 모두 짝수가 되도록 하는 x의 값을 구한다.

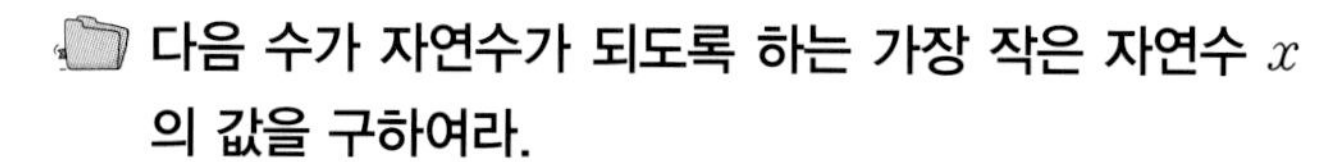

다음 수가 자연수가 되도록 하는 가장 작은 자연수 x의 값을 구하여라.

0128 $\sqrt{2^2\times3\times x}$

sol $2^2\times3\times x$에서 지수가 홀수인 소인수는 ☐이다.
소인수의 지수가 모두 짝수이려면 $x=$☐$\times$(자연수)^2 꼴이어야 하므로 가장 작은 자연수 x의 값은 ☐이다.

0129 $\sqrt{2\times3\times x}$ ________

0130 $\sqrt{18x}$

sol 18을 소인수분해하면 $18=$☐
소인수의 지수가 모두 짝수이려면 $x=$☐$\times$(자연수)^2 꼴이어야 하므로 가장 작은 자연수 x의 값은 ☐이다.

0131 $\sqrt{27x}$ ________

0132 $\sqrt{40x}$ ________

다음 수가 자연수가 되도록 하는 가장 작은 자연수 x의 값을 구하여라.

0133 $\sqrt{\dfrac{2\times3^2}{x}}$

sol 2×3^2에서 지수가 홀수인 소인수는 ☐이므로
가장 작은 자연수 x의 값은 ☐이다.

0134 $\sqrt{\dfrac{2^2\times5}{x}}$ ________

0135 $\sqrt{\dfrac{12}{x}}$

sol 12를 소인수분해하면 $12=$☐
따라서 가장 작은 자연수 x의 값은 ☐이다.

0136 $\sqrt{\dfrac{56}{x}}$ ________

0137 학교 시험 맛보기 

$\sqrt{96x}$가 자연수가 되게 하는 가장 작은 두 자리의 자연수 x의 값을 구하여라.

____

11 제곱수를 이용하여 근호 없애기 (2)

핵심

날짜 :  월  일

Subnote 04쪽

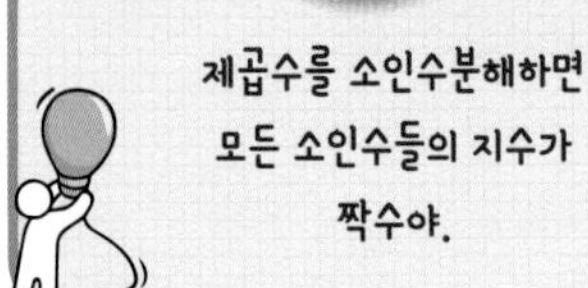

$\sqrt{a+x}$ (a는 자연수) 꼴을 자연수로 만드는 방법

❶ $a+x>a$이므로 a보다 큰 제곱수 b를 찾는다.

❷ $a+x=b$를 만족시키는 자연수 x의 값을 찾는다.

다음 수가 자연수가 되도록 하는 가장 작은 자연수 x의 값을 구하여라.

0138 $\sqrt{x+5}$

sol $x+5$는 5보다 큰 제곱수이어야 하므로

$x+5=\square, 16, \square, \cdots$ $\therefore x=\square, 11, \square, \cdots$

따라서 가장 작은 자연수 x의 값은 $\square$이다.

0139 $\sqrt{14+x}$ ________

근호 안에 있는 $14+x$가 제곱수가 되어야 해.

0140 $\sqrt{20+x}$ ________

0141 $\sqrt{27+x}$ ________

0142 $\sqrt{42+x}$ ________

0143 $\sqrt{60+x}$ ________

다음 수가 자연수가 되도록 하는 자연수 x의 값을 모두 구하여라.

0144 $\sqrt{6-x}$

sol $6-x$는 6보다 작은 제곱수이어야 하므로

$6-x=\square, \square$ $\therefore x=\square, \square$

0145 $\sqrt{12-x}$ ________

0146 $\sqrt{20-x}$ ________

0147 $\sqrt{36-x}$ ________

x는 자연수야!

0148 $\sqrt{40-x}$ ________

0149 학교 시험 맛보기 

$\sqrt{9-x}$가 정수가 되도록 하는 모든 자연수 x의 개수를 구하여라.

____

key $9-x$가 0 또는 9보다 작은 제곱수이어야 한다.

12 제곱근의 대소 관계

날짜 :  월  일

Subnote ➡ 05쪽

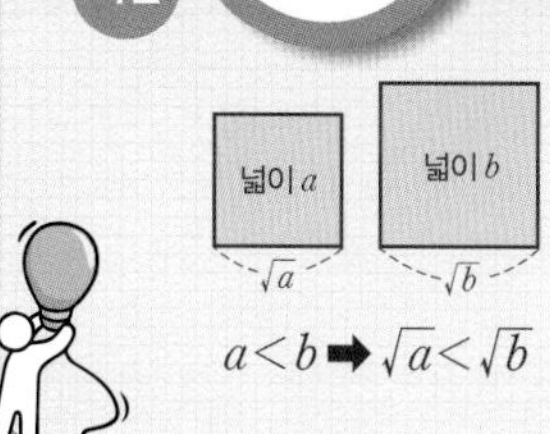

(1) 제곱근의 대소 관계 (단, $a>0$, $b>0$)

❶ $a<b$이면 $\sqrt{a}<\sqrt{b}$

❷ $\sqrt{a}<\sqrt{b}$이면 $a<b$

❸ $\sqrt{a}<\sqrt{b}$이면 $-\sqrt{b}<-\sqrt{a}$

(2) a와 $\sqrt{b}$의 대소 비교 (단, $a>0$, $b>0$)

[방법 1] $\sqrt{a^2}$과 $\sqrt{b}$를 비교한다.

[방법 2] a^2과 b를 비교한다.

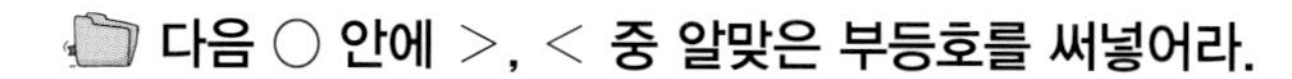

다음 ○ 안에 >, < 중 알맞은 부등호를 써넣어라.

0150 $\sqrt{2}$ ○ $\sqrt{3}$

sol $2<3$이므로 $\sqrt{2}$ ○ $\sqrt{3}$

0151 $\sqrt{14}$ ○ $\sqrt{17}$

0152 $\sqrt{\frac{1}{5}}$ ○ $\sqrt{\frac{1}{6}}$

0153 $\sqrt{\frac{3}{4}}$ ○ $\sqrt{\frac{2}{3}}$

0154 $-\sqrt{3}$ ○ $-\sqrt{4}$

0155 $-\sqrt{\frac{4}{5}}$ ○ $-\sqrt{\frac{3}{4}}$

다음 ○ 안에 >, < 중 알맞은 부등호를 써넣어라.

0156 3 ○ $\sqrt{8}$

sol $3=\sqrt{3^2}=\sqrt{9}$이고 $\sqrt{9}$ ○ $\sqrt{8}$이므로 3 ○ $\sqrt{8}$

0157 $\sqrt{35}$ ○ 6

근호가 없는 수를 근호가 있는 수로 바꿔!

0158 0.1 ○ $\sqrt{0.1}$

0159 $\sqrt{0.4}$ ○ 0.4

0160 $\sqrt{4.9}$ ○ 0.7

0161 $\sqrt{\frac{1}{6}}$ ○ $\frac{1}{6}$

제곱근을 포함한 부등식

날짜 :  월  일

Subnote ➔ 05쪽

부등식의 각 변이 양수이면 각 변을 제곱해도 부등호의 방향은 그대로!

$a>0$, $b>0$일 때, 다음이 성립한다.

(1) $\sqrt{a}<\sqrt{x}<\sqrt{b}$ ➡ $(\sqrt{a})^2<(\sqrt{x})^2<(\sqrt{b})^2$ ➡ $a<x<b$

(2) $\sqrt{a}<x<\sqrt{b}$ ➡ $(\sqrt{a})^2<x^2<(\sqrt{b})^2$ ➡ $a<x^2<b$

다음 부등식을 만족시키는 자연수 x의 값을 모두 구하여라.

0162 $\sqrt{2}<\sqrt{x}<\sqrt{6}$

sol 각 변을 제곱하면 $2<x<$ □

따라서 부등식을 만족시키는 자연수 x의 값은 □, □, □이다.

0163 $\sqrt{12}<\sqrt{x}<\sqrt{17}$ ________

0164 $2\le\sqrt{3x}\le4$ ________

0165 $1<\sqrt{\dfrac{x}{2}}\le2$ ________

0166 $3<\sqrt{x-1}<4$ ________

0167 $2<\sqrt{2x-1}\le3$ ________

0168 $-3<-\sqrt{x}<-2$

sol $-3<-\sqrt{x}<-2$에서 $2<\sqrt{x}<$ □

각 변을 제곱하면 $4<x<$ □

따라서 자연수 x의 값은 □, □, □, □이다.

0169 $-4<-\sqrt{2x}<-1$ ________

0170 $\sqrt{2}<x<\sqrt{6}$

sol 각 변을 제곱하면 $2<x^2<$ □이므로

$x^2=$ □ $\quad\therefore x=$ □

0171 $\sqrt{8}<x<\sqrt{17}$ ________

0172 $1\le x<\sqrt{11}$ ________

0173 학교 시험 맛보기

$\sqrt{20}<x<\sqrt{50}$을 만족시키는 자연수 x 중에서 가장 큰 수를 M, 가장 작은 수를 m이라고 할 때, $M-m$의 값을 구하여라.

____

핵심 08~13

Mini Review Test

날짜 : 월 일

Subnote 06쪽

핵심 08

0174 $a<0$일 때, 다음 중 옳지 않은 것은?

① $\sqrt{a^2}=-a$　② $\sqrt{(-2a)^2}=-2a$
③ $-\sqrt{(3a)^2}=3a$　④ $-\sqrt{(-4a)^2}=4a$
⑤ $(-\sqrt{-5a})^2=5a$

핵심 08

0175 $a<0$, $b>0$일 때, 다음 식을 간단히 하여라.

$$-\sqrt{(3a)^2}-\sqrt{(-4b)^2}+\sqrt{(-5a)^2}$$

핵심 09

0176 $a>b$, $ab<0$일 때, 다음 식을 간단히 하여라.

$$\sqrt{(-2a)^2}+\sqrt{b^2}-\sqrt{(b-a)^2}$$

핵심 10

0177 다음 중 $\sqrt{72x}$가 자연수가 되도록 하는 자연수 x의 값이 아닌 것은?

① 2　② 8　③ 18
④ 24　⑤ 32

핵심 11

0178 다음 중 $\sqrt{3+x}$가 자연수가 되게 하는 가장 작은 두 자리의 자연수 x의 값을 구하여라.

핵심 11

0179 $\sqrt{24-x}$가 정수가 되도록 하는 모든 자연수 x의 개수를 구하여라.

핵심 12

0180 다음 중 두 수의 대소 관계가 옳은 것은?

① $0.1>\sqrt{0.1}$　② $-4<-\sqrt{18}$
③ $\sqrt{50}<7$　④ $-\sqrt{\frac{1}{3}}<-\frac{1}{3}$
⑤ $\sqrt{2.5}<0.5$

핵심 13 서술형

0181 부등식 $3<\sqrt{2x-1}<\sqrt{15}$를 만족시키는 모든 자연수 x의 값의 합을 구하여라.

Review

1. 제곱근의 뜻과 성질

2 무리수와 실수

스스로 공부 계획 세우기

	학습 내용	공부한 날짜	반복하기
2. 무리수와 실수	**01.** 유리수와 무리수	월 일	□□
	02. 실수의 분류	월 일	□□
	03. 제곱근표를 이용한 제곱근의 값	월 일	□□
	04. 무리수를 수직선 위에 나타내기(1)	월 일	□□
	05. 무리수를 수직선 위에 나타내기(2)	월 일	□□
	06. 실수와 수직선	월 일	□□
	07. 무리수의 정수 부분과 소수 부분	월 일	□□
	Mini **Review** Test(**01**~**07**)	월 일	□□

2 무리수와 실수

개념 NOTE

1 무리수와 실수 핵심 01 02

(1) **무리수**: 유리수가 아닌 수, 즉 순환하지 않는 무한소수

예 $\sqrt{2}=1.41421\cdots$, $\sqrt{3}=1.73205\cdots$, $\pi=3.14159\cdots$는 무리수이다.

참고 유리수: 분수 $\frac{a}{b}$(a, b는 정수, $b\neq0$) 꼴로 나타낼 수 있는 수

(2) **실수** : 유리수와 무리수를 통틀어 **실수**라고 한다.

(3) **실수의 분류**

실수
- 유리수
  - 정수
    - 양의 정수(자연수): 1, 2, 3, $\cdots$
    - 0
    - 음의 정수: -1, -2, -3, $\cdots$
  - 정수가 아닌 유리수: $\frac{1}{3}$, $-\frac{3}{4}$, 0.2, $3.\dot{5}$, $\cdots$
- 무리수(순환하지 않는 무한소수): $\sqrt{2}$, $-\sqrt{5}$, π, $\cdots$

근호가 있다고 무리수인 것은 아니다. 근호를 없앨 수 있는 수는 유리수이다.
예 $\sqrt{4}=\sqrt{2^2}=2$(유리수)

근호가 없다고 유리수인 것은 아니다.
예 $\pi=3.141\cdots$(무리수)

정수가 아닌 유리수는 유한소수 또는 순환소수로 나타낼 수 있다.

2 제곱근표를 이용한 제곱근의 값 핵심 03

(1) **제곱근표**: 1.00부터 99.9까지의 수에 대한 양의 제곱근의 값을 반올림하여 소수점 아래 셋째 자리까지 나타낸 것

(2) **제곱근표 보는 방법**: 제곱근표에서 처음 두 자리 수의 가로줄과 끝자리 수의 세로줄이 만나는 곳에 있는 수를 읽는다.

수	1	2	$\cdots$
1.0	1.005	1.010	$\cdots$
1.1	1.054	1.058	$\cdots$
$\vdots$	$\vdots$	$\vdots$	$\vdots$

제곱근표를 이용하여 $\sqrt{1.12}$의 값을 구하면 왼쪽의 수 1.1의 가로줄과 위쪽의 수 2의 세로줄이 만나는 곳에 적힌 수인 1.058이다.

3 무리수를 수직선 위에 나타내기 핵심 04 05

직각삼각형에서 피타고라스 정리를 이용하여 빗변의 길이를 구하면 무리수를 수직선 위에 나타낼 수 있다.

예 무리수 $-\sqrt{5}$, $\sqrt{5}$를 수직선 위에 다음과 같이 나타낼 수 있다.

① 수직선 위에 원점을 한 꼭짓점으로 하고, 빗변의 길이가 $\sqrt{5}$인 직각삼각형을 그린다.

② 원점을 중심으로 하고 직각삼각형의 빗변을 반지름으로 하는 원을 그린다.

③ 원과 직선이 만나는 두 점을 각각 P, Q라고 하면 P($\sqrt{5}$), Q($-\sqrt{5}$)

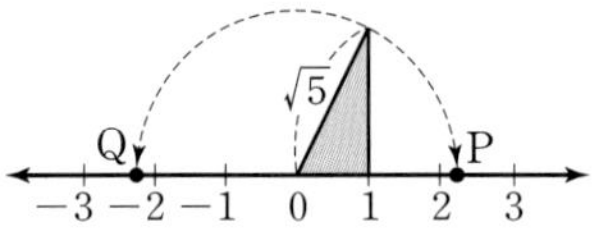

기준점 P(k)에 대하여
오른쪽으로 $\sqrt{a}$만큼 떨어져 있는 점 Q의 좌표 ➡ Q($k+\sqrt{a}$)
왼쪽으로 $\sqrt{a}$만큼 떨어져 있는 점 Q′의 좌표 ➡ Q′($k-\sqrt{a}$)

4 실수와 수직선 핵심 06

(1) 서로 다른 두 유리수 사이에는 무수히 많은 유리수가 있다.

(2) 서로 다른 두 무리수 사이에는 무수히 많은 무리수가 있다.

(3) 서로 다른 두 실수 사이에는 무수히 많은 실수가 있다.

➡ 수직선은 실수에 대응하는 점으로 완전히 메워져 있다.

날짜 : 월 일

Subnote ○ 07쪽

$\sqrt{2}$를 소수로 나타내면 $\sqrt{2}=1.41421\cdots$로 순환하지 않는 무한소수로 나타난다.

유리수	무리수
분수 꼴로 나타낼 수 있는 수	분수 꼴로 나타낼 수 없는 수
정수, 유한소수, 순환소수 $2,\ 0.1,\ 1.\dot{3}$	순환하지 않는 무한소수 π
근호를 없앨 수 있는 수 $\sqrt{9}$	근호를 없앨 수 없는 수 $\sqrt{2}$

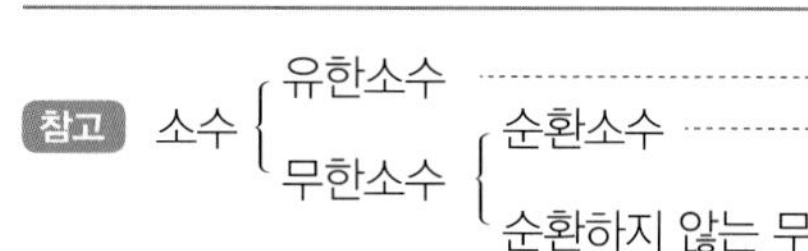

다음 수가 유리수이면 '유', 무리수이면 '무'를 써넣어라.

0182 $\sqrt{3}$ ( )

0183 $\sqrt{1}$ ( )

근호가 있다고 해서 항상 무리수인 것은 아니야.

0184 π ( )

0185 $0.\dot{5}$ ( )

0186 $1+\sqrt{2}$ ( )

0187 $\sqrt{0.64}$ ( )

0188 $(-\sqrt{2})^2$ ( )

0189 $\sqrt{\frac{3}{4}}$ ( )

다음 중 순환하지 않는 무한소수로 나타내어지면 ○표, 아니면 ×표를 하여라.

0190 $\sqrt{0.4}$ ( )

순환하지 않는 무한소수는 무리수!

0191 $\sqrt{\frac{1}{9}}$ ( )

0192 $-\sqrt{4}$ ( )

0193 제곱근 8 ( )

0194 $5-\sqrt{9}$ ( )

0195 학교 시험 맛보기

다음 중 순환하지 않는 무한소수를 모두 골라라.

$$\frac{\pi}{4},\ \sqrt{(-7)^2},\ \sqrt{0.1},\ \sqrt{\frac{81}{4}},\ 1.234\cdots$$

______

핵심 02 실수의 분류

날짜 : 월 일

Subnote ➲ 07쪽

유리수와 무리수를 통틀어 실수라고 해.

실수
- **유리수**
  - 정수
  - 정수가 아닌 유리수
    - 유한소수
    - 순환소수
- **무리수** (순환하지 않는 무한소수)

아래 수 중에서 다음에 해당하는 수를 모두 구하여라.

$0.\dot{5}$, 3.14, $-\sqrt{(-2)^2}$, $\sqrt{3}-1$
$\dfrac{\pi}{2}$, 0, $\sqrt{0.1}$, $4+\sqrt{9}$

0196 자연수 ______

0197 정수 ______

0198 유리수 ______

0199 무리수 ______

0200 실수 ______

다음 중 옳은 것은 ○표, 옳지 않은 것은 ×표를 하여라.

0201 무한소수는 모두 무리수이다. ( )

0202 유한소수는 모두 유리수이다. ( )

0203 근호를 사용하여 나타낸 수는 모두 무리수이다. ( )

0204 유리수는 모두 유한소수이다. ( )

0205 무한소수에는 유리수도 있다. ( )

0206 순환소수 중에는 유리수가 아닌 것도 있다. ( )

0207 무리수가 아닌 실수는 유리수이다. ( )

핵심

03 제곱근표를 이용한 제곱근의 값

날짜 : 월 일

Subnote ➔ 07쪽

제곱근표의 수는 1.00부터 9.99까지는 0.01 간격으로, 10.0부터 99.9까지는 0.1 간격으로 되어 있어.

(1) **제곱근표**: 1.00부터 99.9까지의 수에 대한 양의 제곱근의 값을 반올림하여 소수점 아래 셋째 자리까지 나타낸 것

(2) **제곱근표 보는 방법**: 제곱근표에서 처음 두 자리 수의 가로줄과 끝자리 수의 세로줄이 만나는 곳에 있는 수를 읽는다.

아래 제곱근표를 이용하여 다음 제곱근의 값을 구하여라.

수	0	1	2	3	4
5.5	2.345	2.347	2.349	2.352	2.354
5.6	2.366	2.369	2.371	2.373	2.375
5.7	2.387	2.390	2.392	2.394	2.396
5.8	2.408	2.410	2.412	2.415	2.417
5.9	2.429	2.431	2.433	2.435	2.437

0208 $\sqrt{5.53}$

sol $\sqrt{5.53}$의 값은 5.5의 가로줄과 3의 세로줄이 만나는 곳의 수인 ☐이다.

0209 $\sqrt{5.61}$ ______

0210 $\sqrt{5.74}$ ______

0211 $\sqrt{5.82}$ ______

0212 $\sqrt{5.90}$ ______

$\sqrt{x}$의 값이 다음과 같을 때, 아래 제곱근표를 이용하여 x의 값을 구하여라.

수	5	6	7	8	9
10	3.240	3.256	3.271	3.286	3.302
11	3.391	3.406	3.421	3.435	3.450
12	3.536	3.550	3.564	3.578	3.592
13	3.674	3.688	3.701	3.715	3.728
14	3.808	3.821	3.834	3.847	3.860

0213 $\sqrt{x}=3.406$ ______

0214 $\sqrt{x}=3.578$ ______

0215 $\sqrt{x}=3.256$ ______

0216 $\sqrt{x}=3.728$ ______

0217 $\sqrt{x}=3.808$ ______

핵심

04 무리수를 수직선 위에 나타내기 (1)

날짜 : 월 일

Subnote 07쪽

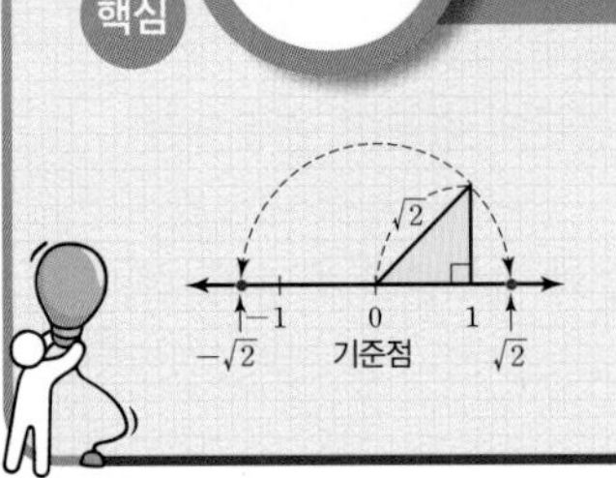

$k\pm\sqrt{2}$ 나타내기

대응하는 점이 기준점의

(1) 오른쪽에 있으면 ➡ (기준점)$+\sqrt{2}$

(2) 왼쪽에 있으면 ➡ (기준점)$-\sqrt{2}$

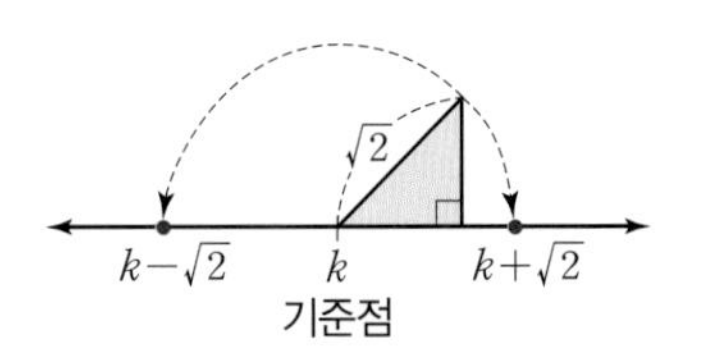

다음 그림에서 주어진 사각형은 한 변의 길이가 1인 정사각형이고, $\overline{AB}=\overline{AP}$일 때, 수직선 위의 점 P에 대응하는 수를 구하여라.

0218

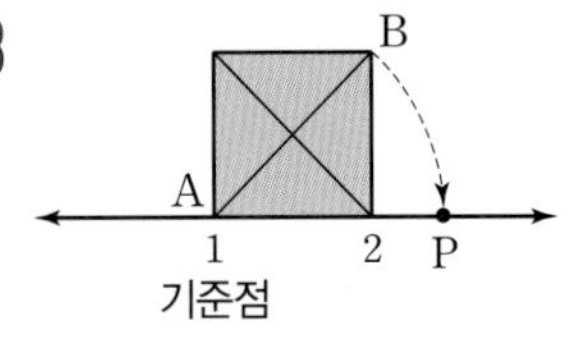

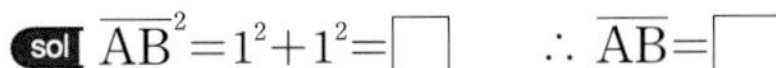

sol $\overline{AB}^2=1^2+1^2=$☐ $\therefore$ $\overline{AB}=$☐

$\overline{AP}=\overline{AB}=$☐이고 점 P가 기준점 1의 오른쪽에 있으므로 점 P에 대응하는 수는 ☐이다.

0219

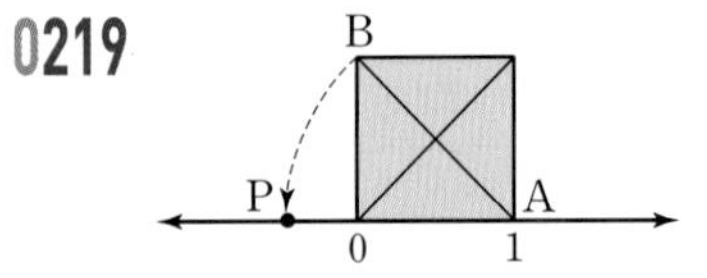

______

0220

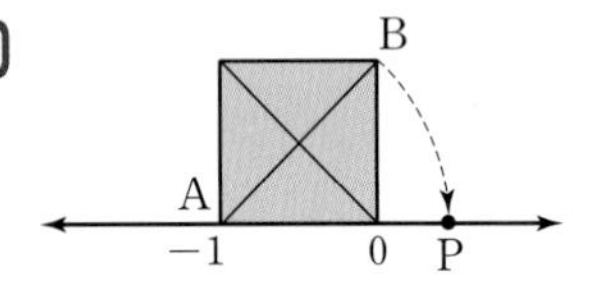

______

0221

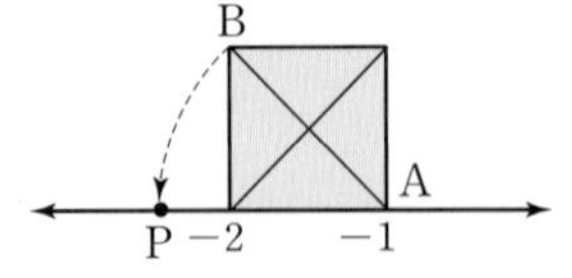

______

다음 그림에서 모눈 한 칸은 한 변의 길이가 1인 정사각형이다. 정사각형 ABCD에서 $\overline{BC}=\overline{BP}$, $\overline{BA}=\overline{BQ}$일 때, 두 점 P, Q의 좌표를 각각 구하여라.

0222

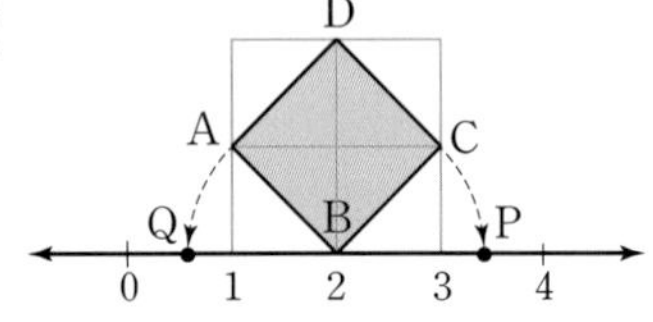

______

0223

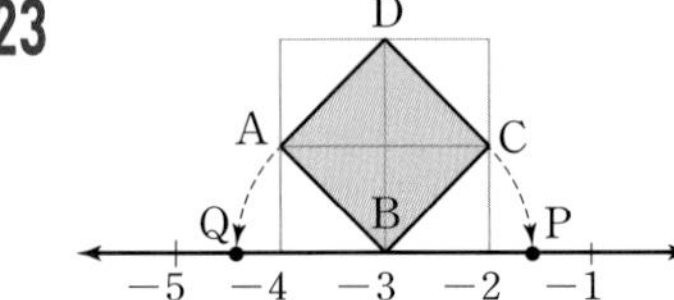

______

다음 그림에서 사각형 ABCD는 한 변의 길이가 1인 정사각형이고 $\overline{BD}=\overline{BP}$, $\overline{CA}=\overline{CQ}$일 때, 두 점 P, Q의 좌표를 각각 구하여라.

0224

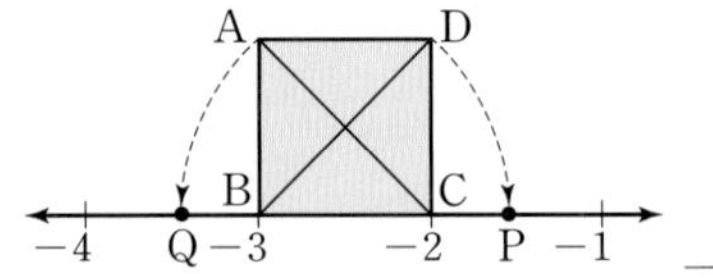

______

0225

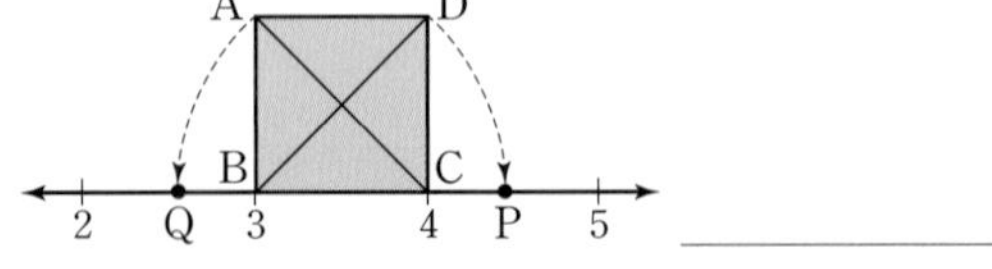

______

핵심 05 무리수를 수직선 위에 나타내기 (2)

날짜 : 월 일

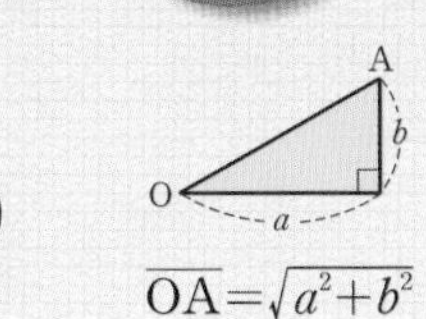
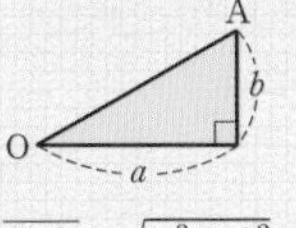

$\overline{OA}=\sqrt{a^2+b^2}$

$k\pm\sqrt{a}$ 나타내기

대응하는 점이 기준점의

(1) 오른쪽에 있으면 ➡ (기준점)$+\sqrt{a}$

(2) 왼쪽에 있으면 ➡ (기준점)$-\sqrt{a}$

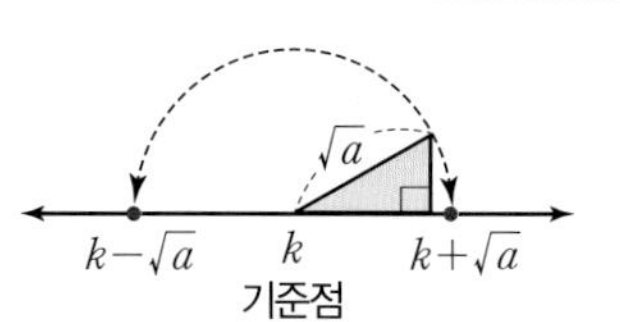

다음 그림에서 모눈 한 칸은 한 변의 길이가 1인 정사각형이다. 직각삼각형 ABC에서 $\overline{AC}=\overline{AP}$일 때, 점 P에 대응하는 수를 구하여라.

0226

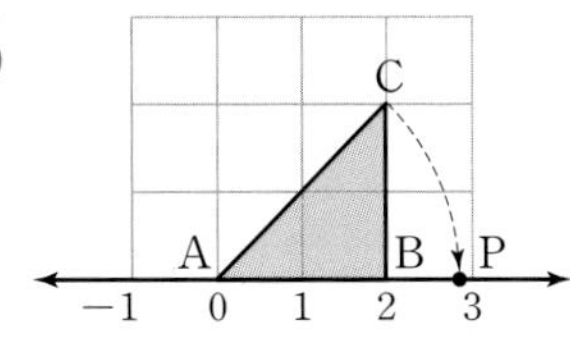

sol $\overline{AC}=\sqrt{2^2+\square^2}=\square$이고 점 P가 기준점 0의 오른쪽에 있으므로 점 P에 대응하는 수는 $\square$이다.

0227

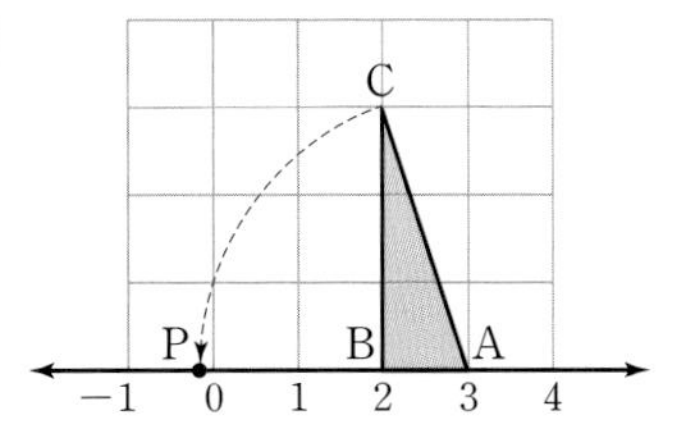

먼저 빗변 AC의 길이를 구해!

0228

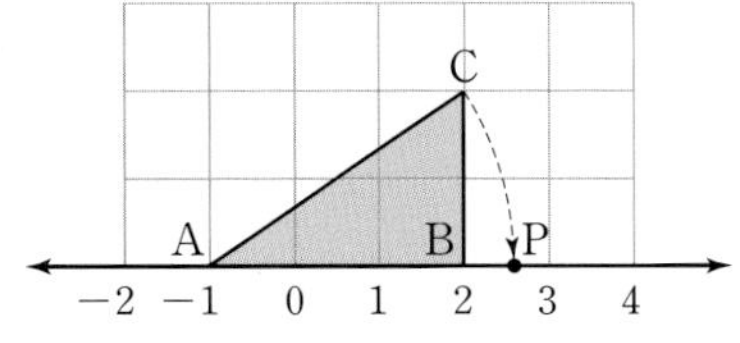

0229

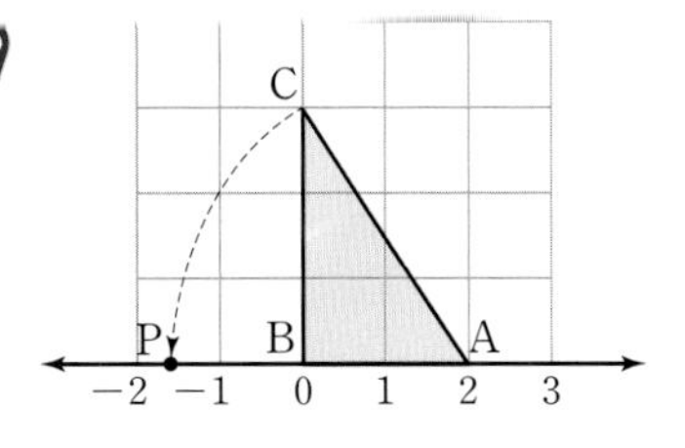

다음 그림에서 모눈 한 칸은 한 변의 길이가 1인 정사각형이다. $\overline{CD}=\overline{CP}$, $\overline{CB}=\overline{CQ}$일 때, 두 점 P, Q의 좌표를 각각 구하여라.

0230

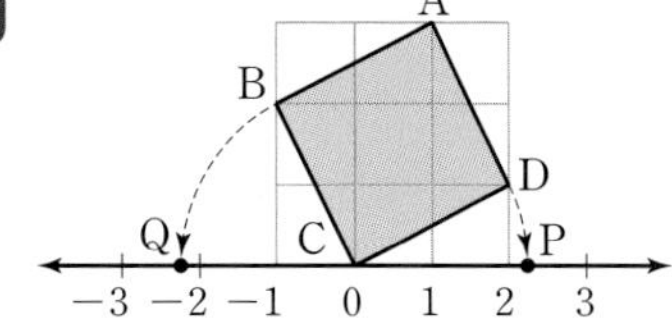

0231

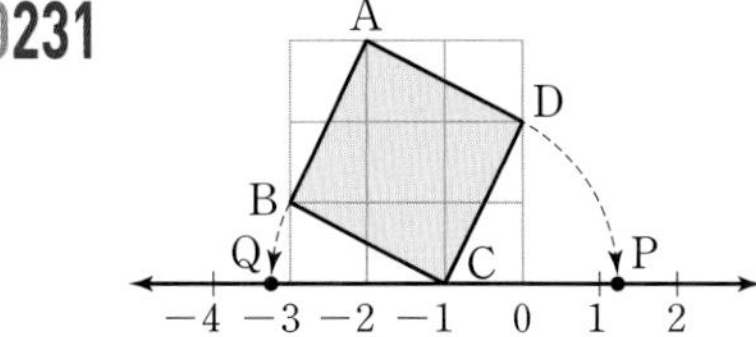

0232

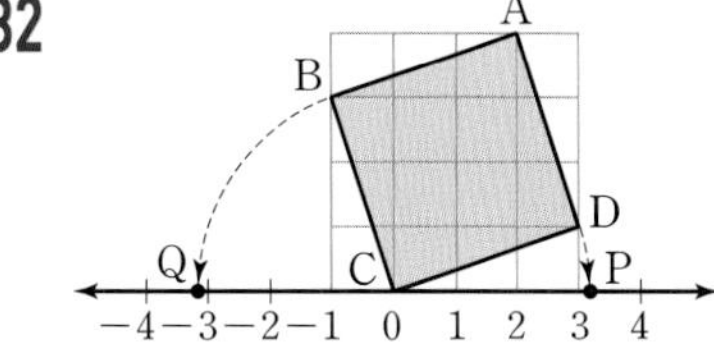

0233

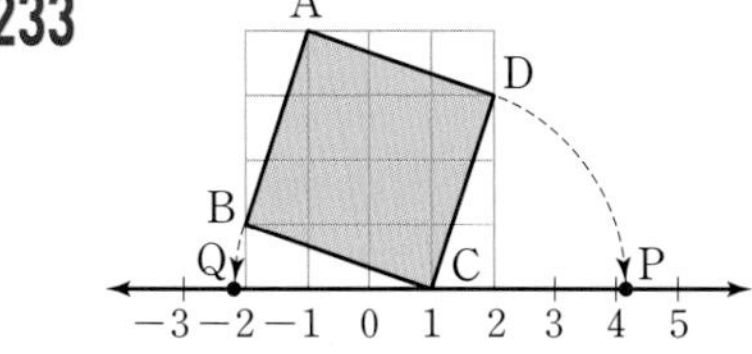

핵심

06 실수와 수직선

날짜 :  월  일

Subnote ➡ 08쪽

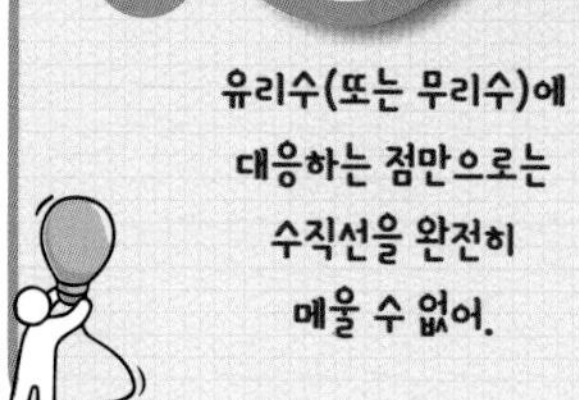

(1) 서로 다른 두 유리수 사이에는 무수히 많은 유리수가 있다.
(2) 서로 다른 두 무리수 사이에는 무수히 많은 무리수가 있다.
(3) 서로 다른 두 실수 사이에는 무수히 많은 실수가 있다.
➡ 수직선은 실수에 대응하는 점으로 완전히 메워져 있다.

다음 중 옳은 것은 ○표, 옳지 않은 것은 ×표를 하여라.

0234 -1과 0 사이에는 무수히 많은 유리수가 있다. ( )

0235 $\sqrt{2}$와 $\sqrt{4}$ 사이의 무리수는 $\sqrt{3}$뿐이다. ( )

0236 $\sqrt{5}$와 $\sqrt{6}$ 사이에는 유리수가 있다. ( )

0237 0과 5 사이에는 무수히 많은 정수가 있다. ( )

0238 2와 3 사이에는 무수히 많은 무리수가 있다. ( )

0239 $1-\sqrt{5}$에 대응하는 점은 수직선 위에 나타낼 수 없다. ( )

0240 서로 다른 두 유리수 사이에는 무수히 많은 유리수가 있다. ( )

0241 서로 다른 두 실수 사이에는 무수히 많은 무리수가 있다. ( )

0242 서로 다른 두 무리수 사이에는 무수히 많은 무리수가 있다. ( )

0243 유리수와 무리수에 대응하는 점만으로는 수직선을 완전히 메울 수 없다. ( )

0244 모든 실수는 수직선 위에 나타낼 수 있다. ( )

0245 서로 다른 두 유리수 사이에는 무리수가 없다. ( )

07 무리수의 정수 부분과 소수 부분

날짜 : 월 일

Subnote 08쪽

소수 2.34에서 정수 부분은 2, 소수 부분은 0.34야.

무리수는 순환하지 않는 무한소수이므로 정수 부분과 소수 부분으로 나눌 수 있다.
└ 0<(소수 부분)<1

➡ (무리수)=(정수 부분)+(소수 부분)

➡ (소수 부분)=(무리수)−(정수 부분)

$\sqrt{2}=1.414\cdots$
$=\boxed{1}+\boxed{0.414\cdots}$
$=\boxed{1}+\boxed{(\sqrt{2}-1)}$
정수 부분 소수 부분

다음 무리수의 정수 부분과 소수 부분을 각각 구하여라.

0246 $\sqrt{3}$

sol $\sqrt{1}<\sqrt{3}<\sqrt{4}$이므로 $1<\sqrt{3}<2$
따라서 $\sqrt{3}$의 정수 부분은 $\square$, 소수 부분은 $\square$이다.

0247 $\sqrt{8}$

➡ 정수 부분: ________, 소수 부분: ________

0248 $\sqrt{10}$

➡ 정수 부분: ________, 소수 부분: ________

0249 $\sqrt{14}$

➡ 정수 부분: ________, 소수 부분: ________

0250 $\sqrt{18}$

➡ 정수 부분: ________, 소수 부분: ________

0251 $\sqrt{27}$

➡ 정수 부분: ________, 소수 부분: ________

0252 $\sqrt{2}+3$

sol $\sqrt{1}<\sqrt{2}<\sqrt{4}$이므로 $1<\sqrt{2}<2$
$\therefore \square<\sqrt{2}+3<\square$
따라서 $\sqrt{2}+3$의 정수 부분은 4이고, 소수 부분은 $\square$이다.

0253 $3+\sqrt{6}$

➡ 정수 부분: ________, 소수 부분: ________

0254 $5-\sqrt{5}$

➡ 정수 부분: ________, 소수 부분: ________

0255 $3-\sqrt{7}$

➡ 정수 부분: ________, 소수 부분: ________

0256 $5-\sqrt{10}$

➡ 정수 부분: ________, 소수 부분: ________

0257 학교 시험 맛보기

$\sqrt{30}$의 정수 부분을 x, $\sqrt{40}-3$의 소수 부분을 y라고 할 때, x, y의 값을 각각 구하여라.

____

2 무리수와 실수

핵심 01~07

Mini Review Test

날짜 : 월 일

Subnote 09쪽

핵심 01

0258 다음 중 무리수가 아닌 것을 모두 고르면? (정답 2개)

① $\sqrt{3}-2$ ② $\sqrt{0.\dot{4}}$ ③ 제곱근 6
④ π ⑤ 1.69의 제곱근

핵심 01

0259 다음 중 $\sqrt{3}$에 대한 설명으로 옳지 않은 것은?

① 무리수이다.
② 3의 양의 제곱근이다.
③ 제곱하면 유리수가 된다.
④ 기약분수로 나타낼 수 있다.
⑤ 순환하지 않는 무한소수로 나타내어진다.

핵심 03

0260 $\sqrt{37.2}=a$, $\sqrt{b}=5.925$일 때, 다음 제곱근표를 이용하여 $100a+b$의 값을 구하여라.

수	1	2	3	4
35	5.925	5.933	5.941	5.950
36	6.008	6.017	6.025	6.033
37	6.091	6.099	6.107	6.116

핵심 04 05

0261 다음 그림에서 모눈 한 칸은 한 변의 길이가 1인 정사각형이다. 두 점 P, Q의 좌표를 각각 구하여라.

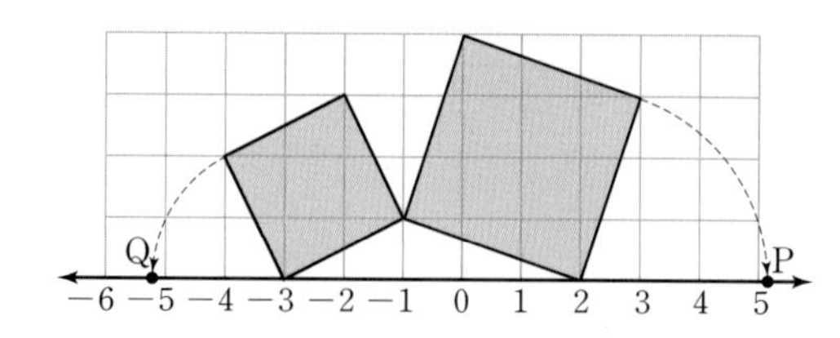

핵심 06

0262 다음 중 옳은 것을 모두 고르면? (정답 2개)

① 순환소수는 모두 무리수이다.
② 근호를 사용하여 나타낸 수는 모두 무리수이다.
③ $\sqrt{6}$과 $\sqrt{7}$ 사이에는 무수히 많은 유리수가 있다.
④ 수직선은 유리수에 대응하는 점으로 완전히 메울 수 있다.
⑤ 서로 다른 두 무리수 사이에는 무수히 많은 유리수가 있다.

핵심 07 서술형

0263 $2+\sqrt{6}$의 정수 부분을 a, $5-\sqrt{10}$의 소수 부분을 b라고 할 때, a, b의 값을 각각 구하여라.

Review

Talk Talk

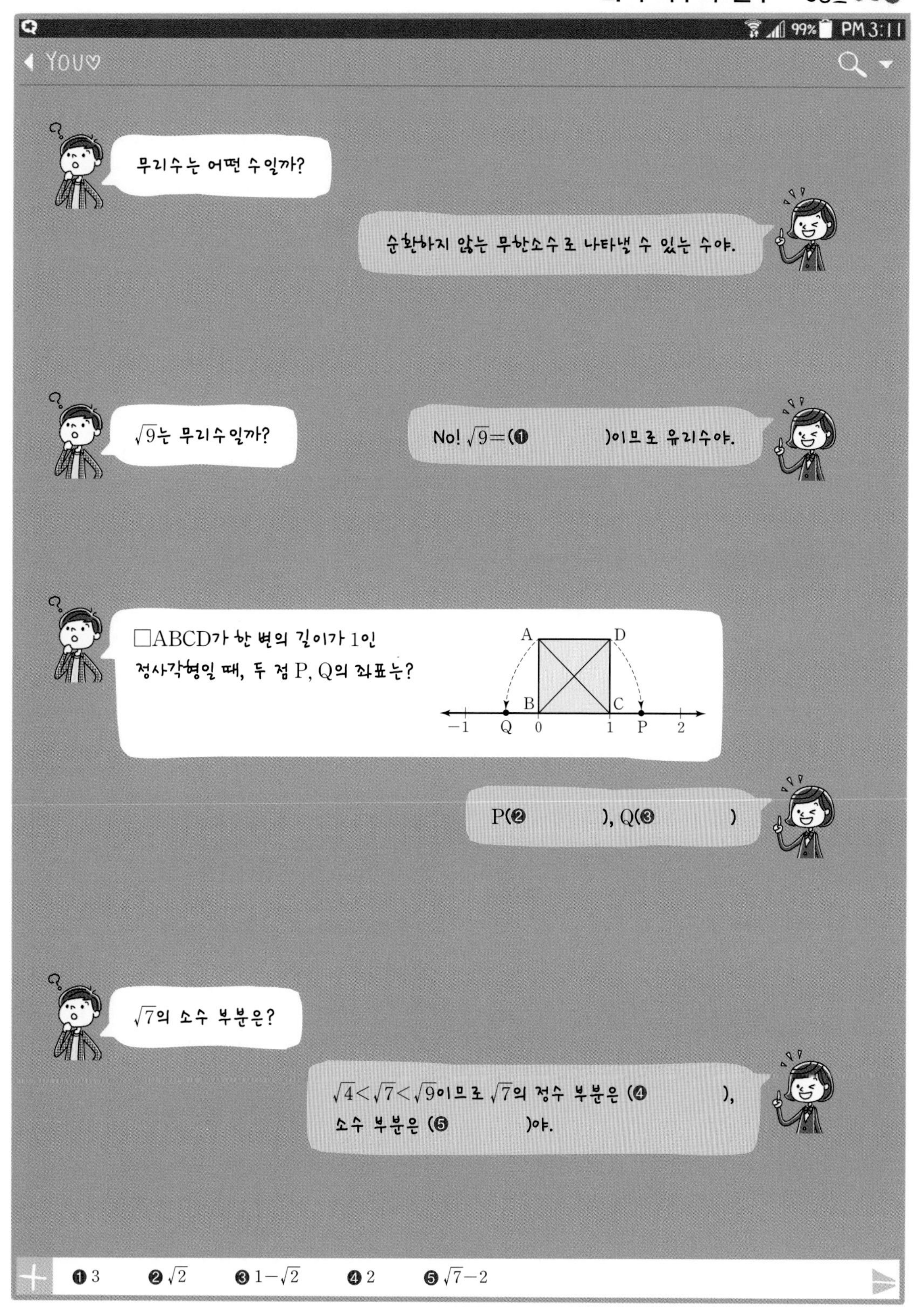
YOU♡
PM 3:11
무리수는 어떤 수일까?
순환하지 않는 무한소수로 나타낼 수 있는 수야.
$\sqrt{9}$는 무리수일까?
No! $\sqrt{9}=$(❶)이므로 유리수야.
□ABCD가 한 변의 길이가 1인 정사각형일 때, 두 점 P, Q의 좌표는?
A D B C
−1 Q 0 1 P 2
P(❷), Q(❸)
$\sqrt{7}$의 소수 부분은?
$\sqrt{4}<\sqrt{7}<\sqrt{9}$이므로 $\sqrt{7}$의 정수 부분은 (❹), 소수 부분은 (❺)야.
❶ 3 ❷ $\sqrt{2}$ ❸ $1-\sqrt{2}$ ❹ 2 ❺ $\sqrt{7}-2$

2 제곱근을 포함한 식의 계산

이미 배운 내용

[중학교 1학년]
- 소인수분해
- 정수와 유리수

[중학교 2학년]
- 유리수와 순환소수
- 식의 계산

이번에 배울 내용

3. 제곱근의 곱셈과 나눗셈
- 제곱근의 곱셈
- 제곱근의 나눗셈

4. 제곱근의 덧셈과 뺄셈
- 제곱근의 덧셈과 뺄셈
- 근호를 포함한 복잡한 식의 계산

3 제곱근의 곱셈과 나눗셈

스스로 공부 계획 세우기

	학습 내용	공부한 날짜	반복하기
3. 제곱근의 곱셈과 나눗셈	**01.** 제곱근의 곱셈	월 일	☐☐
	02. 제곱근의 나눗셈(1)	월 일	☐☐
	03. 제곱근의 나눗셈(2)	월 일	☐☐
	04. 근호가 있는 식의 변형(1)	월 일	☐☐
	05. 근호가 있는 식의 변형(2)	월 일	☐☐
	06. 분모의 유리화(1)	월 일	☐☐
	07. 분모의 유리화(2)	월 일	☐☐
	08. 제곱근의 곱셈과 나눗셈	월 일	☐☐
	09. 제곱근의 곱셈과 나눗셈의 혼합 계산	월 일	☐☐
	10. 제곱근표에 없는 제곱근의 값 구하기	월 일	☐☐
	Mini **Review** Test(**01**~**10**)	월 일	☐☐

3 제곱근의 곱셈과 나눗셈

개념 NOTE

1 제곱근의 곱셈과 나눗셈 핵심 01 02 03

$a>0$, $b>0$이고, m, n이 유리수일 때,

(1) 제곱근의 곱셈: 근호 안의 수끼리, 근호 밖의 수끼리 곱한다.

① $\sqrt{a}\sqrt{b}=\sqrt{ab}$　② $m\sqrt{a}\times n\sqrt{b}=mn\sqrt{ab}$

(2) 제곱근의 나눗셈: 근호 안의 수끼리, 근호 밖의 수끼리 나눈다.

① $\sqrt{a}\div\sqrt{b}=\dfrac{\sqrt{a}}{\sqrt{b}}=\sqrt{\dfrac{a}{b}}$　② $m\sqrt{a}\div n\sqrt{b}=\dfrac{m\sqrt{a}}{n\sqrt{b}}=\dfrac{m}{n}\sqrt{\dfrac{a}{b}}$ (단, $n\neq0$)

- $a>0$, $b>0$, $c>0$일 때, $\sqrt{a}\sqrt{b}\sqrt{c}=\sqrt{abc}$
- 제곱근의 나눗셈은 역수를 이용하여 곱셈으로 바꾸어 풀 수 있다.
  ➡ $\sqrt{a}\div\sqrt{b}=\sqrt{a}\times\dfrac{1}{\sqrt{b}}=\dfrac{\sqrt{a}}{\sqrt{b}}$

2 근호가 있는 식의 변형 핵심 04 05

$a>0$, $b>0$일 때,

(1) 근호 안의 수를 소인수분해하여 제곱인 인수는 근호 밖으로 꺼낼 수 있다.

① $\sqrt{a^2b}=a\sqrt{b}$　② $\sqrt{\dfrac{a}{b^2}}=\dfrac{\sqrt{a}}{b}$

(2) 근호 밖의 양수는 제곱하여 근호 안으로 넣을 수 있다.

① $a\sqrt{b}=\sqrt{a^2b}$　② $\dfrac{\sqrt{a}}{b}=\sqrt{\dfrac{a}{b^2}}$

- $a\sqrt{b}$ 꼴로 나타낼 때 근호 안의 수가 가장 작은 자연수가 되도록 한다.
- 근호 안으로 수를 넣을 때, $-$부호는 근호 안으로 넣을 수 없다.
  예 $-2\sqrt{3}=-\sqrt{2^2\times3}=-\sqrt{12}$

3 분모의 유리화 핵심 06 07

(1) 분모의 유리화: 분수의 분모가 근호를 포함한 무리수일 때, 분모와 분자에 0이 아닌 같은 수를 곱하여 분모를 유리수로 고치는 것

(2) 분모를 유리화하는 방법: $a>0$이고 a, b, c가 유리수일 때

① $\dfrac{1}{\sqrt{a}}=\dfrac{\sqrt{a}}{\sqrt{a}\times\sqrt{a}}=\dfrac{\sqrt{a}}{a}$　② $\dfrac{b}{\sqrt{a}}=\dfrac{b\times\sqrt{a}}{\sqrt{a}\times\sqrt{a}}=\dfrac{b\sqrt{a}}{a}$

③ $\dfrac{\sqrt{b}}{\sqrt{a}}=\dfrac{\sqrt{b}\times\sqrt{a}}{\sqrt{a}\times\sqrt{a}}=\dfrac{\sqrt{ab}}{a}$ (단, $b>0$)　④ $\dfrac{c}{b\sqrt{a}}=\dfrac{c\times\sqrt{a}}{b\sqrt{a}\times\sqrt{a}}=\dfrac{c\sqrt{a}}{ab}$ (단, $b\neq0$)

- 분모를 유리화할 때에는 분모의 근호 부분만 분모, 분자에 각각 곱한다.
- 분모의 근호 안에 제곱인 인수가 포함되어 있으면 먼저 $a\sqrt{b}$ 꼴로 고친 후 분모를 유리화한다.

4 제곱근의 곱셈과 나눗셈의 혼합 계산 핵심 08 09

근호를 포함한 식에서 곱셈과 나눗셈이 섞여 있는 경우

❶ 유리수의 계산에서와 같이 앞에서부터 차례로 계산한다.

❷ 나눗셈은 역수의 곱셈으로 바꾼 후 계산한다.

❸ 제곱근의 성질과 분모의 유리화를 이용한다.

- 계산 결과가 $\sqrt{a^2b}$ $(a>0)$ 꼴이면 $a\sqrt{b}$ 꼴로 나타낸다.

핵심

01 제곱근의 곱셈

날짜 : 월 일

Subnote ➔ 09쪽

제곱근의 곱셈은
근호 안의 수끼리,
근호 밖의 수끼리 곱해!

$a>0$, $b>0$이고, m, n이 유리수일 때

(1) $\sqrt{a}\sqrt{b}=\sqrt{ab}$　　(2) $m\sqrt{a}\times n\sqrt{b}=mn\sqrt{ab}$

예 (1) $\sqrt{2}\sqrt{3}=\sqrt{2\times3}=\sqrt{6}$　　(2) $4\sqrt{2}\times3\sqrt{3}=4\times3\times\sqrt{2\times3}=12\sqrt{6}$

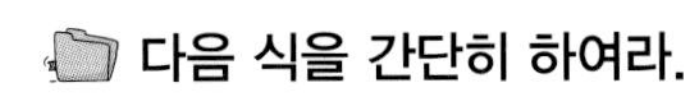

다음 식을 간단히 하여라.

0264 $\sqrt{3}\times\sqrt{5}$

sol $\sqrt{3}\times\sqrt{5}=\sqrt{3\times\square}=\sqrt{\square}$

0265 $\sqrt{6}\sqrt{7}$ ______

key $\sqrt{a}\times\sqrt{b}$는 $\times$를 생략하여 $\sqrt{a}\sqrt{b}$와 같이 나타내기도 한다.

0266 $\sqrt{2}\times\sqrt{8}$ ______

근호를 없앨 수 있으면 근호가 없는 수로 나타내 봐.

0267 $\sqrt{\frac{1}{3}}\times\sqrt{18}$ ______

0268 $-\sqrt{\frac{7}{2}}\times\sqrt{\frac{4}{7}}$ ______

0269 $\sqrt{2}\times\sqrt{3}\times\sqrt{5}$ ______

key 세 개 이상의 제곱근의 곱셈도 근호 안의 수끼리 곱한다.
➡ $\sqrt{a}\sqrt{b}\sqrt{c}=\sqrt{abc}$

0270 $\sqrt{3}\times\sqrt{8}\times\sqrt{\frac{5}{6}}$ ______

다음 식을 간단히 하여라.

0271 $3\sqrt{2}\times5\sqrt{3}$

sol $3\sqrt{2}\times5\sqrt{3}=(3\times\square)\times\sqrt{2\times\square}=\square$

0272 $4\sqrt{7}\times(-6)$ ______

0273 $3\sqrt{2}\times4\sqrt{5}$ ______

근호 밖의 수끼리, 근호 안의 수끼리 곱하면 돼.

0274 $2\sqrt{6}\times5\sqrt{6}$ ______

0275 $6\sqrt{\frac{11}{4}}\times\left(-5\sqrt{\frac{8}{11}}\right)$ ______

0276 $(-\sqrt{2.4})\times(-2\sqrt{15})$ ______

0277 학교 시험 맛보기 

$4\sqrt{\frac{15}{6}}\times3\sqrt{\frac{4}{3}}\times\sqrt{0.9}$를 간단히 하여라.

______

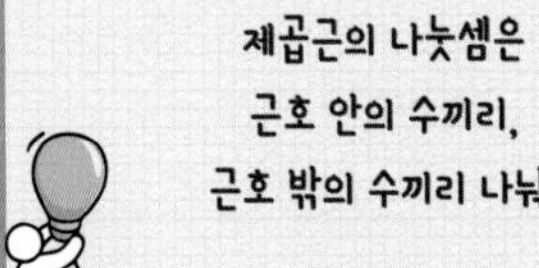

제곱근의 나눗셈 (1)

날짜 : 월 일

제곱근의 나눗셈은 근호 안의 수끼리, 근호 밖의 수끼리 나눠!

$a>0$, $b>0$이고 m, n이 유리수일 때,

(1) $\sqrt{a}\div\sqrt{b}=\dfrac{\sqrt{a}}{\sqrt{b}}=\sqrt{\dfrac{a}{b}}$ (2) $m\sqrt{a}\div n\sqrt{b}=\dfrac{m}{n}\sqrt{\dfrac{a}{b}}$ (단, $n\neq0$)

예 (1) $\sqrt{2}\div\sqrt{3}=\dfrac{\sqrt{2}}{\sqrt{3}}=\sqrt{\dfrac{2}{3}}$ (2) $8\sqrt{6}\div2\sqrt{3}=\dfrac{8\sqrt{6}}{2\sqrt{3}}=4\sqrt{2}$

다음 식을 간단히 하여라.

0278 $\dfrac{\sqrt{6}}{\sqrt{3}}$

약분이 가능하면 반드시 약분해.

sol $\dfrac{\sqrt{6}}{\sqrt{3}}=\sqrt{\dfrac{\square}{3}}=\sqrt{\square}$

0279 $\dfrac{\sqrt{15}}{\sqrt{5}}$ ______

0280 $\sqrt{48}\div\sqrt{12}$ ______

근호를 없앨 수 있으면 근호가 없는 수로 나타내.

0281 $(-\sqrt{7})\div\sqrt{35}$ ______

0282 $(-\sqrt{45})\div(-\sqrt{15})$ ______

0283 $\sqrt{42}\div(-\sqrt{12})$ ______

다음 식을 간단히 하여라.

0284 $6\sqrt{14}\div2\sqrt{7}$

sol $6\sqrt{14}\div2\sqrt{7}=\dfrac{6}{2}\sqrt{\dfrac{14}{\square}}=\square$

근호 안의 수끼리, 근호 밖의 수끼리 나눠!

0285 $4\sqrt{52}\div(-\sqrt{13})$ ______

0286 $(-10\sqrt{60})\div5\sqrt{12}$ ______

0287 $24\sqrt{15}\div6\sqrt{3}$ ______

0288 $(-9\sqrt{42})\div(-3\sqrt{6})$ ______

0289 $(-14\sqrt{12})\div7\sqrt{18}$ ______

03 제곱근의 나눗셈 (2)

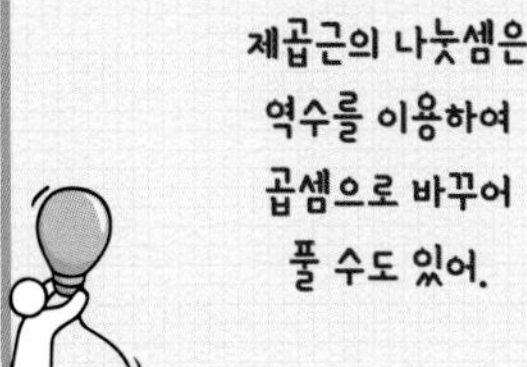

제곱근의 나눗셈은 역수를 이용하여 곱셈으로 바꾸어 풀 수도 있어.

$a>0$, $b>0$, $c>0$, $d>0$일 때,

(1) $\sqrt{a}\div\sqrt{b}=\sqrt{a}\times\frac{1}{\sqrt{b}}=\frac{\sqrt{a}}{\sqrt{b}}$

(2) $\frac{\sqrt{a}}{\sqrt{b}}\div\frac{\sqrt{c}}{\sqrt{d}}=\frac{\sqrt{a}}{\sqrt{b}}\times\frac{\sqrt{d}}{\sqrt{c}}=\frac{\sqrt{ad}}{\sqrt{bc}}$

예 (1) $\sqrt{4}\div\sqrt{2}=\sqrt{4}\times\frac{1}{\sqrt{2}}=\sqrt{2}$

(2) $\frac{\sqrt{3}}{\sqrt{5}}\div\frac{\sqrt{2}}{\sqrt{10}}=\frac{\sqrt{3}}{\sqrt{5}}\times\frac{\sqrt{10}}{\sqrt{2}}=\sqrt{\frac{3}{5}\times\frac{10}{2}}=\sqrt{3}$

다음 식을 간단히 하여라.

0290 $\sqrt{20}\div\frac{1}{\sqrt{5}}$

sol $\sqrt{20}\div\frac{1}{\sqrt{5}}=\sqrt{20}\times\square=\sqrt{20\times\square}=\sqrt{\square}=\square$

분수의 나눗셈은 나누는 수의 역수를 곱해.

0291 $(-\sqrt{7})\div\frac{1}{\sqrt{3}}$ ________

0292 $\frac{\sqrt{2}}{\sqrt{3}}\div\sqrt{6}$ ________

0293 $(-\sqrt{35})\div\frac{\sqrt{14}}{\sqrt{6}}$ ________

0294 $\sqrt{26}\div\sqrt{\frac{13}{5}}$ ________

0295 $(-\sqrt{34})\div\frac{\sqrt{17}}{\sqrt{3}}$ ________

다음 식을 간단히 하여라.

0296 $\frac{\sqrt{10}}{\sqrt{2}}\div\frac{\sqrt{5}}{\sqrt{6}}$

sol $\frac{\sqrt{10}}{\sqrt{2}}\div\frac{\sqrt{5}}{\sqrt{6}}=\frac{\sqrt{10}}{\sqrt{2}}\times\frac{\sqrt{\square}}{\sqrt{5}}=\sqrt{\frac{10}{2}\times\frac{\square}{5}}=\square$

0297 $\frac{\sqrt{3}}{\sqrt{5}}\div\frac{\sqrt{6}}{\sqrt{15}}$ ________

0298 $\left(-\frac{\sqrt{20}}{\sqrt{6}}\right)\div\left(-\frac{\sqrt{10}}{\sqrt{12}}\right)$ ________

0299 $\frac{\sqrt{2}}{\sqrt{8}}\div\frac{2}{\sqrt{3}}$ ________

0300 $\frac{\sqrt{30}}{5}\div\left(-\frac{\sqrt{10}}{2}\right)$ ________

0301 학교 시험 맛보기

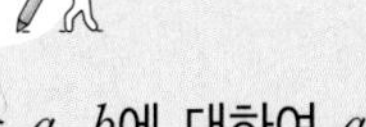

다음을 만족시키는 실수 a, b에 대하여 $a\div b$의 값을 구하여라.

$$\sqrt{20}\div\sqrt{14}=a,\quad \sqrt{\frac{22}{7}}\div\sqrt{\frac{66}{5}}=b$$

____

04 근호가 있는 식의 변형 (1)

날짜 :  월  일

Subnote ➔ 10쪽

근호 안의 수를 소인수분해하여 제곱인 인수는 근호 밖으로 꺼낼 수 있어.

근호 안의 수를 근호 밖으로 꺼내는 방법

$a>0$, $b>0$일 때,

(1) $\sqrt{a^2b}=a\sqrt{b}$ (근호 밖으로)

(2) $\sqrt{\dfrac{a}{b^2}}=\dfrac{\sqrt{a}}{b}$ (근호 밖으로)

다음 수를 $a\sqrt{b}$ 꼴로 나타내어라.
(단, a는 유리수이고, b는 가장 작은 자연수이다.)

0302 $\sqrt{18}$

sol $\sqrt{18}=\sqrt{2\times3^2}=\square\sqrt{2}$ (소인수분해)

0303 $\sqrt{48}$ ________

0304 $-\sqrt{54}$ ________

0305 $\sqrt{63}$ ________

0306 $-\sqrt{98}$ ________

0307 $\sqrt{108}$ ________

다음 수를 $\dfrac{\sqrt{a}}{b}$ 꼴로 나타내어라.
(단, a는 가장 작은 자연수이고, b는 유리수이다.)

0308 $\sqrt{\dfrac{2}{9}}$

sol $\sqrt{\dfrac{2}{9}}=\sqrt{\dfrac{2}{3^2}}=\dfrac{\sqrt{2}}{\square}$

0309 $\sqrt{\dfrac{5}{16}}$ ________

0310 $-\sqrt{\dfrac{21}{100}}$ ________

0311 $\sqrt{0.03}$ ________

key 근호 안이 소수일 때는 소수를 분수로 바꾼다.

0312 $-\sqrt{0.17}$ ________

0313 학교 시험 맛보기 

$\sqrt{112}=a\sqrt{7}$, $\sqrt{\dfrac{22}{72}}=\dfrac{\sqrt{11}}{b}$일 때, 유리수 a, b에 대하여 $a+b$의 값을 구하여라.

____

핵심 **05**
근호가 있는 식의 변형 (2)

날짜 : 월 일

Subnote ➡ 11쪽

근호 밖의 양수는 제곱하여 근호 안으로 넣을 수 있어.

근호 밖의 수를 근호 안으로 넣는 방법

$a>0$, $b>0$일 때,

(1) $a\sqrt{b}=\sqrt{a^2b}$ (근호 안으로)

(2) $\dfrac{\sqrt{a}}{b}=\sqrt{\dfrac{a}{b^2}}$ (근호 안으로)

다음 수를 $\sqrt{a}$ 또는 $-\sqrt{a}$ 꼴로 나타내어라.

0314 $2\sqrt{3}$

sol $2\sqrt{3}=\sqrt{\square^2\times3}=\sqrt{\square}$

0315 $-2\sqrt{6}$ ________

0316 $3\sqrt{5}$ ________

0317 $4\sqrt{2}$ ________

0318 $-5\sqrt{3}$ ________

0319 $-6\sqrt{2}$ ________

다음 수를 $\sqrt{a}$ 또는 $-\sqrt{a}$ 꼴로 나타내어라.

0320 $\dfrac{\sqrt{2}}{3}$

sol $\dfrac{\sqrt{2}}{3}=\dfrac{\sqrt{2}}{\sqrt{\square^2}}=\sqrt{\dfrac{2}{\square}}$

0321 $-\dfrac{\sqrt{5}}{2}$ ________

0322 $\dfrac{\sqrt{6}}{5}$ ________

0323 $-\dfrac{\sqrt{15}}{7}$ ________

0324 $-\dfrac{\sqrt{11}}{10}$ ________

0325 학교 시험 맛보기

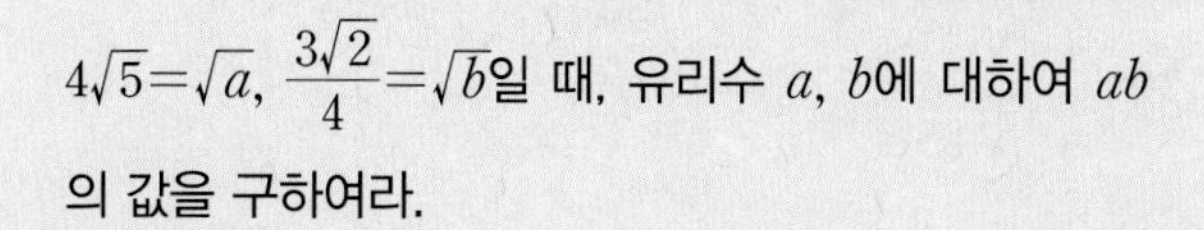

$4\sqrt{5}=\sqrt{a}$, $\dfrac{3\sqrt{2}}{4}=\sqrt{b}$일 때, 유리수 a, b에 대하여 ab의 값을 구하여라.

____

06 분모의 유리화 (1)

핵심

날짜 : 월 일

Subnote ➜ 11쪽

분모를 유리화할 때, 반드시 분자, 분모에 모두 같은 무리수를 곱해야 해.

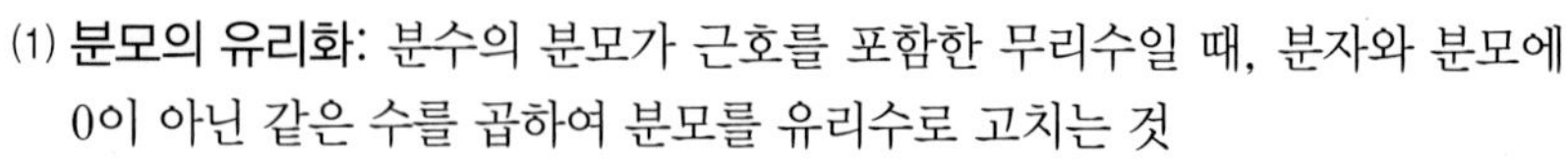

(1) 분모의 유리화: 분수의 분모가 근호를 포함한 무리수일 때, 분자와 분모에 0이 아닌 같은 수를 곱하여 분모를 유리수로 고치는 것

(2) 분모를 유리화하는 방법: $a>0$이고, a, b가 유리수일 때,

❶ $\dfrac{b}{\sqrt{a}}=\dfrac{b\times\sqrt{a}}{\sqrt{a}\times\sqrt{a}}=\dfrac{b\sqrt{a}}{\underset{\text{유리수}}{a}}$

❷ $\dfrac{\sqrt{b}}{\sqrt{a}}=\dfrac{\sqrt{b}\times\sqrt{a}}{\sqrt{a}\times\sqrt{a}}=\dfrac{\sqrt{ab}}{\underset{\text{유리수}}{a}}$ (단, $b>0$)

다음 수의 분모를 유리화하여라.

0326 $\dfrac{1}{\sqrt{3}}$

sol $\dfrac{1}{\sqrt{3}}=\dfrac{1\times\sqrt{3}}{\sqrt{3}\times\sqrt{3}}=\square$

0327 $\dfrac{1}{\sqrt{10}}$ ________

0328 $\dfrac{2}{\sqrt{5}}$

sol $\dfrac{2}{\sqrt{5}}=\dfrac{2\times\square}{\sqrt{5}\times\square}=\square$

0329 $\dfrac{3}{\sqrt{7}}$ ________

0330 $\dfrac{4}{\sqrt{6}}$ ________

약분이 되면 약분해서 기약분수로 나타내.

0331 $-\dfrac{3}{\sqrt{15}}$ ________

다음 수의 분모를 유리화하여라.

0332 $\dfrac{\sqrt{3}}{\sqrt{2}}$

sol $\dfrac{\sqrt{3}}{\sqrt{2}}=\dfrac{\sqrt{3}\times\square}{\sqrt{2}\times\square}=\square$

0333 $\dfrac{\sqrt{3}}{\sqrt{5}}$ ________

0334 $\dfrac{\sqrt{2}}{\sqrt{7}}$ ________

0335 $\dfrac{\sqrt{5}}{\sqrt{6}}$ ________

0336 $\sqrt{\dfrac{7}{10}}$ ________

0337 $\sqrt{\dfrac{3}{14}}$ ________

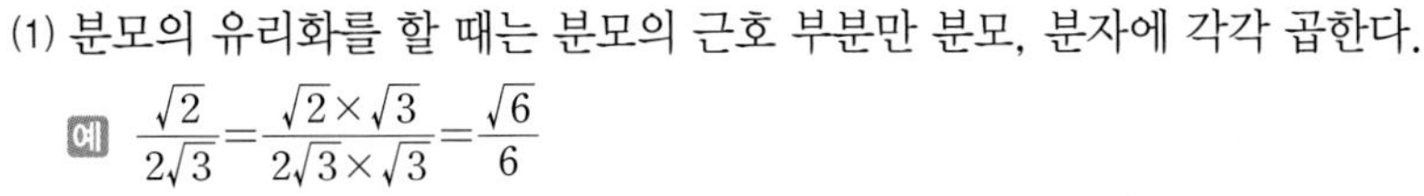

핵심

07 분모의 유리화 (2)

날짜 : 월 일

Subnote ○ 12쪽

분모를 유리화할 때 먼저 분모의 근호 안을 가장 작은 자연수로 만든 후 유리화 해.

(1) 분모의 유리화를 할 때는 분모의 근호 부분만 분모, 분자에 각각 곱한다.

예 $\dfrac{\sqrt{2}}{2\sqrt{3}}=\dfrac{\sqrt{2}\times\sqrt{3}}{2\sqrt{3}\times\sqrt{3}}=\dfrac{\sqrt{6}}{6}$

(2) 근호 안의 수를 정리하여 근호 밖으로 꺼낼 수 있는 수를 꺼내면 분모의 유리화를 간단히 할 수 있다.

예 $\dfrac{\sqrt{3}}{\sqrt{8}}=\dfrac{\sqrt{3}}{2\sqrt{2}}=\dfrac{\sqrt{3}\times\sqrt{2}}{2\sqrt{2}\times\sqrt{2}}=\dfrac{\sqrt{6}}{4}$

다음 수의 분모를 유리화하여라.

0338 $\dfrac{1}{2\sqrt{5}}$

분모의 근호 부분만 분모, 분자에 각각 곱해!

sol $\dfrac{1}{2\sqrt{5}}=\dfrac{1\times\square}{2\sqrt{5}\times\square}=\square$

0339 $\dfrac{5}{3\sqrt{2}}$ ______

0340 $\dfrac{\sqrt{5}}{2\sqrt{3}}$ ______

0341 $\dfrac{\sqrt{7}}{3\sqrt{6}}$ ______

0342 $\dfrac{5\sqrt{2}}{2\sqrt{5}}$ ______

0343 $\dfrac{2\sqrt{5}}{3\sqrt{3}}$ ______

다음 수의 분모를 유리화하여라.

0344 $\dfrac{1}{\sqrt{8}}$

먼저 분모를 $a\sqrt{b}$ 꼴로 바꿔 봐.

sol $\dfrac{1}{\sqrt{8}}=\dfrac{1}{\sqrt{2^3}}=\dfrac{1}{2\sqrt{2}}=\dfrac{1\times\square}{2\sqrt{2}\times\square}=\square$

0345 $\dfrac{4}{\sqrt{12}}$ ______

0346 $\dfrac{3}{\sqrt{20}}$ ______

0347 $\dfrac{2\sqrt{7}}{\sqrt{24}}$ ______

0348 $\dfrac{2\sqrt{5}}{\sqrt{48}}$ ______

0349 학교 시험 맛보기

$\dfrac{2\sqrt{5}}{\sqrt{32}}=a\sqrt{10}$, $\dfrac{\sqrt{2}}{2\sqrt{10}}=\dfrac{\sqrt{5}}{b}$일 때, 유리수 a, b에 대하여 ab의 값을 구하여라.

______

핵심

08 제곱근의 곱셈과 나눗셈

날짜 :  월  일

Subnote ➔ 12쪽

근호 안의 제곱인 인수를 근호 밖으로 먼저 꺼내어 계산해도 돼.

$a>0$, $b>0$이고 m, n이 유리수일 때,

(1) 제곱근의 곱셈: $m\sqrt{a}\times n\sqrt{b}=mn\sqrt{ab}$

(2) 제곱근의 나눗셈: $m\sqrt{a}\div n\sqrt{b}=\dfrac{m}{n}\sqrt{\dfrac{a}{b}}$ (단, $n\neq 0$)

참고 계산 결과의 분모가 근호를 포함한 무리수이면 분모를 유리화한다.

다음 식을 간단히 하여라.

0350 $\sqrt{18}\times 2\sqrt{3}$

sol $\sqrt{18}\times 2\sqrt{3}=3\sqrt{\square}\times 2\sqrt{3}$

$=(3\times 2)\times\sqrt{\square\times 3}$

$=\square$

0351 $2\sqrt{2}\times\sqrt{40}$ ________

key 근호 안의 수를 소인수분해하여 제곱인 인수는 근호 밖으로 꺼낸다.

0352 $\sqrt{27}\times\sqrt{50}$ ________

0353 $\sqrt{28}\times\sqrt{35}$ ________

0354 $\sqrt{10}\times\sqrt{3}\times\sqrt{2}$ ________

0355 $\sqrt{20}\times\dfrac{\sqrt{75}}{2}\times\sqrt{6}$ ________

다음 식을 간단히 하여라.

0356 $2\sqrt{3}\div\sqrt{8}$

sol $2\sqrt{3}\div\sqrt{8}=2\sqrt{3}\div 2\sqrt{\square}$

$=\dfrac{\square}{\sqrt{2}}=\dfrac{\square\times\sqrt{2}}{\sqrt{2}\times\sqrt{2}}=\square$

0357 $\sqrt{63}\div\sqrt{14}$ ________

0358 $\sqrt{96}\div 2\sqrt{3}$ ________

0359 $\sqrt{75}\div 10\sqrt{21}$ ________

0360 $4\sqrt{15}\div\sqrt{40}$ ________

0361 $3\sqrt{18}\div\sqrt{54}$ ________

09 제곱근의 곱셈과 나눗셈의 혼합 계산

날짜 : 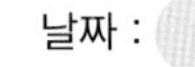 월  일

Subnote  12쪽

근호 안의 수끼리, 근호 밖의 수끼리 계산해.

❶ 근호 안의 수를 소인수분해하여 제곱인 인수는 근호 밖으로 꺼낸다.
❷ 나눗셈은 역수의 곱셈으로 바꾼 후 앞에서부터 차례로 계산한다.
❸ 계산 결과의 분모가 근호를 포함한 무리수일 때는 분모를 유리화한다.

다음 식을 간단히 하여라.

0362 $\sqrt{2}\div\sqrt{6}\times\sqrt{8}$

sol $\sqrt{2}\div\sqrt{6}\times\sqrt{8}=\sqrt{2}\times\frac{1}{\sqrt{\square}}\times\sqrt{8}$

$=\sqrt{2\times\frac{1}{\square}\times8}=\sqrt{\frac{\square}{3}}$

$=\frac{\square\sqrt{\square}}{3}$

0363 $\sqrt{7}\times\sqrt{6}\div\sqrt{14}$ ________

0364 $\sqrt{5}\div\sqrt{20}\times\sqrt{2}$ ________

0365 $-\frac{\sqrt{14}}{\sqrt{2}}\times\frac{\sqrt{6}}{3}\div\frac{\sqrt{7}}{\sqrt{12}}$ ________

0366 $3\sqrt{2}\times\sqrt{5}\div\sqrt{15}$ ________

0367 $(-\sqrt{24})\div\frac{\sqrt{2}}{3}\times\sqrt{8}$ ________

0368 $\sqrt{3}\div\sqrt{7}\times\sqrt{2}$ ________

계산 결과의 분모가 근호를 포함한 무리수일 때는 분모를 유리화해.

0369 $\sqrt{12}\times\sqrt{8}\div\sqrt{30}$ ________

0370 $\left(-\frac{1}{\sqrt{3}}\right)\div\left(-\frac{3\sqrt{5}}{\sqrt{2}}\right)\times\left(-\frac{\sqrt{6}}{\sqrt{10}}\right)$ ________

0371 $\frac{4}{3\sqrt{6}}\times\left(-\frac{\sqrt{18}}{2}\right)\div\frac{\sqrt{15}}{6}$ ________

0372 학교 시험 맛보기 

오른쪽 그림과 같이 밑면의 가로의 길이가 $2\sqrt{3}$ cm, 세로의 길이가 $3\sqrt{6}$ cm인 직육면체의 부피가 72 cm^3일 때, 이 직육면체의 높이를 구하여라.

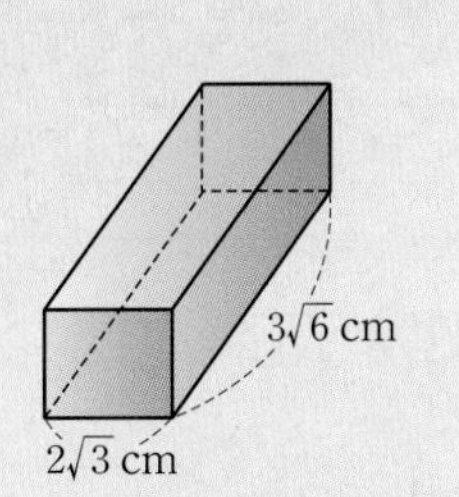

____

3 제곱근의 곱셈과 나눗셈

핵심 10 제곱근표에 없는 제곱근의 값 구하기

날짜 : 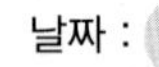 월  일 

Subnote ➜ 13쪽

제곱근표는 1에서 99.9까지의 수만 있으므로 100보다 크거나 0보다 크고 1보다 작은 수는 변형하여 제곱근표에 있는 수를 이용한다.

제곱근표에 없는 수의 제곱근의 값은 근호가 있는 식의 변형을 이용하여 제곱근표에 있는 수로 고쳐서 구한다.

(1) 100보다 큰 수의 제곱근의 값

$\sqrt{100a}=10\sqrt{a}$, $\sqrt{10000a}=100\sqrt{a}$, …를 이용한다.

(2) 0과 1 사이의 수의 제곱근의 값

$\sqrt{\dfrac{a}{100}}=\dfrac{\sqrt{a}}{10}$, $\sqrt{\dfrac{a}{10000}}=\dfrac{\sqrt{a}}{100}$, …를 이용한다.

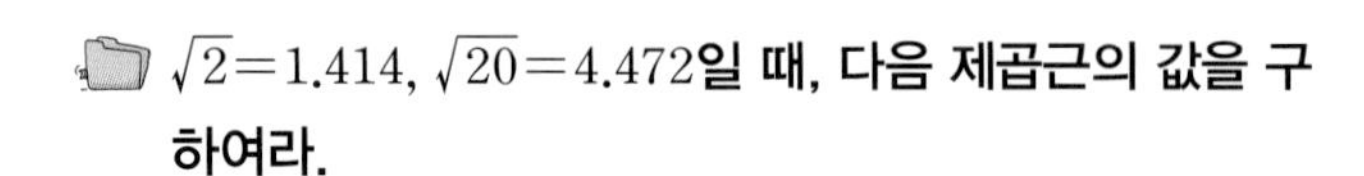

$\sqrt{2}=1.414$, $\sqrt{20}=4.472$일 때, 다음 제곱근의 값을 구하여라.

0373 $\sqrt{200}$

sol $\sqrt{200}=\sqrt{2\times\square}=\square\sqrt{2}$
$=\square\times1.414=\square$

0374 $\sqrt{2000}$ ________

0375 $\sqrt{20000}$ ________

0376 $\sqrt{0.2}$

sol $\sqrt{0.2}=\sqrt{\dfrac{20}{\square}}=\dfrac{\sqrt{20}}{\square}=\dfrac{4.472}{\square}=\square$

0377 $\sqrt{0.02}$ ________

0378 $\sqrt{0.002}$ ________

$\sqrt{3.24}=1.8$, $\sqrt{32.4}=5.692$일 때, 다음 제곱근의 값을 구하여라.

0379 $\sqrt{324}$ ________

0380 $\sqrt{3240}$ ________

0381 $\sqrt{32400}$ ________

0382 $\sqrt{0.324}$ ________

0383 $\sqrt{0.0324}$ ________

0384 학교 시험 맛보기 

$\sqrt{5.42}=2.328$, $\sqrt{54.2}=7.362$일 때, $\sqrt{542}+\sqrt{5420}$의 값을 구하여라.

____

핵심 01~10

Mini Review Test

날짜 : 월 일

Subnote ➔ 13쪽

핵심 01

0385 $4\sqrt{5}\times\sqrt{0.7}\times(-2\sqrt{6})$을 간단히 하여라.

핵심 01 02 03

0386 다음 중 옳지 않은 것은?

① $5\sqrt{3}\times\sqrt{2}=5\sqrt{6}$　② $\sqrt{\frac{26}{5}}\times\sqrt{\frac{10}{13}}=2$

③ $\frac{\sqrt{21}}{\sqrt{3}}=\sqrt{7}$　④ $8\sqrt{18}\div2\sqrt{3}=4\sqrt{6}$

⑤ $\frac{\sqrt{5}}{6}\div\frac{3}{\sqrt{10}}=2\sqrt{2}$

핵심 03

0387 $\frac{\sqrt{54}}{5}\div\frac{\sqrt{3}}{\sqrt{10}}\div\frac{2}{\sqrt{15}}$를 간단히 하여라.

핵심 04 06

0388 $\sqrt{208}=a\sqrt{13}$, $\sqrt{\frac{112}{3}}=\frac{4\sqrt{b}}{3}$일 때, 유리수 a, b에 대하여 $a+b$의 값을 구하여라.

핵심 05

0389 다음 중 가장 큰 수는?

① $4\sqrt{3}$　② $5\sqrt{2}$　③ $3\sqrt{5}$

④ $3\sqrt{7}$　⑤ $2\sqrt{15}$

핵심 06 07

0390 $\frac{3\sqrt{5}}{7\sqrt{6}}=\frac{\sqrt{30}}{a}$, $\frac{\sqrt{5}}{\sqrt{12}}=\frac{\sqrt{15}}{b}$일 때, 유리수 a, b에 대하여 $a+b$의 값을 구하여라.

핵심 08 09 서술형

0391 오른쪽 그림과 같이 밑면의 가로의 길이가 $3\sqrt{2}$ cm, 세로의 길이가 $2\sqrt{5}$ cm인 직육면체의 부피가 90 cm^3일 때, 이 직육면체의 높이를 구하여라.

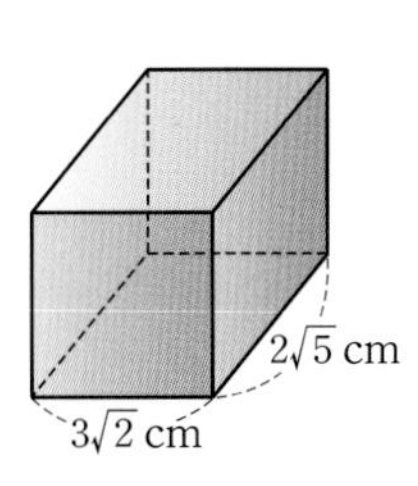

핵심 10

0392 $\sqrt{7.53}=2.744$, $\sqrt{75.3}=8.678$일 때, $\sqrt{753}+\sqrt{753000}$의 값을 구하여라.

Review

3. 제곱근의 곱셈과 나눗셈

4 제곱근의 덧셈과 뺄셈

스스로 공부 계획 세우기

	학습 내용	공부한 날짜	반복하기
4. 제곱근의 덧셈과 뺄셈	**01.** 제곱근의 덧셈과 뺄셈(1)	월 일	□□
	02. 제곱근의 덧셈과 뺄셈(2)	월 일	□□
	03. 제곱근의 덧셈과 뺄셈(3)	월 일	□□
	04. 제곱근의 덧셈과 뺄셈(4)	월 일	□□
	05. 근호가 있는 식의 분배법칙(1)	월 일	□□
	06. 근호가 있는 식의 분배법칙(2)	월 일	□□
	07. 근호를 포함한 식의 혼합 계산	월 일	□□
	08. 제곱근의 계산 결과가 유리수가 될 조건	월 일	□□
	09. 뺄셈을 이용한 실수의 대소 관계	월 일	□□
	Mini **Review** Test(**01**~**09**)	월 일	□□

4 제곱근의 덧셈과 뺄셈

개념 NOTE

1 제곱근의 덧셈과 뺄셈 핵심 01 ~ 04

다항식의 덧셈과 뺄셈에서 동류항끼리 모아서 계산하듯이 제곱근의 덧셈과 뺄셈도 제곱근을 문자처럼 생각하여 근호 안의 수가 같은 것끼리 모아서 계산한다.

l, m, n은 유리수이고, $\sqrt{a}$는 무리수일 때,

(1) $m\sqrt{a}+n\sqrt{a}=(m+n)\sqrt{a}$ 예 $5\sqrt{2}+3\sqrt{2}=(5+3)\sqrt{2}=8\sqrt{2}$

(2) $m\sqrt{a}-n\sqrt{a}=(m-n)\sqrt{a}$ 예 $6\sqrt{3}-4\sqrt{3}=(6-4)\sqrt{3}=2\sqrt{3}$

(3) $m\sqrt{a}+n\sqrt{a}-l\sqrt{a}=(m+n-l)\sqrt{a}$ 예 $4\sqrt{2}+3\sqrt{2}-\sqrt{2}=(4+3-1)\sqrt{2}=6\sqrt{2}$

참고 ① 근호 안에 제곱인 인수가 있으면 $\sqrt{a^2b}=a\sqrt{b}$를 이용하여 간단히 정리한다.

예 $\sqrt{8}+\sqrt{32}=2\sqrt{2}+4\sqrt{2}=6\sqrt{2}$

② 분모가 무리수인 경우 분모를 유리화하여 계산한다.

예 $\frac{6}{\sqrt{2}}-\sqrt{8}=\frac{6\times\sqrt{2}}{\sqrt{2}\times\sqrt{2}}-2\sqrt{2}=3\sqrt{2}-2\sqrt{2}=\sqrt{2}$

근호 안의 수끼리 덧셈, 뺄셈을 할 수 없다.
$a>0$, $b>0$, $a\neq b$일 때
① $\sqrt{a}+\sqrt{b}\neq\sqrt{a+b}$
② $\sqrt{a}-\sqrt{b}\neq\sqrt{a-b}$

2 근호를 포함한 복잡한 식의 계산 핵심 05 06 07

(1) 근호가 있는 식의 분배법칙: $a>0$, $b>0$, $c>0$일 때,

① $\sqrt{a}(\sqrt{b}\pm\sqrt{c})=\sqrt{ab}\pm\sqrt{ac}$ ② $(\sqrt{a}\pm\sqrt{b})\sqrt{c}=\sqrt{ac}\pm\sqrt{bc}$

(2) 분모의 유리화를 이용한 식의 계산: $a>0$, $b>0$, $c>0$일 때,

① $(\sqrt{a}+\sqrt{b})\div\sqrt{c}=\frac{\sqrt{a}+\sqrt{b}}{\sqrt{c}}=\sqrt{\frac{a}{c}}+\sqrt{\frac{b}{c}}$

② $\frac{\sqrt{a}+\sqrt{b}}{\sqrt{c}}=\frac{(\sqrt{a}+\sqrt{b})\times\sqrt{c}}{\sqrt{c}\times\sqrt{c}}=\frac{\sqrt{ac}+\sqrt{bc}}{c}$

(3) 근호를 포함한 복잡한 식의 계산

❶ 괄호가 있으면 분배법칙을 이용하여 괄호를 푼다.
❷ 근호 안에 제곱인 인수가 있으면 근호 밖으로 꺼낸다.
❸ 분모에 무리수가 있으면 분모를 유리화한다.
❹ 곱셈과 나눗셈을 먼저 계산한 후 덧셈과 뺄셈을 한다.

다항식의 분배법칙
① $a(b+c)=ab+ac$
② $(a+b)c=ac+bc$

분모, 분자가 약분이 되는 경우 먼저 약분을 한 후 계산하면 편리하다.

3 실수의 대소 관계 핵심 09

두 실수 a, b의 대소 관계는 $a-b$의 값의 부호에 따라 다음과 같이 정해진다.

(1) $a-b>0$이면 $a>b$ (2) $a-b=0$이면 $a=b$ (3) $a-b<0$이면 $a<b$

세 실수 a, b, c의 대소 관계는 $a<b$이고 $b<c$이면 $a<b<c$임을 이용한다.

핵심

01 제곱근의 덧셈과 뺄셈 (1)

날짜 :  월  일

Subnote ➔ 14쪽

$\sqrt{a}$를 x로 생각하여 다항식의 동류항의 덧셈, 뺄셈과 같은 방법으로 계산해.

l, m, n은 유리수이고, $\sqrt{a}$는 무리수일 때,

(1) $m\sqrt{a}+n\sqrt{a}=(m+n)\sqrt{a}$

$3\sqrt{2}+\sqrt{2}=(3+1)\sqrt{2}=4\sqrt{2}$

$3x+x=(3+1)x=4x$

(2) $m\sqrt{a}-n\sqrt{a}=(m-n)\sqrt{a}$

$3\sqrt{2}-\sqrt{2}=(3-1)\sqrt{2}=2\sqrt{2}$

$3x-x=(3-1)x=2x$

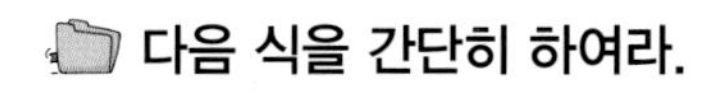

다음 식을 간단히 하여라.

0393 $2\sqrt{3}+3\sqrt{3}$

sol $2\sqrt{3}+3\sqrt{3}=(2+\square)\sqrt{3}=\square$

0394 $2\sqrt{5}+4\sqrt{5}$ ________

0395 $4\sqrt{7}-6\sqrt{7}$

sol $4\sqrt{7}-6\sqrt{7}=(4-\square)\sqrt{7}=\square$

0396 $-11\sqrt{6}+3\sqrt{6}$ ________

0397 $-\frac{\sqrt{2}}{2}+\frac{\sqrt{2}}{4}$ ________

근호 밖의 수가 분수인 경우 분모의 최소공배수로 통분한 후 간단히 해.

0398 $-\frac{\sqrt{10}}{4}-\frac{2\sqrt{10}}{3}$ ________

다음 식을 간단히 하여라.

0399 $3\sqrt{2}+5\sqrt{2}+\sqrt{2}$

sol $3\sqrt{2}+5\sqrt{2}+\sqrt{2}=(3+5+\square)\sqrt{2}=\square$

$m\sqrt{a}+n\sqrt{a}+l\sqrt{a}=(m+n+l)\sqrt{a}$

0400 $7\sqrt{3}-5\sqrt{3}+2\sqrt{3}$ ________

0401 $\sqrt{7}-5\sqrt{7}-6\sqrt{7}$ ________

0402 $9\sqrt{6}-3\sqrt{6}-5\sqrt{6}$ ________

0403 $\frac{2\sqrt{5}}{3}+\frac{\sqrt{5}}{2}-\frac{\sqrt{5}}{6}$ ________

0404 $\frac{\sqrt{11}}{3}-\frac{\sqrt{11}}{4}+\frac{\sqrt{11}}{6}$ ________

핵심

02 제곱근의 덧셈과 뺄셈 (2)

날짜 : 월 일

Subnote 15쪽

제곱근의 덧셈과 뺄셈은 근호 안의 수가 같은 것끼리 모아서 계산해.

a, b, c, d는 유리수이고, $\sqrt{x}, \sqrt{y}$는 무리수일 때,

$$a\sqrt{x}+b\sqrt{y}+c\sqrt{x}+d\sqrt{y}=a\sqrt{x}+c\sqrt{x}+b\sqrt{y}+d\sqrt{y}$$
$$=(a+c)\sqrt{x}+(b+d)\sqrt{y}$$

다음 식을 간단히 하여라.

0405 $3\sqrt{2}+5\sqrt{2}+4\sqrt{3}+\sqrt{3}$

sol $3\sqrt{2}+5\sqrt{2}+4\sqrt{3}+\sqrt{3}$
$=(3+\square)\sqrt{2}+(4+\square)\sqrt{3}$
$=\square$

0406 $4\sqrt{2}-3\sqrt{5}+\sqrt{2}$ ______

0407 $-\sqrt{7}+2\sqrt{3}+5\sqrt{7}$ ______

0408 $\sqrt{6}-7\sqrt{2}-3\sqrt{6}+8\sqrt{2}$ ______

0409 $\sqrt{10}+\sqrt{5}-5\sqrt{5}+3\sqrt{10}$ ______

0410 $3\sqrt{3}+4\sqrt{11}+\sqrt{11}-6\sqrt{3}$ ______

0411 $2\sqrt{6}+4\sqrt{3}-4\sqrt{6}-3\sqrt{3}$ ______

0412 $6\sqrt{14}-10\sqrt{5}-2\sqrt{14}+\sqrt{5}$ ______

0413 $\frac{3\sqrt{2}}{2}-\frac{5\sqrt{6}}{6}-2\sqrt{2}+\sqrt{6}$ ______

0414 $\frac{\sqrt{10}}{2}+\frac{2\sqrt{15}}{3}-\frac{3\sqrt{10}}{5}+\frac{\sqrt{15}}{6}$ ______

0415 $\frac{3\sqrt{7}}{4}+\frac{\sqrt{14}}{5}-\frac{\sqrt{14}}{15}-\frac{\sqrt{7}}{3}$ ______

0416 학교 시험 맛보기

$\frac{\sqrt{5}+\sqrt{15}}{3}-\frac{\sqrt{5}-\sqrt{15}}{4}$를 간단히 하여라.

______

핵심 03 제곱근의 덧셈과 뺄셈 (3)

날짜 : 월 일

Subnote ➡ 15쪽

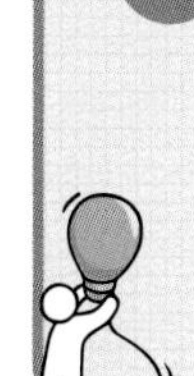

먼저 근호 안의 수를 가장 간단한 자연수로 나타내야 해!

근호 안에 제곱인 인수가 있는 경우, $\sqrt{a^2b}=a\sqrt{b}$임을 이용하여 근호 안의 수를 간단히 정리한 후 계산한다.

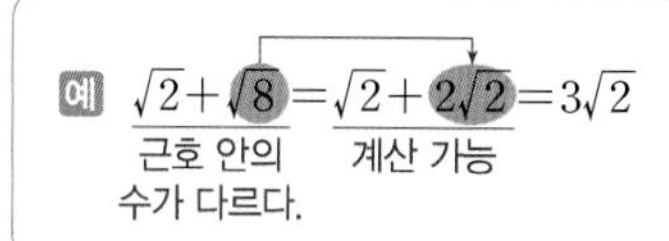

다음 식을 간단히 하여라.

0417 $\sqrt{12}+\sqrt{27}$

$\sqrt{a^2b}$를 $a\sqrt{b}$로 고쳐서 계산해.

sol $\sqrt{12}+\sqrt{27}=\square\sqrt{3}+\square\sqrt{3}=\square$

0418 $\sqrt{28}+\sqrt{63}$ ________

0419 $\sqrt{24}-\sqrt{54}$ ________

0420 $-\sqrt{40}-\sqrt{90}+4\sqrt{10}$ ________

0421 $\sqrt{18}+\sqrt{50}-\sqrt{72}$ ________

0422 $3\sqrt{5}-\sqrt{125}+\sqrt{180}$ ________

다음 식을 간단히 하여라.

0423 $-\sqrt{48}+\sqrt{128}+\sqrt{12}-\sqrt{8}$

sol $-\sqrt{48}+\sqrt{128}+\sqrt{12}-\sqrt{8}$
$=\square\sqrt{3}+\square\sqrt{2}+2\sqrt{3}-2\sqrt{2}$
$=\square$

0424 $\sqrt{98}+\sqrt{108}-\sqrt{32}+\sqrt{27}$ ________

0425 $2\sqrt{18}+\sqrt{24}+\sqrt{98}-\sqrt{96}$ ________

0426 $3\sqrt{8}+\sqrt{54}-\sqrt{216}-5\sqrt{2}$ ________

0427 $\sqrt{13}-\sqrt{45}+2\sqrt{80}+\sqrt{52}$ ________

0428 학교 시험 맛보기

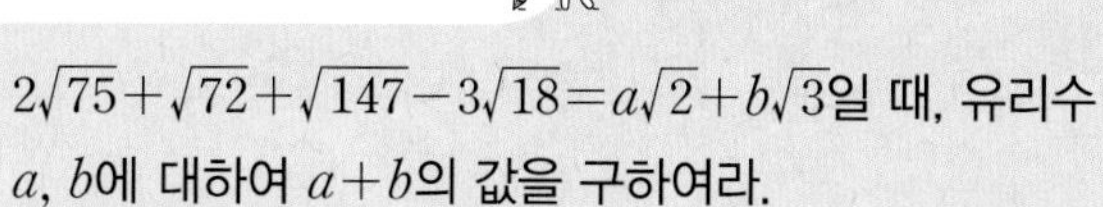

$2\sqrt{75}+\sqrt{72}+\sqrt{147}-3\sqrt{18}=a\sqrt{2}+b\sqrt{3}$일 때, 유리수 a, b에 대하여 $a+b$의 값을 구하여라.

____

4 제곱근의 덧셈과 뺄셈

04 제곱근의 덧셈과 뺄셈 (4)

Subnote ➡ 16쪽

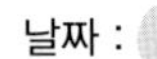

핵심

분모를 유리화할 때 반드시 분자, 분모에 모두 같은 수를 곱해야 해.

❶ 분수의 분모가 근호를 포함한 무리수인 경우 먼저 분모를 유리화한다.
❷ 근호 안의 수가 같은 것끼리 모아서 계산한다.

예 $\frac{4}{\sqrt{2}}-\sqrt{2}=\frac{4\times\sqrt{2}}{\sqrt{2}\times\sqrt{2}}-\sqrt{2}$
$=2\sqrt{2}-\sqrt{2}=\sqrt{2}$

다음 식을 간단히 하여라.

0429 $\frac{6}{\sqrt{3}}+4\sqrt{3}$

sol $\frac{6}{\sqrt{3}}=\frac{6\times\square}{\sqrt{3}\times\square}=\square$이므로

$\frac{6}{\sqrt{3}}+4\sqrt{3}=\square+4\sqrt{3}=\square$

0430 $\frac{4}{\sqrt{2}}-5\sqrt{2}$ ________

0431 $-\frac{\sqrt{2}}{\sqrt{5}}+\sqrt{10}$ ________

0432 $\frac{4}{\sqrt{8}}-\frac{1}{\sqrt{2}}$ ________

0433 $-\frac{2}{\sqrt{14}}-\frac{\sqrt{2}}{3\sqrt{7}}+\frac{\sqrt{14}}{7}$ ________

0434 $\frac{12}{\sqrt{6}}-\frac{6}{\sqrt{24}}-\frac{\sqrt{2}}{\sqrt{3}}$ ________

다음 식을 간단히 하여라.

0435 $\sqrt{27}+\sqrt{45}-\frac{3}{\sqrt{3}}+\frac{10}{\sqrt{5}}$ ________

0436 $\frac{6}{\sqrt{6}}-\frac{9}{\sqrt{3}}+\sqrt{48}+\sqrt{96}$ ________

0437 $-\frac{8}{\sqrt{32}}-\frac{9}{\sqrt{18}}+\frac{2}{\sqrt{8}}$ ________

0438 $\frac{\sqrt{24}}{2}-\frac{6\sqrt{72}}{\sqrt{3}}+3\sqrt{18}+\frac{10}{\sqrt{2}}$ ________

0439 $\sqrt{10}+\frac{2\sqrt{10}}{\sqrt{5}}-2\sqrt{40}+\sqrt{32}$ ________

0440 $\frac{2\sqrt{3}}{\sqrt{10}}+\frac{4}{\sqrt{6}}+\frac{4\sqrt{6}}{\sqrt{5}}-\frac{6}{\sqrt{54}}$ ________

05 근호가 있는 식의 분배법칙 (1)

핵심

날짜 : 월 일

Subnote ➔ 16쪽

유리수의 계산과 마찬가지로 괄호가 있는 제곱근의 계산은 분배법칙을 이용하여 괄호를 푼 후 계산해.

$a>0,\ b>0,\ c>0$일 때

(1) $\sqrt{a}(\sqrt{b}\pm\sqrt{c})=\sqrt{a}\sqrt{b}\pm\sqrt{a}\sqrt{c}=\sqrt{ab}\pm\sqrt{ac}$

(2) $(\sqrt{a}\pm\sqrt{b})\sqrt{c}=\sqrt{a}\sqrt{c}\pm\sqrt{b}\sqrt{c}=\sqrt{ac}\pm\sqrt{bc}$

다음 식을 간단히 하여라.

0441 $\sqrt{2}(\sqrt{3}+\sqrt{5})$

sol $\sqrt{2}(\sqrt{3}+\sqrt{5})=\square\times\sqrt{3}+\square\times\sqrt{5}$
$=\square+\square$

0442 $\sqrt{3}(\sqrt{2}+\sqrt{6})$ ______

0443 $-\sqrt{5}(\sqrt{10}+\sqrt{5})$ ______

0444 $2\sqrt{2}(\sqrt{6}-\sqrt{3})$ ______

0445 $-\sqrt{7}(\sqrt{14}-\sqrt{21})$ ______

0446 $-3\sqrt{2}(\sqrt{8}-\sqrt{24})$ ______

다음 식을 간단히 하여라.

0447 $(\sqrt{2}+\sqrt{3})\sqrt{2}$

sol $(\sqrt{2}+\sqrt{3})\sqrt{2}=\sqrt{2}\times\square+\sqrt{3}\times\square$
$=\square+\square$

0448 $(\sqrt{7}+\sqrt{6})\sqrt{5}$ ______

0449 $(\sqrt{3}-\sqrt{2})\sqrt{6}$ ______

0450 $(\sqrt{5}-2\sqrt{3})\sqrt{3}$ ______

0451 $(2\sqrt{5}-\sqrt{2})\sqrt{10}$ ______

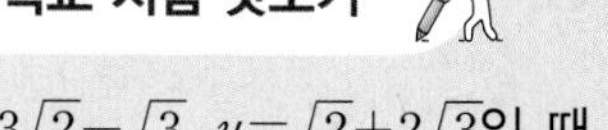

$x=3\sqrt{2}-\sqrt{3},\ y=\sqrt{2}+2\sqrt{3}$일 때, $\sqrt{2}x+\sqrt{3}y$를 간단히 하여라.

______

06 근호가 있는 식의 분배법칙 (2)

날짜 :  월  일

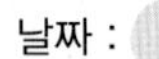

Subnote ➡ 17쪽

핵심

항을 2개로 나눈 다음 분모의 유리화를 해도 돼.

$a>0$, $b>0$, $c>0$일 때

(1) $(\sqrt{a}+\sqrt{b})\div\sqrt{c}=\dfrac{\sqrt{a}+\sqrt{b}}{\sqrt{c}}=\sqrt{\dfrac{a}{c}}+\sqrt{\dfrac{b}{c}}$

(2) $\dfrac{\sqrt{a}+\sqrt{b}}{\sqrt{c}}=\dfrac{(\sqrt{a}+\sqrt{b})\times\sqrt{c}}{\sqrt{c}\times\sqrt{c}}=\dfrac{\sqrt{ac}+\sqrt{bc}}{c}$

다음 식을 간단히 하여라.

0453 $(\sqrt{14}+\sqrt{10})\div\sqrt{2}$

sol $(\sqrt{14}+\sqrt{10})\div\sqrt{2}=\dfrac{\sqrt{14}+\sqrt{10}}{\square}$

$=\dfrac{\sqrt{14}}{\square}+\dfrac{\sqrt{10}}{\square}=\square+\square$

0454 $(\sqrt{12}-\sqrt{15})\div\sqrt{3}$ ________

0455 $(\sqrt{24}+\sqrt{18})\div(-\sqrt{6})$ ________

0456 $(\sqrt{18}-\sqrt{12})\div\sqrt{2}$ ________

0457 $(\sqrt{8}-\sqrt{20})\div(-\sqrt{2})$ ________

0458 $(7-\sqrt{21})\div(-\sqrt{7})$ ________

다음 분수의 분모를 유리화하여라.

0459 $\dfrac{\sqrt{5}+\sqrt{3}}{\sqrt{2}}$

sol $\dfrac{\sqrt{5}+\sqrt{3}}{\sqrt{2}}=\dfrac{(\sqrt{5}+\sqrt{3})\times\square}{\sqrt{2}\times\square}=\square$

0460 $\dfrac{\sqrt{2}+\sqrt{7}}{\sqrt{3}}$ ________

0461 $\dfrac{5-\sqrt{20}}{\sqrt{5}}$ ________

0462 $\dfrac{6+3\sqrt{2}}{2\sqrt{3}}$ ________

0463 $\dfrac{4\sqrt{3}-\sqrt{2}}{2\sqrt{6}}$ ________

0464 학교 시험 맛보기 

$(\sqrt{5}+5\sqrt{2})\div\sqrt{10}$을 계산하였더니 $a\sqrt{2}+b\sqrt{5}$가 되었다. 유리수 a, b에 대하여 $a+b$의 값을 구하여라.

____

근호를 포함한 식의 혼합 계산

날짜 : 월 일

Subnote ➔ 17쪽

유리수에서 배운 방법과 같아.

근호를 포함한 복잡한 식의 계산은 다음과 같은 순서로 계산한다.
❶ 괄호가 있으면 분배법칙을 이용하여 괄호를 푼다.
❷ 근호 안에 제곱인 인수가 있으면 근호 밖으로 꺼낸다.
❸ 분모에 무리수가 있으면 분모를 유리화한다.
❹ 곱셈과 나눗셈을 먼저 한 후 덧셈과 뺄셈을 한다.

다음 식을 간단히 하여라.

0465 $\sqrt{6}\times2\sqrt{3}+3\sqrt{2}$

sol $\sqrt{6}\times2\sqrt{3}+3\sqrt{2}=2\sqrt{\square}+3\sqrt{2}$
$=\square\sqrt{2}+3\sqrt{2}$
$=\square\sqrt{2}$

0466 $\sqrt{14}-3\sqrt{2}\times\sqrt{7}$

0467 $4\sqrt{15}\div\sqrt{3}-\sqrt{20}$

0468 $\dfrac{\sqrt{48}}{2}+\sqrt{18}\div\dfrac{1}{\sqrt{6}}$

0469 $\sqrt{6}\times\dfrac{4}{\sqrt{8}}+\sqrt{12}\div\dfrac{\sqrt{8}}{2}$

0470 $3\sqrt{2}\times5\sqrt{6}-2\sqrt{21}\div\sqrt{7}$

0471 $(\sqrt{35}+7)\div\sqrt{7}-\sqrt{80}$

0472 $(\sqrt{24}+\sqrt{12})\times\dfrac{1}{\sqrt{3}}-2\sqrt{5}\div\sqrt{10}$

0473 $8\sqrt{6}\div2\sqrt{2}+\left(\sqrt{15}+\dfrac{4}{\sqrt{2}}\right)\times\sqrt{5}$

0474 $\sqrt{3}(3\sqrt{2}+2\sqrt{5})-(5\sqrt{3}-\sqrt{30})\div\sqrt{5}$

0475 $\dfrac{4\sqrt{3}-\sqrt{2}}{\sqrt{2}}+(2\sqrt{3}-3\sqrt{2})\times\sqrt{3}$

0476 학교 시험 맛보기 

$\dfrac{\sqrt{48}-4}{\sqrt{8}}+2\sqrt{2}(3+\sqrt{12})=a\sqrt{2}+b\sqrt{6}$일 때, 유리수 a, b에 대하여 ab의 값을 구하여라.

핵심

08 제곱근의 계산 결과가 유리수가 될 조건

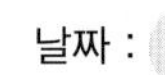
날짜 : 월 일

Subnote 18쪽

무리수 부분이 0이 되도록 만들어야 해.

a, b가 유리수이고, $\sqrt{m}$이 무리수일 때,
$a+b\sqrt{m}$이 유리수가 될 조건 ➡ $b=0$

다음 식의 계산 결과가 유리수가 되도록 하는 유리수 a의 값을 구하여라.

0477 $3\sqrt{2}-2+a+a\sqrt{2}$

sol $3\sqrt{2}-2+a+a\sqrt{2}=(-2+a)+(3+a)\sqrt{2}$
이때 $3+a=0$이어야 하므로 $a=$□

0478 $1+6\sqrt{5}-2a+a\sqrt{5}$ ______

0479 $4+a\sqrt{6}-\sqrt{6}-2\sqrt{6}$ ______

0480 $5\sqrt{3}+a\sqrt{3}+3\sqrt{3}-2$ ______

0481 $-4\sqrt{7}+2(3+a\sqrt{7})$ ______

0482 $3\sqrt{2}-a(1-\sqrt{2})$ ______

0483 $\sqrt{27}+\sqrt{75}-a\sqrt{3}+2$

sol $\sqrt{27}+\sqrt{75}-a\sqrt{3}+2=3\sqrt{3}+$□$\sqrt{3}-a\sqrt{3}+2$
$=($□$-a)\sqrt{3}+2$
이때 □$-a=0$이어야 하므로 $a=$□

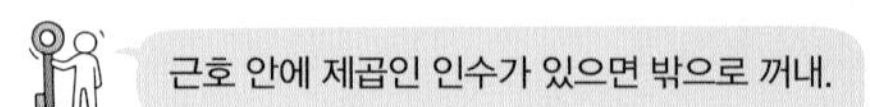

0484 $\sqrt{96}-\sqrt{24}+a\sqrt{6}$ ______

0485 $a\sqrt{8}-\frac{4}{\sqrt{2}}+7$ ______

0486 $\sqrt{125}+\sqrt{45}+\frac{5}{\sqrt{5}}a-11$ ______

0487 $\sqrt{12}(a\sqrt{3}-\sqrt{6})-a\sqrt{2}-2$ ______

0488 $\sqrt{48}(\sqrt{3}-1)-a(2-\sqrt{12})$ ______

핵심 **09**

빼셈을 이용한 실수의 대소 관계

날짜 : 월 일

Subnote ➔ 18쪽

두 실수 a, b의 대소 관계는 $a-b$의 부호로 알 수 있어.

두 실수 a, b에 대하여
(1) $a-b>0$이면 $a>b$
(2) $a-b=0$이면 $a=b$
(3) $a-b<0$이면 $a<b$

예 $\sqrt{5}+1$과 3의 대소 비교
$(\sqrt{5}+1)-3=\sqrt{5}-2=\sqrt{5}-\sqrt{4}>0$
즉, $(\sqrt{5}+1)-3>0$이므로 $\sqrt{5}+1>3$

다음 ○ 안에 >, < 중 알맞은 부등호를 써넣어라.

0489 $\sqrt{3}+4$ ○ $\sqrt{3}+6$

sol $(\sqrt{3}+4)-(\sqrt{3}+6)=-2$ ○ 0
$\therefore \sqrt{3}+4$ ○ $\sqrt{3}+6$

0490 $\sqrt{7}-\sqrt{5}$ ○ $-\sqrt{5}+\sqrt{8}$

0491 $2-\sqrt{3}$ ○ $2-\sqrt{5}$

0492 $\sqrt{15}+\sqrt{3}$ ○ $4+\sqrt{3}$

0493 4 ○ $\sqrt{7}+1$

0494 $7-\sqrt{3}$ ○ 5

0495 $\sqrt{21}-4$ ○ 1

다음 ○ 안에 >, < 중 알맞은 부등호를 써넣어라.

0496 $\sqrt{3}-1$ ○ $4-2\sqrt{3}$

sol $(\sqrt{3}-1)-(4-2\sqrt{3})=\square\sqrt{3}-5$
$=\sqrt{\square}-\sqrt{\square}$ ○ 0
$\therefore \sqrt{3}-1$ ○ $4-2\sqrt{3}$

0497 $\sqrt{7}+6$ ○ $12-\sqrt{7}$

0498 $4\sqrt{3}-2\sqrt{2}$ ○ $\sqrt{3}+2\sqrt{2}$

0499 $2\sqrt{3}+2$ ○ $\sqrt{27}$

0500 $\sqrt{75}-\sqrt{7}$ ○ $\sqrt{28}$

0501 $\sqrt{32}-\sqrt{6}$ ○ $-\sqrt{18}+\sqrt{54}$

0502 학교 시험 맛보기 

세 수 $A=3\sqrt{2}+2$, $B=5+\sqrt{2}$, $C=2\sqrt{2}+4$ 중에서 가장 작은 수를 구하여라.

key $a<b$이고 $b<c$ ➡ $a<b<c$

핵심 01~09

Mini Review Test

날짜 :  월  일

Subnote ➡ 19쪽

핵심 01

0503 다음 중 옳지 않은 것은?

① $4\sqrt{2}+3\sqrt{2}=7\sqrt{2}$

② $\sqrt{3}+\sqrt{6}=3$

③ $\sqrt{7}-5\sqrt{7}=-4\sqrt{7}$

④ $\frac{\sqrt{5}}{2}+\frac{\sqrt{5}}{5}=\frac{7\sqrt{5}}{10}$

⑤ $-\frac{\sqrt{10}}{4}+\frac{2\sqrt{10}}{3}=\frac{5\sqrt{10}}{12}$

핵심 02 서술형

0504 $A=\sqrt{2}+4\sqrt{6}-3\sqrt{2}-2\sqrt{6}$, $B=\frac{\sqrt{2}}{3}-\frac{\sqrt{6}}{2}+\frac{\sqrt{2}}{6}$일 때, $A+B$의 값을 구하여라.

핵심 03

0505 $\sqrt{24}-\sqrt{54}+\sqrt{75}+\sqrt{150}=a\sqrt{3}+b\sqrt{6}$일 때, 유리수 a, b에 대하여 $a+b$의 값을 구하여라.

핵심 04

0506 다음 식을 간단히 하여라.

$$\sqrt{40}+\frac{12}{\sqrt{27}}-\sqrt{48}-\frac{\sqrt{45}}{2\sqrt{2}}$$

핵심 05

0507 $a=3\sqrt{2}+\sqrt{3}$, $b=3\sqrt{2}-\sqrt{3}$일 때, $\sqrt{2}a-\sqrt{3}b$의 값을 구하여라.

핵심 06

0508 $\frac{\sqrt{50}-10}{\sqrt{2}}+\frac{\sqrt{48}+\sqrt{24}}{\sqrt{3}}$를 간단히 하여라.

핵심 07

0509 $\frac{3\sqrt{2}-\sqrt{6}}{\sqrt{3}}+(4\sqrt{2}-5\sqrt{3})\times\sqrt{2}$를 간단히 하여라.

핵심 09

0510 세 수 $A=4\sqrt{5}+3\sqrt{6}$, $B=5\sqrt{5}+2\sqrt{6}$, $C=3\sqrt{5}+5\sqrt{6}$ 중에서 가장 큰 수를 구하여라.

Review

Talk Talk

PM 3:11
YOU♡
제곱근의 덧셈과 뺄셈은 어떻게 계산해?
근호 안의 수가 같은 것끼리 계산해.
$a\sqrt{x}+b\sqrt{y}+c\sqrt{x}+d\sqrt{y}=($❶ $)\sqrt{x}+($❷ $)\sqrt{y}$
근호를 포함한 복잡한 식의 계산은 어떻게 계산해?
① 괄호가 있으면 (❸)을 이용하여 괄호를 푼다.
② 근호 안에 제곱인 인수가 있으면 근호 밖으로 꺼낸다.
③ 분모에 무리수가 있으면 분모를 (❹)한다.
④ (❺)과 나눗셈을 먼저 한 후 덧셈과 (❻)을 한다.
a, b가 유리수이고, $\sqrt{m}$이 무리수일 때, $a+b\sqrt{m}$이 유리수가 될 조건은?
(❼)
뺄셈을 이용하여 두 실수의 대소 관계를 어떻게 알 수 있을까?
$a-b>0$이면 (❽)
$a-b=0$이면 $a=b$
$a-b<0$이면 (❾)
❶ $a+c$ ❷ $b+d$ ❸ 분배법칙 ❹ 유리화 ❺ 곱셈 ❻ 뺄셈 ❼ $b=0$ ❽ $a>b$ ❾ $a<b$

3 다항식의 곱셈과 인수분해

이미 배운 내용

[중학교 1학년]
- 문자의 사용과 식의 계산

[중학교 2학년]
- 식의 계산

이번에 배울 내용

5. 다항식의 곱셈
- 곱셈 공식
- 곱셈 공식의 활용
- 곱셈 공식의 변형

6. 인수분해
- 인수분해 공식
- 인수분해 공식을 이용한 수의 계산

5 다항식의 곱셈

	학습 내용	공부한 날짜	반복하기
5. 다항식의 곱셈	**01.** (다항식)×(다항식)	월 일	□□
	02. 곱셈 공식(1)-합의 제곱	월 일	□□
	03. 곱셈 공식(1)-차의 제곱	월 일	□□
	04. 곱셈 공식(2)-합과 차의 곱	월 일	□□
	05. 곱셈 공식(2)	월 일	□□
	06. 곱셈 공식(3) -x의 계수가 1인 두 일차식의 곱	월 일	□□
	07. 곱셈 공식(3)	월 일	□□
	08. 곱셈 공식(4) -x의 계수가 1이 아닌 두 일차식의 곱	월 일	□□
	09. 곱셈 공식(4)	월 일	□□
	10. 곱셈 공식(종합)	월 일	□□
	Mini **Review** Test(**01**~**10**)	월 일	□□
	11. 치환을 이용한 식의 전개	월 일	□□
	12. 곱셈 공식의 활용-수의 제곱의 계산	월 일	□□
	13. 곱셈 공식의 활용-두 수의 곱의 계산	월 일	□□
	14. 곱셈 공식의 활용 -근호를 포함한 식의 계산	월 일	□□
	15. 곱셈 공식의 활용-분모의 유리화	월 일	□□
	16. 곱셈 공식의 변형(1)	월 일	□□
	17. 곱셈 공식의 변형(2)	월 일	□□
	Mini **Review** Test(**11**~**17**)	월 일	□□

5 다항식의 곱셈

개념 NOTE

1 (다항식)×(다항식)의 계산 핵심 01

(다항식)×(다항식)의 계산은 다음과 같은 순서로 한다.

❶ 분배법칙을 이용하여 전개한다.

❷ 동류항이 있으면 동류항끼리 모아서 계산한다.

분배법칙

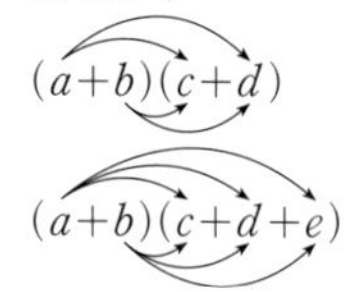

2 곱셈 공식 핵심 02 ~ 11

(1) $(a+b)^2=a^2+2ab+b^2$ ← 합의 제곱

$(a-b)^2=a^2-2ab+b^2$ ← 차의 제곱

(2) $(a+b)(a-b)=a^2-b^2$ ← 합과 차의 곱

(3) $(x+a)(x+b)=x^2+(a+b)x+ab$

(4) $(ax+b)(cx+d)=acx^2+(ad+bc)x+bd$

참고 전개식이 같은 다항식

① $(-a-b)^2=\{-(a+b)\}^2=(a+b)^2$

② $(-a+b)^2=(b-a)^2=\{-(a-b)\}^2=(a-b)^2$

③ $(-a-b)(-a+b)=(-b+a)(b+a)=(a+b)(a-b)$

3 곱셈 공식을 이용한 수의 계산 핵심 12 ~ 15

(1) 수의 제곱의 계산: $(a+b)^2=a^2+2ab+b^2$, $(a-b)^2=a^2-2ab+b^2$을 이용한다.

(2) 두 수의 곱의 계산: $(a+b)(a-b)=a^2-b^2$을 이용한다.

(3) 근호를 포함한 식의 계산: 제곱근을 문자로 생각하고 곱셈 공식을 이용한다.

(4) 분모의 유리화: 분모가 $a+\sqrt{b}$ 또는 $\sqrt{a}+\sqrt{b}$ 꼴인 분수는 곱셈 공식 $(a+b)(a-b)=a^2-b^2$을 이용하여 분모를 유리화한다.

$b>0$이고 a, b는 유리수, c는 실수일 때,

① $\dfrac{c}{a+\sqrt{b}}=\dfrac{c(a-\sqrt{b})}{(a+\sqrt{b})(a-\sqrt{b})}=\dfrac{c(a-\sqrt{b})}{a^2-b}$

② $\dfrac{c}{\sqrt{a}+\sqrt{b}}=\dfrac{c(\sqrt{a}-\sqrt{b})}{(\sqrt{a}+\sqrt{b})(\sqrt{a}-\sqrt{b})}$ (단, $a>0$, $a\neq b$) $=\dfrac{c(\sqrt{a}-\sqrt{b})}{a-b}$

분자를 분배법칙을 이용하여 전개하여 정리한다.

4 곱셈 공식의 변형 핵심 16 17

(1) $a^2+b^2=(a+b)^2-2ab=(a-b)^2+2ab$

(2) $(a+b)^2=(a-b)^2+4ab$

(3) $(a-b)^2=(a+b)^2-4ab$

$a^2+\dfrac{1}{a^2}=\left(a+\dfrac{1}{a}\right)^2-2$

$=\left(a-\dfrac{1}{a}\right)^2+2$

$\left(a+\dfrac{1}{a}\right)^2=\left(a-\dfrac{1}{a}\right)^2+4$

$\left(a-\dfrac{1}{a}\right)^2=\left(a+\dfrac{1}{a}\right)^2-4$

핵심 01 (다항식)×(다항식)

날짜 : 월 일

Subnote ➔ 20쪽

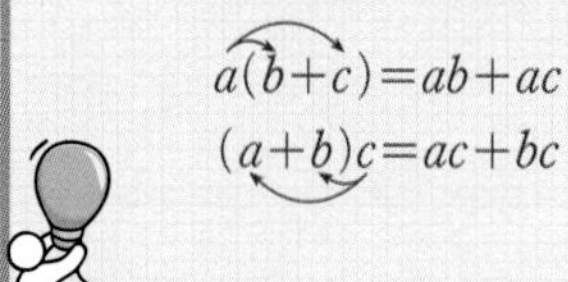

$a(b+c)=ab+ac$

$(a+b)c=ac+bc$

다항식과 다항식의 곱셈은 분배법칙을 이용하여 다음과 같이 전개한다.
이때 동류항이 있으면 간단히 정리한다.

$$(a+b)(c+d)=\underset{①}{ac}+\underset{②}{ad}+\underset{③}{bc}+\underset{④}{bd}$$

다음 식을 전개하여라.

0511 $(x+2)(y+4)$

sol $(x+2)(y+4)=x(y+4)+\square(y+4)$
$=xy+\square+2y+\square$

0512 $(3x+2)(y-1)$ ________

0513 $(2a+1)(-b+2)$ ________

0514 $(-2x+3)(y+5)$ ________

0515 $(4x+3y)(2x-5y)$ ________

동류항이 있으면 동류항끼리 모아서 계산해!

0516 $(2x+3)(1-x)$ ________

다음 식을 전개하여라.

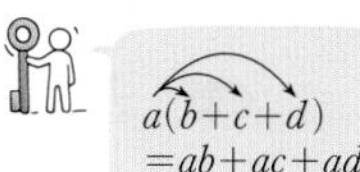

0517 $(2x-3)(x+3y+1)$

sol $2x(x+3y+1)-\square(x+3y+1)$
$=2x^2+6xy+2x-\square x-\square y-\square$
$=2x^2+6xy-x-\square y-\square$

0518 $(x-y)(2x-y+3)$ ________

0519 $(x+1)(x-2y+1)$ ________

0520 $(a+b-1)(a-2)$ ________

0521 $(x+y-5)(x-2y+1)$ ________

key 빠뜨리는 항이 없도록 앞에서부터 차례로 분배법칙을 이용하여 계산한다.

0522 학교 시험 맛보기 

$(x-y+1)(2x+y-3)$을 전개한 식에서 xy의 계수를 구하여라.

____

key xy항이 나오는 부분만 계산하면 편리하다.

5 다항식의 곱셈

곱셈 공식 (1)-합의 제곱

날짜 :  월  일

Subnote 20쪽

$(a+b)(a+b)$의 전개에서 규칙을 찾아~

$(a+b)^2$의 전개

$(a+b)^2=(a+b)(a+b)$

$=a^2+ab+ab+b^2$

$=a^2+2ab+b^2$

$(a+b)^2=a^2+2ab+b^2$

곱의 2배

다음 식을 전개하여라.

0523 $(x+4)^2$

sol $(x+4)^2=x^2+\square\times x\times 4+4^2=x^2+\square x+\square$

0524 $(3+x)^2$ __________

0525 $(y+2)^2$ __________

0526 $(3x+1)^2$ __________

0527 $\left(a+\frac{1}{4}\right)^2$ __________

0528 $(-2x+5y)^2$ __________

다음 □ 안에 알맞은 수를 써넣어라.

0529 $(x+7)^2=x^2+\square x+49$

0530 $(x+\square)^2=x^2+10x+\square$

0531 $(x+\square)^2=x^2+16x+\square$

0532 $\left(x+\frac{1}{\square}\right)^2=x^2+x+\frac{1}{\square}$

0533 $(2x+\square y)^2=4x^2+12xy+\square y^2$

0534 학교 시험 맛보기 

양수 A, B에 대하여 $(5x+A)^2=25x^2+Bx+\frac{1}{9}$일 때, $B-A$의 값을 구하여라.

____

핵심 **03**

곱셈 공식 (1)-차의 제곱

날짜 : 월 일

Subnote ➔ 21쪽

$(a+b)(a+b)$의 전개식과 비교해서 기억해~

$(a-b)^2$의 전개

$(a-b)^2=(a-b)(a-b)$

$=a^2-ab-ab+b^2$

$=a^2-2ab+b^2$

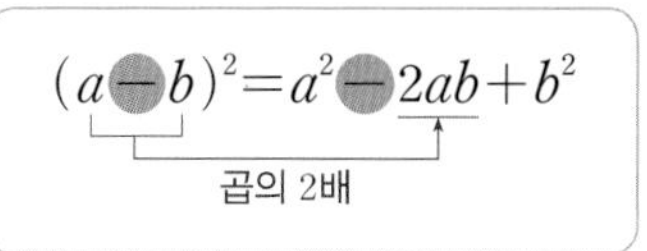

참고 $(a-b)^2=(b-a)^2=(-a+b)^2$, $(-a-b)^2=(-b-a)^2=(a+b)^2$

다음 식을 전개하여라.

0535 $(a-2)^2$

sol $(a-2)^2=a^2-\square\times a\times 2+2^2=a^2-\square a+\square$

0536 $(a-7)^2$ ______

0537 $(x-4y)^2$ ______

key 문자 y를 빠뜨리지 않도록 주의한다.

0538 $(3x-1)^2$ ______

0539 $(2a-5b)^2$ ______

0540 $(-3x-2y)^2$ ______

다음 □ 안에 알맞은 수를 써넣어라.

0541 $(2a-3b)^2=4a^2-\square ab+9b^2$

0542 $\left(x-\frac{1}{6}\right)^2=x^2-\square x+\frac{1}{36}$

0543 $\left(-\frac{1}{2}x-3\right)^2=\square x^2+\square x+9$

$(-a-b)^2=(a+b)^2$임을 이용하면 편리해!

0544 $\left(\square a-\frac{3}{4}\right)^2=4a^2+3a+\frac{9}{16}$

0545 $\left(\square a-b\right)^2=\frac{1}{4}a^2+ab+b^2$

0546 학교 시험 맛보기

다음 보기에서 전개식이 나머지 셋과 다른 것을 골라라.

보기
ㄱ. $(-a-b)^2$ ㄴ. $(a+b)^2$
ㄷ. $(-b-a)^2$ ㄹ. $(-a+b)^2$

______

5 다항식의 곱셈

04 곱셈 공식 (2)-합과 차의 곱

날짜 : 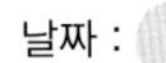 월  일 

Subnote 21쪽

같은 수끼리의 합과 차가 곱해지면 제곱의 차가 돼~

$(a+b)(a-b)$의 전개

$(a+b)(a-b)=a^2-ab+ab-b^2$
$=a^2-b^2$

$\underset{\text{합}}{(a+b)}\underset{\text{차}}{(a-b)}=a^2-b^2$

다음 식을 전개하여라.

0547 $(x+3)(x-3)$

0548 $(a+7)(a-7)$

0549 $(1-x)(1+x)$

0550 $\left(x+\frac{1}{2}\right)\left(x-\frac{1}{2}\right)$

0551 $(-3-x)(-3+x)$

0552 $(-a+5b)(-a-5b)$

0553 $(3a+b)(3a-b)$

0554 $(2x-5)(2x+5)$

0555 $\left(\frac{1}{3}x+y\right)\left(\frac{1}{3}x-y\right)$

0556 $\left(\frac{1}{2}x-\frac{2}{3}y\right)\left(\frac{1}{2}x+\frac{2}{3}y\right)$

0557 $\left(\frac{3}{4}x-\frac{1}{5}y\right)\left(\frac{3}{4}x+\frac{1}{5}y\right)$

0558 학교 시험 맛보기 

다음 중 $(a+b)(a-b)$와 전개식이 같은 것은?

① $(a+b)(b-a)$ ② $(a+b)(-a-b)$
③ $(-a+b)(-a-b)$ ④ $(-a+b)(a+b)$
⑤ $(a-b)(-a+b)$

핵심 **05**

곱셈 공식 (2)

날짜 : 월 일

Subnote ➔ 21쪽

합과 차 모양이 아니면? 합과 차 모양으로 바꾸면 돼!

(1) $(a+b)(-b+a)$의 경우 다음과 같이 합과 차의 꼴로 바꿔준다.

➡ $(a+b)(-b+a)=(a+b)(a-b)=a^2-b^2$

(2) $(a+b)(a-b)$의 전개식을 반복 이용하여 식을 전개할 수 있다.

➡ $(a+b)(a-b)(a^2+b^2)=(a^2-b^2)(a^2+b^2)=a^4-b^4$

다음 식을 전개하여라.

0559 $(-5x+3)(5x+3)$

sol $(-5x+3)(5x+3)=(3-5x)(3+5x)$

$=(\square)^2-(\square)^2$

$=\square-\square x^2$

0560 $(a+2)(-a+2)$ ________

교환법칙을 사용해서 합차 꼴로 바꿔봐.

0561 $(-a-5)(a-5)$ ________

0562 $(4-x)(x+4)$ ________

0563 $(-x+3y)(3y+x)$ ________

0564 $\left(-\frac{1}{3}x-2y\right)\left(\frac{1}{3}x-2y\right)$ ________

다음 식을 전개하여라.

0565 $(x-1)(x+1)(x^2+1)$

sol $(x-1)(x+1)(x^2+1)$

$=(\square)(x^2+1)$

$=\square$

앞에서부터 2개씩 곱셈 공식을 적용해.

0566 $(x-3)(x+3)(x^2+9)$ ________

0567 $(x-y)(x+y)(x^2+y^2)$ ________

0568 $(1-a)(1+a)(1+a^2)(1+a^4)$ ________

0569 $(x-1)(x+1)(x^2+1)(x^4+1)(x^8+1)$

____

0570 **학교 시험 맛보기** 

$(6-x)(x+6)+(-2x-5)(-2x+5)$를 간단히 하여라.

____

5 다항식의 곱셈

곱셈 공식 (3) - x의 계수가 1인 두 일차식의 곱

날짜 :  월  일 

Subnote ➔ 21쪽

전개식에서 x의 계수와 상수항이 두 상수의 합과 곱으로만 이루어져~

$(x+a)(x+b)$의 전개

$(x+a)(x+b)$
$=x^2+bx+ax+ab$
$=x^2+(a+b)x+ab$

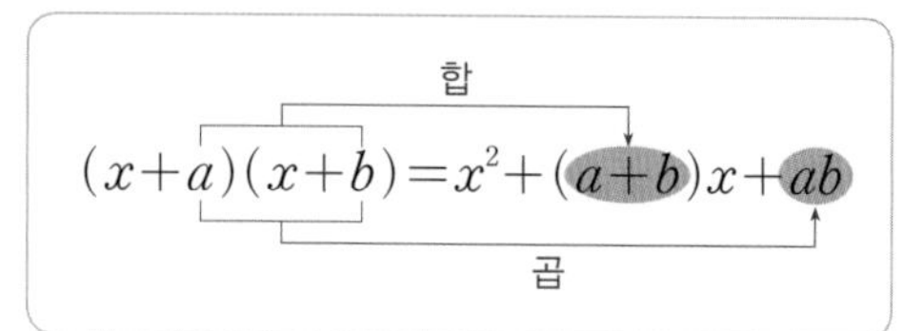

다음 식을 전개하여라.

0571 $(x+1)(x+2)$

sol $(x+1)(x+2)$
$=x^2+(\square+\square)x+\square\times\square$
$=x^2+\square x+2$

0572 $(a+2)(a+5)$ ________

0573 $(x-3)(x-8)$ ________

0574 $(x-1)(x-7)$ ________

0575 $(a+8)(a-3)$ ________

일차항의 계수와 상수항을 구할 때 부호에 주의해!

0576 $(y+3)(y-4)$ ________

0577 $(b-1)(b+5)$ ________

0578 $(a-6)(a+5)$ ________

0579 $\left(x+\frac{1}{2}\right)\left(x-\frac{1}{4}\right)$ ________

0580 $\left(y-\frac{1}{3}\right)\left(y+\frac{1}{2}\right)$ ________

0581 $\left(x+\frac{1}{5}\right)(x-1)$ ________

0582 학교 시험 맛보기 

$(x+3)(x-2)$의 전개식에서 x의 계수를 a, $(x+2)(x+7)$의 전개식에서 상수항을 b라고 할 때, $b-a$의 값을 구하여라.

____

핵심

07 곱셈 공식 (3)

날짜 : 월 일

Subnote ➔ 21쪽

곱셈 공식을 적용할 때 문자를 빠뜨리지 않도록 주의해야 해.

$$(x+ay)(x+by)=x^2+bxy+axy+aby^2$$
$$=x^2+(a+b)xy+aby^2$$

다음 식을 전개하여라.

0583 $(x+7y)(x+2y)$

0584 $(x+5y)(x-11y)$

0585 $(x-6y)(x-5y)$

0586 $(a-9b)(a+4b)$

0587 $\left(x+\frac{1}{2}y\right)\left(x+\frac{1}{3}y\right)$

0588 $\left(x-\frac{1}{3}y\right)\left(x+\frac{1}{4}y\right)$

다음 □ 안에 알맞은 수나 식을 써넣어라.

0589 $(x+\boxed{A})=x^2+\boxed{B}x+15$

sol 두 상수의 곱이 15 ➡ $5\times A=15$ $\therefore A=\square$
두 상수의 합이 $5+3=8$이므로 $B=\square$

0590 $(x+\square)(x-4)=x^2-x-\square$

0591 $(x-2)(x-\square)=x^2-6x+\square$

0592 $(x+2y)(x+\square y)=x^2+10xy+\square y^2$

0593 $(x-\square)(x-y)=x^2-14xy+\square$

0594 학교 시험 맛보기

$(x+Ay)(x-8y)=x^2+Bxy+24y^2$일 때, 상수 A, B에 대하여 $A+B$의 값을 구하여라.

5 다항식의 곱셈

핵심 08 곱셈 공식 (4)-x의 계수가 1이 아닌 두 일차식의 곱

날짜 :  월  일

Subnote ➊ 22쪽

분배법칙을 이용하여 전개한 식에서 규칙을 이해할 수 있어.

$$(ax+b)(cx+d)=ax\times cx+ax\times d+b\times cx+b\times d$$
$$=acx^2+adx+bcx+bd$$
$$=acx^2+(ad+bc)x+bd$$

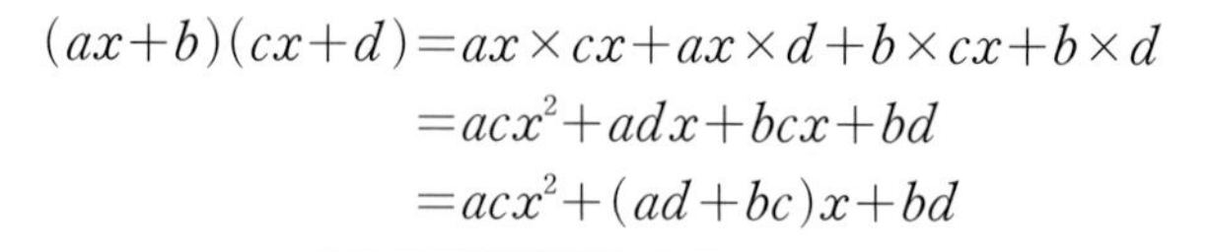

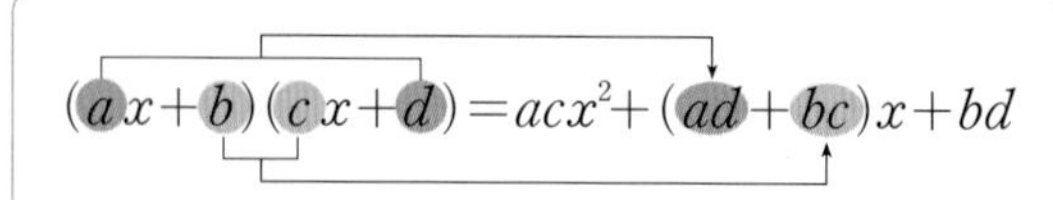

$(ax+b)(cx+d)=acx^2+(ad+bc)x+bd$

다음 식을 전개하여라.

0595 $(2a+1)(3a+1)$

sol $(2a+1)(3a+1)$
$=(\square\times\square)a^2+(2\times1+1\times3)a+\square\times\square$
$=6a^2+\square a+1$

0596 $(x+3)(2x+1)$ ________

0597 $(2x+5)(5x+1)$ ________

0598 $(2x-1)(5x-1)$ ________

0599 $(3x-2)(4x-3)$ ________

0600 $(-3b-2)(5b-1)$ ________

다음 식을 전개하여라.

0601 $(2a-1)(3a+2)$ ________

0602 $(5x-7)(-x+6)$ ________

0603 $(-7y-1)(4y+2)$ ________

0604 $\left(\frac{1}{2}a+1\right)(4a-3)$ ________

0605 $\left(\frac{1}{5}a-6\right)\left(\frac{1}{3}a-10\right)$ ________

0606 학교 시험 맛보기 

$(2x+1)(3x-5)$와 $(x-3)(4x+2)$의 전개식에서 x의 계수의 합을 구하여라.

____

09 곱셈 공식 (4)

날짜 : 월 일

Subnote 22쪽

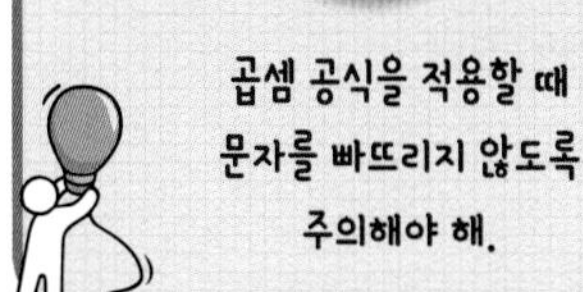

$$(ax+b\boldsymbol{y})(cx+d\boldsymbol{y})=acx^2+(ad+bc)x\boldsymbol{y}+bd\boldsymbol{y}^2$$

다음 식을 전개하여라.

0607 $(5x+3y)(2x-y)$ ________

0608 $(3x-y)(x-2y)$ ________

0609 $(x-4y)(3x+2y)$ ________

0610 $(4x+y)(-x+2y)$ ________

0611 $(2x-5y)(-3x+y)$ ________

0612 $(-5x+2y)(7x-y)$ ________

다음 □ 안에 알맞은 수를 써넣어라.

0613 $(4x+5)(3x-4)=12x^2-\square x-20$

0614 $(3x-1)(x+4)=\square x^2+\square x-4$

0615 $(2x+\square)(4x-5)=8x^2+\square x-15$

0616 $(3x+\square y)(4x-7y)=12x^2-\square xy-14y^2$

0617 $(\square x+5y)(6x-2y)=-24x^2+\square xy-10y^2$

0618 학교 시험 맛보기 

$(ax+y)(bx-5y)$를 전개하면 xy의 계수가 -7이고, $(x-a)(3x+b)$를 전개하면 x의 계수가 -3이다. 이때 상수 a, b에 대하여 $a+b$의 값을 구하여라.

____

5 다항식의 곱셈

핵심

10 곱셈 공식 (종합)

날짜 : 월 일

Subnote ➡ 22쪽

어떤 곱셈 공식을 이용할지 판단하고, 부호에 유의하면서 전개하자.

곱셈 공식을 이용하여 전개한 후 동류항끼리 모아서 간단히 한다.

(1) $(a+b)^2=a^2+2ab+b^2$

$(a-b)^2=a^2-2ab+b^2$

(2) $(a+b)(a-b)=a^2-b^2$

(3) $(x+a)(x+b)=x^2+(a+b)x+ab$

(4) $(ax+b)(cx+d)=acx^2+(ad+bc)x+bd$

다음 식을 전개하여라.

0619 $(x+2)^2+(x-3)^2$

0620 $(x+1)^2-(x-1)(x+1)$

0621 $(x-3)(x+3)-(x+2)(x+4)$

0622 $2(x-3)(x+2)-3(x+2)^2$

0623 $(x-4)(x+7)-(x-2)(2-x)$

0624 $(x-1)(x-5)+(-x-2)^2$

0625 $(x-y)(x+y)-(x-y)^2$

0626 $(-x+y)^2+(-x-y)^2$

0627 $(3x-1)^2+2x(3x+2)$

0628 $(-2x+1)^2-(2x+3)(3x-1)$

0629 $(4x+y)(x-3y)-2(-x+y)(3x-5y)$

0630 $(3x+4)(4-3x)+(-2x-7)(-5x+1)$

핵심 01~10

Mini Review Test

날짜 : 월 일

Subnote 23쪽

핵심 01

0631 $(2x-y)(3x-2y-5)$의 전개식에서 xy의 계수는?

① -7 ② -4 ③ -3
④ 3 ⑤ 7

핵심 02 03 04

0632 다음 중 전개식이 옳지 않은 것은?

① $(x+y)^2=x^2+2xy+y^2$
② $(x-2)^2=x^2-4x+4$
③ $(3x-y)^2=9x^2-6xy-y^2$
④ $(2a+b)(2a-b)=4a^2-b^2$
⑤ $(3x-2y)(3x+2y)=9x^2-4y^2$

핵심 05

0633 $(1-a)(1+a)(1+a^2)(1+a^4)(1+a^8)=1-a^{\square}$ 일 때, □ 안에 알맞은 수는?

① 8 ② 10 ③ 12
④ 14 ⑤ 16

핵심 06

0634 $(x-3)(x+a)$의 전개식에서 x의 계수가 4일 때, 상수항은? (단, a는 상수)

① 1 ② 7 ③ 15
④ -12 ⑤ -21

핵심 07

0635 $(x-5)(x+\square)=x^2+\square x+15$의 빈칸에 알맞은 수를 차례대로 쓰면?

① -3, -5 ② 3, 2 ③ -3, -8
④ -3, 8 ⑤ 3, 8

핵심 09

0636 $(3x+a)(4x-9)=12x^2+bx-45$일 때, $a+b$의 값은? (단, a, b는 상수)

① -5 ② -4 ③ -3
④ -2 ⑤ -1

핵심 10

0637 $(3x-1)^2-(2x+1)(2x-1)$을 전개하면?

① $-5x^2+6x$ ② $-5x^2-6x$
③ $5x^2-6x+1$ ④ $5x^2+6x-2$
⑤ $5x^2-6x+2$

핵심 10 서술형

0638 $(x+4)(3x+1)-2(x-5)^2$을 전개하여 간단히 하였을 때, 일차항의 계수를 구하여라.

치환을 이용한 식의 전개

날짜 : 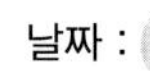 월  일 

Subnote ➲ 23쪽

한 문자로 치환하면 복잡한 식도 간단해 보여~

❶ 공통부분을 한 문자 A로 치환한다.
❷ 곱셈 공식을 이용하여 전개한다.
❸ A에 원래의 식을 대입한다.

치환을 이용하여 다음 식을 전개하여라.

0639 $(a+b-1)^2$

sol $a+b=A$로 놓으면

$(a+b-1)^2=(\square)^2=A^2-\square A+1$

$=(\square)^2-2(\square)+1$

$=\square$

0640 $(x-y-3)^2$ ________

0641 $(x+y+z)^2$ ________

key 곱셈 공식을 이용할 수 있도록 치환한다.

0642 $(x+3y+1)^2$ ________

0643 $(3x-2y-z)^2$ ________

치환을 이용하여 다음 식을 전개하여라.

0644 $(a+b+1)(a+b-1)$

sol $a+b=A$로 놓으면

$(a+b+1)(a+b-1)=(A+1)(\square)$

$=A^2-1=(\square)^2-1$

$=\square$

0645 $(x+y+2)(x+y-3)$ ________

0646 $(a+b-c)(a-b+c)$ ________

key $b-c=A$로 놓으면
$(a+b-c)(a-b+c)=(a+A)(a-A)$

0647 $(-x+1+y)(-x-y+1)$ ________

key 공통부분이 잘 나타나도록 적당히 묶어 치환한다.

0648 학교 시험 맛보기 

$(2x+1+y)(2x+1-y)$를 전개하면
$4x^2+ax+b-y^2$이다. 이때 $a-b$의 값을 구하여라.
(단, a, b는 상수)

____

곱셈 공식의 활용-수의 제곱의 계산

날짜 : 월 일

Subnote 24쪽

수를 제곱할 때, 곱셈 공식을 이용하면 간편하게 계산할 수 있어.

$(a+b)^2$ 또는 $(a-b)^2$의 전개를 이용하여 계산한다.

예 $103^2=(100+3)^2$
$=100^2+2\times100\times3+3^2$
$=10000+600+9$
$=10609$

$99^2=(100-1)^2$
$=100^2-2\times100\times1+1^2$
$=10000-200+1$
$=9801$

곱셈 공식을 이용하여 다음을 계산하여라.

0649 1003^2

sol $1003^2=(1000+\square)^2$
$=1000^2+2\times1000\times\square+\square^2$
$=\square$

$(a+b)^2=a^2+2ab+b^2$

0650 102^2 ________

key $(a+b)^2=a^2+2ab+b^2$에서 a에 해당하는 수를 10의 배수가 되게 하면 편리하다.

0651 1004^2 ________

0652 52^2 ________

0653 303^2 ________

0654 10.1^2 ________

곱셈 공식을 이용하여 다음을 계산하여라.

0655 998^2

sol $998^2=(1000-\square)^2$
$=1000^2-2\times1000\times\square+\square^2$
$=\square$

$(a-b)^2=a^2-2ab+b^2$

0656 49^2 ________

0657 999^2 ________

0658 79^2 ________

0659 198^2 ________

0660 9.7^2 ________

key 소수를 계산할 때는 소수에 가장 가까운 정수를 찾는다.

13 곱셈 공식의 활용-두 수의 곱의 계산

핵심

날짜 : 월 일

Subnote ➡ 24쪽

적당한 수를 기준으로 더하거나 빼어졌는지 살펴봐.

$(a+b)(a-b)$ 또는 $(x+a)(x+b)$의 전개를 이용하여 계산한다.

예 $51\times49=(50+1)(50-1)$
$=50^2-1^2$
$=2500-1=2499$

$105\times106=(100+5)(100+6)$
$=100^2+(5+6)\times100+5\times6$
$=10000+1100+30=11130$

곱셈 공식을 이용하여 다음을 계산하여라.

0661 103×97

sol $103\times97=(100+\square)(100-\square)$
$=\square^2-\square^2$
$=\square-\square=\square$

$(a+b)(a-b)=a^2-b^2$

0662 82×78 ______

0663 201×199 ______

0664 999×1001 ______

0665 605×595 ______

0666 5.8×6.2 ______

곱셈 공식을 이용하여 다음을 계산하여라.

0667 103×98

sol $103\times98=(100+\square)(100-\square)$
$=100^2+\square\times100-\square$
$=10000+100-6=\square$

$(x+a)(x+b)=x^2+(a+b)x+ab$

0668 45×42 ______

0669 72×69 ______

0670 108×95 ______

0671 102×107 ______

0672 학교 시험 맛보기 

다음 중 주어진 수의 계산을 간편하게 하기 위하여 이용되는 곱셈 공식을 바르게 나타낸 것은? (단, a, b는 양수)

① 101^2 ➡ $(a-b)^2=a^2-2ab+b^2$
② 399^2 ➡ $(a+b)^2=a^2+2ab+b^2$
③ 84×76 ➡ $(a+b)(a-b)=a^2-b^2$
④ 997^2 ➡ $(x+a)(x+b)=x^2+(a+b)x+ab$
⑤ 97×103 ➡ $(a-b)^2=a^2-2ab+b^2$

14 곱셈 공식의 활용-근호를 포함한 식의 계산

날짜 : 월 일

Subnote ➜ 25쪽

근호를 문자로 생각하고 곱셈 공식을 이용해!

근호를 포함한 식에 괄호가 있는 경우에는 분배법칙과 곱셈 공식을 이용하여 괄호를 푼 후에 식을 간단히 한다.

예 $(2+\sqrt{3})^2=2^2+2\times2\times\sqrt{3}+(\sqrt{3})^2$

$=4+4\sqrt{3}+3$

$=7+4\sqrt{3}$

다음을 계산하여라.

0673 $(3-\sqrt{3})^2$

sol $(3-\sqrt{3})^2=3^2-2\times\square\times\sqrt{3}+(\sqrt{3})^2$

$=9-\square\sqrt{3}+3$

$=\square-6\sqrt{3}$

$(a\pm b)^2=a^2\pm2ab+b^2$

0674 $(3\sqrt{2}+1)^2$ ________

0675 $(2\sqrt{2}+3\sqrt{5})^2$ ________

0676 $(\sqrt{5}+3)(\sqrt{5}-3)$

sol $(\sqrt{5}+3)(\sqrt{5}-3)=(\sqrt{5})^2-\square^2=\square-\square=\square$

$(a+b)(a-b)=a^2-b^2$

0677 $(3\sqrt{2}+2)(3\sqrt{2}-2)$

0678 $(2\sqrt{3}-\sqrt{2})(2\sqrt{3}+\sqrt{2})$ ________

다음을 계산하여라.

0679 $(\sqrt{2}+1)(\sqrt{2}+3)$

sol $(\sqrt{2}+1)(\sqrt{2}+3)=(\sqrt{2})^2+(1+\square)\sqrt{2}+1\times\square$

$=2+\square\sqrt{2}+\square$

$=\square+\square\sqrt{2}$

$(x+a)(x+b)=x^2+(a+b)x+ab$

0680 $(2\sqrt{2}+2)(2\sqrt{2}-4)$ ________

0681 $(\sqrt{5}-\sqrt{2})(\sqrt{5}+2\sqrt{2})$ ________

0682 $(2\sqrt{10}-1)(\sqrt{10}+2)$ ________

$(ax+b)(cx+d)=acx^2+(ad+bc)x+bd$

0683 $(2\sqrt{3}-\sqrt{2})(\sqrt{3}-3\sqrt{2})$ ________

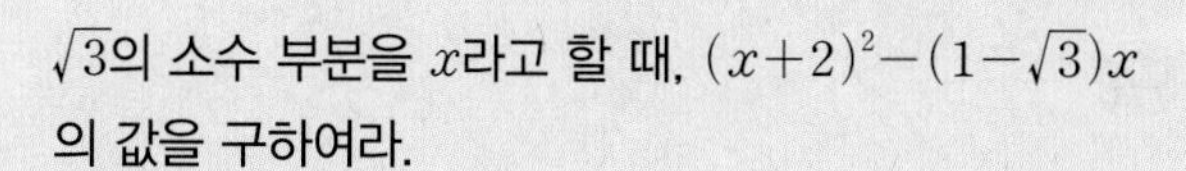

0684 학교 시험 맛보기

$\sqrt{3}$의 소수 부분을 x라고 할 때, $(x+2)^2-(1-\sqrt{3})x$의 값을 구하여라.

____

5 다항식의 곱셈

15 곱셈 공식의 활용-분모의 유리화

날짜 : 월 일

Subnote 25쪽

$(a+b)(a-b)$를 전개하면 제곱수만 나오니까 분모가 유리수가 돼.

분모가 $a+\sqrt{b}$ 또는 $\sqrt{a}+\sqrt{b}$ 꼴인 분수는 곱셈 공식 $(a+b)(a-b)=a^2-b^2$을 이용하여 분모를 유리화한다.

분모	$a+\sqrt{b}$	$\sqrt{a}+\sqrt{b}$	$\sqrt{a}-\sqrt{b}$
분모, 분자에 곱하는 수	$a-\sqrt{b}$	$\sqrt{a}-\sqrt{b}$	$\sqrt{a}+\sqrt{b}$

다음 수의 분모를 유리화하여라.

0685 $\dfrac{1}{2-\sqrt{3}}$

sol 분모, 분자에 ☐을 곱하면

$\dfrac{1}{2-\sqrt{3}}=\dfrac{☐}{(2-\sqrt{3})(☐)}=\dfrac{☐}{4-3}=☐$

0686 $\dfrac{1}{7-4\sqrt{3}}$

0687 $\dfrac{4}{\sqrt{7}-\sqrt{3}}$

0688 $\dfrac{\sqrt{2}}{\sqrt{2}-1}$

0689 $\dfrac{\sqrt{3}+\sqrt{2}}{\sqrt{3}-\sqrt{2}}$

sol 분모, 분자에 ☐를 곱하면

$\dfrac{\sqrt{3}+\sqrt{2}}{\sqrt{3}-\sqrt{2}}=\dfrac{(☐)^2}{(\sqrt{3}-\sqrt{2})(☐)}$

$=\dfrac{3+☐\sqrt{6}+2}{3-2}=☐$

0690 $\dfrac{2+\sqrt{3}}{2-\sqrt{3}}$

다음 식을 간단히 하여라.

0691 $\dfrac{1}{\sqrt{5}-2}+\dfrac{1}{\sqrt{5}+2}$

sol $\dfrac{1}{\sqrt{5}-2}+\dfrac{1}{\sqrt{5}+2}$

$=\dfrac{☐}{(\sqrt{5}-2)(☐)}+\dfrac{☐}{(\sqrt{5}+2)(☐)}$

$=\sqrt{5}+2+\sqrt{5}-2=☐$

0692 $\dfrac{2}{\sqrt{6}+2}+\dfrac{2}{\sqrt{6}-2}$

0693 $\dfrac{\sqrt{2}}{\sqrt{5}-\sqrt{3}}+\dfrac{\sqrt{2}}{\sqrt{5}+\sqrt{3}}$

0694 $\dfrac{3+2\sqrt{2}}{3-2\sqrt{2}}+\dfrac{3-2\sqrt{2}}{3+2\sqrt{2}}$

0695 $\dfrac{\sqrt{7}-\sqrt{5}}{\sqrt{7}+\sqrt{5}}+\dfrac{\sqrt{7}+\sqrt{5}}{\sqrt{7}-\sqrt{5}}$

0696 학교 시험 맛보기

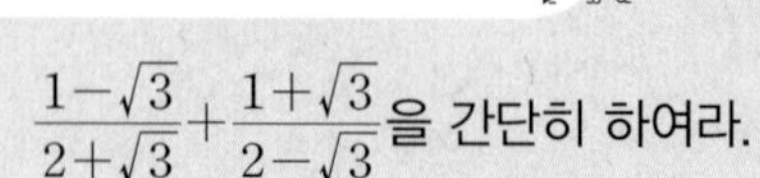

$\dfrac{1-\sqrt{3}}{2+\sqrt{3}}+\dfrac{1+\sqrt{3}}{2-\sqrt{3}}$을 간단히 하여라.

16 곱셈 공식의 변형 (1)

날짜 : 월 일

Subnote 25쪽

핵심

합의 제곱과 차의 제곱 공식으로 합과 곱으로 이루어진 식을 만들 수 있어.

$a+b$와 ab 또는 $a-b$와 ab의 값이 주어질 때

(1) $a^2+b^2=(a+b)^2-2ab$ ← $a+b$, ab의 값 이용

(2) $a^2+b^2=(a-b)^2+2ab$ ← $a-b$, ab의 값 이용

(3) $(a+b)^2=(a-b)^2+4ab$

(4) $(a-b)^2=(a+b)^2-4ab$

다음 식의 값을 구하여라.

0697 $x+y=5$, $xy=3$일 때, x^2+y^2의 값

sol $x^2+y^2=(\square)^2-2xy$
$=\square^2-2\times3=\square-6=\square$

0698 $x+y=3$, $xy=1$일 때, x^2+y^2의 값

0699 $x-y=4$, $xy=2$일 때, x^2-xy+y^2의 값

key $x^2+y^2=(x-y)^2+2xy$

0700 $x^2+y^2=8$, $x-y=2$일 때, xy의 값

0701 $x+y=6$, $xy=4$일 때, $\frac{x}{y}+\frac{y}{x}$의 값

$\frac{x}{y}+\frac{y}{x}=\frac{x^2+y^2}{xy}$

다음 식의 값을 구하여라.

0702 $x-y=4$, $xy=-3$일 때, $(x+y)^2$의 값

sol $(x+y)^2=(\square)^2+4xy$
$=\square^2+4\times(-3)=\square-12=\square$

0703 $x-y=3$, $xy=-2$일 때, $(x+y)^2$의 값

0704 $x+y=5$, $xy=-6$일 때, $(x-y)^2$의 값

0705 $a+b=2$, $a^2+b^2=5$일 때, $(a-b)^2$의 값

key ab의 값을 먼저 구한다.

0706 학교 시험 맛보기 

$x+y=8$, $xy=12$일 때, $\frac{y}{x}+\frac{x}{y}$의 값을 구하여라.

5 다항식의 곱셈

핵심 17 곱셈 공식의 변형 (2)

날짜 :  월  일

Subnote ➲ 26쪽

두 수 a, $\frac{1}{a}$의 곱이 1로 일정해~

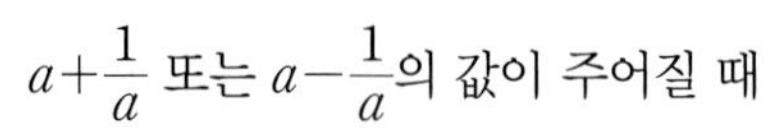

$a+\frac{1}{a}$ 또는 $a-\frac{1}{a}$의 값이 주어질 때

(1) $a^2+\frac{1}{a^2}=\left(a+\frac{1}{a}\right)^2-2=\left(a-\frac{1}{a}\right)^2+2$

(2) $\left(a+\frac{1}{a}\right)^2=\left(a-\frac{1}{a}\right)^2+4$

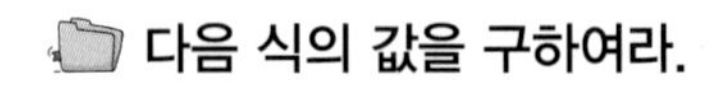

다음 식의 값을 구하여라.

0707 $x+\frac{1}{x}=5$일 때, $x^2+\frac{1}{x^2}$

sol $x^2+\frac{1}{x^2}=\left(x+\frac{1}{x}\right)^2-\square=5^2-\square=\square$

0708 $x+\frac{1}{x}=3$일 때, $x^2+\frac{1}{x^2}$ ________

0709 $x-\frac{1}{x}=4$일 때, $x^2+\frac{1}{x^2}$ ________

0710 $a-\frac{1}{a}=2$일 때, $\left(a+\frac{1}{a}\right)^2$ ________

0711 $a+\frac{1}{a}=4$일 때, $\left(a-\frac{1}{a}\right)^2$ ________

다음 식의 값을 구하여라.

0712 $x^2-6x+1=0$일 때,

$x^2-6x+1=0$에서 $x\neq0$이야.

(1) $x+\frac{1}{x}$

sol $x^2-6x+1=0$의 양변을 x로 나누면

$x-\square+\frac{1}{x}=0$ $\quad\therefore x+\frac{1}{x}=\square$

(2) $x^2+\frac{1}{x^2}$

sol $x^2+\frac{1}{x^2}=\left(x+\frac{1}{x}\right)^2-\square=6^2-\square=\square$

0713 $x^2-2x-1=0$일 때,

(1) $x-\frac{1}{x}$ ________

(2) $x^2+\frac{1}{x^2}$ ________

0714 $x^2-5x+1=0$일 때, $x^2+\frac{1}{x^2}$ ________

0715 $x^2-4x-1=0$일 때, $x+\frac{1}{x}$ (단, $x>0$) ________

0716 학교 시험 맛보기

$x^2-3x+1=0$일 때, $x^2+x+\frac{1}{x}+\frac{1}{x^2}$의 값을 구하여라.

____

핵심 11~17

Mini Review Test

날짜 : 월 일

Subnote ➡ 26쪽

핵심 11

0717 다음 식의 전개에서 □ 안에 알맞은 식은?

$$(a+b-3)^2=a^2+2ab+b^2+\square$$

① $2a+2b-9$ ② $6a+6b-9$
③ $-6a+6b-9$ ④ $-6a-6b+9$
⑤ $-9a-6b+9$

핵심 12 13

0718 다음 중에서 곱셈 공식 $(a+b)(a-b)=a^2-b^2$을 이용하면 편리한 것은?

① 102^2 ② 98×103 ③ 502×498
④ 101×102 ⑤ 9.9^2

핵심 13

0719 다음은 곱셈 공식을 이용하여 수를 계산하는 과정이다. □ 안에 알맞은 수를 써넣어라.

$$\begin{aligned}102\times99&=(100+\square)(100-\square)\\&=100^2+\square\times100-\square\\&=10000+\square-2=\square\end{aligned}$$

핵심 14

0720 $(3\sqrt{3}-\sqrt{2})(3\sqrt{3}+\sqrt{2})$를 계산하여라.

핵심 15

0721 $x=\dfrac{\sqrt{2}-1}{\sqrt{2}+1}$, $y=\dfrac{\sqrt{2}+1}{\sqrt{2}-1}$일 때, $x+y$의 값을 구하여라.

핵심 15

0722 $\sqrt{2}$의 소수 부분을 x라고 할 때, $(\sqrt{2}+1)x+\dfrac{\sqrt{2}}{x}$의 값을 구하여라.

핵심 16

0723 $x+y=10$, $xy=8$일 때, $\dfrac{2y}{x}+\dfrac{2x}{y}$의 값을 구하여라.

핵심 17

0724 $x-\dfrac{1}{x}=7$일 때, $x^2+\dfrac{1}{x^2}$의 값은?

① 42 ② 45 ③ 47
④ 49 ⑤ 51

Review

Talk Talk

YOU♡
PM 3:11
$(a+b)(c+d)$는 어떻게 전개할까?
분배법칙을 이용해!
$(a+b)(c+d)=\underset{①}{ac}+\underset{②}{ad}+\underset{③}{bc}+\underset{④}{bd}$
$(a+b)^2$, $(a-b)^2$을 전개하면?
$(a+b)^2=$(❶), $(a-b)^2=$(❷)
이 곱셈 공식의 변형 공식도 함께 기억해 두면 좋아.
$a^2+b^2=(a+b)^2-2ab=$(❸)^2+2ab
$(a+b)(a-b)$를 전개하면?
제곱수끼리의 차가 돼.
$(a+b)(a-b)=$(❹)
이를 이용해서 분모의 유리화를 하지.
$\frac{1}{\sqrt{2}-1}=\frac{(❺\quad)}{(\sqrt{2}-1)(❺\quad)}=\sqrt{2}+1$
$(x+a)(x+b)$를 전개하면?
두 수의 합과 곱이 x의 계수와 상수가 돼.
$(x+a)(x+b)=x^2+$(❻)$x+ab$
$(ax+b)(cx+d)$를 전개하면?
acx^2+(❼)$x+bd$
❶ $a^2+2ab+b^2$ ❷ $a^2-2ab+b^2$ ❸ $a-b$ ❹ a^2-b^2 ❺ $\sqrt{2}+1$ ❻ $a+b$ ❼ $ad+bc$

6 인수분해

	학습 내용	공부한 날짜	반복하기
6. 인수분해	**01.** 인수와 인수분해의 뜻	월 일	□□
	02. 공통인수를 이용한 인수분해	월 일	□□
	03. 인수분해 공식(1)	월 일	□□
	04. 인수분해 공식(1)	월 일	□□
	05. 완전제곱식-이차항의 계수가 1인 경우	월 일	□□
	06. 완전제곱식-이차항의 계수가 1이 아닌 경우	월 일	□□
	07. 인수분해 공식(2)	월 일	□□
	08. 인수분해 공식(3)	월 일	□□
	09. 인수분해 공식(3)	월 일	□□
	10. 인수분해 공식(4)	월 일	□□
	11. 인수분해 공식(4)	월 일	□□
	Mini **Review** Test(**01~11**)	월 일	□□
	12. 복잡한 식의 인수분해 -공통인수가 있는 경우	월 일	□□
	13. 복잡한 식의 인수분해 -치환을 이용한 인수분해	월 일	□□
	14. 복잡한 식의 인수분해-항이 4개	월 일	□□
	15. 인수분해 공식을 이용한 수의 계산(1)	월 일	□□
	16. 인수분해 공식을 이용한 수의 계산(2)	월 일	□□
	17. 인수분해 공식을 이용한 식의 값	월 일	□□
	18. 인수분해의 활용-문장제	월 일	□□
	Mini **Review** Test(**12~18**)	월 일	□□

6 인수분해

개념 NOTE

1 인수분해와 공통인수 핵심 01 02

(1) **인수**: 하나의 다항식을 두 개 이상의 다항식의 곱으로 나타낼 때, 각각의 다항식을 처음 다항식의 **인수**라고 한다.

(2) **인수분해**: 하나의 다항식을 두 개 이상의 인수의 곱으로 나타내는 것을 다항식을 **인수분해**한다고 한다.

(3) **공통인수** : 다항식의 각 항에 공통으로 들어 있는 인수

(4) **공통인수를 이용한 인수분해** : 다항식의 각 항에 공통인수가 있을 때에는 분배법칙을 이용하여 공통인수를 묶어 내어 인수분해한다.

- 모든 다항식에서 1과 자기 자신은 그 다항식의 인수이다.
- 인수분해는 전개를 거꾸로 한 과정이다.
- 공통인수로 묶어 내어 인수분해할 때, 공통인수가 남지 않도록 모두 묶어 낸다.

2 인수분해 공식 (1): $a^2 \pm 2ab + b^2$의 인수분해 핵심 03 ~ 06

(1) $a^2+2ab+b^2=(a+b)^2$

(2) $a^2-2ab+b^2=(a-b)^2$

(3) **완전제곱식** : 다항식의 제곱으로 된 식 또는 이 식에 상수를 곱한 식

(4) x^2+ax+b가 완전제곱식이 될 조건

① b의 조건 : $b=\left(\frac{a}{2}\right)^2$ ② a의 조건 : $a=\pm 2\sqrt{b}$ (단, $b>0$)

3 인수분해 공식 (2): a^2-b^2의 인수분해 핵심 07

$a^2-b^2=(a+b)(a-b)$

4 인수분해 공식 (3): $x^2+(a+b)x+ab$의 인수분해 핵심 08 09

$x^2+(a+b)x+ab=(x+a)(x+b)$

5 인수분해 공식 (4): $acx^2+(ad+bc)x+bd$의 인수분해 핵심 10 11

$acx^2+(ad+bc)x+bd=(ax+b)(cx+d)$

- 특별한 조건이 없으면 유리수의 범위에서 인수분해할 수 없을 때까지 인수분해한다.

6 복잡한 식의 인수분해 핵심 12 13 14

(1) **공통인수가 있는 경우**: 공통인수로 묶어 낸 후 인수분해 공식을 이용한다.

(2) **공통부분이 있는 경우**: 공통부분을 한 문자로 치환한 후 인수분해 공식을 이용한다.

(3) **항이 4개인 경우**

① 공통인수가 생기도록 두 항씩 묶어 인수분해한다.

② 항 3개가 완전제곱식으로 나타내어지면 A^2-B^2 꼴로 만들어 인수분해한다.

- 치환하여 인수분해한 경우 다시 원래의 식을 대입하여 정리한다.

7 인수분해 공식의 활용 핵심 15 ~ 18

(1) **수의 계산** : $a^2\pm 2ab+b^2=(a\pm b)^2$ 또는 $a^2-b^2=(a+b)(a-b)$를 이용한다.

(2) **식의 값** : 주어진 식을 인수분해한 후 문자에 수를 대입한다.

핵심 **01**
인수와 인수분해의 뜻

날짜 : 월 일

Subnote ➡ 27쪽

전개식의 좌변과 우변을 바꿔 놓은 모양이 인수분해~

(1) **인수**: 하나의 다항식을 두 개 이상의 다항식의 곱으로 나타낼 때, 각각의 다항식을 처음 다항식의 **인수**라고 한다.

(2) **인수분해**: 하나의 다항식을 두 개 이상의 인수의 곱으로 나타내는 것

$$x^2+4x+3 \underset{\text{전개}}{\overset{\text{인수분해}}{\rightleftarrows}} (x+1)(x+3)$$

(인수: $(x+1)$, $(x+3)$)

다음 식은 어떤 다항식을 인수분해한 것인지 구하여라.

0725 ☐ ➡ $x(3-x)$

0726 ☐ ➡ $5(x-y+3)$

0727 ☐ ➡ $(x+2)^2$

0728 ☐ ➡ $(x-2)(x+2)$

0729 ☐ ➡ $(2x+1)(x-5)$

0730 ☐ ➡ $-2(3x-2)(4x-3)$

다음에서 주어진 식의 인수를 골라 ○표 하여라.

0731 $x(x+2y)$

x x^2 $x+2$ $x+2y$

0732 $2xy(x-6)$

$2x$ $x-6$ $2xy-6$ $y(x-6)$

0733 $3x(x+1)(x-4)$

3 $x+1$ $(x+1)(x-4)$ $3(x+4)$

0734 $x(x+y)(x-y)$

x^2 $x+1$ $x-y$ x^2-y^2

key $(x+y)(x-y)=x^2-y^2$

0735 학교 시험 맛보기 

다음 중 $2x(x+2)^2$의 인수가 아닌 것은?

① 1 ② $2x$ ③ $x(x+2)$

④ $(x+2)^2$ ⑤ $x^2(x+2)$

핵심 02 공통인수를 이용한 인수분해

날짜 :  월  일

Subnote ➜ 27쪽

공통인수를 찾을 때,
수에서는 최대공약수,
문자에서는 차수가
가장 낮은 것을 찾아.

(1) **공통인수:** 다항식의 각 항에 공통으로 들어 있는 인수

(2) **공통인수를 이용한 인수분해:** 다항식의 각 항에 공통인수가 있을 때에는 분배법칙을 이용하여 공통인수를 묶어 내어 인수분해한다.

➡ $ma+mb+mc=m(a+b+c)$ (공통인수 m을 괄호로 묶어 나타낸다.)

다항식을 공통인수를 이용하여 인수분해한 것이다. 다음을 완성하여라.

0736 $ax+3bx=\square(a+3b)$

key 두 항에 x가 공통으로 들어 있다.

0737 $4ab-2b^2=\square(2a-b)$

0738 $-3a^2+12ab=\square(a-\square)$

맨앞에 부호도 함께 묶어 줘.
이때 다른 항의 부호에 유의해~

0739 $x^2y-2xy^2=\square(x-2y)$

0740 $x^2y+xy^2-xy=\square(x+y-\square)$

key 공통인수를 제외하고 남는 것이 없으면 1을 쓴다.

0741 $a(b+c)-ad=\square(b+c-d)$

공통인수를 이용하여 다음 식을 인수분해하여라.

0742 $x(x-2)+3(x-2)$

sol $\square$가 공통인수이므로

$x(x-2)+3(x-2)=(\square)(x+3)$

0743 $x(x+5)-2(x+5)$ ____________

0744 $a(2b+1)-2c(2b+1)$ ____________

0745 $x(x-4)-2(4-x)$ ____________

key $4-x=-(x-4)$임을 이용한다.

0746 $(2a-1)-3b(1-2a)$ ____________

0747 학교 시험 맛보기 

다음 중 $x(a-1)-y(1-a)$의 인수를 모두 고르면? (정답 2개)

① $a-1$ ② $a+1$ ③ $x-y$
④ $x+y$ ⑤ $(x-y)(a-1)$

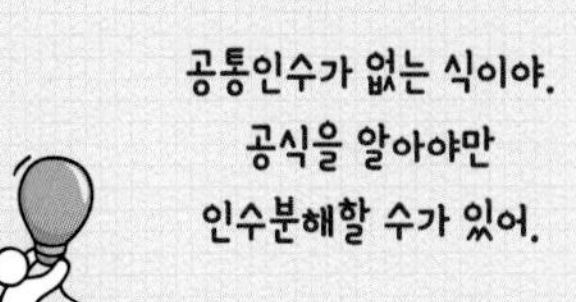

03 인수분해 공식 (1)

날짜 : 월 일

Subnote ➡ 27쪽

공통인수가 없는 식이야. 공식을 알아야만 인수분해할 수가 있어.

$a^2+2ab+b^2$의 인수분해

$a^2+2ab+b^2=(a+b)^2$ (제곱, 제곱)

$x^2+2x+1=(x+1)^2$ ($2x$: $2\times x\times 1$)

다음 식을 인수분해하여라.

0748 x^2+6x+9

sol $x^2+6x+9=x^2+2\times x\times\square+\square^2=(x+\square)^2$

0749 a^2+4a+4 ________

0750 $x^2+8x+16$ ________

0751 $x^2+10x+25$ ________

0752 $x^2+x+\frac{1}{4}$ ________

0753 $x^2+\frac{1}{2}x+\frac{1}{16}$ ________

다음 식을 인수분해하여라.

0754 $25a^2+10a+1$

sol $25a^2+10a+1=(5a)^2+2\times\square\times 1+1^2=(\square+1)^2$

0755 $64x^2+16x+1$ ________

0756 $9a^2+24a+16$ ________

0757 $4x^2+12xy+9y^2$ ________

0758 $\frac{1}{16}x^2+\frac{1}{2}xy+y^2$ ________

0759 $\frac{1}{9}x^2+\frac{4}{3}xy+4y^2$ ________

인수분해 공식 (1)

날짜 : 월 일

Subnote ➡ 27쪽

$a^2+2ab+b^2$과 비교하면서 기억해~

$a^2-2ab+b^2$의 인수분해

$a^2-2ab+b^2=(a-b)^2$ (제곱, 제곱)

$x^2-2x+1=(x-1)^2$ ($2\times x\times 1$)

다음 식을 인수분해하여라.

0760 x^2-4x+4

sol $x^2-4x+4=x^2-2\times x\times\square+2^2=(x-\square)^2$

0761 $x^2-8x+16$ ______

0762 $x^2-10x+25$ ______

0763 $a^2-18a+81$ ______

0764 $a^2-6ab+9b^2$ ______

0765 $x^2-xy+\frac{1}{4}y^2$ ______

다음 식을 인수분해하여라.

0766 $9x^2-12x+4$

sol $9x^2-12x+4=(3x)^2-2\times\square\times 2+2^2=(\square-2)^2$

0767 $25x^2-10x+1$ ______

0768 $4x^2-4x+1$ ______

0769 $9x^2-48xy+64y^2$ ______

0770 $\frac{1}{4}x^2-2xy+4y^2$ ______

0771 $36a^2-60ab+25b^2$ ______

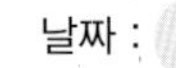  
날짜 : 월 일

핵심 05 완전제곱식-이차항의 계수가 1인 경우

Subnote 27쪽

$(a+b)^2$, $(a-b)^2$, $k(a+b)^2$ 과 같은 식이 완전제곱식이야.

(1) 완전제곱식: 다항식의 제곱으로 된 식 또는 이 식에 상수를 곱한 식

(2) $x^2+ax+b\,(b>0)$가 완전제곱식이 될 조건: $b=\left(\frac{a}{2}\right)^2$ 또는 $a=\pm2\sqrt{b}$

제곱근의 2배 / 절반의 제곱	제곱근의 2배 / 절반의 제곱
$x^2+ax+b=\left(x+\frac{a}{2}\right)^2$	$x^2+6x+9=(x+3)^2$

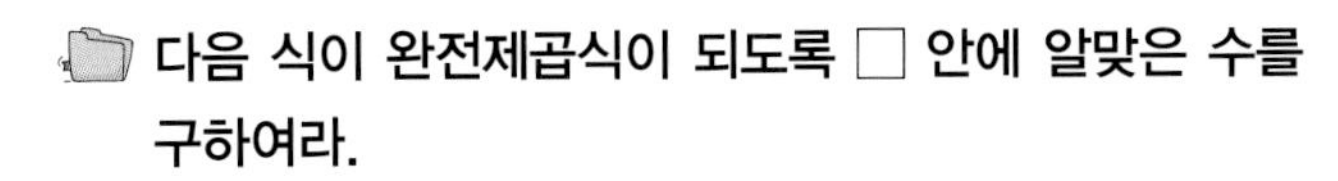

다음 식이 완전제곱식이 되도록 □ 안에 알맞은 수를 구하여라.

0772 $x^2+10x+\boxed{A}$

sol $x^2+10x+A$ (절반의 제곱) $\therefore A=\square$

0773 $a^2-12a+\square$ ________

0774 $x^2+14x+\square$ ________

0775 $x^2-20x+\square$ ________

0776 $x^2-3xy+\square y^2$ ________

0777 $x^2-\frac{4}{5}xy+\square y^2$ ________

다음 식이 완전제곱식이 되도록 □ 안에 알맞은 수를 구하여라.

0778 $x^2+\boxed{A}x+64$

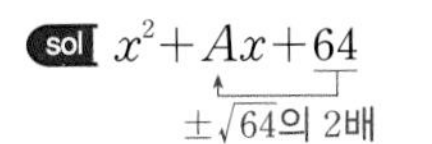

sol $x^2+Ax+64$ ($\pm\sqrt{64}$의 2배) $\therefore A=\square$

0779 $x^2+\square x+81$ ________

0780 $x^2+\square x+100$ ________

0781 $x^2+\square xy+36y^2$ ________

0782 $x^2+\square xy+4y^2$ ________

0783 학교 시험 맛보기

$x^2+(a+1)x+9$가 완전제곱식이 되도록 하는 양수 a의 값을 구하여라.

____

완전제곱식-이차항의 계수가 1이 아닌 경우

날짜 : 월 일 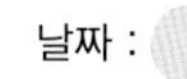

이차항의 계수의 제곱근도 생각해야 해.

$ax^2+bx+c\ (a>0,\ c>0)$가 완전제곱식이 될 조건

$(\sqrt{a}x)^2+bx+(\sqrt{c})^2=(\sqrt{a}x\pm\sqrt{c})^2$ (b: ±(곱의 2배)) ➡ $b=\pm2\sqrt{ac}$

다음 식이 완전제곱식이 되도록 □ 안에 알맞은 것을 구하여라.

0784 $9x^2+24x+\boxed{A}$

sol $9x^2+24x+A$ ($24=2\times3\times4$; 3, 4: 제곱근) $\therefore A=\square$

$●^2\pm2●▲+▲^2=(●\pm▲)^2$ (●, ▲: 제곱)

0785 $4a^2-28a+\square$

0786 $16x^2+8x+\square$

0787 $25a^2+30a+\square$

0788 $4x^2-36xy+\square$

문자를 빠뜨리지 않도록 주의!

0789 $64a^2-8ab+\square$

다음 식이 완전제곱식이 되도록 □ 안에 알맞은 수를 구하여라.

0790 $4x^2+\boxed{A}x+25$

sol $4x^2+Ax+25$ ($\pm2\times2\times5$) $\therefore A=\square$

x의 계수는 양수, 음수의 경우를 모두 생각해야 해.

0791 $36x^2+\square xy+y^2$

0792 $9x^2-\square xy+49y^2$

0793 $\frac{1}{4}x^2+\square xy+\frac{1}{9}y^2$

0794 $\frac{1}{16}x^2-\square xy+y^2$

0795 학교 시험 맛보기 

$25x^2-20x+k$가 완전제곱식이 되도록 하는 상수 k의 값을 구하여라.

인수분해 공식 (2)

날짜 : 월 일

Subnote ➔ 27쪽

a^2-b^2의 인수분해

$$a^2-b^2=\underset{\text{합}}{(a+b)}\underset{\text{차}}{(a-b)}$$

$$x^2-4=\underset{\text{합}}{(x+2)}\underset{\text{차}}{(x-2)}$$

다음 식을 인수분해하여라.

0796 a^2-64

sol $a^2-64=a^2-\square^2=(a+8)(a-\square)$

0797 $x^2-\frac{1}{4}$ ______

0798 $100-x^2$ ______

0799 a^2-9b^2 ______

$9b^2=(3b)^2$

0800 $a^2-\frac{1}{25}$ ______

0801 $-4b^2+a^2$ ______

순서를 바꿔서 생각해 봐.

다음 식을 인수분해하여라.

0802 $4x^2-25y^2$

sol $4x^2-25y^2=(\square)^2-(5y)^2$
$=(\square+5y)(2x-5y)$

0803 $9a^2-16$ ______

0804 $36x^2-\frac{1}{49}y^2$ ______

0805 $100x^2-81y^2$ ______

0806 $-\frac{1}{4}x^2+\frac{4}{9}y^2$ ______

0807 학교 시험 맛보기 

$81x^2-25y^2$을 인수분해하면 두 일차식 $ax+by$, $ax-by$의 곱으로 나타난다. 이때 양수 a, b의 값을 각각 구하여라.

______

08 인수분해 공식 (3)

Subnote 28쪽

곱하여 ab가 되는 두 정수를 찾아서 그 합이 $a+b$가 되는 두 정수 a, b를 구해.

$x^2+(a+b)x+ab$의 인수분해

$$x^2+(a+b)x+ab = (x+a)(x+b)$$
($a+b$: 합, ab: 곱)

$$x^2+3x+2 = x^2+(1+2)x+1\times2 = (x+1)(x+2)$$

합과 곱이 다음과 같은 두 정수를 구하여라.

0808 합: 5, 곱: 6

sol 곱이 6인 두 정수는
(1, □), (2, □), (−1, □), (−2, □)
이 중 합이 5인 두 정수는 (□, □)

0809 합: 7, 곱: 12 ______

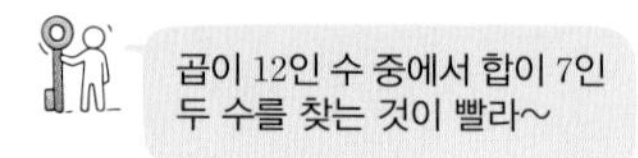

0810 합: 5, 곱: −6 ______

0811 합: −2, 곱: −8 ______

0812 합: −9, 곱: 20 ______

0813 합: −11, 곱: 24 ______

다음 식을 인수분해하여라.

0814 x^2+4x+3

sol 합이 4, 곱이 3인 두 수는 1, □이므로
$x^2+4x+3=(x+1)(x+\square)$

0815 x^2-x-12 ______

0816 x^2-x-6 ______

0817 $x^2-8x+15$ ______

0818 $x^2+4x-21$ ______

0819 학교 시험 맛보기

일차항의 계수가 1인 두 일차식의 곱이 $x^2-12x+20$일 때, 이 두 일차식의 합을 구하여라.

______

핵심

09 인수분해 공식 (3)

날짜 : 월 일

Subnote 28쪽

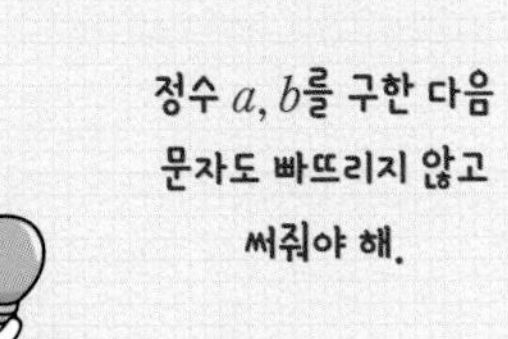

$x^2+(a+b)xy+aby^2$의 인수분해

$x^2+3xy+2y^2=(x+y)(x+2y)$

합: 3, 1 → $x+y$, 2 → $x+2y$

정수 a, b를 구한 다음 문자도 빠뜨리지 않고 써줘야 해.

다음 식을 인수분해하여라.

0820 $x^2+5xy-6y^2$ ______

$(x+6)(x-1)$로 답하면 ×

0821 $x^2+5xy+6y^2$ ______

0822 $x^2+7xy-8y^2$ ______

0823 $x^2-9xy+20y^2$ ______

0824 $x^2+12xy-13y^2$ ______

0825 $x^2+xy-12y^2$ ______

다음 □ 안에 알맞은 것을 써넣어라.

0826 $x^2+\square xy+8y^2=(x+2y)(x+\square)$

합, 곱

합과 곱을 비교하여 빈 칸을 채워 봐.

0827 $x^2+\square xy-15y^2=(x-3y)(x+\square)$

0828 $x^2-10xy+\square=(x-6y)(x-4y)$

0829 $x^2+6xy-\square=(x+\square)(x-6y)$

0830 $x^2-5xy-\square=(x+\square)(x-8y)$

0831 학교 시험 맛보기

일차식 $x-3y$가 다항식 $x^2+2xy-ay^2$의 인수일 때, 상수 a의 값을 구하여라.

______

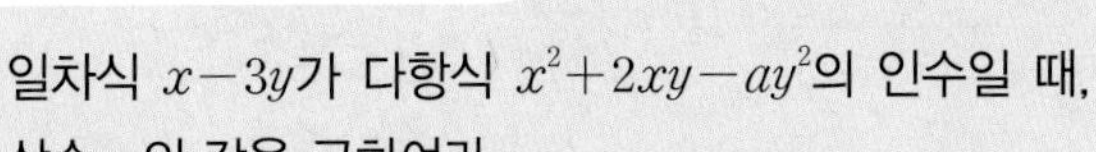

key $x^2+2xy-ay^2=(x-3y)(x+\square y)$ 꼴로 인수분해된다.

인수분해 공식 (4)

날짜 : 월 일

Subnote ➔ 28쪽

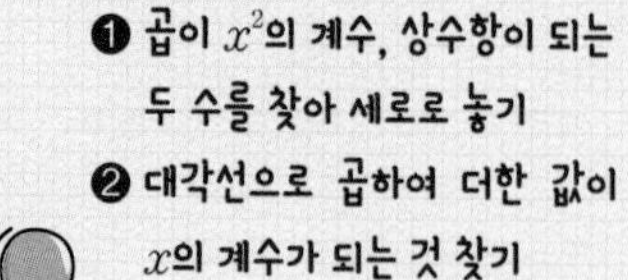

$acx^2+(ad+bc)x+bd$의 인수분해

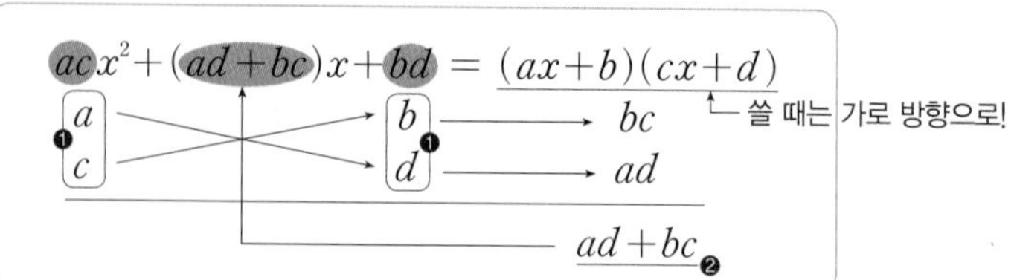

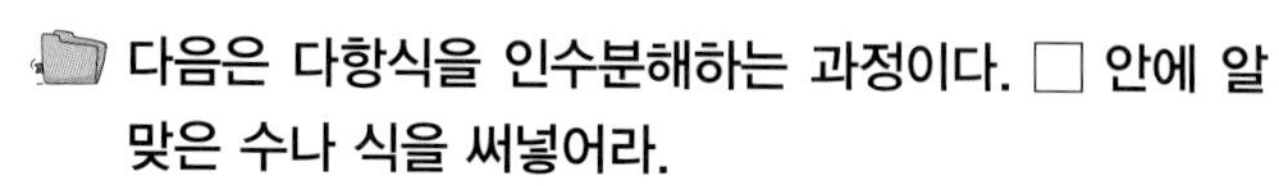

다음은 다항식을 인수분해하는 과정이다. □ 안에 알맞은 수나 식을 써넣어라.

0832 $2x^2+5x+3=(x+\square)(2x+\square)$

1 □ → □
2 □ → □
5

0833 $2x^2+7x-15=(x+\square)(2x-\square)$

1 □ → □
2 □ → □
7

0834 $3x^2-11x-4=(x-4)(\square)$

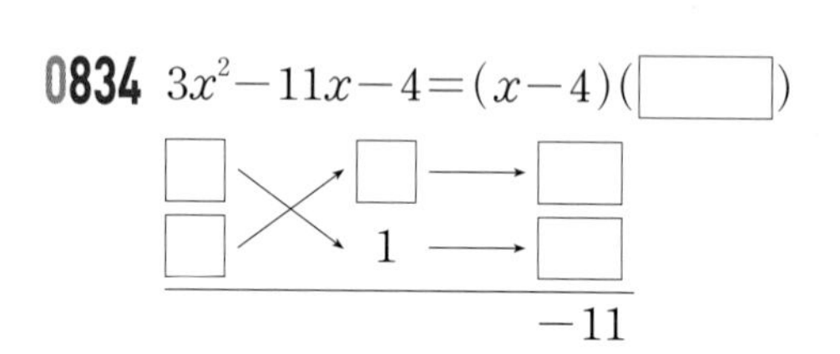

0835 $6x^2-7x+2=(\square)(\square)$

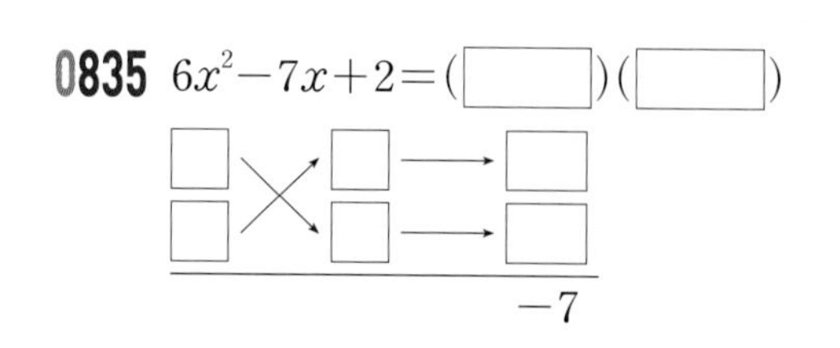

다음 식을 인수분해하여라.

0836 $2x^2-7x+3$

0837 $3x^2+7x+2$

0838 $15x^2-14x-8$

0839 $20x^2+x-1$

0840 $(2x+1)(3x-1)+4x$

괄호를 풀어 정리한 다음 인수분해해!

0841 학교 시험 맛보기

다음 식을 인수분해하여라.

$(3x+2)(x-4)-(x^2+x-23)$

핵심 11

인수분해 공식 (4)

날짜 : 월 일

Subnote 28쪽

문자가 2개일 때에는 답을 쓸 때 문자를 빠뜨리지 않도록 주의해야 해.

$acx^2+(ad+bc)xy+bdy^2$의 인수분해

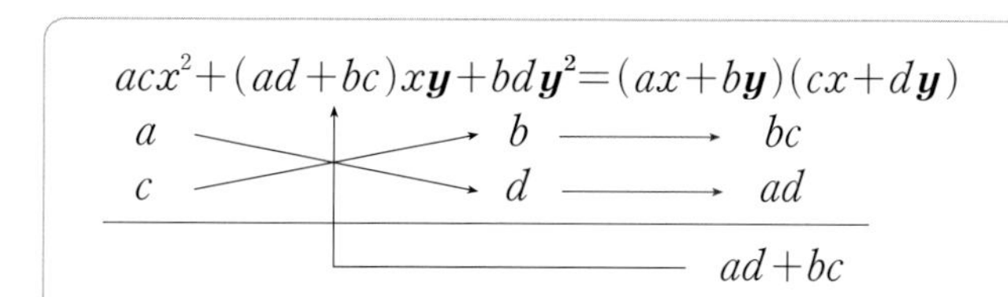

$$acx^2+(ad+bc)xy+bdy^2=(ax+by)(cx+dy)$$

다음은 다항식을 인수분해하는 과정이다. □ 안에 알맞은 수를 써넣고, 다항식을 인수분해하여라.

0842 $6x^2-xy-2y^2=$ ____________

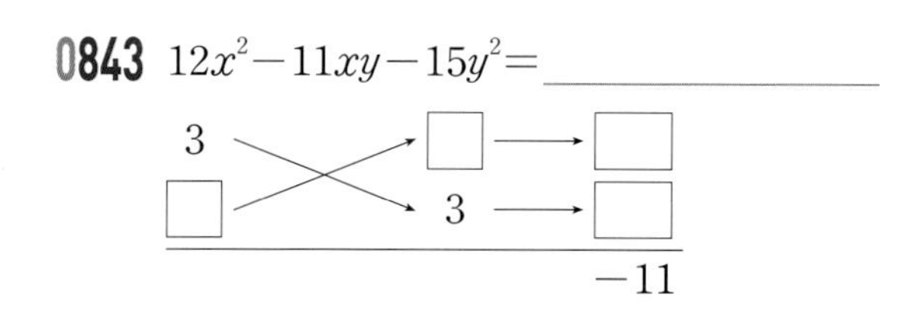

답을 쓸 때 문자 y를 빼먹으면 안 돼!

0843 $12x^2-11xy-15y^2=$ ____________

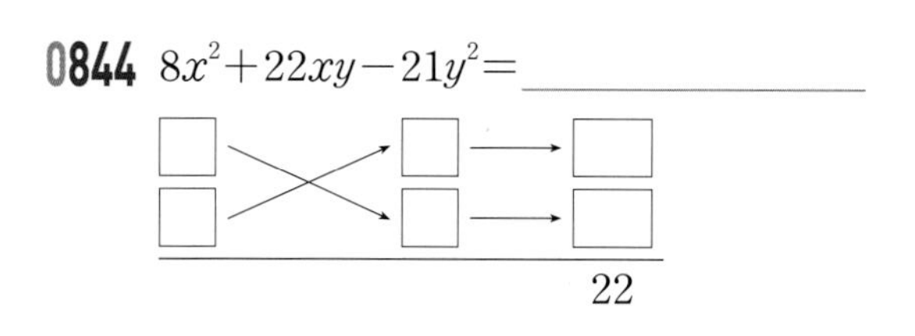

0844 $8x^2+22xy-21y^2=$ ____________

□ □ → □
□ □ → □
22

0845 $27x^2-21xy+2y^2=$ ____________

□ □ → □
□ □ → □
-21

다음 식을 인수분해하여라.

0846 $6x^2+17xy-14y^2$ ____________

0847 $6x^2-13xy-5y^2$ ____________

0848 $2x^2+7xy-9y^2$ ____________

0849 $(x+y)(3x-y)-4y^2$ ____________

괄호를 풀어 정리한 다음 인수분해해!

0850 $(x-2y)(4x+y)+y(3x-y)$ ____________

0851 학교 시험 맛보기

$ax^2+10xy-3y^2=(2x-by)(4x-y)$일 때, 정수 a, b에 대하여 $a+b$의 값을 구하여라.

____

6 인수분해

Mini Review Test

날짜 : 월 일

Subnote 29쪽

핵심 01

0852 다음 중 $xy(x-3)(x+2)$의 인수가 아닌 것은?

① 1　② xy
③ $y(x+2)$　④ $(x-3)(y+2)$
⑤ $xy(x-3)$

핵심 02

0853 $2x(a-2)-y(2-a)$를 인수분해하면?

① $xy(a-2)$
② $(2x-y)(2-a)$
③ $xy(a+2)(a-2)$
④ $(2x-y)(a-2)$
⑤ $(2x+y)(a-2)$

핵심 03 04 05

0854 $x^2+(a-3)x+16$이 완전제곱식이 되도록 하는 양수 a의 값을 구하여라.

핵심 07 08

0855 다음 두 다항식의 공통인수인 것은?

$$x^2-x-30,\ x^2-36$$

① $x-5$　② $x+5$　③ $x-6$
④ $x+6$　⑤ $x-9$

핵심 03 ~ 11

0856 다음 중 옳은 것은?

① $x^2-4x+4=(x+2)^2$
② $x^2-5x+6=(x-2)(x-3)$
③ $x^2-4y^2=(x+4y)(x-4y)$
④ $2x^2+x-6=(2x+3)(x-2)$
⑤ $2x^2-15xy+27y^2=(2x-9)(x-3)$

핵심 08

0857 $x-3$이 다항식 $x^2-10x+a$의 인수일 때, 상수 a의 값을 구하여라.

핵심 10 서술형

0858 다음 다항식은 x의 계수가 자연수인 두 일차식의 곱으로 인수분해된다. 이때 이 두 일차식의 합을 구하여라.

$$(x+1)(x+4)+(x-3)(x+1)$$

핵심 11

0859 다항식 $ax^2-13xy-5y^2$이 $(2x-by)(3x+y)$로 인수분해될 때, 상수 a, b에 대하여 $a+b$의 값을 구하여라.

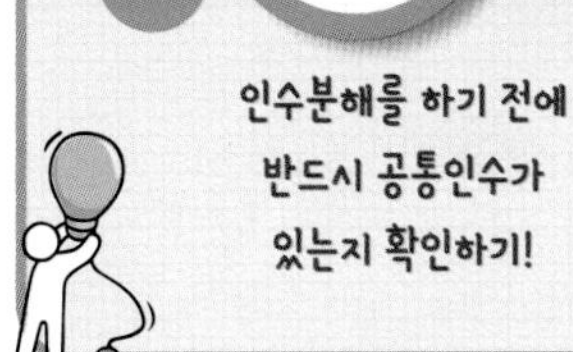

핵심 12 복잡한 식의 인수분해-공통인수가 있는 경우

날짜 : 월 일

Subnote ➔ 29쪽

인수분해를 하기 전에 반드시 공통인수가 있는지 확인하기!

❶ 공통인수가 있으면 공통인수를 먼저 묶어 낸 후 인수분해 공식을 이용한다.
❷ 이차항의 계수가 분수나 음수인 경우 그 계수로 묶어 낸 다음 인수분해 공식을 이용한다.

다음 식을 인수분해하여라.

0860 $ax^2+4ax+4a$

sol $ax^2+4ax+4a$
$=\square(x^2+4x+4)$ ← 공통인수로 묶기
$=\square(x+\square)^2$ ← 인수분해 공식 이용하기

0861 $x^2z-2xyz+y^2z$ ________

0862 $4x^2+32xy+64y^2$ ________

0863 $2a^2-50$

sol $2a^2-50=2(a^2-\square)=2(a+5)(a-\square)$

0864 $48x^3-27xy^2$ ________

공통인수로 묶어낼 때, 공통인수가 남지 않도록 묶어 내.

0865 $(a+2b)a^2-(a+2b)b^2$ ________

다음 식을 인수분해하여라.

0866 $-\frac{1}{2}x^2+2x-\frac{3}{2}$

맨 앞에 음수가 있거나 분수가 있는 경우는 먼저 묶어 낸 다음 인수분해해.

sol $-\frac{1}{2}x^2+2x-\frac{3}{2}$
$=-\frac{1}{2}(\square)$
$=-\frac{1}{2}(\square)(x-1)$

0867 $-4a^2-10ab+6b^2$ ________

0868 $-ax^2-4axy+5ay^2$ ________

0869 $-x^2(y-1)-(1-y)$ ________

0870 $\frac{1}{16}x^2yz-\frac{1}{2}xy^2z+y^3z$ ________

0871 학교 시험 맛보기 

$18xy^3z-32xyz^3$을 인수분해하여라.

____

복잡한 식의 인수분해-치환을 이용한 인수분해

날짜 :  월  일

Subnote ➔ 30쪽

공통부분을
한 문자로 나타내는 것을
치환이라고 해.

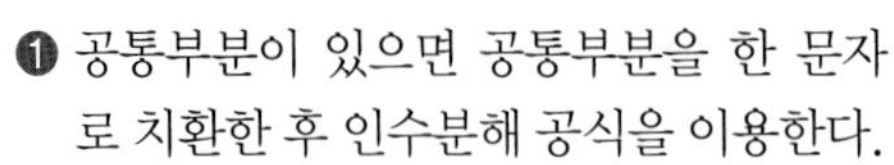

❶ 공통부분이 있으면 공통부분을 한 문자로 치환한 후 인수분해 공식을 이용한다.
❷ 인수분해한 후 반드시 원래의 식을 대입하여 정리한다.

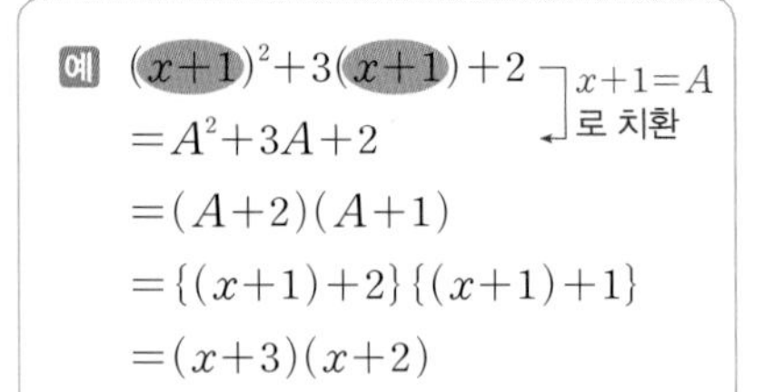

예 $(x+1)^2+3(x+1)+2$ ⌉ $x+1=A$ 로 치환
$=A^2+3A+2$
$=(A+2)(A+1)$
$=\{(x+1)+2\}\{(x+1)+1\}$
$=(x+3)(x+2)$

다음 식을 인수분해하여라.

0872 $(x+5)^2-7(x+5)+12$

sol $(x+5)^2-7(x+5)+12$ ⌉ $x+5=A$로 치환
$=A^2-7\square+12$
$=(A-\square)(A-3)$ ⌉ $A=x+5$를 대입
$=(x+5-\square)(x+\square-3)$
$=(x+1)(x+\square)$

0873 $(x-1)^2-3(x-1)-10$ __________

key $x-1=A$로 놓는다.

0874 $2(2x-1)^2+5(2x-1)+2$ __________

0875 $3(3x+2)^2-7(3x+2)+2$ __________

0876 $(3x+2y)(3x+2y-9)+14$ __________

$3x+2y=A$로 놓고 식을 정리해 봐.

다음 식을 인수분해하여라.

0877 $(3x+4)^2-(2x-3)^2$

sol $(3x+4)^2-(2x-3)^2$ ⌉ $3x+4=A$, $2x-3=B$로 치환
$=A^2-B^2$
$=(A+\square)(A-\square)$
$=\{(3x+4)+(\square)\}\{(3x+4)-(\square)\}$
$=(5x+1)(\square)$

0878 $(x-4)^2-(y+3)^2$ __________

0879 $(5x-3y)^2-9(x+y)^2$ __________

인수분해를 더 이상 할 수 없을 때까지 인수분해해야 해.

0880 x^4-y^4 __________

0881 x^8-y^8 __________

연속 3번의 인수분해를 해야 해.

핵심 **14**

복잡한 식의 인수분해-항이 4개

날짜 : 월 일

Subnote ➡ 30쪽

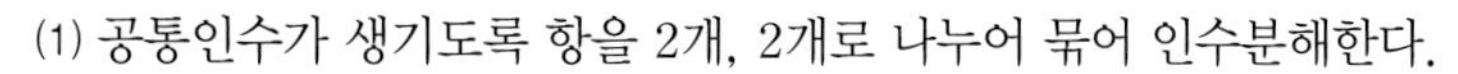

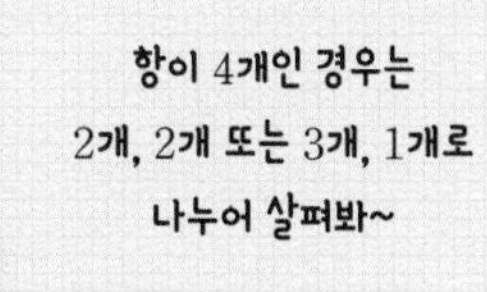

항이 4개인 경우는 2개, 2개 또는 3개, 1개로 나누어 살펴봐~

(1) 공통인수가 생기도록 항을 2개, 2개로 나누어 묶어 인수분해한다.

(2) 항 3개가 완전제곱식으로 나타내어지면 A^2-B^2 꼴로 만든다.

예 $a^2+a+ab+b$
$=(a^2+a)+(ab+b)$
$=a(a+1)+b(a+1)$
$=(a+1)(a+b)$

$a^2+2a+1-b^2$
$=(a^2+2a+1)-b^2$
$=(a+1)^2-b^2$
$=(a+1+b)(a+1-b)$

다음 식을 인수분해하여라.

0882 $x^2+xy-4x-4y$

sol $x^2+xy-4x-4y$
$=(x^2+xy)+(-4x-4y)$ ← 항을 2개, 2개로 나누기
$=x(\square)-4(\square)$ ← 공통인수로 묶기
$=(\square)(x-4)$ ← 인수분해하기

0883 $ab-a+b-1$ ________

0884 $xy+2x+2y+4$ ________

0885 ax^2-a+bx^2-b ________

0886 $x^2-y^2-5x+5y$ ________

다음 식을 인수분해하여라.

0887 $a^2-6a-4b^2+9$

sol $a^2-6a-4b^2+9$
$=(a^2-6a+9)-4b^2$ ← 항을 3개, 1개로 묶기
$=(\square)^2-(\square)^2$ ← A^2-B^2 꼴로 만들기
$=(\square+2b)(\square-2b)$ ← 인수분해하기

항 3개는 완전제곱식으로 인수분해되어야 해.

0888 $x^2+4x+4-y^2$ ________

0889 x^2-y^2-2y-1 ________

0890 $a^2+b^2-c^2-2ab$ ________

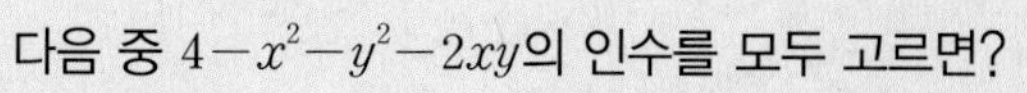

0891 학교 시험 맛보기

다음 중 $4-x^2-y^2-2xy$의 인수를 모두 고르면? (정답 2개)

① $2-x+y$ ② $2-x-y$
③ $2+x-y$ ④ $2+x+y$
⑤ $4+x+y$

15 인수분해 공식을 이용한 수의 계산 (1)

날짜 : 월 일

Subnote 31쪽

핵심

인수분해 공식을 이용하면 복잡한 수의 계산도 간단히 할 수 있어.

수를 계산할 때 공통인수로 묶거나 인수분해 공식 $a^2\pm2ab+b^2=(a\pm b)^2$을 이용하면 쉽게 계산할 수 있다.

예 $19\times98+19\times2=19(98+2)$
$=19\times100=1900$

$98^2+4\times98+2^2=(98+2)^2$
$=100^2=10000$

인수분해 공식을 이용하여 다음 식을 계산하여라.

0892 $17\times58+17\times42$

sol $17\times58+17\times42=\square\times(58+42)$
$=\square\times100=\square$

0893 $789\times24+789\times76$ ____________

공통인수로 묶어서 계산해!

0894 $64\times72-64\times62$ ____________

0895 $65^2-65\times5$ ____________

0896 $28\times14-28\times6+28\times2$ ____________

0897 $12\times17+12\times13-12\times20$ ____________

인수분해 공식을 이용하여 다음 식을 계산하여라.

0898 $102^2-4\times102+4$

sol $102^2-4\times102+4=(\square-2)^2$
$=\square^2=10000$

0899 $99^2+2\times99\times1+1^2$ ____________

0900 $94^2+2\times94\times6+6^2$ ____________

$94=x$로 생각하면 $x^2+2\times x\times6+6^2$이야.

0901 $195^2+10\times195+5^2$ ____________

0902 $78^2-16\times78+64$ ____________

0903 학교 시험 맛보기

$\sqrt{56^2+8\times56+16}$을 계산하여라.

____

핵심

16 인수분해 공식을 이용한 수의 계산 (2)

날짜 : 월 일

Subnote 31쪽

합이나 차가 간단한 수가 되는 경우야.

수를 계산할 때 인수분해 공식 $a^2-b^2=(a+b)(a-b)$를 이용하면 쉽게 계산할 수 있다.

예 $95^2-85^2=(95+85)(95-85)$
$=180\times10=1800$

인수분해 공식을 이용하여 다음 식을 계산하여라.

0904 125^2-124^2

sol $125^2-124^2=(\square+124)(\square-124)$
$=249\times\square=\square$

0905 1009^2-1008^2 ______

0906 $\sqrt{105^2-95^2}$ ______

0907 $7.2^2-2.8^2$ ______

0908 $\sqrt{4\times58^2-4\times42^2}$ ______

4로 먼저 묶고 나서 공식을 적용해 봐~

0909 $2\times27^2-2\times23^2$ ______

다음 수의 계산을 할 때 사용되는 인수분해 공식을 보기에서 모두 골라 기호를 쓰고, 계산하여라.
(단, a, b는 양수)

보기
ㄱ. $ma-mb=m(a-b)$
ㄴ. $a^2+2ab+b^2=(a+b)^2$
ㄷ. $a^2-2ab+b^2=(a-b)^2$
ㄹ. $a^2-b^2=(a+b)(a-b)$
ㅁ. $x^2+(a+b)x+ab=(x+a)(x+b)$

0910 $\sqrt{2\times57^2+12\times57+18}$ ______, ______

0911 $\sqrt{4\times101^2-8\times101+4}$ ______, ______

0912 $10\times54^2-10\times46^2$ ______, ______

0913 $6\times8.5^2-6\times1.5^2$ ______, ______

0914 학교 시험 맛보기 

인수분해 공식을 이용하여 다음을 계산하여라.

$100^2-99^2+98^2-97^2$

______

6 인수분해

17 인수분해 공식을 이용한 식의 값

날짜 : 월 일

Subnote ➔ 31쪽

주어진 식에 수를 직접 대입하는 것보다 주어진 식을 먼저 인수분해한 후 대입하면 편리해.

❶ 주어진 식을 인수분해한다.
❷ 문자에 주어진 수를 대입한다.

예 $x=\sqrt{2}-1$일 때, x^2+2x+1의 값 구하기

❶ $x^2+2x+1=(x+1)^2$으로 인수분해한다.

❷ $x=\sqrt{2}-1$을 대입하면 (주어진 식)$=\{(\sqrt{2}-1)+1\}^2=(\sqrt{2})^2=2$

다음 식의 값을 구하여라.

0915 $x=93$일 때, $x^2+14x+49$

sol $x^2+14x+49=(x+\square)^2=(93+\square)^2$
$=\square^2=\square$

0916 $x=105$일 때, $x^2-10x+25$

0917 $x=-5+2\sqrt{2}$일 때, $x^2+10x+25$

0918 $x=24$일 때, $x^2-8x+16$

0919 $x=\sqrt{5}-3$일 때, $(x+1)^2+4(x+1)+4$

다음 식의 값을 구하여라.

0920 $a=53$, $b=47$일 때, a^2-b^2

sol $a^2-b^2=(a+b)(a-b)$
$=(53+47)(53-47)=\square\times 6=\square$

0921 $x=\sqrt{3}+1$, $y=\sqrt{3}-1$일 때, x^2-y^2

0922 $x=2-\sqrt{3}$, $y=2+\sqrt{3}$일 때, $x^2+2xy+y^2$

0923 $x=\sqrt{3}+\sqrt{2}$, $y=\sqrt{3}-\sqrt{2}$일 때, $x^2-2xy+y^2$

0924 학교 시험 맛보기 

$x=\dfrac{1}{\sqrt{5}-2}$, $y=\dfrac{1}{\sqrt{5}+2}$일 때, x^3y-xy^3의 값을 구하여라.

key 주어진 수가 복잡하면 주어진 수를 먼저 간단히 한다.

18 인수분해의 활용-문장제

날짜 : 월 일

Subnote 32쪽

바르게 본 부분을 찾아 원래의 이차식을 만들어 봐~

어떤 이차식을 인수분해하는데
(1) x의 계수를 잘못 보아 $(2x+3)(x-6)$으로 인수분해하였다면
➡ 상수항은 바르게 보았다. ➡ 상수항은 $3\times(-6)=-18$
(2) 상수항을 잘못 보아 $(2x+1)(x-3)$으로 인수분해하였다면
➡ x의 계수는 바르게 보았다. ➡ x의 계수는 $-6+1=-5$
따라서 처음 이차식은 $2x^2-5x-18=(2x-9)(x+2)$이다.

0925 이차식 x^2+ax+b를 다연이는 x의 계수를 잘못 보아 $(x+6)(x-3)$으로 인수분해하였고, 준서는 상수항을 잘못 보아 $(x-4)(x-3)$으로 인수분해하였다. 다음 물음에 답하여라.

(1) 상수 a, b의 값을 구하여라. ______

(2) x^2+ax+b를 바르게 인수분해하여라.

______

0926 x^2의 계수가 3인 어떤 이차식을 이룸이는 x의 계수를 잘못 보아 $(x+3)(3x-4)$로 인수분해하였고, 숨마는 상수항을 잘못 보아 $3(x+2)(x-5)$로 인수분해하였다. 처음 이차식을 바르게 인수분해하여라.

______

0927 x^2의 계수가 2인 어떤 이차식을 예진이는 x의 계수를 잘못 보아 $(x+1)(2x-6)$으로 인수분해하였고, 하영이는 상수항을 잘못 보아 $(2x-1)(x-5)$로 인수분해하였다. 처음 이차식을 바르게 인수분해하여라.

______

0928 넓이가 $x^2+ax-15$인 직사각형 모양의 포장지가 있다. 포장지의 가로의 길이는 $x+3$이고, 세로의 길이는 $x+b$이다. 다음 물음에 답하여라.

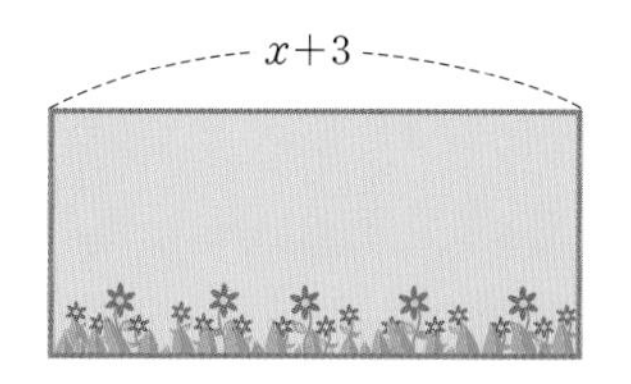

(1) 다음 식에서 상수 a, b의 값을 구하여라.

$$x^2+ax-15=(x+3)(x+b)$$

______

(2) 포장지의 세로의 길이를 구하여라.

______

0929 넓이가 $3x^2+ax-10$인 직사각형 모양의 액자가 있다. 액자의 세로의 길이가 $x+5$일 때, 상수 a의 값과 액자의 둘레의 길이를 구하여라.

______, ______

6 인수분해

핵심 12~18

Mini Review Test

날짜 : 월 일

Subnote 32쪽

핵심 12

0930 다음 중 $2a^2(a+b)-2b^2(a+b)$의 인수가 아닌 것은?

① $a+b$ ② $2(a-b)$
③ $(a+b)^2$ ④ $(a-b)(a+b)$
⑤ $(a-b)^2$

핵심 13

0931 $(2x+4)^2-(x-2)^2$을 인수분해하면?

① $(3x+2)(x-6)$
② $(3x-2)(x+6)$
③ $(3x+2)(x+6)$
④ $(2x+3)(x+6)$
⑤ $(2x+3)(x-6)$

핵심 14

0932 다음 중 $9-x^2+2xy-y^2$의 인수를 모두 고르면? (정답 2개)

① $3-x+y$ ② $3-x-y$
③ $3+x-y$ ④ $9+x-y$
⑤ $9+x+y$

핵심 15 16

0933 인수분해 공식을 이용하여 다음을 계산하여라.

$$\frac{98^2+4\times98+4}{55^2-45^2}$$

핵심 17

0934 $x=\sqrt{3}+\sqrt{5}$, $y=\sqrt{3}-\sqrt{5}$일 때, x^2-y^2의 값을 구하여라.

핵심 17

0935 $x=\frac{2}{\sqrt{3}-1}$일 때 $(2x+1)^2-6(2x+1)+9$의 값을 구하여라.

핵심 18 서술형

0936 오른쪽 그림과 같은 사다리꼴의 넓이가 $12x^2+x-1$일 때, 이 사다리꼴의 높이를 구하여라.

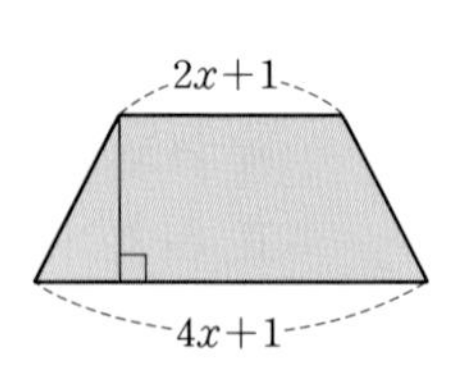

Review

YOU♡

$a^2+2ab+b^2$을 인수분해하면?

(❶)

$a^2-2ab+b^2$을 인수분해하면?

(❷)

a^2-b^2을 인수분해하면?

(❸)

$x^2+(a+b)x+ab$를 인수분해하면?

(❹)
x^2+3x+2에서 합이 3, 곱이 2인 두 수를 찾으면
1과 2이니까
$x^2+3x+2=(x+1)(x+2)$

$acx^2+(ad+bc)x+bd$를 인수분해하면?

$(ax+b)(cx+d)$

계수를 정하는 것이 중요해!
$3x^2+5x-2=$(❺)

3	↗ -1	→	-1
1	↘ 2	→	6
			5

❶ $(a+b)^2$ ❷ $(a-b)^2$ ❸ $(a+b)(a-b)$ ❹ $(x+a)(x+b)$ ❺ $(3x-1)(x+2)$

4 이차방정식

이미 배운 내용

[중학교 1학년]
- 문자의 사용과 식의 계산
- 일차방정식

[중학교 2학년]
- 식의 계산
- 일차부등식과 연립방정식

[중학교 3학년]
- 제곱근
- 다항식의 곱셈과 인수분해

이번에 배울 내용

7. 이차방정식의 풀이 (1)
- 이차방정식의 뜻과 그 해
- 인수분해를 이용한 이차방정식의 풀이
- 이차방정식의 중근

8. 이차방정식의 풀이 (2)
- 제곱근을 이용한 이차방정식의 풀이
- 근의 공식을 이용한 이차방정식의 풀이

9. 이차방정식의 활용
- 이차방정식의 근의 개수
- 이차방정식의 활용

7 이차방정식의 풀이 (1)

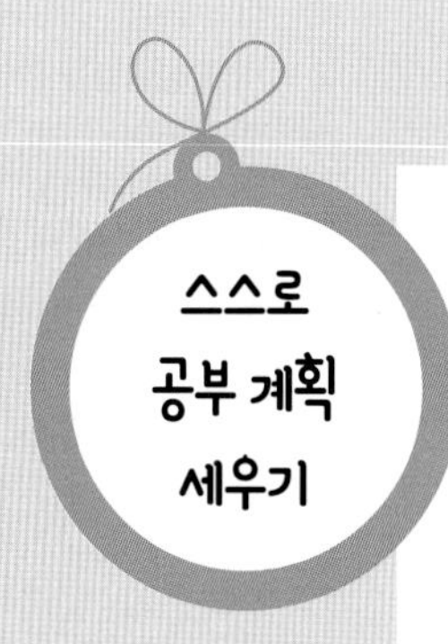

	학습 내용	공부한 날짜	반복하기
7. 이차방정식의 풀이 (1)	**01.** 이차방정식의 뜻	월 일	□□
	02. 이차방정식의 해	월 일	□□
	03. 한 근이 주어질 때, 미지수의 값 구하기	월 일	□□
	04. 인수분해를 이용한 이차방정식의 풀이 (1)	월 일	□□
	05. 인수분해를 이용한 이차방정식의 풀이 (2)	월 일	□□
	06. 인수분해를 이용한 이차방정식의 풀이 (3)	월 일	□□
	07. 한 근이 주어질 때, 다른 한 근 구하기	월 일	□□
	08. 두 이차방정식의 공통근	월 일	□□
	09. 이차방정식의 중근	월 일	□□
	10. 이차방정식이 중근을 가질 조건	월 일	□□
	Mini **Review** Test(**01**~**10**)	월 일	□□

7 이차방정식의 풀이 (1)

개념 NOTE

1 이차방정식의 뜻 핵심 01

(1) 등식의 모든 항을 좌변으로 이항하여 정리한 식이 **(x에 대한 이차식)=0** 꼴로 나타나는 방정식을 x에 대한 **이차방정식**이라고 한다.

(2) 일반적으로 x에 대한 이차방정식은 다음과 같이 나타낼 수 있다.

$$ax^2+bx+c=0 \text{ (단, } a, b, c\text{는 상수, } a\neq0)$$

예 $x^2+3x-2=0$, $3x^2-x=0$, $-2x^2+1=0$ ➡ 이차방정식이다.

$x+2=0$, $x^3-x^2+1=0$, $\frac{1}{x^2}=0$, x^2+3x-2 ➡ 이차방정식이 아니다.

이차방정식 찾기
❶ 등식인지 확인하기
❷ 모든 항을 좌변으로 이항하기
❸ (이차식)$=0$ 꼴인지 확인하기

$x^2+2x+1=0$: 이차방정식
x^2+2x+1: 이차식

2 이차방정식의 해 핵심 02 03

(1) **이차방정식의 해(근)**: 이차방정식 $ax^2+bx+c=0$을 참이 되게 하는 x의 값

(2) **이차방정식을 푼다**: 이차방정식의 해를 모두 구하는 것

참고 $x=p$가 이차방정식 $ax^2+bx+c=0$의 해이다.
➡ $x=p$를 $ax^2+bx+c=0$에 대입하면 등식이 성립한다.
➡ $ap^2+bp+c=0$

x에 대한 이차방정식에서 x에 대한 특별한 조건이 없으면 x의 값의 범위는 실수 전체로 생각한다.

3 인수분해를 이용한 이차방정식의 풀이 핵심 04 ~ 08

(1) **$AB=0$의 성질**: 두 수 또는 두 식 A, B에 대하여 다음이 성립한다.

$$AB=0\text{이면} \Rightarrow A=0 \text{ 또는 } B=0$$

(2) **인수분해를 이용한 이차방정식의 풀이**

① 주어진 이차방정식을 정리한다. ➡ $x^2-3x-4=0$
② 좌변을 인수분해한다. ➡ $(x-4)(x+1)=0$
③ $AB=0$의 성질을 이용한다. ➡ $x-4=0$ 또는 $x+1=0$
④ 이차방정식의 해를 구한다. ➡ $x=4$ 또는 $x=-1$

$A=0$ 또는 $B=0$은 다음 중 하나가 성립함을 의미한다.
① $A=0$, $B\neq0$
② $A\neq0$, $B=0$
③ $A=0$, $B=0$

인수분해를 이용하여 이차방정식을 풀 때는 이항하여 우변을 0으로 고쳐서 푼다.

4 이차방정식의 중근 핵심 09 10

(1) **이차방정식의 중근**

이차방정식의 두 근이 중복되어 서로 같을 때, 이 근을 주어진 방정식의 **중근**이라고 한다.

$$a(x-p)^2=0 \text{ (단, } a\neq0) \Rightarrow x=p \text{ (중근)}$$

예 $x^2-2x+1=0$에서 $(x-1)^2=0$ $\therefore x=1$ (중근)

(2) **이차방정식이 중근을 가질 조건**

이차방정식이 **(완전제곱식)=0** 꼴로 나타내어지면 이 이차방정식은 중근을 갖는다.

이차방정식 $x^2+ax+b=0$이 중근을 가지려면 $b=\left(\frac{a}{2}\right)^2$이어야 한다.

핵심

01 이차방정식의 뜻

날짜 : 월 일

Subnote ● 33쪽

이차방정식이 되려면 (이차항의 계수) $\neq 0$ 이어야 해.

등식의 모든 항을 좌변으로 이항하여 정리한 식이 **(x에 대한 이차식)=0** 꼴로 나타나는 방정식을 x에 대한 **이차방정식**이라고 한다.

$\underbrace{\boldsymbol{ax^2+bx+c}}_{\text{이차식}}\boldsymbol{=0}$ (단, a, b, c는 상수, $\boldsymbol{a \neq 0}$)

다음 중 이차방정식인 것은 ○표, 아닌 것은 ×표를 하여라.

0937 $3x+6=0$ ( )

0938 $x^2-6x+5=0$ ( )

0939 $4x^2-8x$ ( )

0940 $(x+2)^2=x^2$ ( )

모든 항을 좌변으로 이항하여 간단히 해봐.

0941 $-x^3+2x^2-6=0$ ( )

0942 $2x^2+3x-4=-x^2-x$ ( )

0943 $(x-3)(x+3)=-9$ ( )

다음 등식이 x에 대한 이차방정식이 되기 위한 상수 a의 조건을 구하여라.

0944 $ax^2-4x+3=0$

sol (이차항의 계수)$\neq$0이어야 하므로 $a\neq$□

0945 $(a-2)x^2+7x+6=0$ ______

0946 $ax^2-2x+11=-3x^2+4x+5$ ______

0947 $(ax-1)(x+3)=x^2+7$ ______

0948 $(2x-1)^2=ax^2$ ______

0949 학교 시험 맛보기 

다음 보기에서 이차방정식을 모두 골라라.

보기	
ㄱ. x^2+2x+3	ㄴ. $(x-1)^2=x^2$
ㄷ. $3x^2-2x=2x$	ㄹ. $-\frac{1}{2}x^2=0$

______

7 이차방정식의 풀이 (1)

핵심 02 이차방정식의 해

날짜 :  월  일

Subnote ➔ 34쪽

$x=p$를 이차방정식에 대입해서 등식이 성립하면 그 수는 이차방정식의 해가 되는 거야.

(1) 이차방정식의 해(근): 이차방정식 $ax^2+bx+c=0$을 참이 되게 하는 x의 값

(2) 이차방정식을 푼다: 이차방정식의 해를 모두 구하는 것

참고 $x=p$가 이차방정식 $ax^2+bx+c=0$의 해이다.

➡ $x=p$를 $ax^2+bx+c=0$에 대입하면 등식이 성립한다.

➡ $ap^2+bp+c=0$

다음 [ ] 안의 수가 주어진 이차방정식의 해이면 ○표, 해가 아니면 ×표를 하여라.

0950 $x(x-1)=0$ [1] ( )

sol $x(x-1)=0$에 $x=1$을 대입하면

$1\times(1-1)=$☐이므로 $x=$☐은 해이다.

0951 $(x-3)(x+4)=0$ [-3] ( )

0952 $x^2+2x+3=0$ [2] ( )

0953 $x^2+x-2=0$ [-2] ( )

0954 $x^2=5x-4$ [4] ( )

0955 $3x^2+2x=-5$ [1] ( )

x의 값이 -2, -1, 0, 1일 때, 다음 이차방정식의 해를 구하여라.

0956 $x^2+2x=0$

(좌변)=(우변)이면 방정식의 해가 돼.

sol

x	좌변의 값	우변의 값	참, 거짓
-2	$(-2)^2+2\times(-2)=0$	0	참
-1		0	
0		0	
1		0	

➡ 이차방정식의 해는 $x=$☐ 또는 $x=$☐

0957 $x^2-2x-8=0$

sol

x	좌변의 값	우변의 값	참, 거짓
-2			
-1			
0			
1			

➡ 이차방정식의 해는 $x=$☐

0958 학교 시험 맛보기

다음 보기의 이차방정식 중 $x=2$를 해로 갖는 것을 모두 골라라.

보기

ㄱ. $x^2+2x-3=0$　ㄴ. $2x^2-6x+4=0$

ㄷ. $x^2+6x+8=0$　ㄹ. $x^2-11x+18=0$

핵심 03 한 근이 주어질 때, 미지수의 값 구하기

날짜 : 월 일

Subnote 34쪽

이차방정식에 주어진 한 근을 대입하여 미지수를 구해봐.

$x=p$가 이차방정식 $ax^2+bx+c=0$의 해이면 ➡ $x=p$를 이차방정식 $ax^2+bx+c=0$에 대입하여 미지수의 값을 구한다.

다음 [ ] 안의 수가 주어진 이차방정식의 해일 때, 상수 a의 값을 구하여라.

0959 $x^2-ax+4=0$ [2]

sol $x^2-ax+4=0$에 $x=2$를 대입하면
$2^2-a\times2+4=0$ $\therefore a=\square$

0960 $x^2+2x+a=0$ [-1]

key 이차방정식의 근이 음수일 때는 괄호를 이용하여 대입한다.

0961 $x^2+ax-12=0$ [3]

0962 $x^2-ax-a=0$ [-2]

0963 $(a-1)x^2+x+6=0$ [2]

0964 $x^2=ax+18$ [-3]

다음을 구하여라.

0965 $x^2+x-6=0$의 한 근을 $x=a$라고 할 때, a^2+a의 값

sol $x^2+x-6=0$에 $x=a$를 대입하면
$\square^2+\square-6=0$ $\therefore a^2+a=\square$

0966 $x^2+6x+8=0$의 한 근을 $x=a$라고 할 때, a^2+6a의 값

0967 $2x^2-4x-6=0$의 한 근을 $x=a$라고 할 때, a^2-2a의 값

0968 $3x^2+6x-4=0$의 한 근을 $x=a$라고 할 때, a^2+2a의 값

0969 학교 시험 맛보기

이차방정식 $2x^2-x-1=0$의 한 근을 $x=a$라고 할 때, $\frac{1}{a^2}+\frac{1}{a}$의 값을 구하여라.

7 이차방정식의 풀이 (1)

핵심 **04**

인수분해를 이용한 이차방정식의 풀이 (1)

날짜 :  월  일

Subnote ➡ 35쪽

$AB=0$이면 다음 세 가지 중 하나가 반드시 성립해.
(1) $A=0, B=0$
(2) $A=0, B\neq 0$
(3) $A\neq 0, B=0$

(1) $AB=0$의 성질: 두 수 또는 두 식 A, B에 대하여 다음이 성립한다.

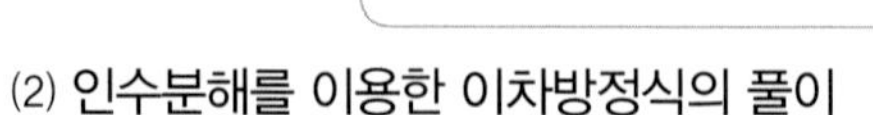

$AB=0$이면 ➡ $A=0$ 또는 $B=0$

(2) 인수분해를 이용한 이차방정식의 풀이

❶ 주어진 이차방정식을 정리한다. ➡ $x^2-2x=0$
❷ 좌변을 인수분해한다. ➡ $x(x-2)=0$
❸ $AB=0$의 성질을 이용한다. ➡ $x=0$ 또는 $x-2=0$
❹ 이차방정식의 해를 구한다. ➡ $x=0$ 또는 $x=2$

다음 이차방정식을 풀어라.

0970 $(x+2)(x-5)=0$

sol $(x+2)(x-5)=0$에서 $x+2=0$ 또는 $x-5=0$
$\therefore x=\square$ 또는 $x=\square$

0971 $(x+3)(x-3)=0$ ________

0972 $x(x-1)=0$ ________

0973 $4\left(x+\frac{5}{4}\right)\left(x-\frac{1}{4}\right)=0$ ________

0974 $(2x+1)(-x+2)=0$ ________

0975 $(3x+1)(2x-1)=0$ ________

0976 $x^2+6x=0$

sol 좌변을 인수분해하면 $x(\square)=0$
$x=\square$ 또는 $\square=0$
$\therefore x=\square$ 또는 $x=\square$

0977 $x^2-4x=0$ ________

0978 $2x^2-6x=0$ ________

0979 $3x^2=-15x$ ________

0980 학교 시험 맛보기 

다음 보기의 이차방정식 중 해가 나머지 셋과 다른 하나를 골라라.

보기
ㄱ. $(2x+3)(2x-1)=0$
ㄴ. $(3+2x)(1-2x)=0$
ㄷ. $(4x-2)(4x-6)=0$
ㄹ. $\left(x-\frac{1}{2}\right)\left(x+\frac{3}{2}\right)=0$

____

핵심 05 인수분해를 이용한 이차방정식의 풀이 (2)

날짜 : 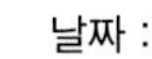 월  일

인수분해 공식을 떠올려!

주어진 이차방정식을 (x에 대한 이차식)$=0$ 꼴로 나타낸 후 좌변을 인수분해한다.

(1) 이차방정식 $(x-a)(x+a)=0$의 해는 ➡ $x=a$ 또는 $x=-a$

(2) 이차방정식 $(x-a)(x-b)=0$의 해는 ➡ $x=a$ 또는 $x=b$

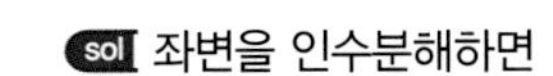

다음 이차방정식을 풀어라.

0981 $x^2-4=0$

> $a^2-b^2=(a+b)(a-b)$를 이용해.

sol 좌변을 인수분해하면

$(\square)(x-2)=0$

$\square=0$ 또는 $x-2=0$

$\therefore x=\square$ 또는 $x=\square$

0982 $x^2-16=0$ ________

0983 $9x^2-1=0$ ________

0984 $25x^2-49=0$ ________

0985 $3x^2-3=0$ ________

0986 $9x^2-4=0$ ________

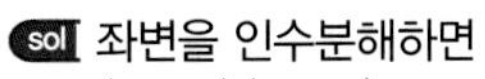

다음 이차방정식을 풀어라.

0987 $x^2+4x+3=0$

> $x^2+(a+b)x+ab=(x+a)(x+b)$를 이용해.

sol 좌변을 인수분해하면

$(x+1)(x+3)=0$

$x+1=0$ 또는 $\square=0$

$\therefore x=\square$ 또는 $x=\square$

0988 $x^2-x-12=0$ ________

0989 $x^2+3x-10=0$ ________

0990 $x^2-2x-15=0$ ________

0991 $x^2+7x+10=0$ ________

0992 $x^2-12x+20=0$ ________

7 이차방정식의 풀이 (1)

핵심

06 인수분해를 이용한 이차방정식의 풀이 (3)

날짜 :  월  일

Subnote 35쪽

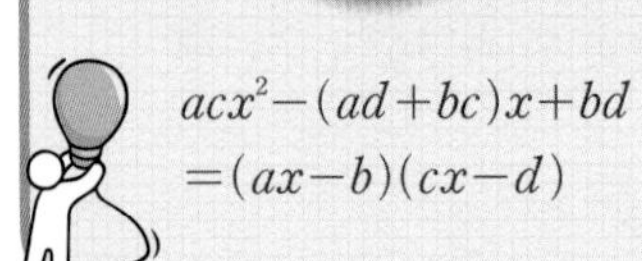

주어진 이차방정식이 $(ax-b)(cx-d)=0$과 같이 인수분해되면
이 이차방정식의 해는 ➡ $x=\frac{b}{a}$ 또는 $x=\frac{d}{c}$

다음 이차방정식을 풀어라.

0993 $2x^2+3x-2=0$

sol 좌변을 인수분해하면 ($\square$)$(x+2)=0$

$\square=0$ 또는 $x+2=0$

$\therefore x=\square$ 또는 $x=\square$

0994 $3x^2-7x-6=0$ ________

0995 $4x^2+12x-7=0$ ________

0996 $5x^2+7x-6=0$ ________

0997 $8x^2+2x-15=0$ ________

0998 $6x^2-7x-3=0$ ________

다음 이차방정식을 풀어라.

0999 $4x^2-5x+2=x^2+2x$

sol 좌변으로 모두 이항하여 정리하면 $\square x^2-\square x+2=0$

좌변을 인수분해하면 $(x-2)$($\square$)$=0$

$x-2=0$ 또는 $\square=0$

$\therefore x=2$ 또는 $x=\square$

1000 $6x^2-3x-4=2x+2$ ________

1001 $4x(x-2)=-3$ ________

1002 $(x+1)(2x-3)=12$ ________

1003 $(x+1)(3x-1)=x+13$ ________

1004 $(10x-3)(x-1)=6$ ________

핵심 **07**

한 근이 주어질 때, 다른 한 근 구하기

날짜 : 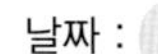 월  일 

Subnote 36쪽

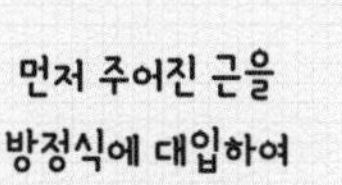

예 이차방정식 $x^2+x+a=0$의 한 근이 $x=1$일 때, 다른 한 근을 구해 보자.

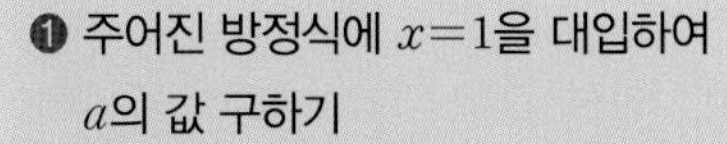
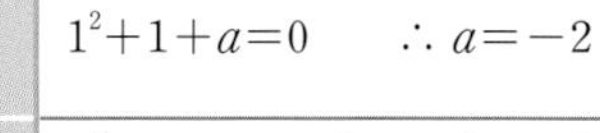

❶ 주어진 방정식에 $x=1$을 대입하여 a의 값 구하기	$1^2+1+a=0$ $\quad \therefore a=-2$
❷ 주어진 방정식에 a의 값을 대입하여 이차방정식 풀기	$x^2+x-2=0$이므로 $(x-1)(x+2)=0$ $\therefore x=1$ 또는 $x=-2$
❸ 구하는 근은 두 근 중 $x=1$을 제외한 근이다.	따라서 다른 한 근은 $x=-2$

다음 이차방정식의 한 근이 [ ] 안의 수일 때, 다른 한 근을 구하여라. (단, a는 상수이다.)

1005 $x^2+ax+2=0$ [-1]

sol $x^2+ax+2=0$에 $x=-1$을 대입하면 $a=$☐
주어진 이차방정식은 x^2+☐$x+2=0$이므로
인수분해하면 $(x+1)(x+$☐$)=0$
$\therefore x=-1$ 또는 $x=$☐
따라서 다른 한 근은 $x=$☐이다.

1006 $x^2-6x+a=0$ [2] ______

1007 $x^2+x+a=0$ [-3] ______

1008 $x^2+ax-9=0$ [1] ______

1009 $3x^2-2x+a=0$ [-1] ______

1010 $2x^2+ax+2=0$ [2] ______

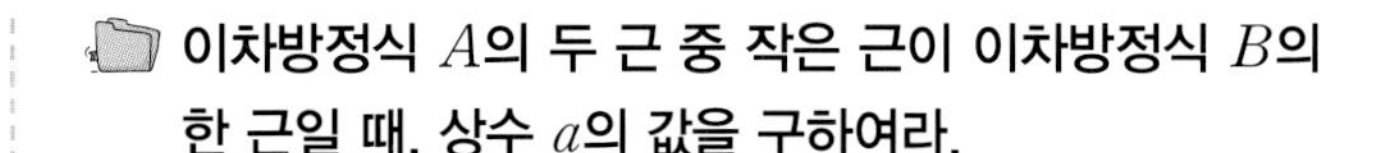

이차방정식 A의 두 근 중 작은 근이 이차방정식 B의 한 근일 때, 상수 a의 값을 구하여라.

1011 A: $x^2-5x+6=0$, B: $x^2-12x+a=0$

sol 이차방정식 A에서 $(x-2)(x-3)=0$
$\therefore x=$☐ 또는 $x=$☐
따라서 이차방정식 B에 $x=$☐를 대입하면
☐$^2-12\times$☐$+a=0$ $\quad \therefore a=$☐

1012 A: $x^2-9=0$, B: $x^2+ax-3=0$ ______

1013 A: $x^2+x-2=0$, B: $x^2-x+a=0$ ______

1014 A: $2x^2+x-1=0$, B: $2x^2-3x+a=0$ ______

1015 학교 시험 맛보기

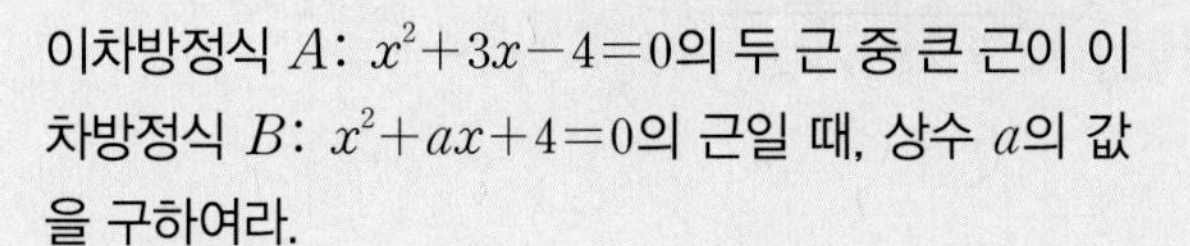

이차방정식 A: $x^2+3x-4=0$의 두 근 중 큰 근이 이차방정식 B: $x^2+ax+4=0$의 근일 때, 상수 a의 값을 구하여라.

______

7 이차방정식의 풀이 (1)

핵심 08 두 이차방정식의 공통근

날짜 :  월  일

Subnote ⊙ 37쪽

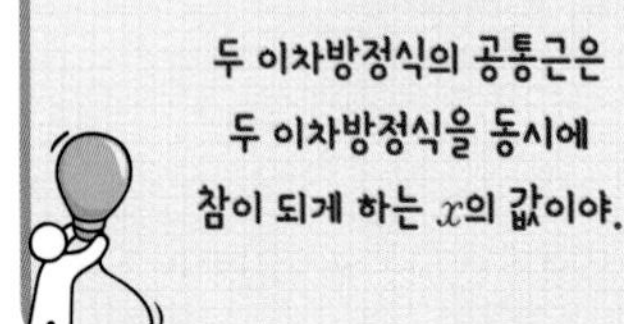

두 이차방정식의 공통근을 구하려면 각각의 이차방정식을 푼 후 공통인 해를 찾는다.

예 이차방정식 $(x+2)(x-3)=0$의 해는 $x=-2$ 또는 $x=3$ (공통근)
이차방정식 $(x-1)(x-3)=0$의 해는 $x=1$ 또는 $x=3$

다음 두 이차방정식의 공통근을 구하여라.

1016 $x^2-2x-3=0$, $x^2+5x+4=0$

sol $x^2-2x-3=0$을 풀면 $x=\square$ 또는 $x=\square$
$x^2+5x+4=0$을 풀면 $x=\square$ 또는 $x=\square$
따라서 두 이차방정식의 공통근은 $x=\square$

1017 $x^2+3x-10=0$, $3x^2-5x-2=0$ ________

1018 $x^2+7x+12=0$, $x^2-2x-24=0$ ________

1019 $2x^2-7x-4=0$, $x^2-2x-8=0$ ________

1020 $2x^2+3x+1=0$, $3x^2+2x-1=0$ ________

1021 $x^2-3x-4=0$, $5x^2-19x-4=0$ ________

다음 두 이차방정식의 공통근이 [ ] 안의 수일 때, 상수 a, b에 대하여 $a+b$의 값을 구하여라.

1022 $x^2+ax-4=0$, $x^2+7x+b=0$ [1]

sol 주어진 두 이차방정식에 $x=1$을 각각 대입하면
$1+a-4=0$이므로 $a=\square$
$1+7+b=0$이므로 $b=\square$ $\therefore a+b=\square$

1023 $x^2-3x+a=0$, $x^2+bx+6=0$ [-2] ________

1024 $x^2+ax+6=0$, $bx^2+7x+3=0$ [-3] ________

1025 $x^2-7x+a=0$, $x^2-9x+b=0$ [4] ________

1026 $x^2+ax-7=0$, $x^2-11x+b=0$ [-1] ________

1027 학교 시험 맛보기

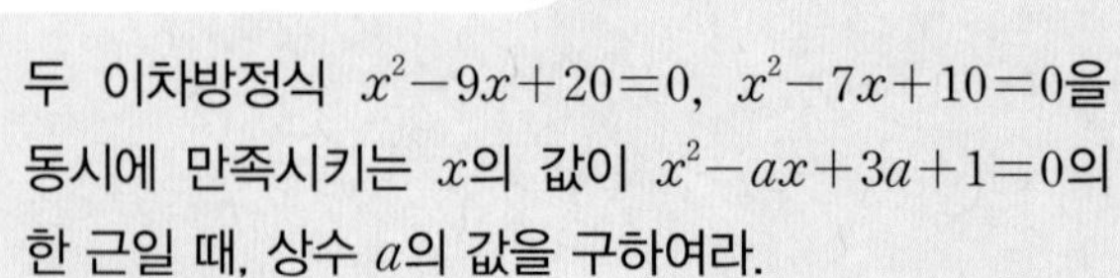

두 이차방정식 $x^2-9x+20=0$, $x^2-7x+10=0$을 동시에 만족시키는 x의 값이 $x^2-ax+3a+1=0$의 한 근일 때, 상수 a의 값을 구하여라.

____

핵심 09 이차방정식의 중근

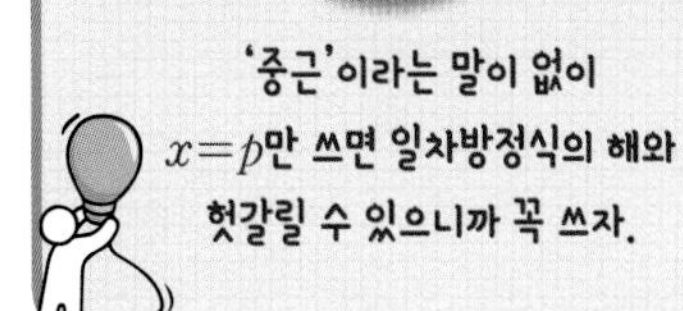

이차방정식의 두 근이 중복되어 서로 같을 때, 이 근을 이차방정식의 **중근**이라고 한다.

$a(x-p)^2=0$
➡ $x=p$ (중근)

다음 이차방정식을 풀어라.

1028 $(x-1)^2=0$ ________

1029 $(2x+1)^2=0$ ________

1030 $x^2-4x+4=0$ ________

좌변을 인수분해해 봐.

1031 $x^2+10x+25=0$ ________

1032 $x^2-14x=-49$ ________

1033 $x^2+100=20x$ ________

1034 $9x^2+6x+1=0$ ________

1035 $16x^2-8x+1=0$ ________

1036 $4x^2+12x+9=0$ ________

1037 $25x^2=40x-16$ ________

1038 $16x^2-64x+49=20x-20x^2$ ________

1039 학교 시험 맛보기

다음 보기의 이차방정식 중 중근을 갖는 것을 모두 골라라.

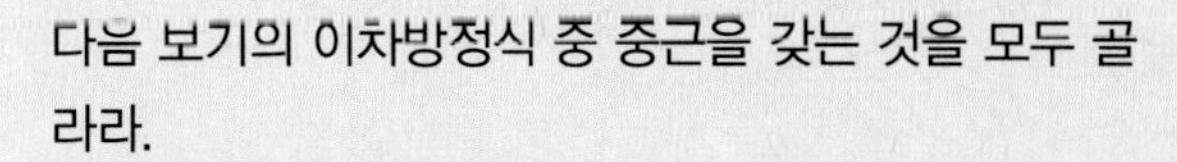

보기
ㄱ. $x^2-4x=12$　　ㄴ. $x^2=2x-1$
ㄷ. $x^2=4$　　ㄹ. $3-x^2=6(x+2)$

____

날짜 : 월 일

핵심 10 이차방정식이 중근을 가질 조건

Subnote ➡ 38쪽

이차방정식이 중근을 가지려면 x^2의 계수가 1일 때, (상수항)$=\left(\dfrac{x\text{의 계수}}{2}\right)^2$ 이어야 해.

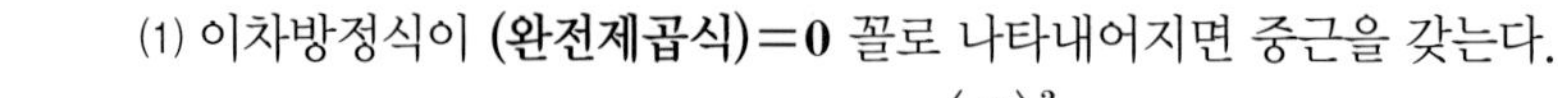

(1) 이차방정식이 **(완전제곱식)=0** 꼴로 나타내어지면 중근을 갖는다.

(2) 이차방정식 $x^2+ax+b=0$에서 $\boldsymbol{b=\left(\frac{a}{2}\right)^2}$이면 중근을 갖는다.

$$x^2+ax+\left(\frac{a}{2}\right)^2=0 \Rightarrow \left(x+\frac{a}{2}\right)^2=0$$

↳ x^2의 계수가 반드시 1

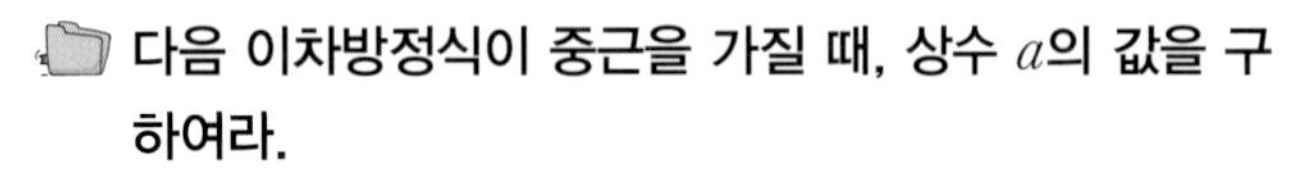

다음 이차방정식이 중근을 가질 때, 상수 a의 값을 구하여라.

1040 $x^2+4x+a=0$

좌변이 완전제곱식이 되어야 해!

sol $a=\left(\dfrac{\square}{2}\right)^2=\square$

1041 $x^2-2x+a=0$ ________

1042 $x^2+3x+a=0$ ________

1043 $x^2-8x+2a=0$ ________

1044 $2x^2+24x+a=0$ ________

양변을 x^2의 계수로 나누어 주어야 해!

1045 $4x^2-16x-a=0$ ________

다음 이차방정식이 중근을 가질 때, 양수 a의 값을 구하여라.

1046 $x^2+ax+1=0$

sol $\left(\dfrac{a}{2}\right)^2=1$이므로 $a^2=\square$ $\quad \therefore a=\square\ (\because a>0)$

1047 $x^2-ax+9=0$ ________

1048 $x^2+ax+25=0$ ________

1049 $x^2-2ax+64=0$ ________

1050 $2x^2+4ax+32=0$ ________

1051 학교 시험 맛보기

이차방정식 $x^2+2ax-3a+4=0$이 중근을 갖도록 하는 상수 a의 값의 합을 구하여라.

____

핵심 01~10

Mini Review Test

날짜 : 월 일

Subnote 38쪽

핵심 01

1052 다음 중 이차방정식이 아닌 것을 모두 고르면? (정답 2개)

① $3x^2=0$ ② $-x^2+4x$
③ $(x-1)^2=x$ ④ $2x^2+5x=3-x$
⑤ $(2-x)(2+x)=4x-x^2$

핵심 01

1053 $a(x-1)^2=1-2x^2$이 x에 대한 이차방정식이 되도록 하는 상수 a의 값이 아닌 것은?

① -2 ② -1 ③ 0
④ 1 ⑤ 2

핵심 02

1054 다음 중 [ ] 안의 수가 주어진 이차방정식의 해인 것은?

① $(x-2)(x+4)=0$ [4]
② $x^2+4=0$ [−2]
③ $x^2+x=2x(x-1)$ [−1]
④ $x^2-10x+21=0$ [−7]
⑤ $5x^2-16x+3=0$ [3]

핵심 03

1055 $x=-3$이 이차방정식 $x^2+ax+6a-3=0$의 해일 때, 상수 a의 값을 구하여라.

핵심 04 05 06

1056 다음 이차방정식 중 두 근의 합이 -5인 것은?

① $x^2-3x=0$ ② $x^2+5x-24=0$
③ $3x^2+7x-6=0$ ④ $x^2+3x-18=0$
⑤ $2x^2-7x+3=0$

핵심 07 서술형

1057 이차방정식 $x^2-x-12=0$의 두 근 중 작은 근이 이차방정식 $4x^2+11x+a=0$의 한 근일 때, 이차방정식 $4x^2+11x+a=0$의 다른 한 근을 구하여라.

핵심 08

1058 다음 두 이차방정식의 공통근을 구하여라.

$$2x^2+5x-3=0,\ x^2+8x+15=0$$

핵심 09 10

1059 이차방정식 $x^2-4ax=8a+3$이 중근을 갖도록 하는 상수 a의 값의 합을 구하여라.

Review

Talk Talk

PM 3:11
YOU♡
이차방정식이란?
x에 대한 (❶)$=0$ 꼴로 나타내어지는 방정식을 x에 대한 이차방정식이라고 해.
이차방정식의 해란?
이차방정식을 참이 되게 하는 미지수의 값
$AB=0$이면 A, B는 어떤 값이 되어야 할까?
$A=0$ (❷) $B=0$
이차방정식의 중근이란?
이차방정식의 두 근이 중복되어 서로 같을 때 이 근을 중근이라고 해.
➡ $(x-3)^2=0$의 해는 (❸)
이차방정식은 어떤 경우에 중근을 가질까?
(i) (❹)$=0$ 꼴이면 중근을 가져.
(ii) $x^2+ax+b=0$에서 $b=$(❺)이면 중근을 가져.
❶ 이차식 ❷ 또는 ❸ $x=3$(중근) ❹ 완전제곱식 ❺ $\left(\frac{a}{2}\right)^2$

8 이차방정식의 풀이 (2)

스스로
공부 계획
세우기

	학습 내용	공부한 날짜	반복하기
8. 이차방정식의 풀이 (2)	**01.** 제곱근을 이용한 이차방정식의 풀이(1)	월 일	□□
	02. 제곱근을 이용한 이차방정식의 풀이(2)	월 일	□□
	03. 완전제곱식 꼴로 고치기	월 일	□□
	04. 완전제곱식을 이용한 이차방정식의 풀이	월 일	□□
	05. 이차방정식의 근의 공식(1)	월 일	□□
	06. 이차방정식의 근의 공식(2)	월 일	□□
	07. 괄호가 있는 이차방정식의 풀이	월 일	□□
	08. 계수가 소수인 이차방정식의 풀이	월 일	□□
	09. 계수가 분수인 이차방정식의 풀이	월 일	□□
	10. 치환을 이용한 이차방정식의 풀이	월 일	□□
	Mini **Review** Test(01~10)	월 일	□□

8 이차방정식의 풀이 (2)

개념 NOTE

1 제곱근을 이용한 이차방정식의 풀이 핵심 01 02

(1) 이차방정식 $x^2=q\ (q\geq0)$의 해는 $\boldsymbol{x=\pm\sqrt{q}}$

(2) 이차방정식 $(x+p)^2=q\ (q\geq0)$의 해는 $\boldsymbol{x=-p\pm\sqrt{q}}$

> 이차방정식 $(x+p)^2=q$에서
> ① $q\geq0$이면 해는 $x=-p\pm\sqrt{q}$
> ② $q<0$이면 해는 없다.

2 완전제곱식을 이용한 이차방정식의 풀이 핵심 03 04

이차방정식 $ax^2+bx+c=0\ (a\neq0)$의 좌변이 인수분해되지 않을 때는 $\boldsymbol{(x-p)^2=q}\ (q\geq0)$ 꼴로 고쳐서 제곱근의 성질을 이용하여 해를 구한다.

$ax^2+bx+c=0\ (a\neq0)$의 풀이	$2x^2+8x+2=0$에서
❶ x^2의 계수로 양변을 나눈다.	$x^2+4x+1=0$
❷ 상수항을 우변으로 이항한다.	$x^2+4x=-1$
❸ 양변에 $\left\{\frac{(x\text{의 계수})}{2}\right\}^2$을 더한다.	$x^2+4x+\left(\frac{4}{2}\right)^2=-1+\left(\frac{4}{2}\right)^2$
❹ 좌변을 완전제곱식으로 고친다.	$(x+2)^2=3$
❺ 제곱근의 성질을 이용하여 해를 구한다.	$x+2=\pm\sqrt{3}\quad \therefore x=-2\pm\sqrt{3}$

> $ax^2+bx+c=0$
> ⬇ 이차항의 계수를 1로!
> $x^2+\frac{b}{a}x+\frac{c}{a}=0$
> ⬇ 좌변을 완전제곱식으로!
> $(x+p)^2=k$
> ⬇ x의 값 구하기
> $x=-p\pm\sqrt{k}$

3 이차방정식의 근의 공식 핵심 05 06

(1) 근의 공식: 이차방정식 $ax^2+bx+c=0\ (a\neq0)$의 근은

$$\boldsymbol{x=\frac{-b\pm\sqrt{b^2-4ac}}{2a}}\ (\text{단, } b^2-4ac\geq0)$$

(2) x의 계수가 짝수일 때의 근의 공식
이차방정식 $ax^2+2b'x+c=0\ (a\neq0)$의 근은

$$\boldsymbol{x=\frac{-b'\pm\sqrt{b'^2-ac}}{a}}\ (\text{단, } b'^2-ac\geq0)$$

> **이차방정식의 풀이**
> 인수분해가 되면 인수분해하여 해를 구하고 인수분해가 안되면 근의 공식을 이용하여 해를 구한다.

> 이차방정식의 짝수근의 공식을 이용하면 약분하는 과정을 줄일 수 있어서 편리하다.

4 복잡한 이차방정식의 풀이 핵심 07 ~ 10

복잡한 이차방정식은 다음과 같은 방법으로 $ax^2+bx+c=0$ 꼴로 고친 후, 인수분해 또는 근의 공식을 이용하여 해를 구한다.

(1) 괄호가 있는 이차방정식: 곱셈 공식, 분배법칙 등을 이용하여 괄호를 풀고 동류항끼리 정리한다.

(2) 계수가 소수 또는 분수인 이차방정식: 양변에 적당한 수를 곱하여 계수를 정수로 고친다.
① 계수가 소수이면 ➡ 양변에 10의 거듭제곱을 곱한다.
② 계수가 분수이면 ➡ 양변에 분모의 최소공배수를 곱한다.

(3) 공통부분이 있는 이차방정식: 공통부분을 한 문자로 치환한다.

> 공통 부분을 A로 치환한 경우 A의 값이 주어진 방정식의 해라고 착각하지 않는다.

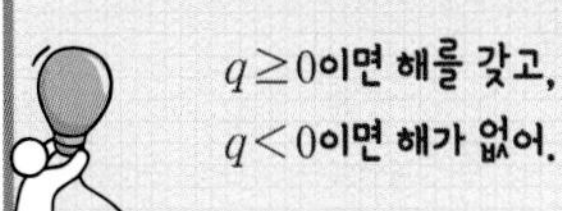

01 제곱근을 이용한 이차방정식의 풀이 (1)

날짜 : 월 일

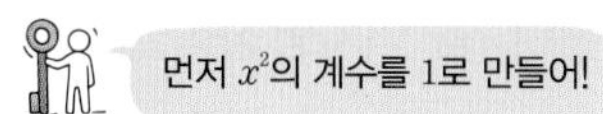
Subnote 39쪽

$q \ge 0$이면 해를 갖고,
$q < 0$이면 해가 없어.

(1) 이차방정식 $x^2=q\ (q\ge0)$의 해 ➡ $x=\pm\sqrt{q}$

(2) 이차방정식 $ax^2=q\ (a\ne0,\ aq\ge0)$의 해 ➡ $x=\pm\sqrt{\dfrac{q}{a}}$

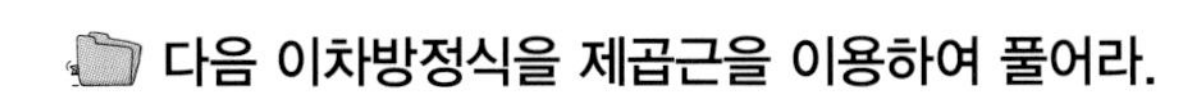

다음 이차방정식을 제곱근을 이용하여 풀어라.

1060 $x^2=3$

sol $x=\pm\sqrt{\square}$

1061 $x^2=4$ ________

1062 $x^2=25$ ________

1063 $x^2-10=0$ ________

1064 $x^2-12=0$ ________

1065 $x^2-20=-2$ ________

1066 $2x^2=4$

먼저 x^2의 계수를 1로 만들어!

sol $2x^2=4$의 양변을 $\square$로 나누면

$x^2=\square$ $\therefore\ x=\square$

1067 $3x^2=27$ ________

1068 $4x^2=1$ ________

1069 $9x^2-9=16$ ________

1070 $2x^2-3=0$ ________

key 분모에 무리수가 있으면 유리화해서 답을 쓴다.

1071 $8x^2+10=15$ ________

핵심

02 제곱근을 이용한 이차방정식의 풀이 (2)

날짜 : 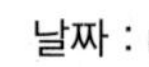 월  일 

Subnote ➲ 40쪽

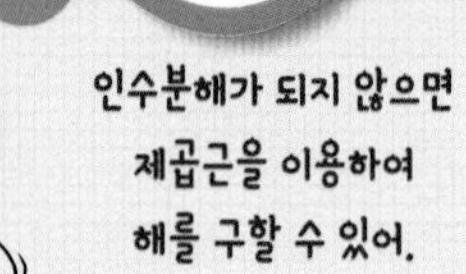

(1) 이차방정식 $(x+p)^2=q\ (q\ge 0)$의 해 ➡ $x=-p\pm\sqrt{q}$

(2) 이차방정식 $a(x+p)^2=q\ (a\ne 0,\ aq\ge 0)$의 해 ➡ $x=-p\pm\sqrt{\dfrac{q}{a}}$

다음 이차방정식을 제곱근을 이용하여 풀어라.

1072 $(x+1)^2=2$

sol $x+1=\pm\square$ $\quad\therefore x=\square\pm\square$

1073 $(x-3)^2=5$ ______

1074 $(x+2)^2=9$ ______

1075 $(x-4)^2=12$ ______

1076 $\left(x-\dfrac{2}{3}\right)^2=\dfrac{1}{9}$ ______

1077 $(x-5)^2-27=0$ ______

1078 $(2x-1)^2-8=0$ ______

1079 $2(x-2)^2=6$

먼저 x^2의 계수를 1로 만들어야 해.

sol $(x-2)^2=\square$ ← 양변을 2로 나누기

$x-2=\pm\sqrt{\square}$ ← 제곱근 이용하기

$\therefore x=\square$ ← 해 구하기

1080 $3(x+1)^2=21$ ______

1081 $5(x-4)^2=30$ ______

1082 $4(x+5)^2-32=0$ ______

1083 $7(x-3)^2-14=0$ ______

1084 $6(x+7)^2-24=0$ ______

1085 학교 시험 맛보기 

이차방정식 $2(x+p)^2=q$의 해가 $x=2\pm\sqrt{5}$일 때, 유리수 p, q에 대하여 $p+q$의 값을 구하여라.

______

핵심 03 완전제곱식 꼴로 고치기

날짜 : 월 일

Subnote 40쪽

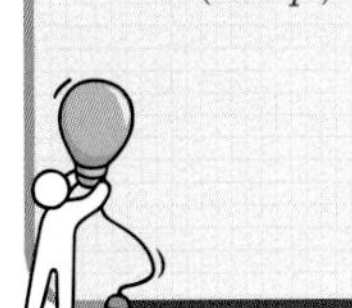

이차방정식 $ax^2+bx+c=0$을 $(x+p)^2=q$ 꼴로 나타내.

이차방정식 $ax^2+bx+c=0\ (a\neq0)$의 풀이	$2x^2-8x-2=0$에서
❶ x^2의 계수로 양변을 나눈다.	$x^2-4x-1=0$
❷ 상수항을 우변으로 이항한다.	$x^2-4x=1$
❸ 양변에 $\left\{\frac{(x\text{의 계수})}{2}\right\}^2$을 더한다.	$x^2-4x+\left(\frac{-4}{2}\right)^2=1+\left(\frac{-4}{2}\right)^2$
❹ 좌변을 완전제곱식으로 고친다.	$(x-2)^2=5$ 완전제곱식

다음 이차방정식을 $(x+p)^2=q$ 꼴로 나타낼 때, 상수 p, q의 값을 각각 구하여라.

1086 $x^2+2x-1=0$

sol $x^2+2x=\square$ ← -1을 우변으로 이항하기

$x^2+2x+\square=\square$ ← 양변에 1을 더하기

$(x+\square)^2=\square$ ← 좌변을 완전제곱식으로 고치기

➡ $p=\square$, $q=\square$

1087 $x^2+4x-2=0$ ______

1088 $x^2-6x-3=0$ ______

1089 $x^2+10x+2=0$ ______

1090 $x^2-x-1=0$ ______

1091 $2x^2+8x+2=0$

sol $x^2+4x+1=0$ ← 양변을 2로 나누기

$x^2+4x=\square$ ← 1을 우변으로 이항하기

$x^2+4x+\square=\square$ ← 양변에 4를 더하기

$(x+\square)^2=\square$ ← 좌변을 완전제곱식으로 고치기

➡ $p=\square$, $q=\square$

1092 $3x^2+24x-6=0$ ______

1093 $4x^2+12x+4=0$ ______

1094 $5x^2+30x+5=0$ ______

1095 $4x^2-2x-1=0$ ______

1096 학교 시험 맛보기 

이차방정식 $x^2-8x+a=0$을 $(x-b)^2=11$ 꼴로 나타낼 때, 두 유리수 a, b에 대하여 ab의 값을 구하여라.

______

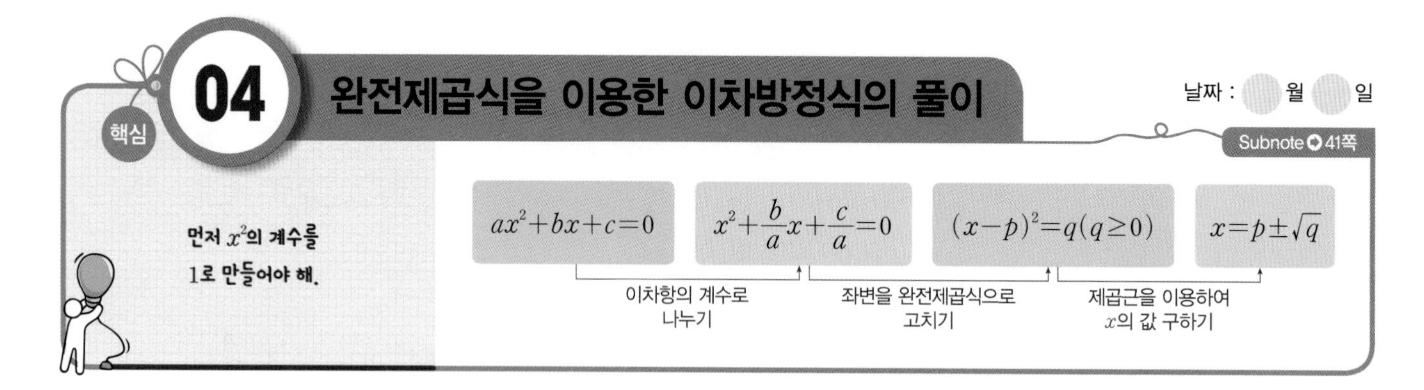

다음 이차방정식을 완전제곱식을 이용하여 풀어라.

1097 $x^2+4x-7=0$

sol $x^2+4x=\square$ ← -7을 우변으로 이항하기

$x^2+4x+\square=\square$ ← 양변에 4를 더하기

$(x+\square)^2=\square$ ← 좌변을 완전제곱식으로 고치기

$x+\square=\pm\sqrt{\square}$ ← 제곱근 이용하기

$\therefore\ x=\square$ ← 해 구하기

1098 $x^2+8x+3=0$

1099 $x^2-14x+14=0$

1100 $x^2+18x+31=0$

1101 $x^2+5x-3=0$

1102 $5x^2-10x-20=0$

sol $x^2-2x-4=0$ ← 양변을 5로 나누기

$x^2-2x=\square$ ← 4를 우변으로 이항하기

$x^2-2x+\square=\square$ ← 양변에 1을 더하기

$(x-\square)^2=\square$ ← 좌변을 완전제곱식으로 고치기

$x-\square=\pm\sqrt{\square}$ ← 제곱근 이용하기

$\therefore\ x=\square$ ← 해 구하기

1103 $6x^2+12x+3=0$

이차방정식의 해를 구할 때 분모를 유리화하여 나타내야 해.

1104 $3x^2+36x+12=0$

1105 $4x^2-24x+16=0$

1106 학교 시험 맛보기

이차방정식 $2x^2+20x+k=0$을 완전제곱식을 이용하여 풀었더니 해가 $x=-5\pm\sqrt{21}$일 때, 유리수 k의 값을 구하여라.

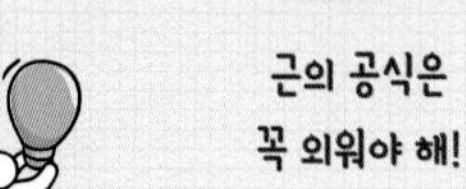

05 이차방정식의 근의 공식 (1)

핵심

날짜 :  월  일 

Subnote ➔ 41쪽

근의 공식은 꼭 외워야 해!

이차방정식 $ax^2+bx+c=0$의 근은

$$x=\frac{-b\pm\sqrt{b^2-4ac}}{2a}\ (\text{단, } b^2-4ac\geq 0)$$

다음 이차방정식을 근의 공식을 이용하여 풀어라.

1107 $x^2+3x+1=0$

sol 근의 공식에 $a=1$, $b=\square$, $c=\square$을 대입하면

$$x=\frac{\square\pm\sqrt{\square^2-4\times\square\times 1}}{2\times 1}=\square$$

1108 $x^2-x-3=0$ ______

1109 $x^2+7x+3=0$ ______

1110 $x^2-9x+6=0$ ______

1111 $x^2+5x-5=0$ ______

1112 $x^2-3x-5=0$ ______

1113 $2x^2-3x-1=0$

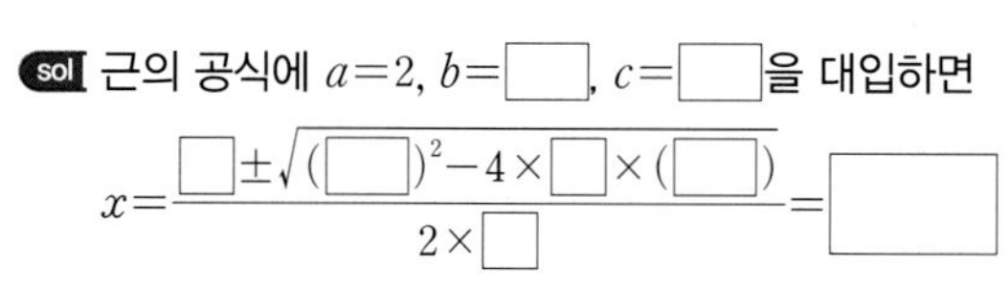

sol 근의 공식에 $a=2$, $b=\square$, $c=\square$을 대입하면

$$x=\frac{\square\pm\sqrt{(\square)^2-4\times\square\times(\square)}}{2\times\square}=\square$$

1114 $3x^2+3x-1=0$ ______

1115 $5x^2-x-2=0$ ______

1116 $4x^2+3x-2=0$ ______

1117 $7x^2+x-1=0$ ______

1118 학교 시험 맛보기 

이차방정식 $2x^2+7x+4=0$의 해가 $x=\frac{a\pm\sqrt{b}}{4}$일 때, 유리수 a, b에 대하여 $a+b$의 값을 구하여라.

______

이차방정식의 근의 공식 (2)

날짜 :  월  일

Subnote ➔ 42쪽

'짝수근의 공식'을 사용하면 분모, 분자를 약분하는 과정이 생략되어 계산이 간단해져.

x의 계수가 짝수인 이차방정식 $ax^2+2b'x+c=0$의 근은

$$x=\frac{-b'\pm\sqrt{b'^2-ac}}{a}\ (\text{단, } b'^2-ac\geq 0)$$

다음 이차방정식을 근의 공식을 이용하여 풀어라.

1119 $x^2-2x-1=0$

sol x의 계수가 짝수일 때의 근의 공식에
$a=1$, $b'=\square$, $c=-1$을 대입하면

$$x=\frac{\square\pm\sqrt{(\square)^2-\square\times(-1)}}{1}=\square$$

1120 $x^2+4x-7=0$ ________

1121 $x^2-6x+2=0$ ________

1122 $x^2+8x+5=0$ ________

1123 $x^2-10x+6=0$ ________

1124 $x^2+14x+9=0$ ________

1125 $2x^2+6x+3=0$

sol x의 계수가 짝수일 때의 근의 공식에
$a=\square$, $b'=\square$, $c=3$을 대입하면

$$x=\frac{\square\pm\sqrt{\square^2-\square\times 3}}{\square}=\square$$

1126 $3x^2-4x-1=0$ ________

1127 $4x^2-12x+3=0$ ________

1128 $5x^2+4x-3=0$ ________

1129 $7x^2-4x-2=0$ ________

1130 학교 시험 맛보기 

이차방정식 $x^2-12x+a=0$의 근이 $x=b\pm\sqrt{30}$일 때, 유리수 a, b에 대하여 $a+b$의 값을 구하여라.

____

핵심 07 괄호가 있는 이차방정식의 풀이

날짜 : 월 일

Subnote ➔ 42쪽

괄호를 먼저 풀어!

(1) 괄호가 있는 이차방정식은 곱셈 공식이나 분배법칙을 이용하여 괄호를 풀고 동류항끼리 정리하여 $ax^2+bx+c=0$ 꼴로 정리한다.

(2) 인수분해 또는 근의 공식을 이용하여 해를 구한다.

예 $(x+2)(x+3)=5$ ──괄호를 풀고 정리──▶ $x^2+5x+1=0$

다음 이차방정식을 풀어라.

1131 $x(x-4)=5$

sol $\square=5$ ← 좌변을 전개하기

$\square=0$ ← 모든 항을 좌변으로 이항하기

$(x+\square)(x-\square)=0$ ← 좌변을 인수분해하기

$\therefore x=\square$ 또는 $x=\square$ ← 해 구하기

1132 $x(x+2)=4$

1133 $(x-1)(x+2)=6$

1134 $(x+1)(x-1)=7x$

1135 $2(x-1)^2+6x-3=0$

1136 $3(x+1)(x-2)=x+3$

1137 $(x-3)(x-4)=6-2x$

1138 $(x-3)^2=4(2x+1)-1$

1139 $2(x-2)(x+3)=(x+1)(x+5)$

1140 $(x+3)(x-4)=-7x-11$

1141 $3(x-2)(x+2)=x^2+4x-7$

1142 학교 시험 맛보기 

$(x+1)^2=(x+2)(3x+1)$의 근이 $x=\dfrac{a\pm\sqrt{b}}{4}$일 때, 유리수 a, b에 대하여 $a+b$의 값을 구하여라.

8 이차방정식의 풀이 (2)

08 계수가 소수인 이차방정식의 풀이

날짜 :  월  일

Subnote ➡ 43쪽

양변에 10의 거듭제곱을 곱하여 계수를 정수로 만들어.

계수가 소수인 이차방정식은 양변에 10, 100, 1000, … 중에서 적당한 수를 곱하여 계수를 정수로 고친 후 푼다.

예 $0.1x^2+0.2x-0.1=0 \xrightarrow{\text{양변에 10을 곱한다.}} x^2+2x-1=0$

$0.01x^2-0.12x+0.11=0 \xrightarrow{\text{양변에 100을 곱한다.}} x^2-12x+11=0$

다음 이차방정식을 풀어라.

1143 $0.1x^2-0.2x-0.3=0$

sol $\square=0$ ← 양변에 10을 곱하기

$(x+\square)(x-\square)=0$ ← 좌변을 인수분해하기

$\therefore x=\square$ 또는 $x=\square$ ← 해 구하기

1144 $0.1x^2-0.5x+0.2=0$ ________

1145 $0.5x^2+0.2x-0.1=0$ ________

1146 $0.2x^2-0.6x+0.3=0$ ________

1147 $0.7x^2-x+0.2=0$ ________

1148 $0.3x^2-x+0.3=0$ ________

1149 $0.4x^2+0.1x-0.2=0$ ________

1150 $x^2-1.3x-0.3=0$ ________

1151 $0.01x^2-0.11x+0.3=0$ ________

1152 $0.01x^2+0.2x+0.4=0.4(x-1)$ ________

1153 $0.6x^2-0.5x+0.3=0.2x^2+0.7x+1$ ________

1154 학교 시험 맛보기 

$1.5x^2-x-0.5=0.3x^2+x+0.1$의 근이 $x=\dfrac{a\pm\sqrt{b}}{6}$일 때, 유리수 a, b에 대하여 $b-a$의 값을 구하여라.

____

핵심 09 계수가 분수인 이차방정식의 풀이

Subnote ➡ 44쪽

양변에 분모의 최소공배수를 곱할 때는 모든 항에 빠뜨리지 않고 곱해야 해.

계수가 분수인 이차방정식은 양변에 분모의 최소공배수를 곱하여 계수를 정수로 고친 후 푼다.

예 $\frac{1}{2}x^2+\frac{1}{4}x-1=0$ → (양변에 2, 4의 최소공배수 4를 곱한다.) → $2x^2+x-4=0$

$\frac{1}{4}x^2-\frac{1}{2}x-\frac{1}{3}=0$ → (양변에 4, 2, 3의 최소공배수 12를 곱한다.) → $3x^2-6x-4=0$

다음 이차방정식을 풀어라.

1155 $\frac{1}{2}x^2+\frac{2}{3}x-\frac{1}{6}=0$

양변에 6을 곱하기

sol $3x^2+4x-1=0$

근의 공식 이용하기

$\therefore x=\frac{\square\pm\sqrt{\square}}{3}$

1156 $\frac{1}{2}x^2-3x+\frac{7}{4}=0$ ________

1157 $\frac{1}{3}x^2-x-\frac{1}{2}=0$ ________

1158 $\frac{1}{6}x^2-\frac{1}{2}x-\frac{2}{3}=0$ ________

1159 $\frac{1}{6}x^2+\frac{1}{4}x-\frac{1}{3}=0$ ________

1160 $\frac{x^2}{4}-\frac{x+3}{2}=0$ ________

1161 $\frac{3}{8}x^2-\frac{1}{12}x-\frac{1}{6}=0$ ________

1162 $\frac{x(x+1)}{5}=\frac{(x-3)(x+2)}{3}$ ________

1163 $\frac{1}{3}x^2-\frac{3}{4}x+1=\frac{1}{6}x^2+\frac{1}{3}$ ________

1164 $0.2x^2+\frac{1}{10}x-\frac{2}{5}=0$ ________

key 분수와 소수를 모두 정수로 만들 수 있는 수를 곱한다.

1165 $\frac{1}{5}x^2-x+0.1=0$ ________

1166 학교 시험 맛보기 

이차방정식 $\frac{1}{3}x^2-0.3=\frac{2}{3}x+\frac{1}{5}$의 두 근 중 큰 근을 α라고 할 때, $2\alpha-2$의 값을 구하여라.

____

치환을 이용한 이차방정식의 풀이

날짜 :  월  일

Subnote 45쪽

공통부분을 A로 치환한 경우 A의 값이 주어진 방정식의 해라고 착각하지 않도록 주의해!

공통부분이 있는 이차방정식은 다음과 같은 순서로 푼다.

❶ 공통부분을 A로 치환한다.

❷ 인수분해 또는 근의 공식을 이용하여 A의 값을 구한다.

❸ A 대신 원래의 식을 대입하여 x의 값을 구한다.

다음 이차방정식을 풀어라.

1167 $(x+1)^2-3(x+1)-10=0$ ← $x+1=A$로 놓기

sol $A^2-3A-10=0$ ← 좌변을 인수분해하기

$(A+2)(A-5)=0$ ← A의 값 구하기

$\therefore A=\square$ 또는 $A=\square$ ← $A=x+1$ 대입하기

$x+1=\square$ 또는 $x+1=\square$ ← 해 구하기

$\therefore x=\square$ 또는 $x=\square$

1168 $(x-2)^2-3(x-2)+2=0$ ______

1169 $(x+1)^2-4(x+1)-12=0$ ______

1170 $(x+2)^2-2(x+2)-24=0$ ______

1171 $(x-1)^2+4(x-1)-5=0$ ______

1172 $(x+3)^2-4(x+3)+3=0$ ______

1173 $(x-1)^2+6(x-1)+9=0$ ______

1174 $3(x+2)^2-7(x+2)+2=0$ ______

1175 $4(x-2)^2-12(x-2)-7=0$ ______

1176 $\frac{1}{2}(x+1)^2=4(x+1)-8$ ______

1177 $\frac{1}{2}(x-3)^2=\frac{1}{3}(x-3)-\frac{1}{6}$ ______

1178 학교 시험 맛보기 

$3\left(x-\frac{1}{2}\right)^2=7\left(\frac{1}{2}-x\right)+6$의 두 근의 차를 구하여라.

______

핵심 01~10

Mini Review Test

날짜 :  월 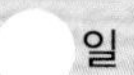 일

Subnote 45쪽

핵심 01 02

1179 이차방정식 $(x-7)^2=2-k$가 해를 가질 때, 다음 중 상수 k의 값으로 옳지 않은 것은?

① -1 ② 0 ③ 1
④ 2 ⑤ 3

핵심 03 04

1180 이차방정식 $3x^2+12x+a=0$을 $(x+b)^2=6$ 꼴로 나타낼 때, 상수 a, b에 대하여 $b-a$의 값을 구하여라.

핵심 05

1181 이차방정식 $ax^2-7x+1=0$의 근이 $x=\frac{b\pm\sqrt{c}}{8}$일 때, 유리수 a, b, c에 대하여 $a+b+c$의 값을 구하여라.

핵심 06

1182 이차방정식 $3x^2-8x+2=0$의 근이 $x=\frac{4\pm\sqrt{a}}{b}$일 때, 유리수 a, b의 값을 각각 구하여라.

핵심 07

1183 이차방정식 $(2+x)^2=(2x+1)(3x-2)+x$의 두 근을 α, β라고 할 때, $\alpha+\beta$의 값을 구하여라.

핵심 08

1184 이차방정식 $0.2x^2-x+0.15=0$의 근이 $x=\frac{a\pm\sqrt{b}}{2}$일 때, 유리수 a, b에 대하여 ab의 값을 구하여라.

핵심 08 09 서술형

1185 다음 두 이차방정식의 공통근을 구하여라.

$$\frac{x^2}{3}+\frac{x}{4}-\frac{1}{12}=0,\ 0.2x^2+0.5x+0.3=0$$

핵심 10

1186 $(3x+2)^2+5(3x+2)-14=0$의 두 근을 α, β라고 할 때, $\alpha-\beta$의 값을 구하여라. (단, $\alpha>\beta$)

Review

8. 이차방정식의 풀이 (2)

9 이차방정식의 활용

스스로 공부 계획 세우기

	학습 내용	공부한 날짜	반복하기
9. 이차방정식의 활용	**01.** 이차방정식의 근의 개수	월 일	□□
	02. 근의 개수에 따른 k의 값의 범위 구하기	월 일	□□
	03. 이차방정식 구하기	월 일	□□
	04. 이차방정식의 활용(1)-수	월 일	□□
	05. 이차방정식의 활용(2)-수	월 일	□□
	06. 이차방정식의 활용(3)-도형	월 일	□□
	07. 이차방정식의 활용(4)-쏘아 올린 물체	월 일	□□
	Mini **Review** Test(**01**~**07**)	월 일	□□

9 이차방정식의 활용

개념 NOTE

1 이차방정식의 근의 개수 핵심 01 02

이차방정식 $ax^2+bx+c=0\ (a\neq0)$의 서로 다른 근의 개수는 **b^2-4ac의 부호**에 의해 결정된다.

(1) $b^2-4ac>0$ ➡ 서로 다른 두 근을 갖는다. ➡ 근이 2개
(2) $b^2-4ac=0$ ➡ 한 근(중근)을 갖는다. ➡ 근이 1개
(3) $b^2-4ac<0$ ➡ 근이 없다. ➡ 근이 0개

근을 가질 조건: $b^2-4ac\geq0$

예

이차방정식	b^2-4ac의 부호	근의 개수
$x^2-4x-1=0$	$(-4)^2-4\times1\times(-1)=20>0$	2
$x^2+6x+9=0$	$6^2-4\times1\times9=0$	1
$x^2+2x+2=0$	$2^2-4\times1\times2=-4<0$	0

근의 공식 $x=\frac{-b\pm\sqrt{b^2-4ac}}{2a}$에서 $b^2-4ac<0$이면 $\sqrt{b^2-4ac}$의 값이 존재하지 않으므로 해가 없다.

2 이차방정식 구하기 핵심 03

(1) 두 근이 α, β이고 x^2의 계수가 a인 이차방정식은
➡ $\boldsymbol{a(x-\alpha)(x-\beta)=0}$, 즉 $\boldsymbol{a\{x^2-(\alpha+\beta)x+\alpha\beta\}=0}$

예 두 근이 1, 2이고 x^2의 계수가 1인 이차방정식은
$(x-1)(x-2)=0$, 즉 $x^2-3x+2=0$

(2) 중근이 α이고 x^2의 계수가 a인 이차방정식은
➡ $\boldsymbol{a(x-\alpha)^2=0}$

예 중근이 $x=1$이고 x^2의 계수가 3인 이차방정식은
$3(x-1)^2=0$, 즉 $3x^2-6x+3=0$

(3) a, b, c가 유리수인 이차방정식 $ax^2+bx+c=0\ (a\neq0)$의 한 근이 $p+q\sqrt{m}$이면 다른 한 근은 $p-q\sqrt{m}$이다. (단, p, q는 유리수, $\sqrt{m}$은 무리수)

이차방정식 $ax^2+bx+c=0$ (a, b, c는 유리수, $a\neq0$)의 두 근은
$x=\frac{-b+\sqrt{b^2-4ac}}{2a}$ 또는
$x=\frac{-b-\sqrt{b^2-4ac}}{2a}$
➡ 즉, 두 근은 무리수 부분의 부호만 다른 두 수이다.

3 이차방정식의 활용 핵심 04 ~ 07

이차방정식의 활용 문제는 다음과 같은 순서로 푼다.

❶ 미지수 정하기 ➡ 문제의 뜻을 파악하고 구하는 값을 x로 놓는다.
❷ 이차방정식 세우기 ➡ 문제의 뜻에 맞게 이차방정식을 세운다.
❸ 이차방정식 풀기 ➡ 이차방정식을 푼다.
❹ 답 구하기 ➡ 구한 해 중에서 문제의 뜻에 맞는 것을 답으로 택한다.

이차방정식의 활용 문제에서 해를 구한 경우 문제의 뜻에 맞지 않는 근이 있을 수 있으므로 반드시 구한 해가 문제의 뜻에 맞는지 확인한다.

이차방정식의 근의 개수

날짜 : 월 일

Subnote ➔ 46쪽

b^2-4ac의 부호에 따라 근의 개수를 판별할 수 있으니까 b^2-4ac를 '판별식'이라 하고, D로 나타내.

이차방정식 $ax^2+bx+c=0$의 서로 다른 근의 개수는 **b^2-4ac의 부호**에 의해 결정된다.

(1) $b^2-4ac>0$ ➡ 서로 다른 두 근을 갖는다. ➡ 근이 2개

(2) $b^2-4ac=0$ ➡ 한 근(중근)을 갖는다. ➡ 근이 1개

(3) $b^2-4ac<0$ ➡ 근이 없다. ➡ 근이 0개

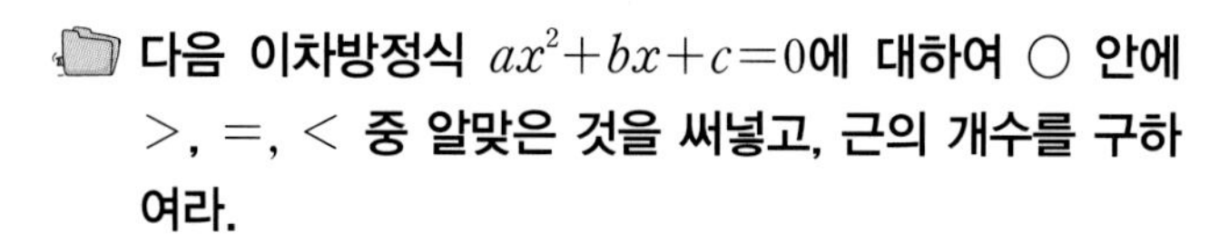

다음 이차방정식 $ax^2+bx+c=0$에 대하여 ○ 안에 $>$, $=$, $<$ 중 알맞은 것을 써넣고, 근의 개수를 구하여라.

1187 $x^2+5x+4=0$

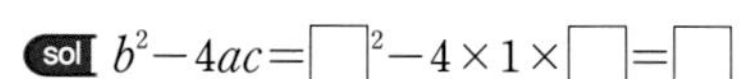

sol $b^2-4ac=\square^2-4\times1\times\square=\square$

따라서 b^2-4ac ○ 0이므로 근의 개수는 $\square$이다.

1188 $x^2-x+3=0$

➡ b^2-4ac ○ 0 ➡ ________

1189 $4x^2+12x+9=0$

➡ b^2-4ac ○ 0 ➡ ________

1190 $2x^2-7x-5=0$

➡ b^2-4ac ○ 0 ➡ ________

1191 $3x^2-8x+6=0$

➡ b^2-4ac ○ 0 ➡ ________

1192 $x^2+x+\frac{1}{4}=0$

➡ b^2-4ac ○ 0 ➡ ________

1193 $x^2-4x+5=0$

➡ b^2-4ac ○ 0 ➡ ________

1194 $9x^2+6x+1=0$

➡ b^2-4ac ○ 0 ➡ ________

1195 **학교 시험 맛보기** 

다음 보기의 이차방정식 중 근이 없는 것을 모두 골라라.

| 보기 |

ㄱ. $3x^2-6x+1=0$

ㄴ. $4x^2-4x+1=0$

ㄷ. $3x^2-4x+2=0$

ㄹ. $\frac{1}{2}x^2-\frac{1}{3}x+\frac{1}{6}=0$

____

핵심 **02**

근의 개수에 따른 k의 값의 범위 구하기

날짜 :  월 일

Subnote 46쪽

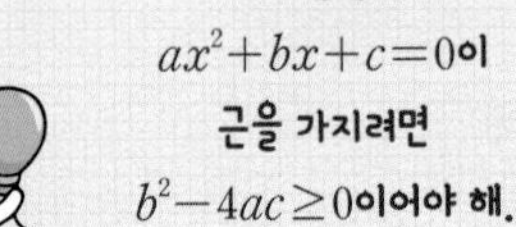

이차방정식 $ax^2+bx+c=0$이 근을 가지려면 $b^2-4ac\geq 0$이어야 해.

이차방정식 $ax^2+bx+c=0$이

(1) 서로 다른 두 근을 갖는다. ➡ $b^2-4ac>0$

(2) 중근을 갖는다. ➡ $b^2-4ac=0$

(3) 근을 갖지 않는다. ➡ $b^2-4ac<0$

(1), (2): 근을 가질 조건은 $\boldsymbol{b^2-4ac\geq 0}$

다음 이차방정식이 **서로 다른 두 근을 가질 때**, 상수 k의 값의 범위를 구하여라.

1196 $x^2+2x+k=0$

sol $b^2-4ac=\square^2-4\times1\times k>0$ $\quad\therefore k<\square$

1197 $2x^2-x+k=0$ ________

1198 $x^2+4x-k=0$ ________

다음 이차방정식이 **중근을 가질 때**, 상수 k의 값을 구하여라.

> 이차방정식이 중근을 가질 조건은 $b^2-4ac=0$이야!

1199 $x^2-3x-k=0$

sol $b^2-4ac=(\square)^2-4\times1\times(-k)=0$

$\square+4k=0$ $\quad\therefore k=\square$

1200 $x^2-6x+k-1=0$ ________

1201 $2x^2+8x+k+1=0$ ________

다음 이차방정식이 **근을 가질 때**, 상수 k의 값의 범위를 구하여라.

1202 $x^2+x+k=0$

sol $b^2-4ac=\square^2-4\times1\times k\geq0$ $\quad\therefore k\leq\square$

1203 $2x^2-4x+k-1=0$ ________

1204 $kx^2+6x-3=0$ ________

key 이차방정식이니까 $k\neq0$임을 주의한다.

다음 이차방정식이 **근을 갖지 않을 때**, 상수 k의 값의 범위를 구하여라.

1205 $x^2-4x-k=0$

sol $b^2-4ac=(\square)^2-4\times1\times(-k)<0$ $\quad\therefore k<\square$

1206 $x^2+2x+k=0$ ________

1207 $x^2-5x+k+6=0$ ________

03 이차방정식 구하기

날짜 : 월 일

Subnote 47쪽

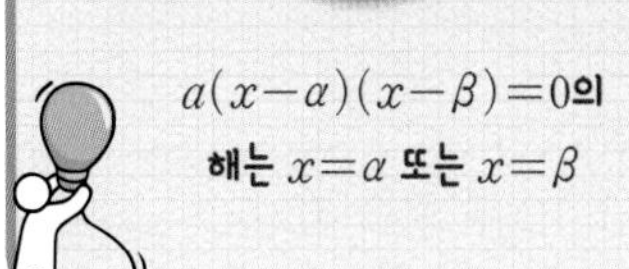

$a(x-\alpha)(x-\beta)=0$의 해는 $x=\alpha$ 또는 $x=\beta$

(1) 두 근이 α, β이고 x^2의 계수가 a인 이차방정식
➡ $\boldsymbol{a(x-\alpha)(x-\beta)=0}$ 또는 $\boldsymbol{a\{x^2-(\alpha+\beta)x+\alpha\beta\}=0}$

(2) 중근이 α이고 x^2의 계수가 a인 이차방정식 ➡ $\boldsymbol{a(x-\alpha)^2=0}$

다음 조건을 만족시키는 이차방정식을 $ax^2+bx+c=0$ 꼴로 나타내어라.

1208 두 근이 -3, 1이고 x^2의 계수가 1인 이차방정식

sol $(x+\square)(x-\square)=0$ $\therefore x^2+\square x-\square=0$

1209 두 근이 2, 3이고 x^2의 계수가 1인 이차방정식

1210 두 근이 -2, -4이고 x^2의 계수가 2인 이차방정식

1211 두 근이 -1, 4이고 x^2의 계수가 -1인 이차방정식

1212 두 근이 0, 5이고, x^2의 계수가 -2인 이차방정식

1213 두 근이 -6, 6이고, x^2의 계수가 -1인 이차방정식

1214 중근이 5이고 x^2의 계수가 1인 이차방정식

sol $(x-\square)^2=0$ $\therefore x^2-\square x+\square=0$

1215 중근이 -1이고 x^2의 계수가 2인 이차방정식

1216 중근이 2이고 x^2의 계수가 -1인 이차방정식

1217 중근이 4이고, x^2의 계수가 $-\frac{1}{2}$인 이차방정식

1218 중근이 $\frac{1}{2}$이고, x^2의 계수가 4인 이차방정식

1219 **학교 시험 맛보기** 

이차방정식 $2x^2+ax+b=0$의 두 근이 -2, $\frac{3}{2}$일 때, 상수 a, b에 대하여 $a-b$의 값을 구하여라.

9 이차방정식의 활용

04 이차방정식의 활용 (1)-수

핵심

날짜 :  월  일

Subnote ➡ 47쪽

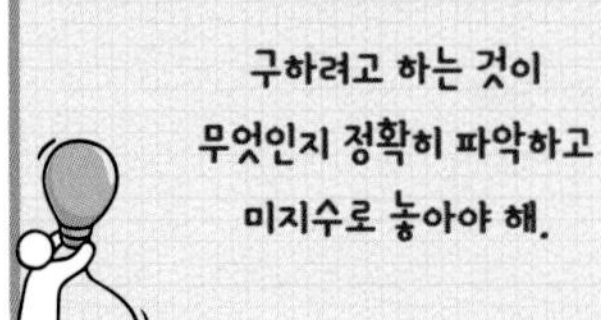

구하려고 하는 것이 무엇인지 정확히 파악하고 미지수로 놓아야 해.

연속하는 수를 x를 사용하여 다음과 같이 나타내면 편리하다.

(1) 연속하는 두 자연수 : x, $x+1$ 또는 $x-1$, x로 놓는다.

(2) 연속하는 세 자연수 : $x-1$, x, $x+1$ 또는 x, $x+1$, $x+2$로 놓는다.

(3) 연속하는 두 홀수(짝수) : x, $x+2$ 또는 $x-1$, $x+1$로 놓는다.

1220 1부터 n까지의 모든 자연수의 합은 $\frac{n(n+1)}{2}$이다. 1부터 n까지의 모든 자연수의 합이 120일 때, 다음 물음에 답하여라.

(1) 이차방정식을 세워라. ________

주어진 공식을 이용하여 이차방정식을 세워.

(2) (1)의 이차방정식을 풀어라. ________

(3) n의 값을 구하여라. ________

1221 n각형의 대각선의 총 개수는 $\frac{n(n-3)}{2}$이다. 대각선의 총 개수가 54인 다각형을 구하여라.

____

1222 n명 중 2명을 뽑는 경우의 수는 $\frac{n(n-1)}{2}$이다. 어느 반 학생 중에서 2명의 대표를 뽑는 경우의 수가 190일 때, 이 반 학생 수를 구하여라.

____

1223 연속하는 두 자연수의 곱이 182일 때, 다음 물음에 답하여라.

(1) 연속하는 두 자연수 중 작은 수를 x라고 할 때, 큰 수를 x에 대한 식으로 나타내어라.

____

(2) 이차방정식을 세워라. ________

(3) (2)의 이차방정식을 풀어라. ________

(4) 연속하는 두 자연수를 구하여라.

____

1224 자연수 중 연속하는 두 짝수의 제곱의 합이 244일 때, 이 두 짝수를 구하여라. ________

1225 연속하는 세 자연수의 제곱의 합이 194일 때, 이 세 자연수의 합을 구하여라. ________

key 연속하는 세 자연수를 $x-1$, x, $x+1$로 놓고 이차방정식을 세운다.

이차방정식의 활용 (2)-수

날짜 : 월 일

Subnote 48쪽

1226 선영이는 동생보다 3살이 더 많다. 두 사람의 나이의 곱이 304일 때, 다음 물음에 답하여라.

(1) 선영이의 나이를 x살이라고 할 때, 동생의 나이를 x에 대한 식으로 나타내어라.

(2) 이차방정식을 세워라.

(3) (2)의 이차방정식을 풀어라.

(4) 선영이의 나이를 구하여라.

나이, 학생 수는 반드시 자연수가 되어야 해.

1227 지민이와 언니의 나이의 차는 5살이다. 지민이와 언니의 나이의 제곱의 합이 557일 때, 다음 물음에 답하여라.

(1) 지민이의 나이를 x살이라고 할 때, 언니의 나이를 x에 대한 식으로 나타내어라.

(2) 이차방정식을 세워라.

(3) (2)의 이차방정식을 풀어라.

(4) 지민이의 나이를 구하여라.

1228 사탕 192개를 남는 것이 없이 학생들에게 똑같이 나누어 주었더니 한 학생이 받은 사탕의 개수는 학생 수보다 4만큼 적었을 때, 다음 물음에 답하여라.

(1) 학생 수를 x명이라고 할 때, 한 학생이 받은 사탕의 개수를 x에 대한 식으로 나타내어라.

(2) 이차방정식을 세워라.

(3) (2)의 이차방정식을 풀어라.

(4) 학생 수를 구하여라.

1229 바나나 112개를 접시에 똑같이 나누어 담았더니 접시의 개수는 한 접시에 담긴 바나나의 개수보다 6만큼 많았을 때, 다음 물음에 답하여라.

(1) 한 접시에 담긴 바나나의 개수를 x라고 할 때, 접시의 개수를 x에 대한 식으로 나타내어라.

(2) 이차방정식을 세워라.

(3) (2)의 이차방정식을 풀어라.

(4) 한 접시에 담긴 바나나의 개수를 구하여라.

핵심 06 이차방정식의 활용 (3)-도형

날짜 :  월  일

Subnote ➔ 48쪽

도형의 넓이가 주어진 문제는 평면도형의 넓이를 구하는 공식을 이용하여 방정식을 세워.

(1) (정사각형의 넓이)=(한 변의 길이)^2

(2) (직사각형의 넓이)=(가로의 길이)×(세로의 길이)

➡ 오른쪽 두 직사각형의 색칠한 부분의 넓이는 같다.

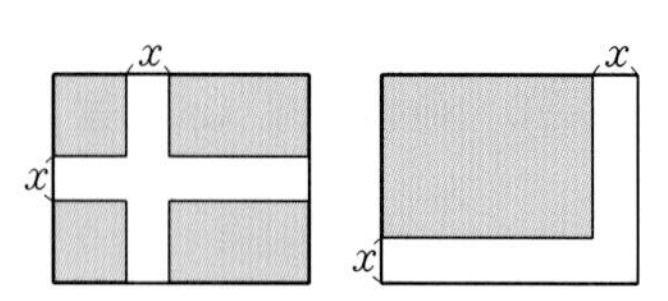

1230 오른쪽 그림과 같이 정사각형의 가로의 길이를 5 cm 늘이고, 세로의 길이를 3 cm 줄여서 만든 직사각형의 넓이가 65 cm^{2}일 때, 다음 물음에 답하여라.

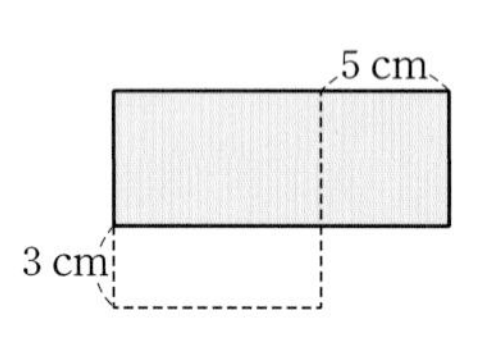

(1) 처음 정사각형의 한 변의 길이를 x cm라고 할 때, 직사각형의 가로의 길이와 세로의 길이를 각각 x에 대한 식으로 나타내어라.

(2) 이차방정식을 세워라.

(3) (2)의 이차방정식을 풀어라.

(4) 처음 정사각형의 한 변의 길이를 구하여라.

1231 어떤 정사각형의 가로와 세로의 길이를 각각 2 cm, 3 cm 늘였더니 넓이가 처음 정사각형의 넓이의 2배가 되었다. 이때 처음 정사각형의 한 변의 길이를 구하여라.

1232 오른쪽 그림과 같이 가로, 세로의 길이가 각각 30 m, 20 m인 직사각형 모양의 공원에 폭이 일정한 길을 만들었더니 길을 제외한 공원의 넓이가 504 m^{2}가 되었을 때, 다음 물음에 답하여라.

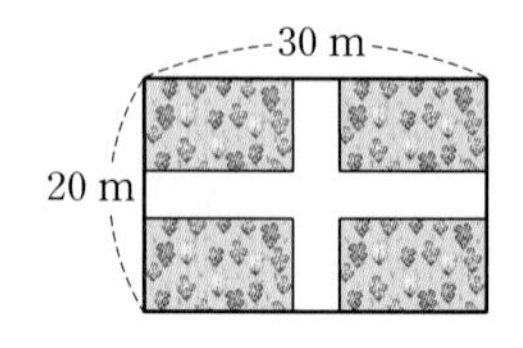

(1) 길의 폭을 x m라고 할 때, 공원의 가로의 길이와 세로의 길이를 각각 x에 대한 식으로 나타내어라.

(2) 이차방정식을 세워라.

(3) (2)의 이차방정식을 풀어라.

(4) 길의 폭을 구하여라.

key 길의 폭은 20 m보다 좁아야 한다.

1233 오른쪽 그림과 같이 가로, 세로의 길이가 각각 16 m, 12 m인 직사각형 모양의 땅에 폭이 일정한 길을 만들었다. 길을 제외한 땅의 넓이가 140 m^{2}일 때, 이 길의 폭을 구하여라.

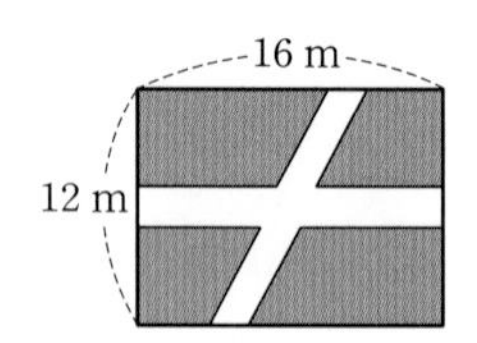

key 길의 폭은 12 m보다 좁아야 한다.

핵심 07 이차방정식의 활용 (4) - 쏘아 올린 물체

날짜 : 월 일

Subnote ➡ 48쪽

시간 x에 대한 식에서 $x \geq 0$이야.

지면에서 쏘아 올린 물체의 x초 $(x \geq 0)$ 후의 높이가 (ax^2+bx+c) m일 때,

(1) 물체가 지면에 떨어질 때의 높이는 0 m이다.

➡ $ax^2+bx+c=0$

(2) 쏘아 올린 물체의 높이가 h m인 경우는 물체가 올라갈 때와 내려올 때 두 번 생긴다. (단, 최고 높이는 제외)

➡ $ax^2+bx+c=h$

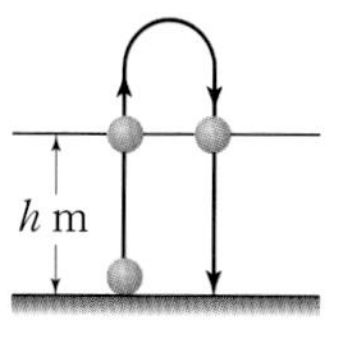

1234 지면에서 초속 40 m로 똑바로 위로 던진 공의 x초 후의 높이가 $(40x-5x^2)$ m라고 할 때, 다음 물음에 답하여라.

(1) 공의 높이가 처음으로 60 m가 되는 것은 공을 던진 지 몇 초 후인지 구하여라.

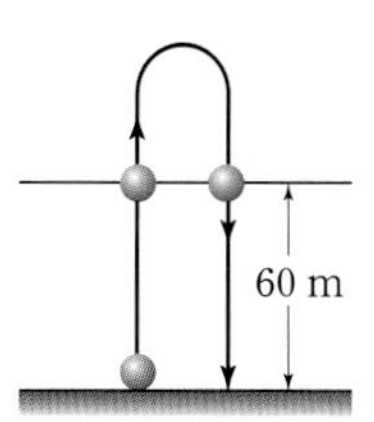

높이가 60 m가 되는 것은 올라갈 때와 내려갈 때 2번 생겨!

❶ 방정식 세우기 ➡ ________
❷ 방정식 풀기 ➡ ________
❸ 답 구하기 ➡ ________

(2) 공이 다시 땅에 떨어지는 것은 공을 던진 지 몇 초 후인지 구하여라.

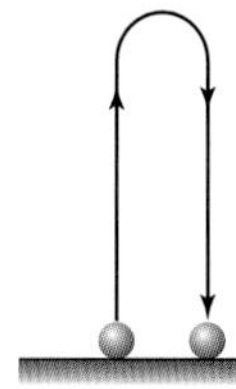

공이 땅에 떨어질 때의 높이는 0 m야.

❶ 방정식 세우기 ➡ ________
❷ 방정식 풀기 ➡ ________
❸ 답 구하기 ➡ ________

1235 지면에서 초속 65 m로 똑바로 위로 던진 공의 x초 후의 높이가 $(65x-5x^2)$ m라고 할 때, 다음 물음에 답하여라.

(1) 공의 높이가 처음으로 150 m가 되는 것은 공을 던진 지 몇 초 후인지 구하여라. ________

(2) 공이 다시 땅에 떨어지는 것은 공을 던진 지 몇 초 후인지 구하여라. ________

1236 높이가 40 m인 건물에서 초속 35 m로 똑바로 위로 쏘아 올린 물체의 x초 후의 높이가 $(40+35x-5x^2)$ m라고 할 때, 다음 물음에 답하여라.

(1) 물체의 높이가 100 m가 되는 것은 물체를 쏘아 올린 지 몇 초 후인지 구하여라. ________

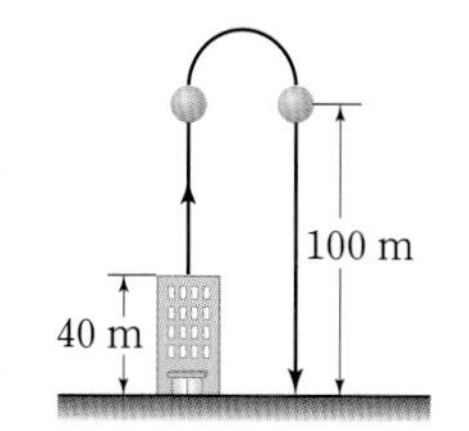

key 높이가 100 m가 되는 경우는 올라갈 때와 내려갈 때 2번 생긴다.

(2) 물체가 지면에 떨어지는 것은 물체를 쏘아 올린 지 몇 초 후인지 구하여라. ________

Mini Review Test

날짜 : 월 일

Subnote 49쪽

핵심 01

1237 다음 이차방정식 중 서로 다른 두 근을 갖는 것은?

① $2x^2-4x+5=0$　② $3x^2+x+2=0$
③ $x(x+2)=-1$　④ $x^2=3(x-2)$
⑤ $(2x-3)(x-1)=4$

핵심 02

1238 이차방정식 $2x^2-4x+2k-1=0$이 근을 갖도록 하는 가장 큰 정수 k의 값을 구하여라.

핵심 03

1239 이차방정식 $x^2+ax+b=0$의 두 근이 -1, 4일 때, 이차방정식 $bx^2+ax+1=0$의 해를 구하여라.

핵심 04

1240 연속하는 세 짝수의 제곱의 합이 200일 때, 세 짝수의 합을 구하여라.

핵심 05

1241 형은 동생보다 4살이 많고, 형의 나이의 8배는 동생의 나이의 제곱보다 1살이 적다고 한다. 이때 형의 나이를 구하여라.

핵심 05

1242 귤 130개를 남는 것이 없이 학생들에게 똑같이 나누어 주었더니 한 학생이 받는 귤의 개수는 학생 수보다 3만큼 많을 때, 학생 수를 구하여라.

핵심 06 서술형

1243 어떤 정사각형의 가로, 세로의 길이를 각각 4 cm, 2 cm 늘였더니, 넓이가 처음 정사각형의 넓이의 3배가 되었다. 처음 정사각형의 한 변의 길이를 구하여라.

핵심 07

1244 지면에서 초속 20 m로 똑바로 위로 던진 물체의 x초 후의 높이가 $(20x-5x^2)$ m일 때, 다음 물음에 답하여라.

(1) 이 물체가 지면으로부터의 높이가 20 m인 지점에 도달할 때는 물체를 던진 지 몇 초 후인지 구하여라.

(2) 이 물체가 지면에 떨어지는 것은 물체를 던진 지 몇 초 후인지 구하여라.

Review

9. 이차방정식의 활용

5 이차함수

이미 배운 내용

[중학교 1학년]
- 좌표평면과 그래프

[중학교 2학년]
- 일차함수와 그 그래프
- 일차함수와 일차방정식의 관계

[중학교 3학년]
- 다항식의 인수분해

이번에 배울 내용

10. 이차함수의 그래프 (1)
- 이차함수의 뜻과 함숫값
- 이차함수 $y=ax^2$의 그래프

11. 이차함수의 그래프 (2)
- 이차함수 $y=ax^2+q$의 그래프
- 이차함수 $y=a(x-p)^2$의 그래프
- 이차함수 $y=a(x-p)^2+q$의 그래프

12. 이차함수의 그래프 (3)
- 이차함수 $y=ax^2+bx+c$의 그래프
- 이차함수의 식 구하기

10 이차함수의 그래프 (1)

스스로 공부 계획 세우기

	학습 내용	공부한 날짜	반복하기
10. 이차함수의 그래프 (1)	**01.** 이차함수(1)	월 일	□□
	02. 이차함수(2)	월 일	□□
	03. 이차함수의 함숫값	월 일	□□
	04. 이차함수 $y=x^2$, $y=-x^2$의 그래프	월 일	□□
	05. 이차함수 $y=ax^2$의 그래프 그리기	월 일	□□
	06. 이차함수 $y=ax^2$의 그래프의 성질(1)	월 일	□□
	07. 이차함수 $y=ax^2$의 그래프의 성질(2)	월 일	□□
	08. 이차함수 $y=ax^2$의 그래프가 지나는 점	월 일	□□
	Mini **Review** Test(**01**~**08**)	월 일	□□

10 이차함수의 그래프 (1)

개념 NOTE

1 이차함수 핵심 01 02 03

(1) 함수 $y=f(x)$에서 y가 x에 대한 이차식

$\boldsymbol{y=ax^2+bx+c}$ (a, b, c는 상수, $a\neq0$)

꼴로 나타내어질 때, y를 x에 대한 **이차함수**라고 한다.

예 $y=-x^2$, $y=\frac{1}{3}x^2+1$, $y=x^2-2x+1$: 이차함수이다.

$y=\frac{1}{x^2}$, $y=x^3+3x^2+1$: 이차함수가 아니다.

(2) **이차함수의 함숫값:** 이차함수 $y=f(x)$에서 $x=a$일 때의 함숫값은 $f(a)$이다.

> 이차함수 $y=ax^2+bx+c$에서 $a\neq0$이지만 b, c는 0일 수도 있다.

2 이차함수 $y=x^2$, $y=-x^2$의 그래프 핵심 04

이차함수	$y=x^2$	$y=-x^2$
그래프	($y=x^2$, O, x, y, 감소, 증가)	($y=-x^2$, O, x, y, 증가, 감소)
그래프의 모양	아래로 볼록하다.	위로 볼록하다.
그래프의 증가 · 감소	$x<0$일 때, x의 값이 증가하면 y의 값은 감소한다. $x>0$일 때, x의 값이 증가하면 y의 값도 증가한다.	$x<0$일 때, x의 값이 증가하면 y의 값도 증가한다. $x>0$일 때, x의 값이 증가하면 y의 값은 감소한다.
	원점을 지나고 y축에 대칭이다.	

> 이차함수 $y=x^2$의 그래프는 $y=-x^2$의 그래프와 x축에 대칭이다.

3 이차함수 $y=ax^2$의 그래프 핵심 05 ~ 08

(1) **포물선:** 이차함수 $y=ax^2$의 그래프와 같은 모양의 곡선

① 포물선은 한 직선에 대하여 대칭이고, 그 직선을 포물선의 **축**이라고 한다.
선대칭도형

② 포물선과 축의 교점을 포물선의 **꼭짓점**이라고 한다.

축
포물선
꼭짓점

(2) **이차함수 $y=ax^2$의 그래프의 성질**

① 원점을 꼭짓점으로 한다.

② y축에 대칭이다. → 축의 방정식: $x=0$

③ $a>0$일 때 아래로 볼록하고,
$a<0$일 때 위로 볼록하다.

④ a의 절댓값이 클수록 그래프의 폭이 좁아진다.

⑤ $y=-ax^2$의 그래프와 x축에 대칭이다.

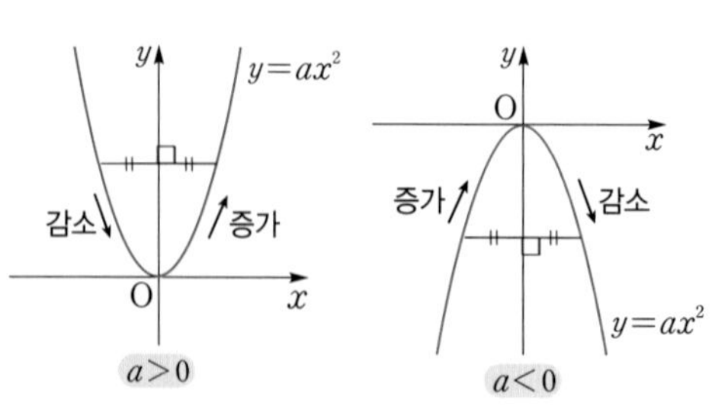

> 이차함수 $y=ax^2$ $(a>0)$의 그래프는 $y=x^2$의 그래프 위의 각 점에 대하여 y좌표를 a배로 하는 점을 잡아서 그린다.

핵심 01 이차함수 (1)

날짜 :  월  일

Subnote 50쪽

$y=ax^2+bx+c$가 x에 대한 이차함수이려면 $a\neq0$

$a\neq0$일 때

ax^2+bx+c	$ax^2+bx+c=0$	$y=ax^2+bx+c$
이차식	이차방정식	이차함수

다음 중 y가 x의 이차함수인 것은 ○표, 이차함수가 아닌 것은 ×표를 하여라.

1245 $y=x+2$ ( )

1246 $y=x^2-2x+1$ ( )

1247 $-x^2+4=0$ ( )

1248 $y=\frac{6}{x^2}$ ( )

1249 $y=\frac{x^2}{10}$ ( )

1250 x^2+6x+9 ( )

1251 $y=\frac{1}{4}x^3$ ( )

1252 $y=-3x(x-2)$ ( )

먼저 우변을 전개해 봐.

1253 $y=(x-1)(x+2)$ ( )

1254 $y=x^2-(1-x)^2$ ( )

1255 $y=x(x-3)+x^2$ ( )

1256 학교 시험 맛보기 

다음 보기 중 이차함수인 것을 모두 골라라.

보기

ㄱ. $y=12$
ㄴ. $y=(x-2)^2+8x$
ㄷ. $y=(x+3)(x-3)$
ㄹ. $y=x(1-2x)+2x^2$

______

날짜 : 월 일

Subnote 50쪽

두 변수 x, y 사이의 관계를 식으로 나타내는 연습이 필요해.

주어진 문장을 식으로 나타내었을 때 이차함수인지 확인하는 방법은 다음과 같다.

❶ x, y 사이의 관계를 식으로 나타내기
❷ $y=$(x에 대한 식)으로 나타내기
❸ 이차함수인지 확인하기

x와 y 사이의 관계가 다음과 같을 때, y를 x에 대한 식으로 나타내고, y가 x에 대한 이차함수인 것은 ○표, 이차함수가 아닌 것은 ×표를 하여라.

1257 두 자연수 x, $x+1$의 곱 y
➡ 식: ________ (　　)

1258 한 변의 길이가 $2x$ cm인 정삼각형의 둘레의 길이 y cm
➡ 식: ________ (　　)

1259 반지름의 길이가 x cm인 원의 넓이 y cm^2
➡ 식: ________ (　　)

1260 한 모서리의 길이가 x cm인 정육면체의 부피 y cm^3
➡ 식: ________ (　　)

1261 한 변의 길이가 x cm인 정사각형의 각 변을 2 cm씩 줄여서 만든 정사각형의 넓이 y cm^2
➡ 식: ________ (　　)

1262 시속 70 km로 달리는 자동차가 x시간 동안 이동한 거리 y km
➡ 식: ________ (　　)

1263 밑면의 반지름의 길이가 x cm, 높이가 6 cm인 원뿔의 부피 y cm^3
➡ 식: ________ (　　)

1264 윗변의 길이가 x cm, 아랫변의 길이가 $2x$ cm, 높이가 2 cm인 사다리꼴의 넓이 y cm^2
➡ 식: ________ (　　)

1265 변의 개수가 x인 다각형의 대각선의 개수 y
➡ 식: ________ (　　)

1266 둘레의 길이가 $6x$ cm이고 세로의 길이가 x cm인 직사각형의 넓이 y cm^2
➡ 식: ________ (　　)

key (직사각형의 둘레의 길이)$=2\{$(가로의 길이)$+$(세로의 길이)$\}$

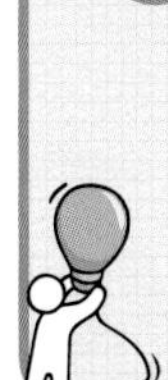

핵심 03

이차함수의 함숫값

날짜 : 월 일

Subnote 50쪽

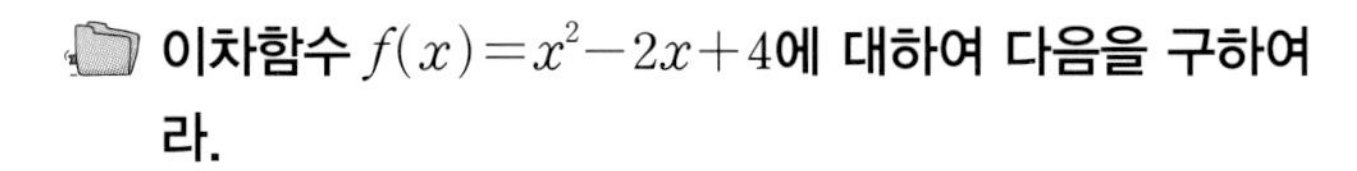

문자에 음수를 대입할 때는 괄호를 사용해.

이차함수 $f(x)=ax^2+bx+c$에 대하여 $f(p)$는
(1) $x=p$일 때의 함숫값
(2) x 대신 p를 대입했을 때의 $f(x)$의 값
(3) ap^2+bp+c

이차함수 $f(x)=x^2-2x+4$에 대하여 다음을 구하여라.

1267 $f(1)$ ______

1268 $f(-2)$ ______

1269 $f(-1)-f(2)$ ______

다음을 구하여라.

1270 이차함수 $f(x)=3x^2-5x-1$에 대하여 $f(-1)$의 값 ______

1271 이차함수 $f(x)=-2x^2+3x+1$에 대하여 $f(2)+f\left(\frac{1}{2}\right)$의 값 ______

1272 이차함수 $f(x)=\frac{1}{3}x^2+x-1$에 대하여 $f(-3)+f(3)$의 값 ______

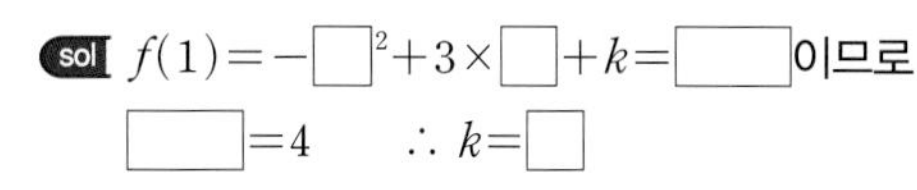

다음 이차함수 $f(x)$에 대하여 주어진 함숫값을 만족시키는 상수 k의 값을 구하여라.

1273 $f(x)=-x^2+3x+k,\ f(1)=4$

sol $f(1)=-\square^2+3\times\square+k=\square$이므로
$\square=4 \quad \therefore k=\square$

1274 $f(x)=-2x^2+kx+1,\ f(2)=-1$ ______

1275 $f(x)=kx^2-4x-3,\ f(-2)=1$ ______

1276 $f(x)=3x^2-x+k,\ f(-1)=2$ ______

1277 학교 시험 맛보기 

이차함수 $f(x)=-x^2-4x+k$에 대하여 $f(1)=2$일 때, $f(-2)$의 값을 구하여라. ______

10 이차함수의 그래프 (1)

핵심 04 이차함수 $y=x^2$, $y=-x^2$의 그래프

Subnote ➡ 51쪽

y가 x에 대한 함수일 때, x의 값이 구체적으로 주어지지 않으면 x의 값의 범위는 모든 실수로 생각해.

(1) 이차함수 $y=x^2$의 그래프
① 원점을 지나고 아래로 볼록한 곡선이다.
② y축에 대칭이다.
③ $x<0$일 때 x의 값이 증가하면 y의 값은 감소하고, $x>0$일 때 x의 값이 증가하면 y의 값도 증가한다.

(2) 이차함수 $y=-x^2$의 그래프
$y=-x^2$의 그래프는 $y=x^2$의 그래프와 x축에 대칭이다.

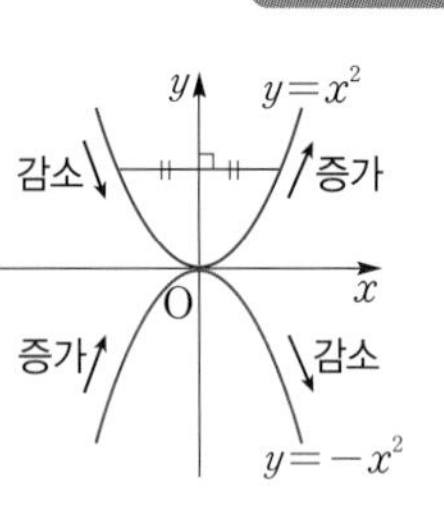

이차함수 $y=x^2$에 대하여 다음 물음에 답하여라.

1278 아래 표를 완성하여라.

x	⋯	-3	-2	-1	0	1	2	3	⋯
y	⋯								⋯

1279 **1278**의 표를 이용하여 x의 값의 범위가 실수 전체일 때, 이차함수 $y=x^2$의 그래프를 오른쪽 좌표평면 위에 그려라.

1280 □ 안에 알맞은 것을 써넣어라.

(1) □로 볼록하고, □축에 대칭이다.

(2) $x<0$일 때, x의 값이 증가하면 y의 값은 □하고, $x>0$일 때, x의 값이 증가하면 y의 값도 □한다.

(3) 제□사분면과 제□사분면을 지난다.

이차함수 $y=-x^2$에 대하여 다음 물음에 답하여라.

1281 아래 표를 완성하여라.

x	⋯	-3	-2	-1	0	1	2	3	⋯
y	⋯								⋯

1282 **1281**의 표를 이용하여 x의 값의 범위가 실수 전체일 때, 이차함수 $y=-x^2$의 그래프를 오른쪽 좌표평면 위에 그려라.

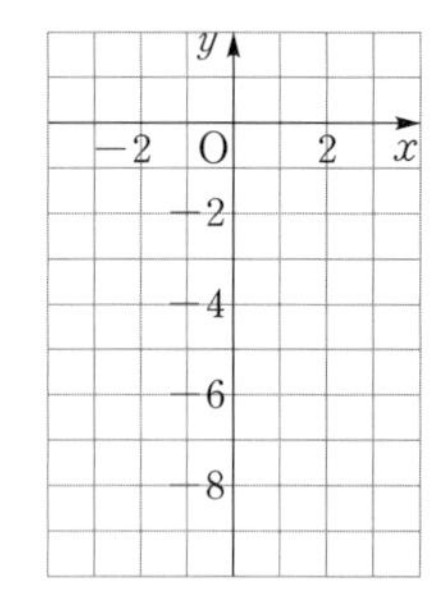

1283 □ 안에 알맞은 것을 써넣어라.

(1) □로 볼록하고, □축에 대칭이다.

(2) $x<0$일 때, x의 값이 증가하면 y의 값도 □하고, $x>0$일 때, x의 값이 증가하면 y의 값은 □한다.

(3) 제□사분면과 제□사분면을 지난다.

핵심 05 이차함수 $y=ax^2$의 그래프 그리기

날짜 : 월 일

Subnote ➔ 51쪽

$y=x^2$의 그래프를 이용하여 $y=ax^2$의 그래프를 그릴 수 있어.

(1) 이차함수 $y=ax^2$ $(a>0)$의 그래프
$y=x^2$의 그래프 위의 각 점에 대하여 y좌표를 a배로 하는 점을 잡아서 그린 것과 같다.

(2) 이차함수 $y=-ax^2$ $(a>0)$의 그래프
$y=-ax^2$의 그래프는 $y=ax^2$의 그래프와 x축에 대칭이다.

주어진 이차함수 $y=x^2$의 그래프를 이용하여 다음 이차함수의 그래프를 좌표평면 위에 그려라.

1284 (1) $y=2x^2$

sol $y=x^2$의 그래프 위의 각 점의 y좌표를 □ 배한 점을 잡아서 그린다.

(2) $y=-2x^2$

sol $y=2x^2$의 그래프 위의 각 점과 □축에 대칭인 점을 잡아서 그린다.

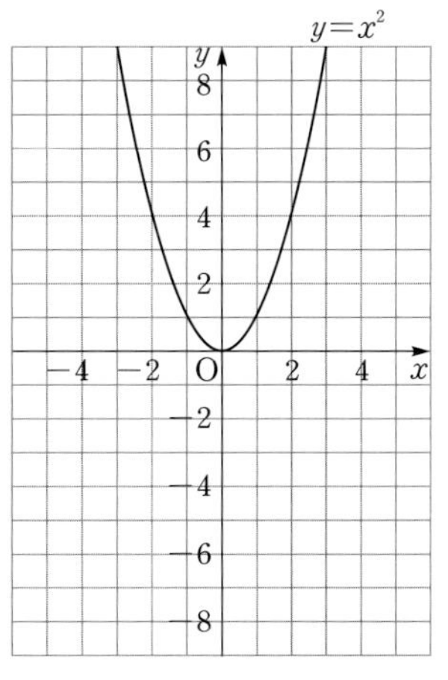

$a>0$이면 아래로 볼록하고, $a<0$이면 위로 볼록해.

1285 (1) $y=\frac{1}{2}x^2$

(2) $y=-\frac{1}{2}x^2$

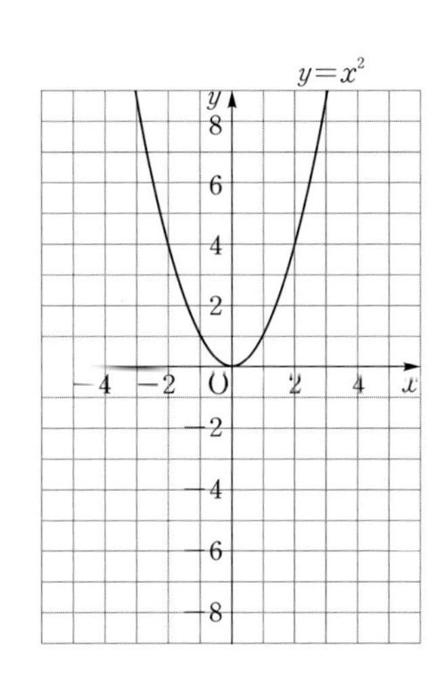

1286 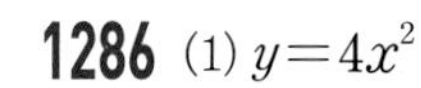 (1) $y=4x^2$

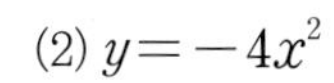 (2) $y=-4x^2$

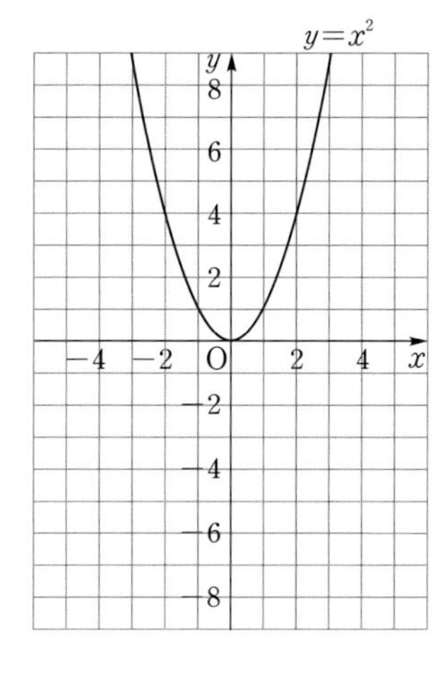

1287 (1) $y=\frac{1}{3}x^2$

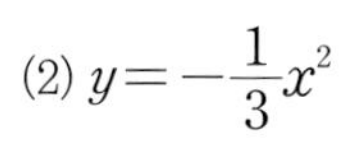 (2) $y=-\frac{1}{3}x^2$

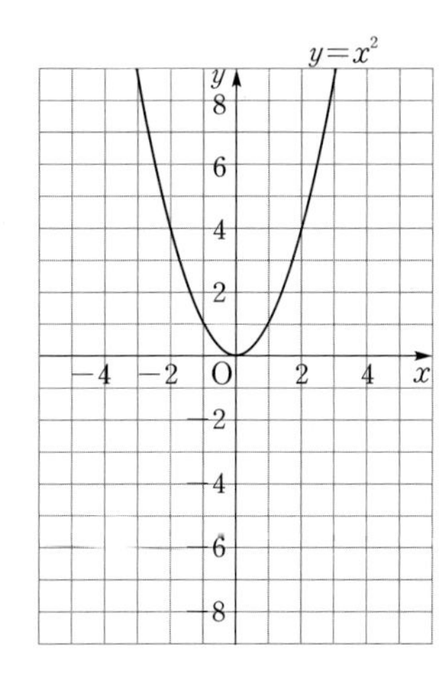

핵심 06 이차함수 $y=ax^2$의 그래프의 성질 (1)

Subnote 52쪽

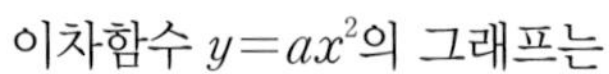

이차함수 $y=ax^2$의 그래프와 같은 모양의 곡선을 포물선이라고 해.

이차함수 $y=ax^2$의 그래프는

(1) 원점을 꼭짓점으로 한다.

(2) y축에 대칭이다. → 축의 방정식: $x=0$

(3) $a>0$일 때 아래로 볼록하고, $a<0$일 때 위로 볼록하다.

(4) a의 절댓값이 클수록 그래프의 폭이 좁아진다.

(5) $y=-ax^2$의 그래프와 x축에 대칭이다.

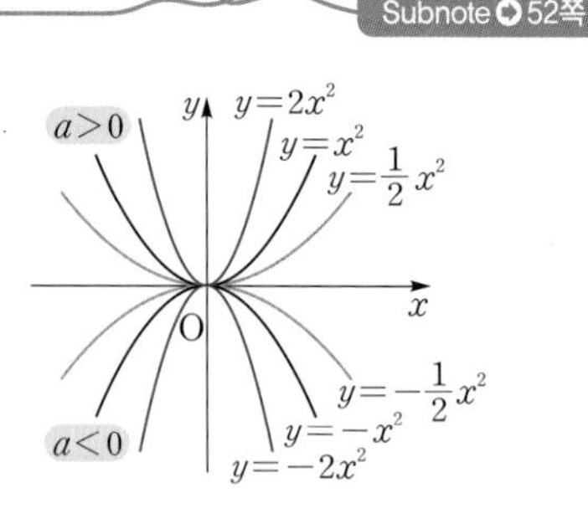

이차함수 $y=5x^2$의 그래프에 대하여 □ 안에 알맞은 것을 써넣어라.

1288 꼭짓점의 좌표는 (□, □)이다.

1289 □로 볼록한 포물선이다.

1290 축의 방정식은 □이다.

1291 $x<0$일 때, x의 값이 증가하면 y의 값은 □한다.

1292 제□사분면과 제□사분면을 지난다.

1293 $y=$□의 그래프와 x축에 대칭이다.

1294 점 $(-2,$ □$)$을 지난다.

이차함수 $y=-\frac{3}{4}x^2$의 그래프에 대하여 □ 안에 알맞은 것을 써넣어라.

1295 꼭짓점의 좌표는 (□, □)이다.

1296 □로 볼록한 포물선이다.

1297 축의 방정식은 □이다.

1298 $x<0$일 때, x의 값이 증가하면 y의 값도 □한다.

1299 제□사분면과 제□사분면을 지난다.

1300 $y=$□의 그래프와 x축에 대칭이다.

1301 점 $(2,$ □$)$을 지난다.

핵심 07 이차함수 $y=ax^2$의 그래프의 성질 (2)

날짜 : 월 일

Subnote ➡ 52쪽

아래 보기의 이차함수의 그래프를 좌표평면 위에 각각 그리고, 다음 물음에 답하여라.

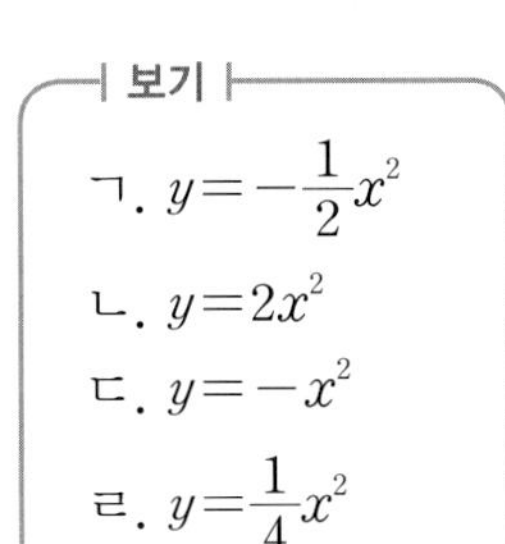

보기

ㄱ. $y=-\frac{1}{2}x^2$

ㄴ. $y=2x^2$

ㄷ. $y=-x^2$

ㄹ. $y=\frac{1}{4}x^2$

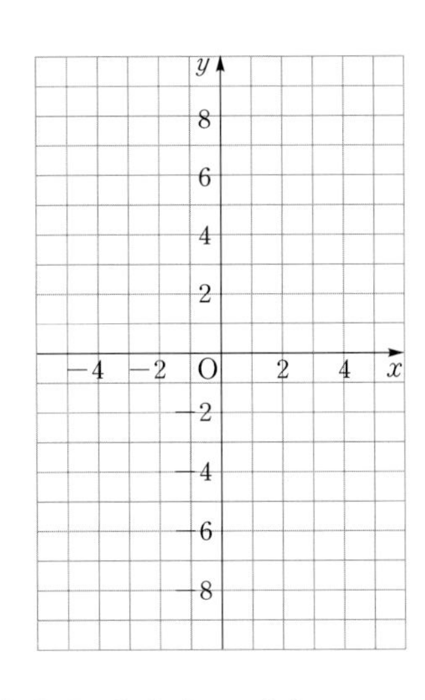

1302 그래프의 폭이 좁은 것부터 차례대로 써라.

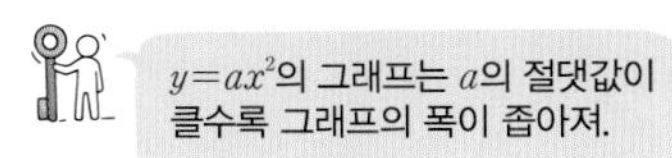

1303 아래로 볼록한 그래프를 모두 골라라.

1304 제 3, 4 사분면을 지나는 그래프를 모두 골라라.

1305 $x>0$일 때, x의 값이 증가하면 y의 값은 감소하는 그래프를 모두 골라라.

1306 $x>0$일 때, x의 값이 증가하면 y의 값도 증가하는 그래프를 모두 골라라.

아래 보기의 이차함수에 대하여 다음 물음에 답하여라.

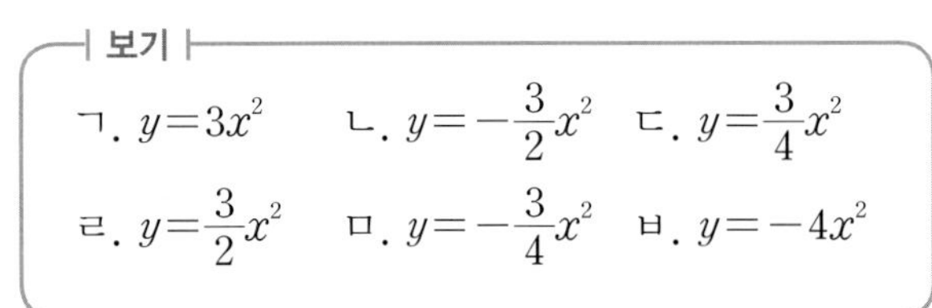

보기

ㄱ. $y=3x^2$ ㄴ. $y=-\frac{3}{2}x^2$ ㄷ. $y=\frac{3}{4}x^2$

ㄹ. $y=\frac{3}{2}x^2$ ㅁ. $y=-\frac{3}{4}x^2$ ㅂ. $y=-4x^2$

1307 그래프의 폭이 가장 좁은 것을 골라라.

1308 $x>0$일 때, x의 값이 증가하면 y의 값도 증가하는 것을 모두 골라라.

1309 그래프가 x축에 대칭인 것끼리 짝지어라.

1310 오른쪽 그림에서 포물선 (가)에 적합한 함수를 모두 골라라.

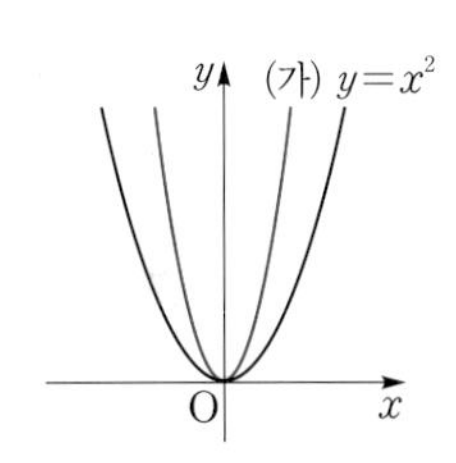

1311 학교 시험 맛보기

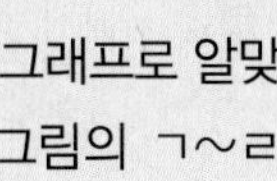

다음 이차함수의 그래프로 알맞은 것을 오른쪽 그림의 ㄱ~ㄹ 중에서 찾아 써라.

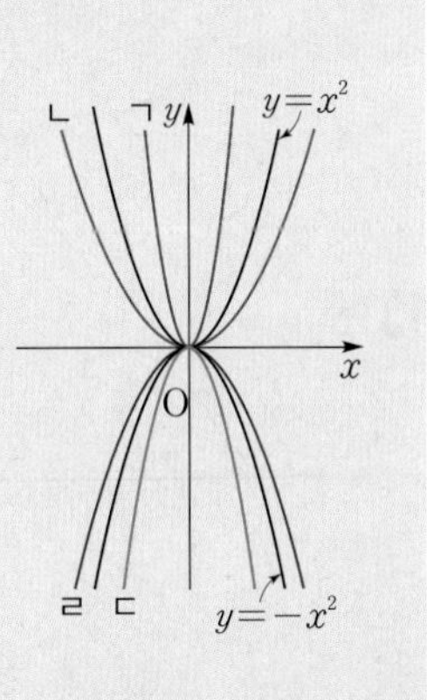

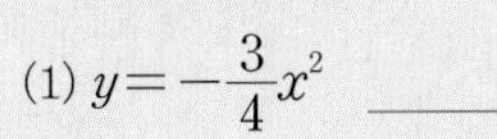

(1) $y=-\frac{3}{4}x^2$

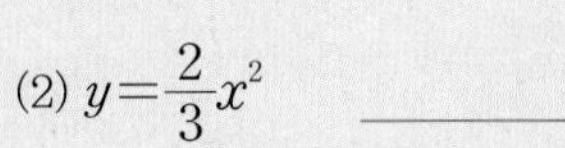

(2) $y=\frac{2}{3}x^2$

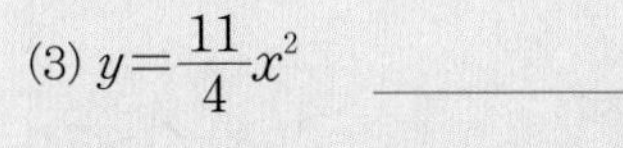

(3) $y=\frac{11}{4}x^2$

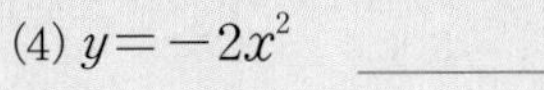

(4) $y=-2x^2$

08 이차함수 $y=ax^2$의 그래프가 지나는 점

날짜 : 월 일

Subnote 52쪽

지나는 점의 좌표를 대입하여 a의 값을 구해!

이차함수 $y=ax^2$의 그래프가 점 (p, q)를 지난다.
➡ $y=ax^2$에 $x=p$, $y=q$를 대입하면 등식이 성립한다.

이차함수 $y=ax^2$의 그래프가 다음 점을 지날 때, 상수 a의 값을 구하여라.

1312 $(1, 4)$

sol $y=ax^2$에 $x=1$, $y=4$를 대입하면
$\square=a\times1^2$ $\therefore a=\square$

1313 $(-2, 2)$

1314 $\left(\frac{1}{2}, -\frac{3}{4}\right)$

이차함수 $y=ax^2$의 그래프가 다음과 같을 때, 상수 a의 값을 구하여라.

1315

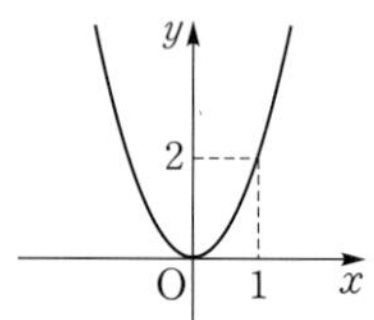

그래프가 지나는 점의 좌표를 대입해 봐!

1316

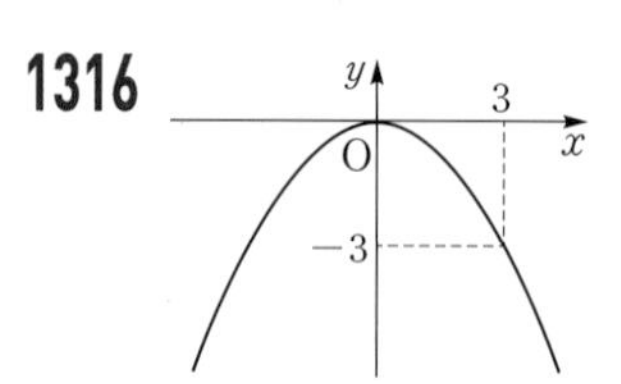

이차함수 $y=ax^2$의 그래프가 다음 두 점을 지날 때, a, b의 값을 각각 구하여라. (단, a는 상수)

1317 $(2, -4)$, $(-1, b)$

sol $y=ax^2$에 $x=2$, $y=-4$를 대입하면
$\square=a\times2^2$ $\therefore a=\square$
따라서 $y=\square$에 $x=-1$, $y=b$를 대입하면
$b=-(-1)^2=\square$

1318 $\left(-\frac{1}{2}, -1\right)$, $(2, b)$

key a의 값을 먼저 구한다.

1319 $(2, 3)$, $(6, b)$

1320 $\left(\frac{1}{3}, -1\right)$, $(-1, b)$

1321 학교 시험 맛보기

이차함수 $y=ax^2$의 그래프가 오른쪽 그림과 같을 때, a, b의 값을 각각 구하여라. (단, a는 상수)

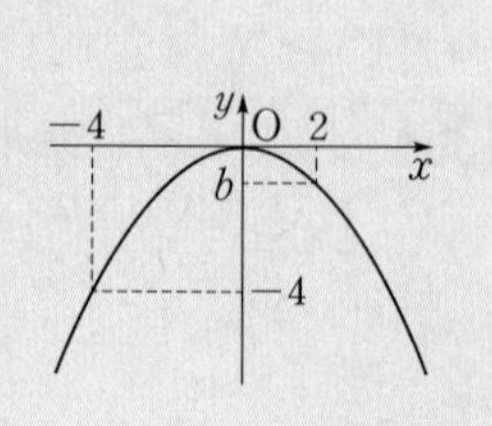

핵심 01~08

Mini Review Test

날짜 : 월 일

Subnote ◆ 53쪽

핵심 01 02

1322 다음 중 y가 x에 대한 이차함수가 아닌 것은?

① 한 변의 길이가 $x+1$인 정사각형의 넓이 y

② 시속 x km로 $\frac{x}{2}$시간 동안 달린 거리 y km

③ 반지름의 길이가 x인 구의 겉넓이 y

④ 밑면의 반지름의 길이가 x이고, 높이가 5인 원기둥의 부피 y

⑤ 가로의 길이가 10이고, 세로의 길이가 x인 직사각형의 넓이 y

1323 이차함수 $f(x)=ax^2-2x+3$에 대하여 $f(1)=3$일 때, $f(-2)$의 값을 구하여라. (단, a는 상수)

핵심 04

1324 다음 중 이차함수 $y=-x^2$의 그래프에 대한 설명으로 옳지 않은 것은?

① 위로 볼록한 포물선이다.

② 축의 방정식은 $x=0$이다.

③ 점 $(3, -9)$를 지난다.

④ 이차함수 $y=x^2$의 그래프와 x축에 서로 대칭이다.

⑤ x의 값이 증가하면 y의 값도 증가한다.

핵심 06 07

1325 다음 중 이차함수의 그래프가 위로 볼록하고, 폭이 가장 넓은 이차함수는?

① $y=-\frac{5}{4}x^2$ ② $y=-x^2$ ③ $y=-\frac{2}{3}x^2$
④ $y=\frac{5}{3}x^2$ ⑤ $y=2x^2$

핵심 06 07

1326 다음 중 이차함수 $y=\frac{5}{4}x^2$의 그래프에 대한 설명으로 옳지 않은 것은?

① 꼭짓점의 좌표는 $(0, 0)$이다.

② 아래로 볼록한 포물선이다.

③ 제 1, 2 사분면을 지난다.

④ $y=2x^2$의 그래프보다 폭이 좁다.

⑤ 점 $(2, 5)$를 지난다.

핵심 08 서술형

1327 이차함수 $y=ax^2$의 그래프가 오른쪽 그림과 같을 때, b의 값을 구하여라. (단, a는 상수)

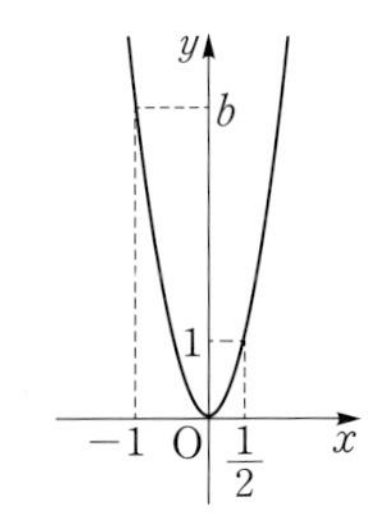

10

이차함수의 그래프 (1)

Review

10. 이차함수의 그래프 (1)

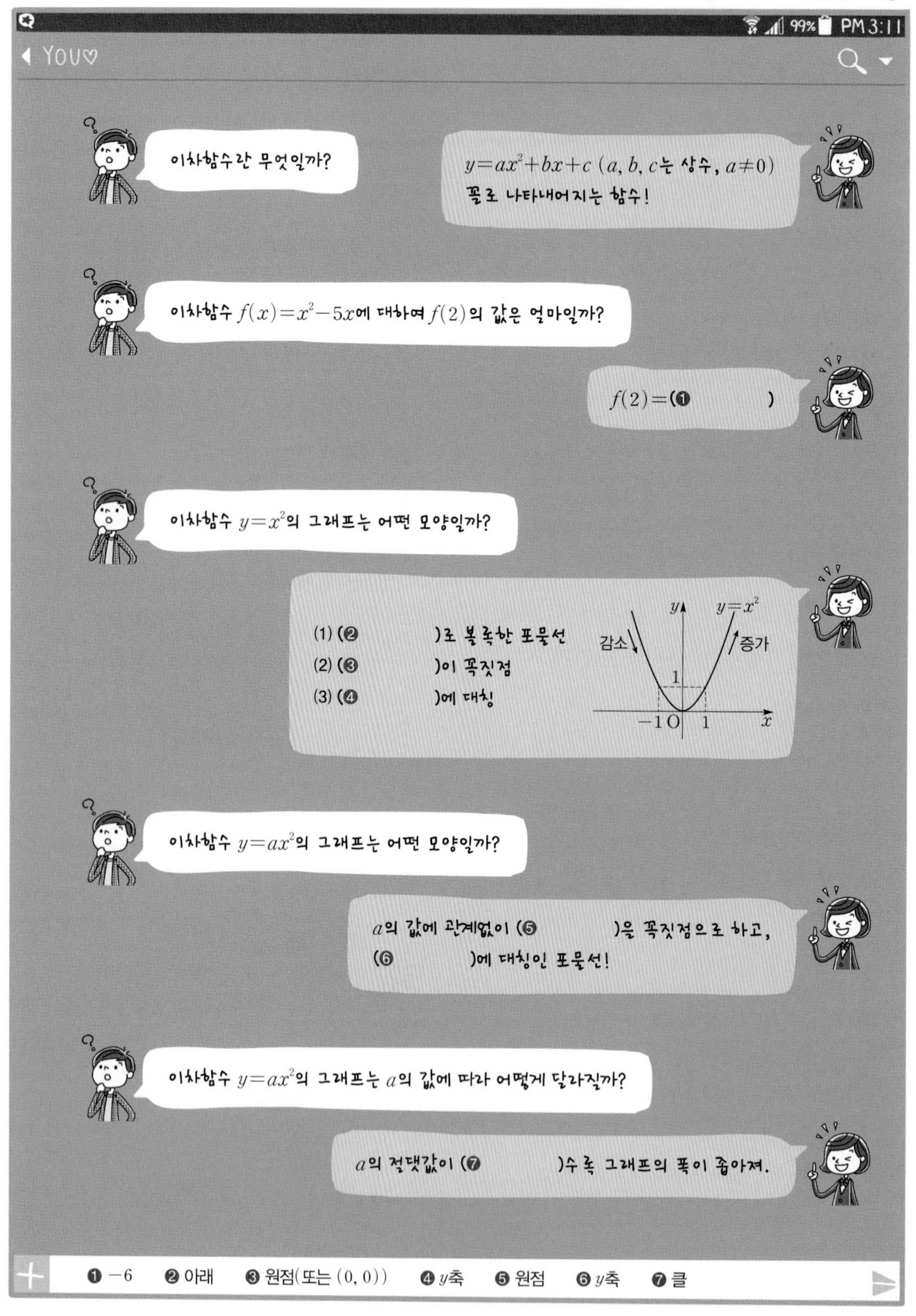

11 이차함수의 그래프 (2)

	학습 내용	공부한 날짜	반복하기
11. 이차함수의 그래프 (2)	**01.** 이차함수 $y=ax^2+q$의 그래프	월 일	□□
	02. 이차함수 $y=ax^2+q$의 그래프 그리기	월 일	□□
	03. 이차함수 $y=ax^2+q$의 그래프의 성질	월 일	□□
	04. 이차함수 $y=a(x-p)^2$의 그래프	월 일	□□
	05. 이차함수 $y=a(x-p)^2$의 그래프 그리기	월 일	□□
	06. 이차함수 $y=a(x-p)^2$의 그래프의 성질	월 일	□□
	07. 이차함수 $y=a(x-p)^2+q$의 그래프	월 일	□□
	08. 이차함수 $y=a(x-p)^2+q$의 그래프 그리기	월 일	□□
	09. 이차함수 $y=a(x-p)^2+q$의 그래프의 성질	월 일	□□
	10. 이차함수 $y=a(x-p)^2+q$의 그래프에서 a, p, q의 부호	월 일	□□
	Mini **Review** Test(**01**~**10**)	월 일	□□

11 이차함수의 그래프 (2)

개념 NOTE

1 이차함수 $y=ax^2+q$의 그래프 핵심 01 02 03

이차함수 $y=ax^2+q$의 그래프는

(1) 이차함수 $y=ax^2$의 그래프를 y축의 방향으로 q만큼 평행이동한 그래프이다.

(2) 꼭짓점의 좌표 : $(0, q)$

(3) 축의 방정식 : $x=0$ (y축)

$a>0$, $q>0$

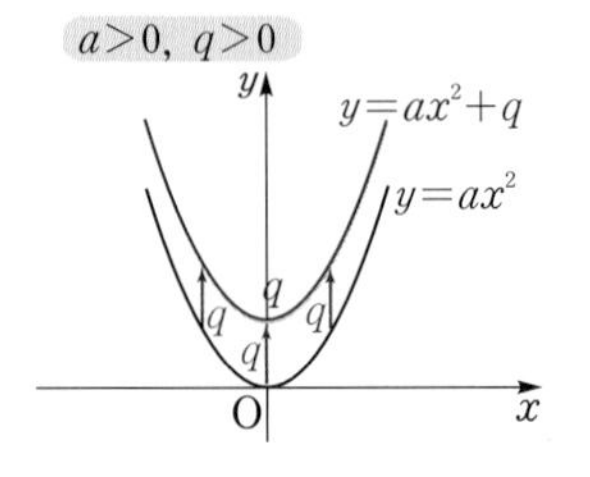

그래프를 평행이동하여도 x^2의 계수 a는 변하지 않으므로 그래프의 모양과 폭은 변하지 않는다.

2 이차함수 $y=a(x-p)^2$의 그래프 핵심 04 05 06

이차함수 $y=a(x-p)^2$의 그래프는

(1) 이차함수 $y=ax^2$의 그래프를 x축의 방향으로 p만큼 평행이동한 그래프이다.

(2) 꼭짓점의 좌표 : $(p, 0)$

(3) 축의 방정식 : $x=p$

$a>0$, $p>0$

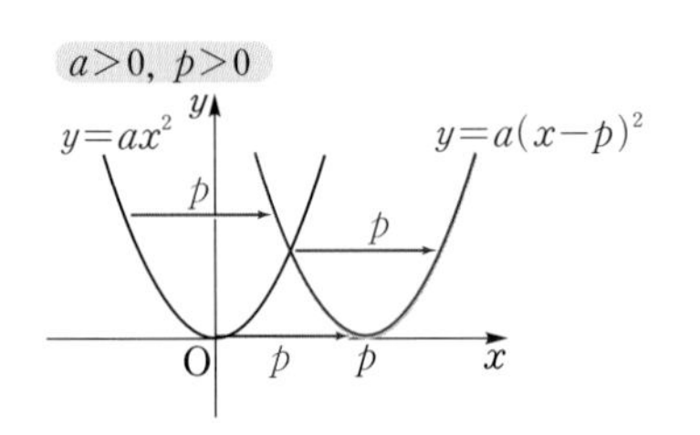

x축의 방향으로 p만큼 평행이동하면 축의 방정식이 $x=p$로 변하므로 그래프가 증가, 감소하는 범위도 변한다.

3 이차함수 $y=a(x-p)^2+q$의 그래프 핵심 07 08 09

이차함수 $y=a(x-p)^2+q$의 그래프는

(1) 이차함수 $y=ax^2$의 그래프를 x축의 방향으로 p만큼, y축의 방향으로 q만큼 평행이동한 그래프이다.

(2) 꼭짓점의 좌표 : (p, q)

(3) 축의 방정식 : $x=p$

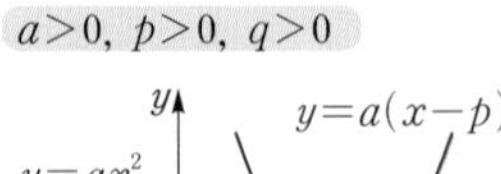

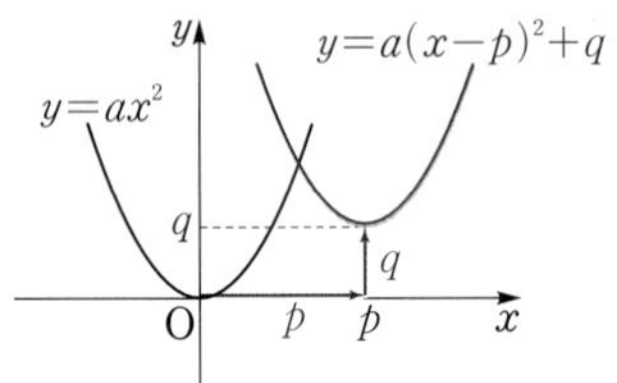

4 이차함수 $y=a(x-p)^2+q$의 그래프에서 a, p, q의 부호 핵심 10

이차함수 $y=a(x-p)^2+q$의 그래프에서

(1) a의 부호: 그래프의 모양으로 결정

① 아래로 볼록(∪) ➡ $a>0$ ② 위로 볼록(∩) ➡ $a<0$

(2) p, q의 부호: 꼭짓점의 위치로 결정

① 꼭짓점이 제1사분면 ➡ $p>0$, $q>0$

② 꼭짓점이 제2사분면 ➡ $p<0$, $q>0$

③ 꼭짓점이 제3사분면 ➡ $p<0$, $q<0$

④ 꼭짓점이 제4사분면 ➡ $p>0$, $q<0$

핵심 **01**

이차함수 $y=ax^2+q$의 그래프

날짜 :  월  일

Subnote ➜ 53쪽

$y=ax^2$의 그래프를 y축의 방향으로 평행이동하면 꼭짓점의 좌표는 변하고, 축의 방정식은 변하지 않아.

이차함수 $y=ax^2+q$의 그래프는 이차함수 $y=ax^2$의 그래프를 y축의 방향으로 q만큼 평행이동한 것이다.

$y=ax^2$ —(y축의 방향으로 q만큼 평행이동)→ $y=ax^2+q$

$y=ax^2$	$y=ax^2+q$
(1) 꼭짓점의 좌표 : $(0, 0)$	(1) 꼭짓점의 좌표 : $(0, q)$
(2) 축의 방정식 : $x=0$	(2) 축의 방정식 : $x=0$

다음 □ 안에 알맞은 것을 써넣어라.

1328 $y=x^2$ —(□축의 방향으로 □만큼 평행이동)→ $y=x^2+5$

1329 $y=2x^2$ —(□축의 방향으로 □만큼 평행이동)→ $y=2x^2-1$

1330 $y=-3x^2$ —(□축의 방향으로 □만큼 평행이동)→ $y=-3x^2-4$

다음 이차함수의 그래프는 이차함수 $y=\frac{1}{2}x^2$의 그래프를 y축의 방향으로 얼마만큼 평행이동한 것인지 구하여라.

1331 $y=\frac{1}{2}x^2+1$ ________

1332 $y=\frac{1}{2}x^2-3$ ________

1333 $y=\frac{1}{2}x^2-\frac{3}{2}$ ________

주어진 이차함수의 그래프를 y축의 방향으로 [ ] 안의 수만큼 평행이동한 그래프에 대하여 다음을 구하여라.

1334 $y=2x^2$ [3]
(1) 이차함수의 식: ________
(2) 꼭짓점의 좌표: ________
(3) 축의 방정식: ________

1335 $y=-2x^2$ [-3]
(1) 이차함수의 식: ________
(2) 꼭짓점의 좌표: ________
(3) 축의 방정식: ________

1336 $y=-\frac{2}{3}x^2$ $\left[\frac{1}{3}\right]$
(1) 이차함수의 식: ________
(2) 꼭짓점의 좌표: ________
(3) 축의 방정식: ________

1337 $y=\frac{1}{3}x^2$ [-2]
(1) 이차함수의 식: ________
(2) 꼭짓점의 좌표: ________
(3) 축의 방정식: ________

이차함수 $y=ax^2+q$의 그래프 그리기

날짜 : 월 일

그래프를 평행이동하여도 x^2의 계수 a는 변하지 않으므로 그래프의 모양과 폭은 변하지 않아.

이차함수 $y=ax^2+q$의 그래프는 이차함수 $y=ax^2$의 그래프를 y축의 방향으로 q만큼 평행이동한 것이다.

(1) $q>0$이면 그래프가 y축의 양의 방향(위쪽)으로 이동

(2) $q<0$이면 그래프가 y축의 음의 방향(아래쪽)으로 이동

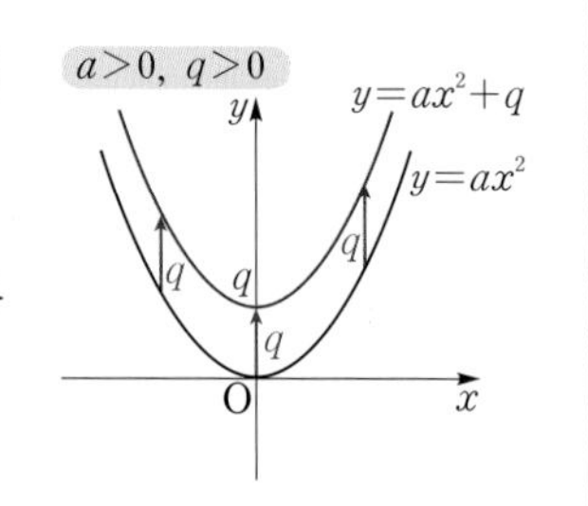

이차함수 $y=2x^2$의 그래프를 이용하여 아래 이차함수의 그래프를 그리고, 다음을 구하여라.

1338 $y=2x^2+3$

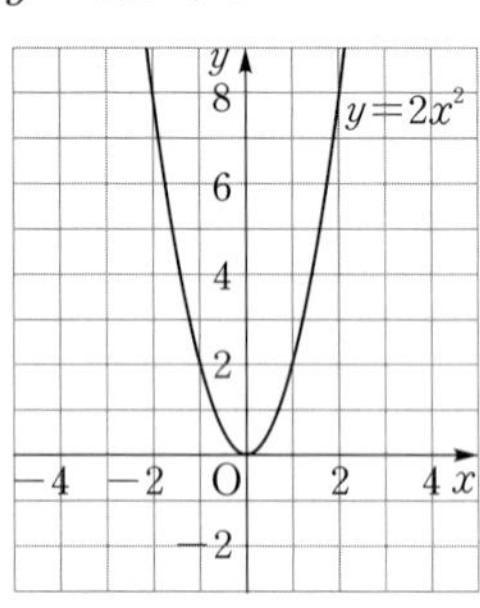

$y=2x^2$의 그래프를 y축의 방향으로 3만큼 평행이동시킨 모양이야.

(1) 꼭짓점의 좌표: ____________

(2) 축의 방정식: ____________

1339 $y=2x^2-2$

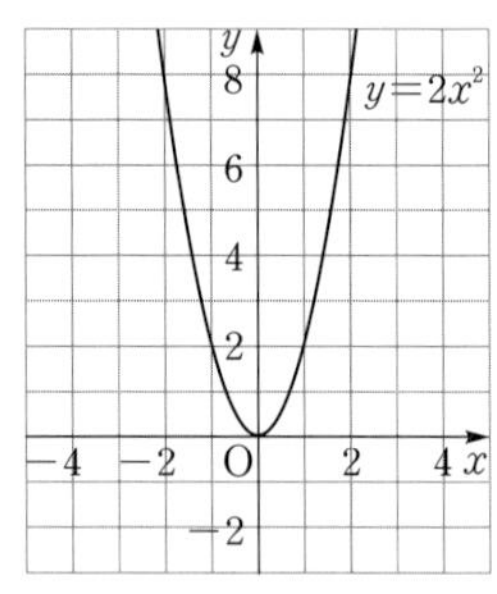

(1) 꼭짓점의 좌표: ____________

(2) 축의 방정식: ____________

주어진 이차함수의 그래프를 이용하여 아래 이차함수의 그래프를 그리고, 다음을 구하여라.

1340 $y=\frac{1}{2}x^2-1$

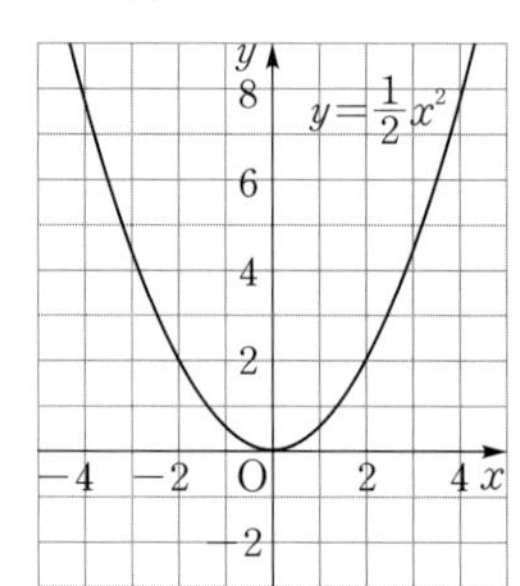

(1) 꼭짓점의 좌표: ____________

(2) 축의 방정식: ____________

1341 $y=-x^2+4$

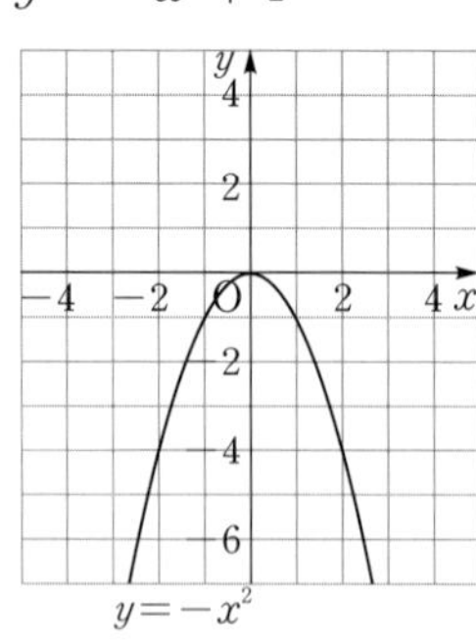

(1) 꼭짓점의 좌표: ____________

(2) 축의 방정식: ____________

핵심 **03**

이차함수 $y=ax^2+q$의 그래프의 성질

날짜 : 월 일

Subnote ➡ 53쪽

다음 이차함수에 대한 설명이 옳은 것은 ○표, 옳지 않은 것은 ×표를 하여라.

1342 이차함수 $y=x^2-1$의 그래프는 x축에 대칭이다. ( )

1343 이차함수 $y=-\frac{3}{4}x^2+3$의 그래프의 꼭짓점의 좌표는 $(0, 3)$이다. ( )

1344 이차함수 $y=-\frac{3}{2}x^2+2$의 그래프는 아래로 볼록한 포물선이다. ( )

1345 이차함수 $y=\frac{2}{3}x^2-3$의 그래프는 점 $(3, 3)$을 지난다. ( )

1346 이차함수 $y=-x^2-1$의 그래프는 제1, 2사분면을 지난다. ( )

1347 이차함수 $y=4x^2-2$의 그래프는 $y=4x^2$의 그래프를 y축의 방향으로 -2만큼 평행이동한 것이다. ( )

다음 조건을 만족시키는 k의 값을 구하여라.

1348 이차함수 $y=3x^2$의 그래프를 y축의 방향으로 2만큼 평행이동하면 점 $(1, k)$를 지난다.

sol 평행이동한 그래프의 식은 $y=3x^2+\square$이므로
$x=1$, $y=k$를 대입하면 $k=\square$

1349 이차함수 $y=-\frac{1}{3}x^2$의 그래프를 y축의 방향으로 -1만큼 평행이동하면 점 $(-3, k)$를 지난다.

____

1350 이차함수 $y=-2x^2$의 그래프를 y축의 방향으로 k만큼 평행이동하면 점 $\left(\frac{1}{2}, \frac{5}{2}\right)$를 지난다.

____

1351 이차함수 $y=kx^2$의 그래프를 y축의 방향으로 -3만큼 평행이동하면 점 $(2, 5)$를 지난다.

____

1352 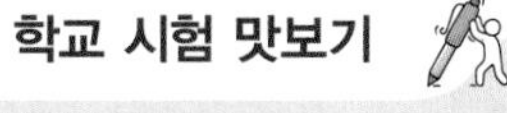

이차함수 $y=x^2$의 그래프를 y축의 방향으로 -3만큼 평행이동하면 점 $(k, 1)$을 지난다. 이때 양수 k의 값을 구하여라.

____

핵심 **04**

이차함수 $y=a(x-p)^2$의 그래프

날짜 :  월  일

Subnote ➡ 54쪽

$y=ax^2$의 그래프를 x축의 방향으로 p만큼 평행이동하면 꼭짓점의 좌표와 축의 방정식이 모두 변해!

이차함수 $y=a(x-p)^2$의 그래프는 이차함수 $y=ax^2$의 그래프를 x축의 방향으로 p만큼 평행이동한 것이다.

$y=ax^2$ —(x축의 방향으로 p만큼 평행이동)→ $y=a(x-p)^2$

$y=ax^2$	$y=a(x-p)^2$
(1) 꼭짓점의 좌표 : $(0, 0)$	(1) 꼭짓점의 좌표 : $(p, 0)$
(2) 축의 방정식 : $x=0$	(2) 축의 방정식 : $x=p$

다음 □ 안에 알맞은 것을 써넣어라.

1353 $y=x^2$ —(□축의 방향으로 □만큼 평행이동)→ $y=(x+3)^2$

1354 $y=-4x^2$ —(□축의 방향으로 □만큼 평행이동)→ $y=-4(x-2)^2$

1355 $y=\frac{1}{3}x^2$ —(□축의 방향으로 □만큼 평행이동)→ $y=\frac{1}{3}(x+6)^2$

다음 이차함수의 그래프는 이차함수 $y=-\frac{1}{4}x^2$의 그래프를 x축의 방향으로 얼마만큼 평행이동한 것인지 구하여라.

1356 $y=-\frac{1}{4}(x+1)^2$ ________

1357 $y=-\frac{1}{4}(x-4)^2$ ________

1358 $y=-\frac{1}{4}(x+8)^2$ ________

주어진 이차함수의 그래프를 x축의 방향으로 [ ] 안의 수만큼 평행이동한 그래프에 대하여 다음을 구하여라.

1359 $y=3x^2$ [-2]

(1) 이차함수의 식: ________
(2) 꼭짓점의 좌표: ________
(3) 축의 방정식: ________

1360 $y=-x^2$ [5]

(1) 이차함수의 식: ________
(2) 꼭짓점의 좌표: ________
(3) 축의 방정식: ________

1361 $y=\frac{1}{2}x^2$ [3]

(1) 이차함수의 식: ________
(2) 꼭짓점의 좌표: ________
(3) 축의 방정식: ________

1362 $y=-\frac{3}{2}x^2$ [-4]

(1) 이차함수의 식: ________
(2) 꼭짓점의 좌표: ________
(3) 축의 방정식: ________

핵심 05 이차함수 $y=a(x-p)^2$의 그래프 그리기

날짜 : 월 일

Subnote 54쪽

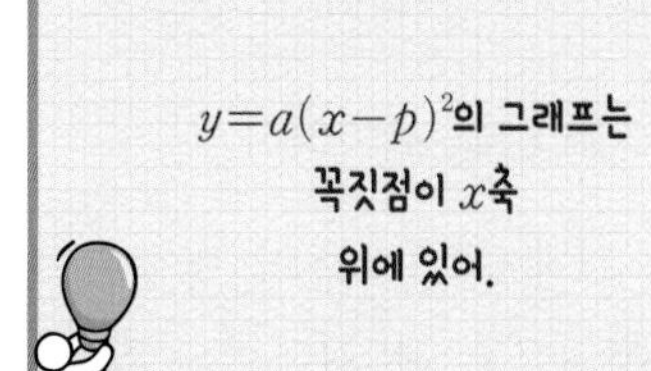

이차함수 $y=a(x-p)^2$의 그래프는 이차함수 $y=ax^2$의 그래프를 x축의 방향으로 p만큼 평행이동한 것이다.

(1) $p>0$이면 그래프가 x축의 양의 방향(오른쪽)으로 이동

(2) $p<0$이면 그래프가 x축의 음의 방향(왼쪽)으로 이동

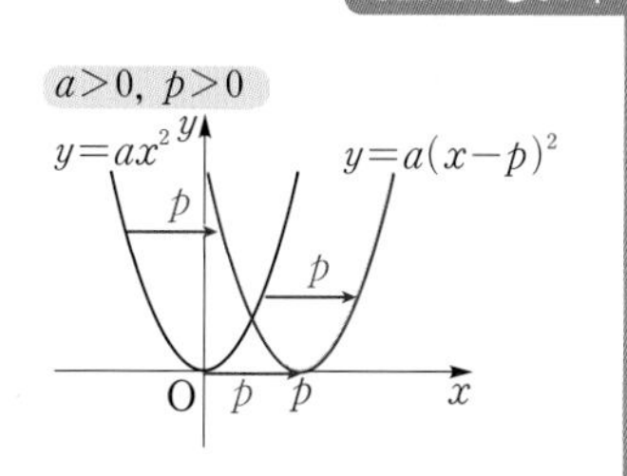

이차함수 $y=2x^2$의 그래프를 이용하여 아래 이차함수의 그래프를 그리고, 다음을 구하여라.

1363 $y=2(x-3)^2$

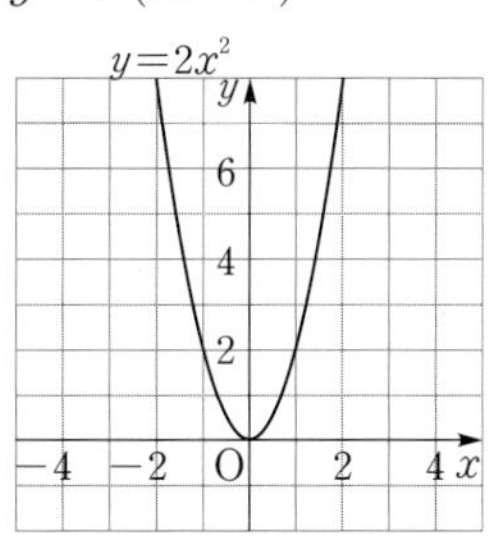

$y=2x^2$의 그래프를 x축의 방향으로 3만큼 평행이동시킨 모양이야.

(1) 꼭짓점의 좌표: ____________

(2) 축의 방정식: ____________

(3) x의 값이 증가할 때, y의 값은 감소하는 x의 값의 범위: ____________

1364 $y=2(x+2)^2$

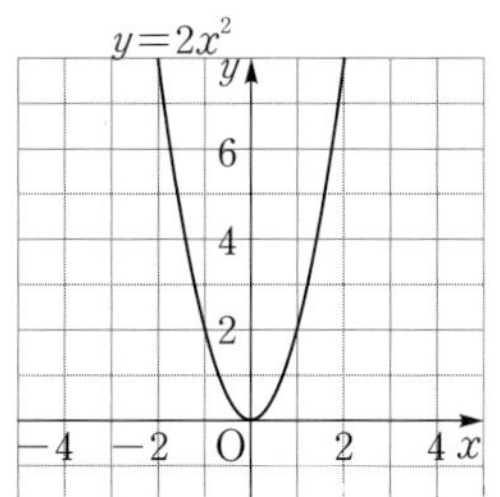

(1) 꼭짓점의 좌표: ____________

(2) 축의 방정식: ____________

(3) x의 값이 증가할 때, y의 값도 증가하는 x의 값의 범위: ____________

주어진 이차함수의 그래프를 이용하여 아래 이차함수의 그래프를 그리고, 다음을 구하여라.

1365 $y=3(x-2)^2$

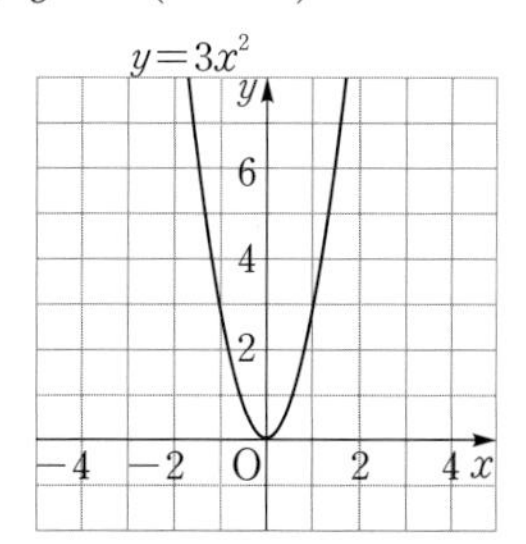

(1) 꼭짓점의 좌표: ____________

(2) 축의 방정식: ____________

(3) x의 값이 증가할 때, y의 값은 감소하는 x의 값의 범위: ____________

1366 $y=-\frac{1}{2}(x+3)^2$

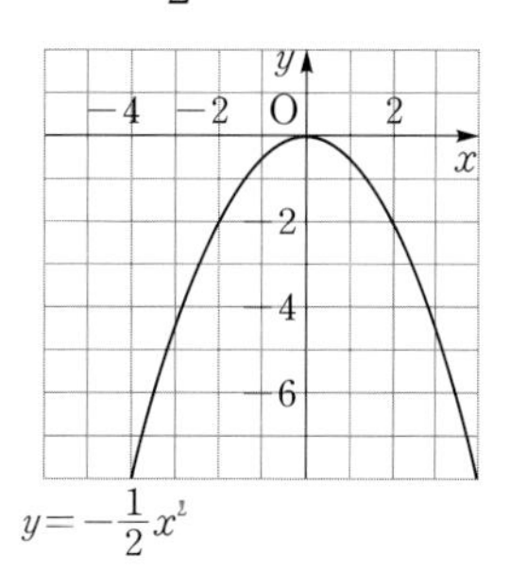

(1) 꼭짓점의 좌표: ____________

(2) 축의 방정식: ____________

(3) x의 값이 증가할 때, y의 값은 감소하는 x의 값의 범위: ____________

06 이차함수 $y=a(x-p)^2$의 그래프의 성질

Subnote 54쪽

다음 이차함수에 대한 설명이 옳은 것은 ○표, 옳지 않은 것은 ×표를 하여라.

1367 이차함수 $y=2(x-1)^2$의 그래프의 꼭짓점의 좌표는 $(1, 0)$이다. ( )

1368 이차함수 $y=-3(x+2)^2$의 그래프의 축의 방정식은 $x=2$이다. ( )

1369 이차함수 $y=5(x+3)^2$의 그래프는 위로 볼록하다. ( )

1370 이차함수 $y=4\left(x+\frac{1}{3}\right)^2$의 그래프는 점 $\left(\frac{2}{3}, 4\right)$를 지난다. ( )

1371 이차함수 $y=-\frac{1}{3}(x-6)^2$은 $x<6$일 때, x의 값이 증가하면 y의 값도 증가한다. ( )

1372 이차함수 $y=\frac{1}{4}(x-1)^2$의 그래프는 모든 사분면을 지난다. ( )

다음 조건을 만족시키는 k의 값을 구하여라.

1373 이차함수 $y=-x^2$의 그래프를 x축의 방향으로 4만큼 평행이동하면 점 $(1, k)$를 지난다.

sol 평행이동한 그래프의 식은 $y=-(x-\square)^2$이므로
$x=1$, $y=k$를 대입하면 $k=\square$

1374 이차함수 $y=3x^2$의 그래프를 x축의 방향으로 -4만큼 평행이동하면 점 $(-2, k)$를 지난다.

______

1375 이차함수 $y=\frac{1}{2}x^2$의 그래프를 x축의 방향으로 1만큼 평행이동하면 점 $(5, k)$를 지난다.

______

1376 이차함수 $y=-\frac{4}{3}x^2$의 그래프를 x축의 방향으로 2만큼 평행이동하면 점 $(-1, k)$를 지난다.

______

1377 학교 시험 맛보기 

이차함수 $y=kx^2$의 그래프를 x축의 방향으로 3만큼 평행이동하면 점 $(2, -5)$를 지난다. 이때 상수 k의 값을 구하여라.

______

핵심

07 이차함수 $y=a(x-p)^2+q$의 그래프

날짜 : 월 일

Subnote 55쪽

x축의 방향으로 p만큼 평행이동하면 x 대신 $x-p$를 대입하고, y축의 방향으로 q만큼 평행이동하면 y 대신 $y-q$를 대입해.

이차함수 $y=a(x-p)^2+q$의 그래프는 이차함수 $y=ax^2$의 그래프를 x축의 방향으로 p만큼, y축의 방향으로 q만큼 평행이동한 것이다.

$y=ax^2$ —(x축의 방향으로 p만큼 / y축의 방향으로 q만큼 평행이동)→ $y=a(x-p)^2+q$

$y=ax^2$	$y=a(x-p)^2+q$
(1) 꼭짓점의 좌표 : $(0, 0)$	(1) 꼭짓점의 좌표 : (p, q)
(2) 축의 방정식 : $x=0$	(2) 축의 방정식 : $x=p$

다음 □ 안에 알맞은 수를 써넣어라.

1378 이차함수 $y=(x-2)^2-3$의 그래프는 이차함수 $y=x^2$의 그래프를 x축의 방향으로 □만큼, y축의 방향으로 □만큼 평행이동한 것이다.

1379 이차함수 $y=3(x+1)^2-2$의 그래프는 이차함수 $y=3x^2$의 그래프를 x축의 방향으로 □만큼, y축의 방향으로 □만큼 평행이동한 것이다.

1380 이차함수 $y=-2\left(x-\frac{1}{2}\right)^2+4$의 그래프는 이차함수 $y=-2x^2$의 그래프를 x축의 방향으로 □만큼, y축의 방향으로 □만큼 평행이동한 것이다.

1381 이차함수 $y=-\frac{1}{4}(x-3)^2-5$의 그래프는 이차함수 $y=-\frac{1}{4}x^2$의 그래프를 x축의 방향으로 □만큼, y축의 방향으로 □만큼 평행이동한 것이다.

주어진 이차함수의 그래프를 x축의 방향으로 p만큼, y축의 방향으로 q만큼 평행이동한 그래프에 대하여 다음을 구하여라.

1382 $y=4x^2$ $[p=1, q=-2]$

(1) 이차함수의 식: ________

(2) 꼭짓점의 좌표: ________

(3) 축의 방정식: ________

1383 $y=-5x^2$ $[p=-2, q=1]$

(1) 이차함수의 식: ________

(2) 꼭짓점의 좌표: ________

(3) 축의 방정식: ________

1384 $y=-\frac{1}{2}x^2$ $[p=-3, q=5]$

(1) 이차함수의 식: ________

(2) 꼭짓점의 좌표: ________

(3) 축의 방정식: ________

1385 $y=\frac{1}{8}x^2$ $[p=4, q=2]$

(1) 이차함수의 식: ________

(2) 꼭짓점의 좌표: ________

(3) 축의 방정식: ________

핵심

08 이차함수 $y=a(x-p)^2+q$의 그래프 그리기

날짜 : 월 일

Subnote ⊕ 55쪽

이차함수 $y=a(x-p)^2+q$의 그래프에서 그래프의 모양은 a가 결정하고 꼭짓점의 위치는 p, q가 결정해.

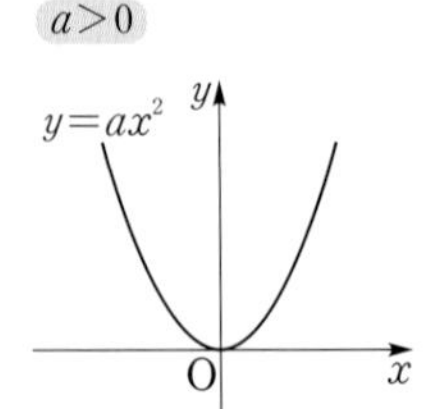

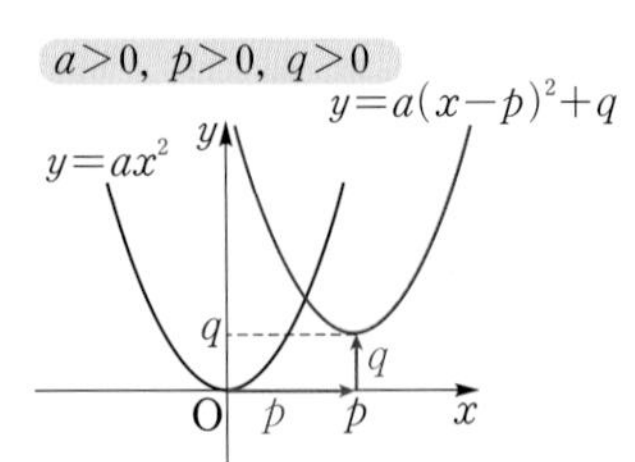

주어진 이차함수의 그래프를 이용하여 아래 이차함수의 그래프를 그리고, 다음을 구하여라.

1386 $y=2(x-2)^2-2$

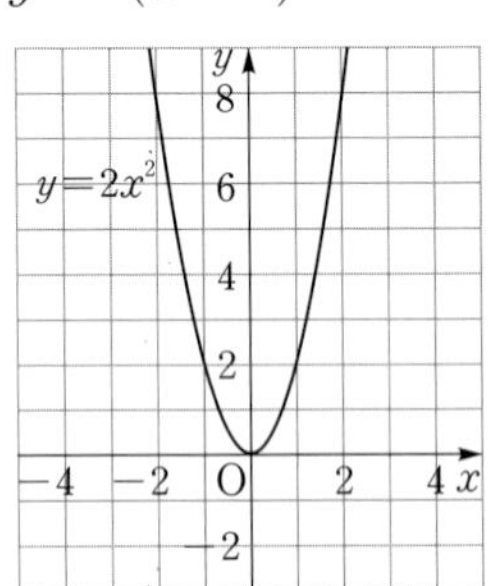

(1) 꼭짓점의 좌표: ______

(2) 축의 방정식: ______

(3) 그래프가 지나는 사분면: ______

1387 $y=\frac{1}{2}(x+3)^2+1$

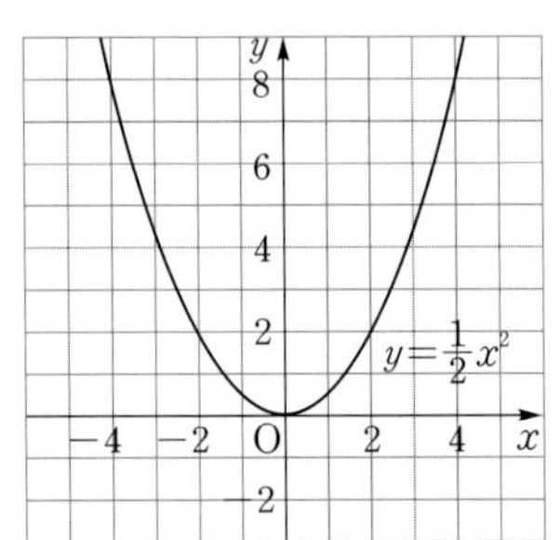

(1) 꼭짓점의 좌표: ______

(2) 축의 방정식: ______

(3) 그래프가 지나는 사분면: ______

1388 $y=-3(x-2)^2+1$

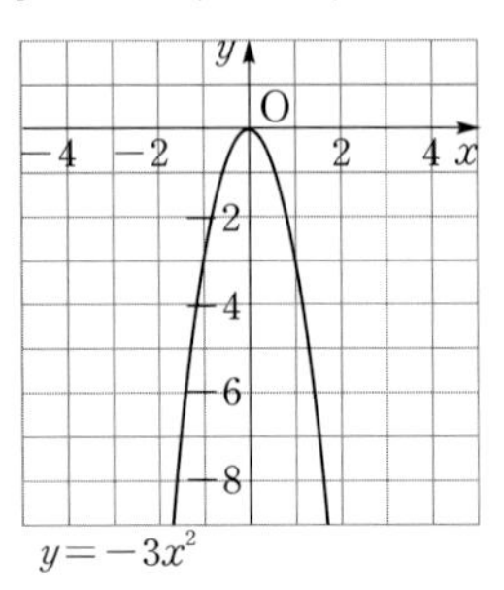

(1) 꼭짓점의 좌표: ______

(2) 축의 방정식: ______

(3) 그래프가 지나는 사분면: ______

1389 $y=-\frac{1}{4}(x+1)^2-2$

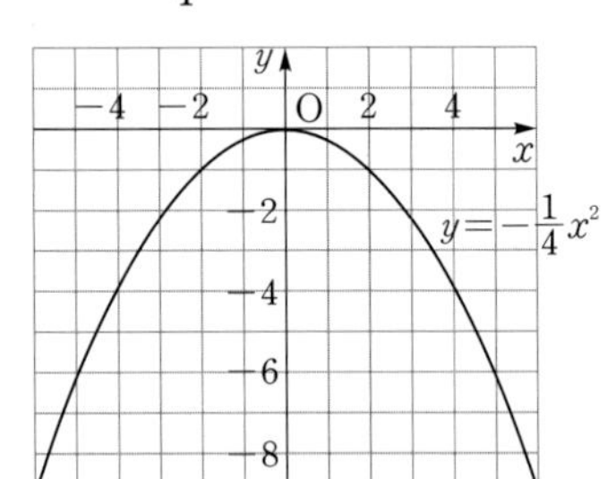

(1) 꼭짓점의 좌표: ______

(2) 축의 방정식: ______

(3) 그래프가 지나는 사분면: ______

이차함수 $y=a(x-p)^2+q$의 그래프의 성질

날짜 : 월 일

Subnote 55쪽

다음 이차함수에 대한 설명이 옳은 것은 ○표, 옳지 않은 것은 ×표를 하여라.

1390 이차함수 $y=-(x-1)^2+3$의 그래프는 $y=-x^2$의 그래프를 x축의 방향으로 1만큼, y축의 방향으로 3만큼 평행이동한 것이다. ( )

1391 이차함수 $y=3(x+4)^2-2$의 그래프의 꼭짓점의 좌표는 $(-4, -2)$이다. ( )

1392 이차함수 $y=-\frac{1}{3}(x-3)^2-4$의 그래프의 축의 방정식은 $x=-3$이다. ( )

1393 이차함수 $y=\frac{4}{3}(x+2)^2-6$의 그래프는 점 $(1, 6)$을 지난다. ( )

1394 이차함수 $y=\left(x+\frac{1}{2}\right)^2+1$의 그래프는 모든 사분면을 지난다. ( )

1395 이차함수 $y=-4(x-1)^2-2$는 $x<1$일 때, x의 값이 증가하면 y의 값도 증가한다. ( )

다음 조건을 만족시키는 k의 값을 구하여라.

1396 이차함수 $y=2(x-3)^2+1$의 그래프는 점 $(1, k)$를 지난다. ______

1397 이차함수 $y=-\frac{1}{2}(x+4)^2+3$의 그래프는 점 $(-2, k)$를 지난다. ______

1398 이차함수 $y=-x^2$의 그래프를 x축의 방향으로 -5만큼, y축의 방향으로 -1만큼 평행이동하면 점 $(-3, k)$를 지난다. ______

1399 이차함수 $y=\frac{3}{2}x^2$의 그래프를 x축의 방향으로 2만큼, y축의 방향으로 -3만큼 평행이동하면 점 $(4, k)$를 지난다. ______

1400 학교 시험 맛보기 

이차함수 $y=x^2$의 그래프를 x축의 방향으로 k만큼, y축의 방향으로 -4만큼 평행이동하면 점 $(2, k)$를 지난다. 이때 양수 k의 값을 구하여라.

______

핵심 10 이차함수 $y=a(x-p)^2+q$의 그래프에서 a, p, q의 부호

날짜 :  월  일

Subnote ➔ 55쪽

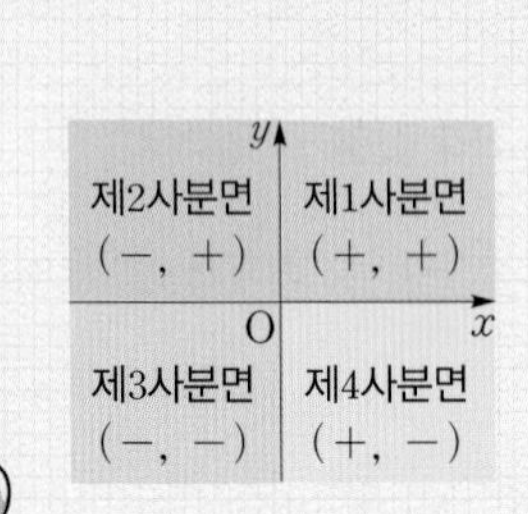

이차함수 $y=a(x-p)^2+q$의 그래프에서

(1) a의 부호: 그래프의 모양으로 결정

① 아래로 볼록(∪) ➡ $a>0$ ② 위로 볼록(∩) ➡ $a<0$

(2) p, q의 부호: 꼭짓점의 위치로 결정

① 꼭짓점이 제1사분면 ➡ $p>0$, $q>0$

② 꼭짓점이 제2사분면 ➡ $p<0$, $q>0$

③ 꼭짓점이 제3사분면 ➡ $p<0$, $q<0$

④ 꼭짓점이 제4사분면 ➡ $p>0$, $q<0$

이차함수 $y=a(x-p)^2+q$의 그래프가 다음 그림과 같을 때, ○ 안에 $>$, $=$, $<$ 중 알맞은 것을 써넣어라.

1401

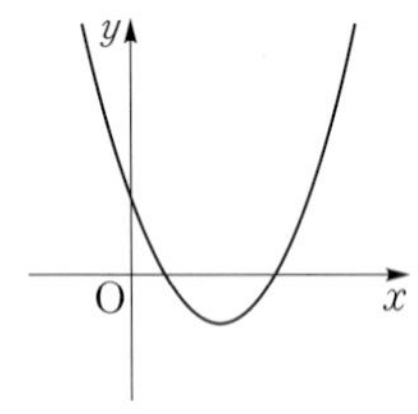

꼭짓점 (p, q)가 제 몇 사분면 위에 있는지 알아봐.

sol 그래프가 아래로 볼록하므로 a ○ 0

꼭짓점이 제4사분면 위에 있으므로 p ○ 0, q ○ 0

1402

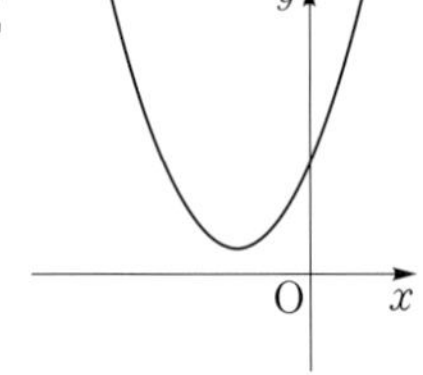

➡ a ○ 0, p ○ 0, q ○ 0

1403

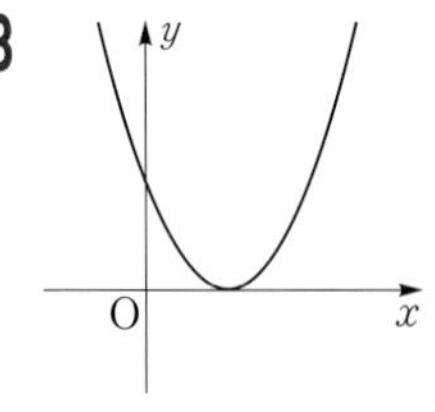

꼭짓점이 x축 위에 있으므로 꼭짓점의 좌표는 $(p, 0)$이야.

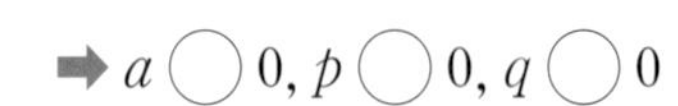

➡ a ○ 0, p ○ 0, q ○ 0

1404

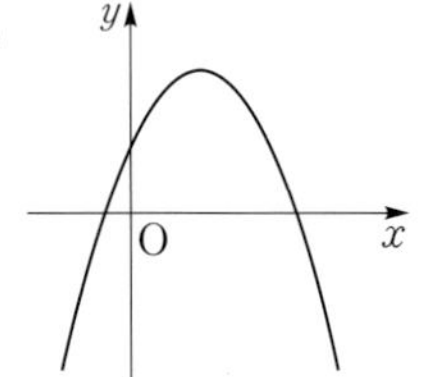

➡ a ○ 0, p ○ 0, q ○ 0

1405

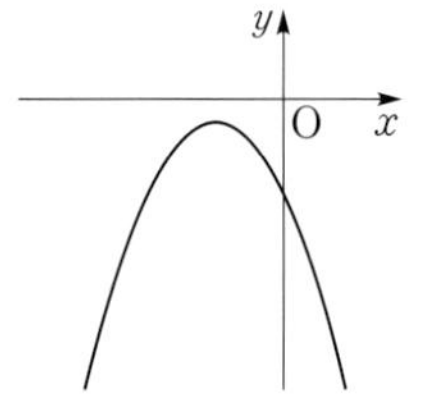

➡ a ○ 0, p ○ 0, q ○ 0

1406

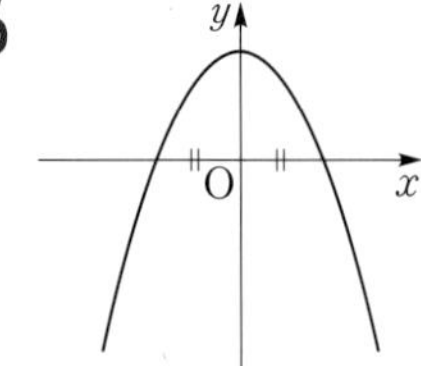

꼭짓점이 y축 위에 있으므로 꼭짓점의 좌표는 $(0, q)$야.

➡ a ○ 0, p ○ 0, q ○ 0

핵심 01~10

Mini Review Test

날짜 : 월 일

Subnote 56쪽

핵심 01 02 03

1407 다음 중 이차함수 $y=\frac{1}{4}x^2-2$의 그래프에 대한 설명으로 옳지 <u>않은</u> 것은?

① 아래로 볼록한 포물선이다.
② 꼭짓점의 좌표는 $(0,\ -2)$이다.
③ x축에 대칭이다.
④ 모든 사분면을 지난다.
⑤ 점 $(2,\ -1)$을 지난다.

핵심 03

1408 이차함수 $y=-3x^2$의 그래프를 y축의 방향으로 2만큼 평행이동하면 점 $(-1,\ k)$를 지날 때, k의 값을 구하여라.

핵심 04 05 06

1409 이차함수 $y=-2x^2$의 그래프를 x축의 방향으로 p만큼 평행이동하였더니 축의 방정식이 $x=3$이 되었다. 평행이동한 그래프의 꼭짓점의 좌표를 구하여라.

핵심 06

1410 이차함수 $y=\frac{4}{3}(x-p)^2$의 그래프가 점 $(5,\ 12)$를 지날 때, 이 그래프의 축의 방정식을 구하여라.

핵심 09

1411 이차함수 $y=\frac{3}{2}(x-p)^2+q$의 그래프는 직선 $x=4$를 축으로 하고, 점 $(2,\ -2)$를 지난다. 이때 상수 $p,\ q$에 대하여 $p-q$의 값을 구하여라.

핵심 07 08 09

1412 다음 보기에서 이차함수 $y=-3(x+1)^2-2$의 그래프에 대한 설명으로 옳은 것을 모두 고른 것은?

보기

ㄱ. 축의 방정식은 $x=1$이다.
ㄴ. 제3, 4사분면을 지나는 포물선이다.
ㄷ. y축과의 교점의 좌표는 $(0,\ -5)$이다.
ㄹ. $x<-1$일 때, x의 값이 증가하면 y의 값은 감소한다.

① ㄱ, ㄴ ② ㄱ, ㄷ ③ ㄴ, ㄷ
④ ㄴ, ㄹ ⑤ ㄷ, ㄹ

핵심 10

1413 이차함수 $y=a(x-p)^2+q$의 그래프가 오른쪽 그림과 같을 때, 상수 $a,\ p,\ q$의 부호는?

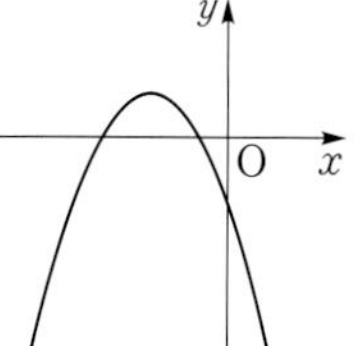

① $a>0,\ p>0,\ q>0$
② $a>0,\ p<0,\ q>0$
③ $a<0,\ p>0,\ q>0$
④ $a<0,\ p<0,\ q<0$
⑤ $a<0,\ p<0,\ q>0$

Review

99% PM 3:11

YOU♡

이차함수 $y=ax^2$의 그래프를 y축의 방향으로 q만큼 평행이동한 그래프의 식은?

(❶)

이차함수 $y=ax^2$의 그래프를 x축의 방향으로 p만큼 평행이동한 그래프의 식은?

(❷)

이차함수 $y=ax^2$의 그래프를 x축의 방향으로 p만큼, y축의 방향으로 q만큼 평행이동한 그래프의 식은?

(❸)

이차함수 $y=a(x-p)^2+q$의 그래프가 오른쪽 그림과 같을 때, a, p, q의 부호를 구하면?

(❹)

❶ $y=ax^2+q$ ❷ $y=a(x-p)^2$ ❸ $y=a(x-p)^2+q$ ❹ $a<0$, $p>0$, $q<0$

12 이차함수의 그래프 (3)

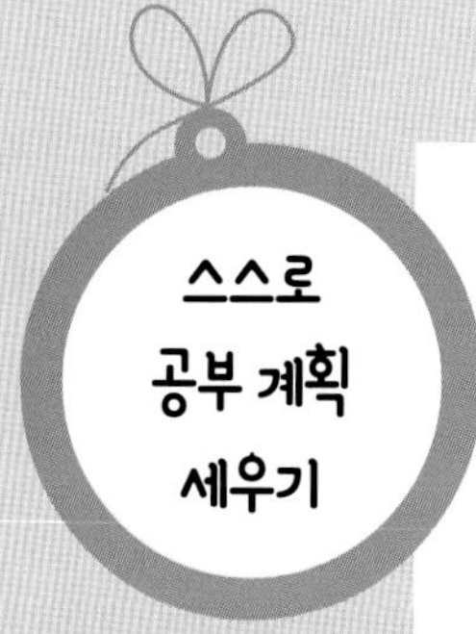

	학습 내용	공부한 날짜		반복하기
12. 이차함수의 그래프 (3)	**01.** 이차함수 $y=ax^2+bx+c$의 그래프	월	일	☐☐
	02. 이차함수 $y=ax^2+bx+c$의 그래프 그리기	월	일	☐☐
	03. 이차함수의 그래프와 x축과의 교점의 좌표	월	일	☐☐
	04. 이차함수 $y=ax^2+bx+c$의 그래프의 성질	월	일	☐☐
	05. 이차함수 $y=ax^2+bx+c$의 그래프와 a, b, c의 부호	월	일	☐☐
	Mini **Review** Test(**01~05**)	월	일	☐☐
	06. 꼭짓점의 좌표가 주어진 이차함수의 식(1)	월	일	☐☐
	07. 꼭짓점의 좌표가 주어진 이차함수의 식(2)	월	일	☐☐
	08. 축의 방정식이 주어진 이차함수의 식(1)	월	일	☐☐
	09. 축의 방정식이 주어진 이차함수의 식(2)	월	일	☐☐
	10. 서로 다른 세 점이 주어진 이차함수의 식(1)	월	일	☐☐
	11. 서로 다른 세 점이 주어진 이차함수의 식(2)	월	일	☐☐
	Mini **Review** Test(**06~11**)	월	일	☐☐

12 이차함수의 그래프 (3)

개념 NOTE

1 이차함수 $y=ax^2+bx+c$의 그래프 핵심 01 ~ 04

이차함수 $y=ax^2+bx+c$의 그래프는 $\boldsymbol{y=a(x-p)^2+q}$ 꼴로 고쳐서 그린다.

$$y=ax^2+bx+c \Rightarrow y=a\left(x+\frac{b}{2a}\right)^2-\frac{b^2-4ac}{4a}$$

(1) 꼭짓점의 좌표: $\left(-\frac{b}{2a}, -\frac{b^2-4ac}{4a}\right)$

(2) 축의 방정식: $x=-\frac{b}{2a}$

(3) y축과의 교점의 좌표: $(0, c)$ ← $x=0$일 때의 y의 값

(4) x축과의 교점의 좌표: $y=0$일 때의 x의 값을 구한다.

$y=ax^2+bx+c$를 이차함수의 일반형, $y=a(x-p)^2+q$를 이차함수의 표준형이라고 한다.

2 이차함수 $y=ax^2+bx+c$의 그래프에서 a, b, c의 부호 핵심 05

이차함수 $y=ax^2+bx+c$의 그래프가 주어졌을 때 a, b, c의 부호는 다음과 같이 결정된다.

(1) a의 부호: **그래프의 모양**으로 결정

① 아래로 볼록(∪) ➡ $a>0$ ② 위로 볼록(∩) ➡ $a<0$

(2) b의 부호: **축의 위치**로 결정

① 축이 y축의 왼쪽에 위치 ➡ $ab>0$ → a, b는 같은 부호

② 축이 y축과 일치 ➡ $b=0$

③ 축이 y축의 오른쪽에 위치 ➡ $ab<0$ → a, b는 다른 부호

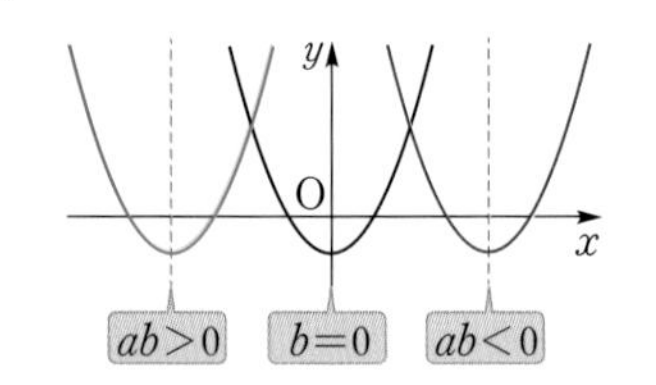

(3) c의 부호: **y축과의 교점의 위치**로 결정

① y축과의 교점이 x축보다 위쪽에 있으면 ➡ $c>0$

② y축과의 교점이 원점과 일치하면 ➡ $c=0$

③ y축과의 교점이 x축보다 아래쪽에 있으면 ➡ $c<0$

$y=ax^2+bx+c$의 그래프에서 축의 방정식은 $x=-\frac{b}{2a}$이므로

① 축이 y축의 왼쪽에 있으면 $-\frac{b}{2a}<0$, 즉 $ab>0$
➡ a, b는 같은 부호

② 축이 y축의 오른쪽에 있으면 $-\frac{b}{2a}>0$, 즉 $ab<0$
➡ a, b는 다른 부호

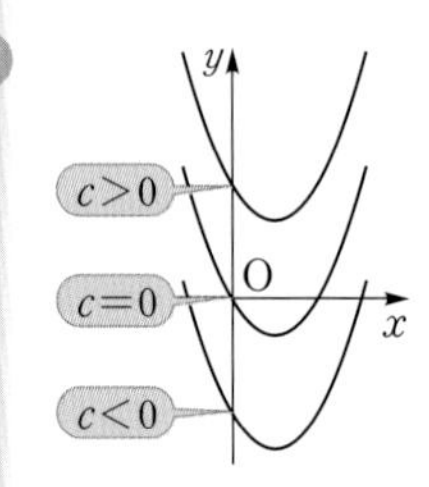

3 이차함수의 식 구하기 핵심 06 ~ 11

(1) 꼭짓점의 좌표 (p, q)와 다른 한 점의 좌표를 알 때

❶ 이차함수의 식을 $y=a(x-p)^2+q$로 놓는다.

❷ 이 식에 한 점의 좌표를 대입하여 a의 값을 구한다.

(2) 축의 방정식 $x=p$와 서로 다른 두 점의 좌표를 알 때

❶ 이차함수의 식을 $y=a(x-p)^2+q$로 놓는다.

❷ 이 식에 두 점의 좌표를 각각 대입하여 a와 q의 값을 구한다.

(3) y축과의 교점의 좌표 $(0, k)$와 서로 다른 두 점의 좌표를 알 때

❶ 이차함수의 식을 $y=ax^2+bx+k$로 놓는다.

❷ 이 식에 두 점의 좌표를 대입하여 a, b의 값을 구한다.

(4) x축과의 교점의 좌표 $(m, 0)$, $(n, 0)$과 다른 한 점의 좌표를 알 때

❶ 이차함수의 식을 $y=a(x-m)(x-n)$으로 놓는다.

❷ 이 식에 한 점의 좌표를 대입하여 a의 값을 구한다.

축의 방정식이 $x=p$이면 꼭짓점의 x좌표가 p이다.

핵심 01 이차함수 $y=ax^2+bx+c$의 그래프

날짜 :  월  일

Subnote ➲ 56쪽

완전제곱식을 이용하여 $y=a(x-p)^2+q$ 꼴로 고치는 과정을 잘 연습해 둬!

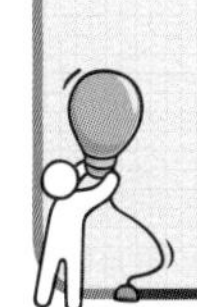

이차함수 $y=ax^2+bx+c$의 그래프는 $\boldsymbol{y=a(x-p)^2+q}$ 꼴로 고쳐서 그린다.

➡ $y=ax^2+bx+c$

$=a\left(x^2+\frac{b}{a}x\right)+c$ ← 상수항을 제외하고 x^2의 계수로 묶는다.

$=a\left\{x^2+\frac{b}{a}x+\left(\frac{b}{2a}\right)^2-\left(\frac{b}{2a}\right)^2\right\}+c$ ← $\left(\frac{x\text{의 계수}}{2}\right)^2$을 더해주고 다시 뺀다.

$=a\left(x+\frac{b}{2a}\right)^2-\frac{b^2-4ac}{4a}$ ← $y=$(완전제곱식)+(상수항) 꼴로 정리한다.

다음 이차함수의 식을 $y=a(x-p)^2+q$ 꼴로 나타내어라.

1414 $y=2x^2+4x+6$

sol $y=2x^2+4x+6$
$=2(x^2+\square x)+6$
$=2(x^2+\square x+\square-\square)+6$
$=2(x+\square)^2-\square+6$
$=2(x+\square)^2+\square$

1415 $y=x^2-6x+8$ ________

1416 $y=3x^2+12x+9$ ________

1417 $y=\frac{1}{2}x^2-4x-2$ ________

1418 $y=\frac{3}{2}x^2+3x-1$ ________

1419 $y=-x^2-4x+4$

sol $y=-x^2-4x+4$
$=-(x^2+\square x)+4$
$=-(x^2+4x+\square-\square)+4$
$=-(x+\square)^2+\square+4$
$=-(x+\square)^2+\square$

1420 $y=-2x^2+4x+1$ ________

1421 $y=-\frac{1}{3}x^2+2x-6$ ________

1422 $y=-\frac{1}{2}x^2-x-\frac{1}{2}$ ________

1423 학교 시험 맛보기 

이차함수 $y=-4x^2-12x+1$의 그래프가 이차함수 $y=-4(x-p)^2+q$의 그래프와 같다고 할 때, 상수 p, q에 대하여 pq의 값을 구하여라.

____

이차함수 $y=ax^2+bx+c$의 그래프 그리기

날짜 :  월 일 

Subnote ➔ 57쪽

$y=ax^2+bx+c$에서 y축과의 교점의 좌표는 $(0, c)$

이차함수 $y=ax^2+bx+c$의 그래프를 그리는 방법

❶ $y=a(x-p)^2+q$ 꼴로 고친다.

❷ 꼭짓점의 좌표 (p, q), 축의 방정식 $x=p$, y축과의 교점의 좌표 $(0, c)$를 구한다.

❸ ❷를 이용하여 이차함수의 그래프를 그린다.

다음 이차함수의 식을 $y=a(x-p)^2+q$ 꼴로 나타내고, 그 그래프를 그려라. 또, 꼭짓점의 좌표, 축의 방정식, y축과의 교점의 좌표를 각각 구하여라.

1424 $y=x^2+4x+3$ ➡ ______

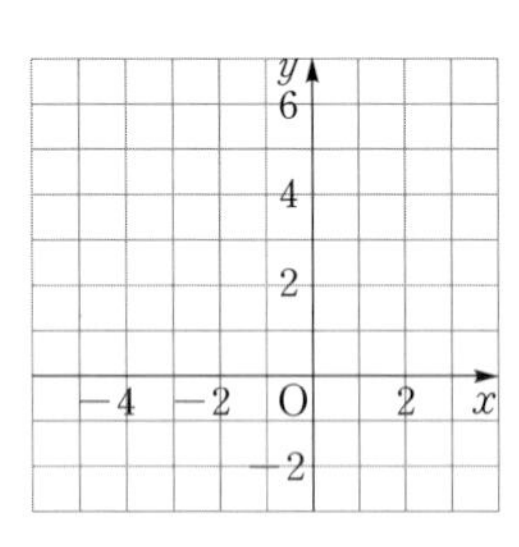

sol $y=$□의 그래프를 x축의 방향으로 □만큼, y축의 방향으로 □만큼 평행이동한 것이다.

(1) 꼭짓점의 좌표: ______

(2) 축의 방정식: ______

(3) y축과의 교점의 좌표: ______

1425 $y=2x^2-4x+3$ ➡ ______

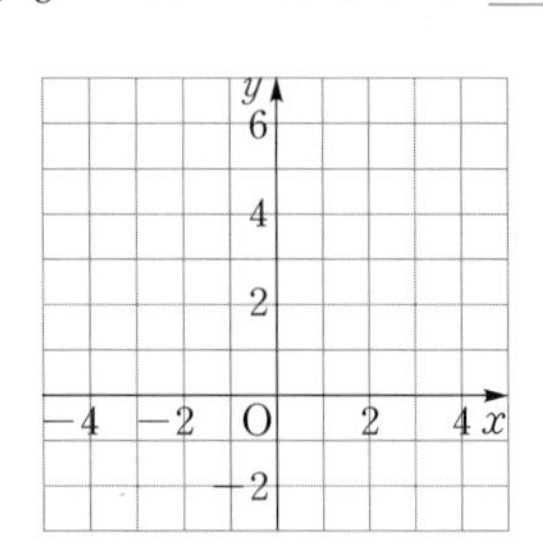

(1) 꼭짓점의 좌표: ______

(2) 축의 방정식: ______

(3) y축과의 교점의 좌표: ______

1426 $y=-3x^2-12x-10$ ➡ ______

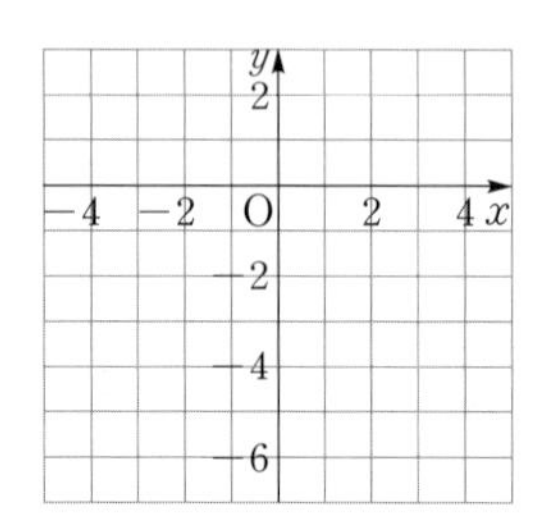

$y=ax^2+bx+c$에서 $a>0$이면 아래로 볼록, $a<0$이면 위로 볼록.

(1) 꼭짓점의 좌표: ______

(2) 축의 방정식: ______

(3) y축과의 교점의 좌표: ______

1427 $y=-\frac{1}{2}x^2+2x-1$ ➡ ______

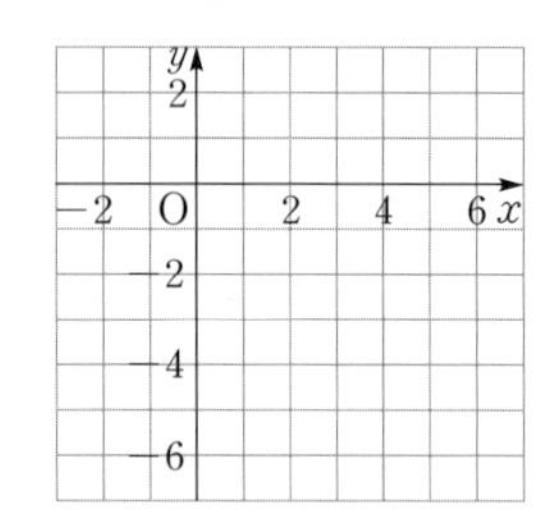

(1) 꼭짓점의 좌표: ______

(2) 축의 방정식: ______

(3) y축과의 교점의 좌표: ______

이차함수의 그래프와 x축과의 교점의 좌표

날짜 :  월  일

Subnote ➜ 57쪽

이차방정식 $ax^2+bx+c=0$을 풀면 알 수 있어.

이차함수 $y=ax^2+bx+c$의 그래프와 x축과의 교점의 좌표를 구하는 방법

❶ 이차함수 $y=ax^2+bx+c$에 $y=0$을 대입한다.

❷ ❶에서 만들어진 이차방정식 $0=ax^2+bx+c$의 해를 구한다.

❸ ❷에서 구한 해가 $x=\alpha$ 또는 $x=\beta$일 때, 이차함수 $y=ax^2+bx+c$의 그래프와 x축과의 교점의 좌표는 $(\alpha, 0)$, $(\beta, 0)$이다.

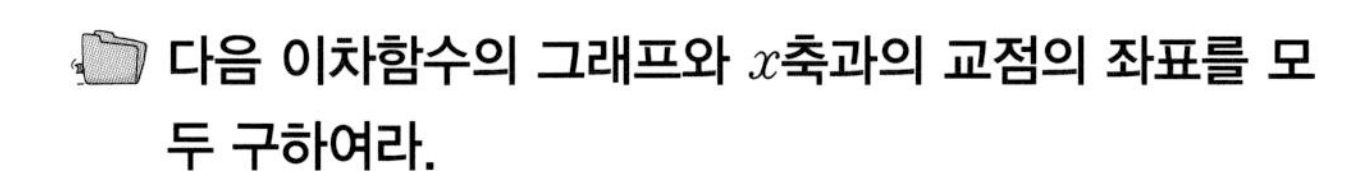

다음 이차함수의 그래프와 x축과의 교점의 좌표를 모두 구하여라.

1428 $y=x^2-2x-3$

sol $y=0$을 대입하면 $x^2-2x-3=0$

$(x+\square)(x-3)=0$ $\quad\therefore x=\square$ 또는 $x=3$

따라서 구하는 점의 좌표는 $(\square, 0)$, $(3, 0)$이다.

1429 $y=x^2+3x-10$ ________

1430 $y=x^2-6x+9$ ________

1431 $y=2x^2-7x+3$ ________

1432 $y=4x^2-8x+3$ ________

1433 $y=\frac{1}{2}x^2-3x$ ________

1434 $y=-x^2+3x+4$ ________

1435 $y=-2x^2+x+15$ ________

1436 $y=-3x^2+4x-1$ ________

1437 $y=-\frac{1}{2}x^2-x+4$ ________

1438 $y=-2x^2+4x+16$ ________

1439 학교 시험 맛보기

이차함수 $y=\frac{1}{4}x^2+3x-7$의 그래프가 x축과 두 점 A, B에서 만날 때, $\overline{AB}$의 길이를 구하여라.

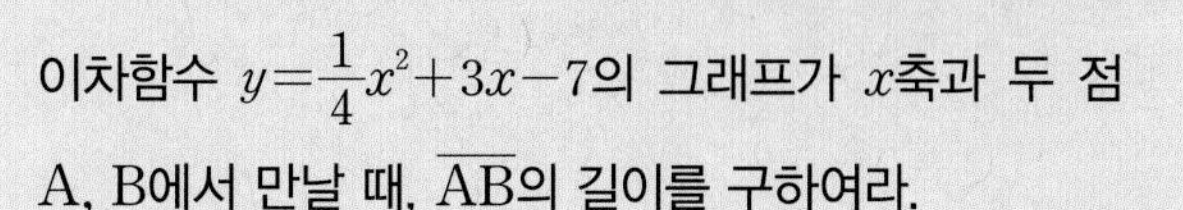

이차함수 $y=ax^2+bx+c$의 그래프의 성질

Subnote 58쪽

이차함수 $y=-x^2+4x-8$의 그래프에 대한 설명으로 옳은 것은 ○표, 옳지 않은 것은 ×표를 하여라.

1440 꼭짓점의 좌표는 $(2,\ -4)$이다. ( )

1441 $y=-x^2$의 그래프를 x축의 방향으로 -2만큼, y축의 방향으로 -4만큼 평행이동한 그래프이다. ( )

1442 y축과의 교점의 좌표는 $(0,\ -8)$이다. ( )

1443 x축과 서로 다른 두 점에서 만난다. ( )

1444 점 $(3,\ -5)$를 지난다. ( )

1445 제1, 2사분면을 지나지 않는다. ( )

이차함수 $y=\frac{1}{2}x^2-x-\frac{3}{2}$의 그래프에 대한 설명으로 옳은 것은 ○표, 옳지 않은 것은 ×표를 하여라.

1446 y축을 축으로 한다. ( )

1447 꼭짓점의 좌표는 $\left(1,\ -\frac{3}{2}\right)$이다. ( )

1448 y축과의 교점의 좌표는 $\left(0,\ -\frac{3}{2}\right)$이다. ( )

1449 x축과의 교점의 좌표는 $(-1,\ 0)$, $(3,\ 0)$이다. ( )

1450 점 $(-5,\ 6)$을 지난다. ( )

1451 모든 사분면을 지난다. ( )

이차함수 $y=ax^2+bx+c$의 그래프와 a, b, c의 부호

날짜 : 월 일

Subnote ➡ 59쪽

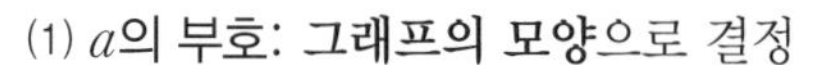

이차함수 $y=ax^2+bx+c$의 그래프에서 그래프의 모양과 축의 위치, y축과의 교점의 위치를 보고 a, b, c의 부호를 알 수 있어.

(1) a의 부호: **그래프의 모양**으로 결정
① 아래로 볼록(∪) ➡ $a>0$ ② 위로 볼록(∩) ➡ $a<0$

(2) b의 부호: **축의 위치**로 결정
① 축이 y축의 왼쪽에 위치 ➡ $ab>0$ → a, b는 같은 부호
② 축이 y축과 일치 ➡ $b=0$
③ 축이 y축의 오른쪽에 위치 ➡ $ab<0$ → a, b는 다른 부호

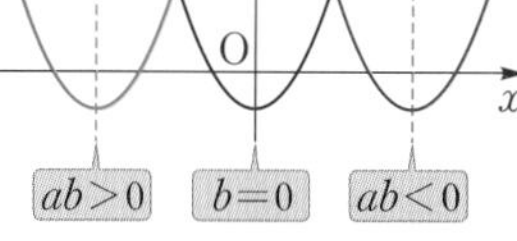

(3) c의 부호: ***y*축과의 교점의 위치**로 결정
① y축과의 교점이 x축보다 위쪽에 있으면 ➡ $c>0$
② y축과의 교점이 원점과 일치하면 ➡ $c=0$
③ y축과의 교점이 x축보다 아래쪽에 있으면 ➡ $c<0$

이차함수 $y=ax^2+bx+c$의 그래프가 다음 그림과 같을 때, ○ 안에 $>$, $=$, $<$ 중 알맞은 것을 써넣어라.

1452

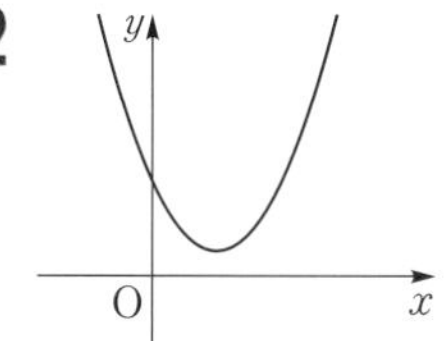

sol 그래프가 아래로 볼록하므로
a ○ 0
축이 y축의 오른쪽에 있으므로
ab ○ 0 $\therefore b$ ○ 0
y축과의 교점이 x축보다 위쪽에 있으므로 c ○ 0

1453

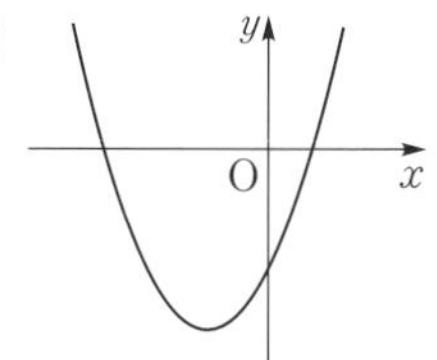

➡ a ○ 0, b ○ 0, c ○ 0

1454

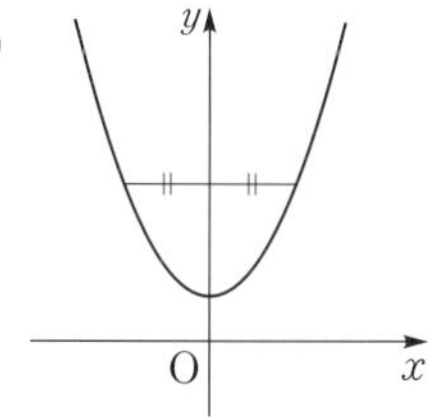

➡ a ○ 0, b ○ 0, c ○ 0

1455

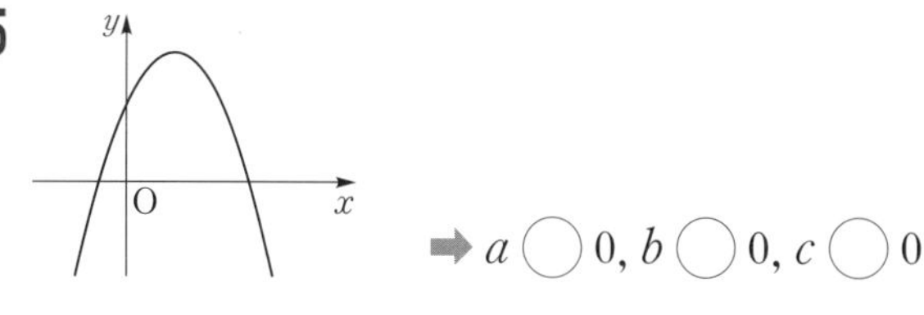

➡ a ○ 0, b ○ 0, c ○ 0

1456

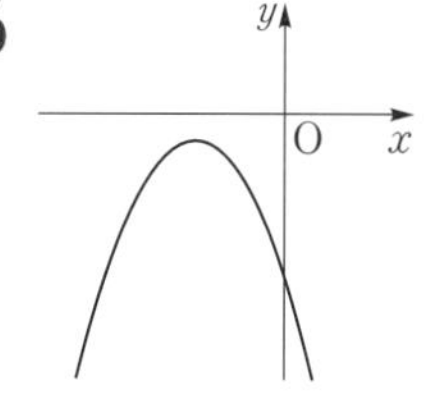

➡ a ○ 0, b ○ 0, c ○ 0

1457

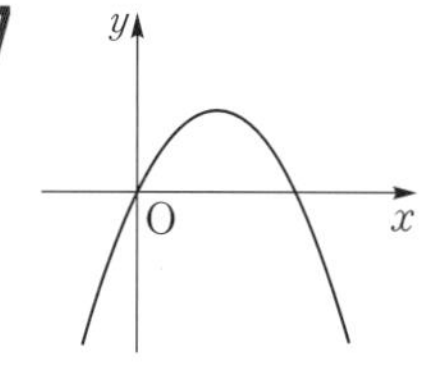

➡ a ○ 0, b ○ 0, c ○ 0

1458 학교 시험 맛보기

$a<0$, $b>0$, $c<0$일 때, 이차함수 $y=ax^2+bx+c$의 그래프가 항상 지나지 않는 사분면을 구하여라.

______

Mini Review Test

날짜 : 월 일

Subnote 59쪽

핵심 01

1459 이차함수 $y=3x^2-6x+1$을 $y=3(x-p)^2+q$ 꼴로 나타낼 때, 상수 p, q에 대하여 $p+q$의 값을 구하여라.

핵심 02

1460 다음 중 이차함수 $y=-\frac{1}{2}x^2-2x+1$의 그래프는?

①
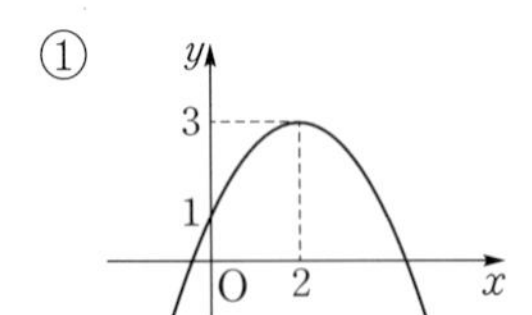

②
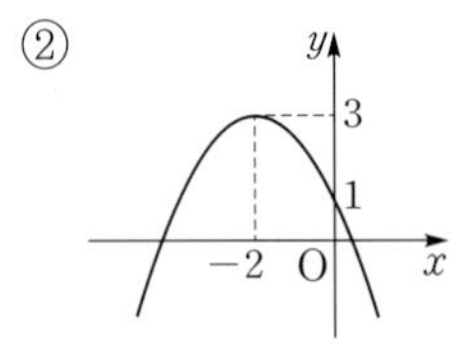

③
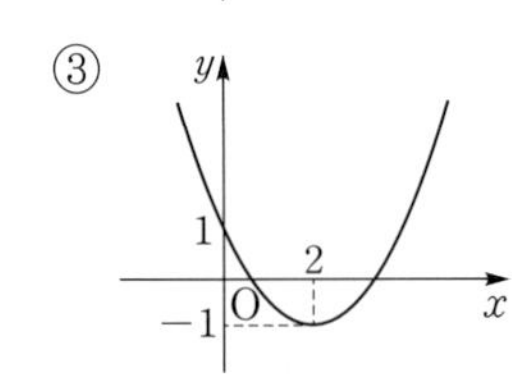

④
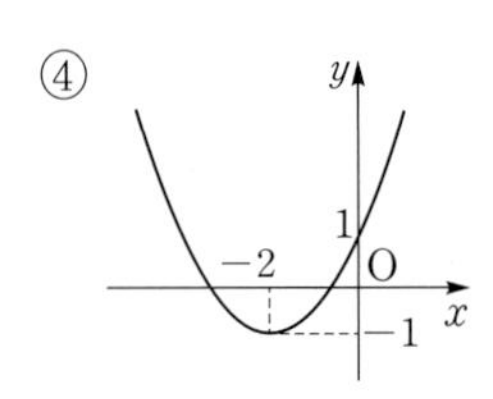

⑤
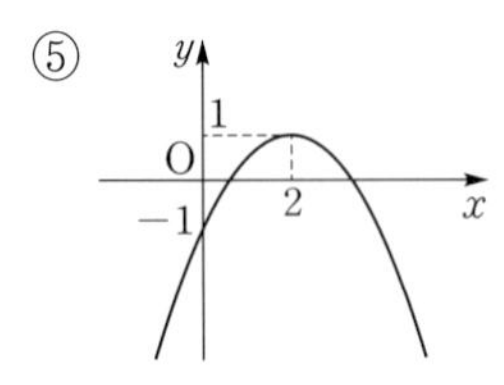

핵심 02

1461 다음 이차함수 중 그 그래프가 모든 사분면을 지나는 것은?

① $y=x^2+2x$
② $y=-x^2+4x-4$
③ $y=3x^2-6x-1$
④ $y=\frac{1}{4}x^2-x+5$
⑤ $y=-2x^2+4x-3$

핵심 03

1462 이차함수 $y=-x^2+2x+24$의 그래프가 x축과 두 점 A, B에서 만날 때, $\overline{\text{AB}}$의 길이를 구하여라.

핵심 04

1463 다음 중 이차함수 $y=\frac{1}{3}x^2+2x-9$의 그래프에 대한 설명으로 옳지 <u>않은</u> 것을 모두 고르면? (정답 2개)

① 꼭짓점의 좌표는 $(-3,\ -12)$이다.
② 제1, 2사분면만을 지난다.
③ y축과의 교점의 좌표는 $(0,\ -9)$이다.
④ x축과의 교점의 좌표는 $(9,\ 0)$, $(-3,\ 0)$이다.
⑤ 점 $(6,\ 15)$를 지난다.

핵심 05

1464 이차함수 $y=ax^2+bx+c$의 그래프가 오른쪽 그림과 같을 때, 다음 중 상수 a, b, c의 부호가 옳은 것은?

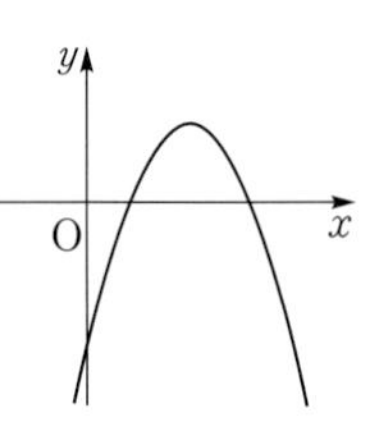

① $a>0,\ b<0,\ c=0$
② $a<0,\ b<0,\ c>0$
③ $a<0,\ b<0,\ c<0$
④ $a<0,\ b>0,\ c<0$
⑤ $a<0,\ b>0,\ c>0$

핵심 05 서술형

1465 $a>0$, $b>0$, $c=0$일 때, 이차함수 $y=ax^2+bx+c$의 그래프가 항상 지나지 않는 사분면을 구하여라.

06 꼭짓점의 좌표가 주어진 이차함수의 식 (1)

날짜 : 월 일

Subnote ➡ 60쪽

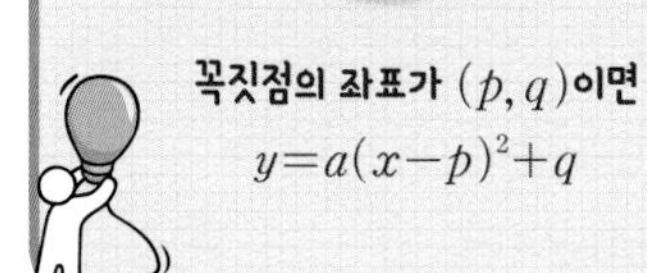

꼭짓점의 좌표가 (p, q)이면
$y=a(x-p)^2+q$

꼭짓점의 좌표 (p, q)와 다른 한 점의 좌표를 알 때

❶ 이차함수의 식을 $y=a(x-p)^2+q$로 놓는다.

❷ 이 식에 다른 한 점의 좌표를 대입하여 a의 값을 구한다.

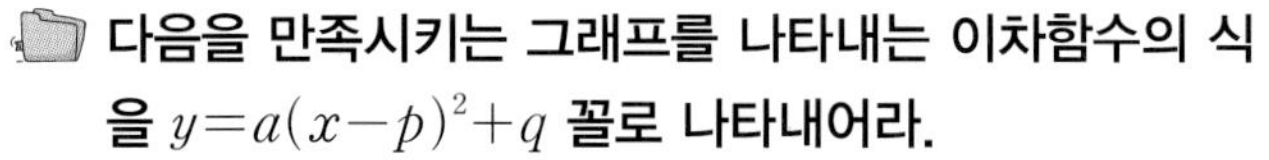

다음을 만족시키는 그래프를 나타내는 이차함수의 식을 $y=a(x-p)^2+q$ 꼴로 나타내어라.

1466 꼭짓점의 좌표가 $(1, 4)$이고 점 $(2, 3)$을 지난다.

sol 이차함수의 식을 $y=a(x-\square)^2+\square$로 놓고
$x=2$, $y=3$을 대입하면 $a=\square$
따라서 구하는 이차함수의 식은 $y=\square$

1467 꼭짓점의 좌표가 $(-2, -5)$이고 점 $(0, -1)$을 지난다. ________

1468 꼭짓점의 좌표가 $(1, 6)$이고 점 $(2, 3)$을 지난다. ________

1469 꼭짓점의 좌표가 $(2, -3)$이고 점 $(4, 5)$를 지난다. ________

1470 꼭짓점의 좌표가 $\left(-3, \frac{7}{2}\right)$이고 점 $\left(-1, \frac{3}{2}\right)$을 지난다. ________

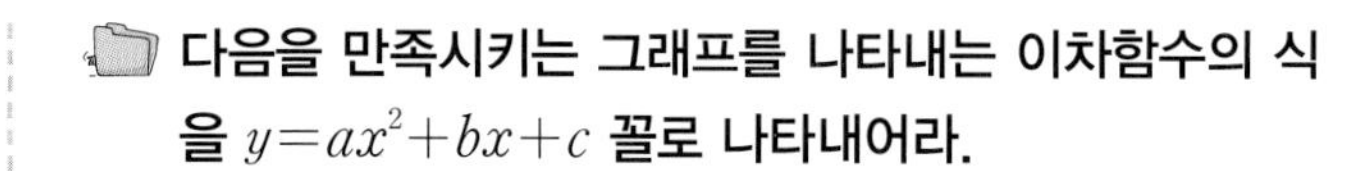

다음을 만족시키는 그래프를 나타내는 이차함수의 식을 $y=ax^2+bx+c$ 꼴로 나타내어라.

1471 꼭짓점의 좌표가 $(0, 1)$이고 점 $(-2, 3)$을 지난다. ________

1472 꼭짓점의 좌표가 $(-3, 0)$이고 점 $(-1, -8)$을 지난다. ________

1473 꼭짓점의 좌표가 $(-1, -4)$이고 점 $(-2, 1)$을 지난다. ________

1474 꼭짓점의 좌표가 $(2, -5)$이고 점 $(4, 7)$을 지난다. ________

1475 학교 시험 맛보기 

꼭짓점의 좌표가 $(-3, 4)$이고, 점 $(-2, 2)$를 지나는 포물선을 그래프로 하는 이차함수의 식을 $y=ax^2+bx+c$라고 할 때, $a-b+c$의 값을 구하여라. (단, a, b, c는 상수) ________

날짜 : 월 일

Subnote ➲ 60쪽

07 꼭짓점의 좌표가 주어진 이차함수의 식 (2)

다음 그래프를 나타내는 이차함수의 식을 $y=a(x-p)^2+q$ 꼴로 나타내어라.

1476

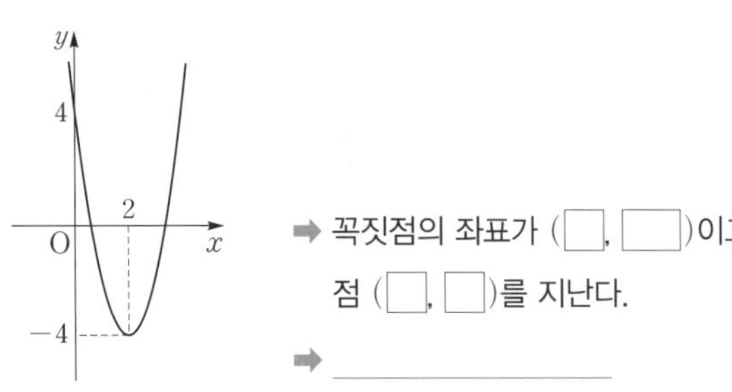

➡ 꼭짓점의 좌표가 (□, □)이고, 점 (□, □)를 지난다.

➡ ____________

1477

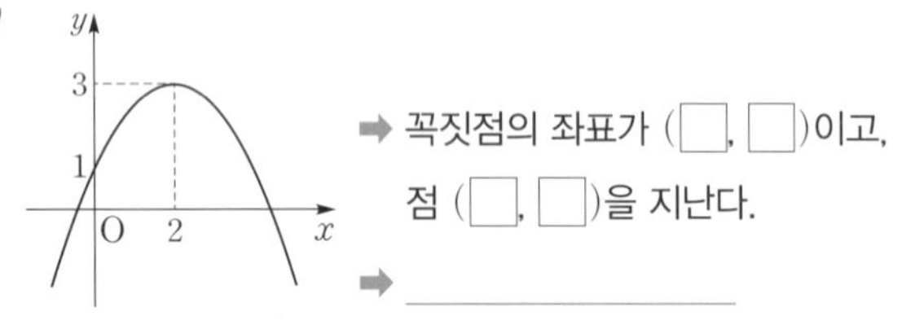

➡ 꼭짓점의 좌표가 (□, □)이고, 점 (□, □)을 지난다.

➡ ____________

1478

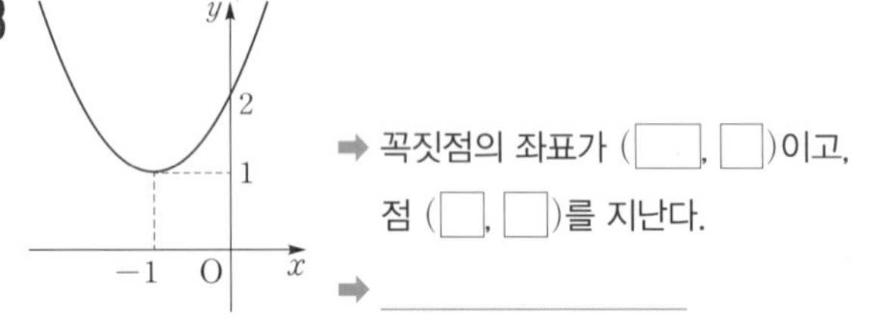

➡ 꼭짓점의 좌표가 (□, □)이고, 점 (□, □)를 지난다.

➡ ____________

1479

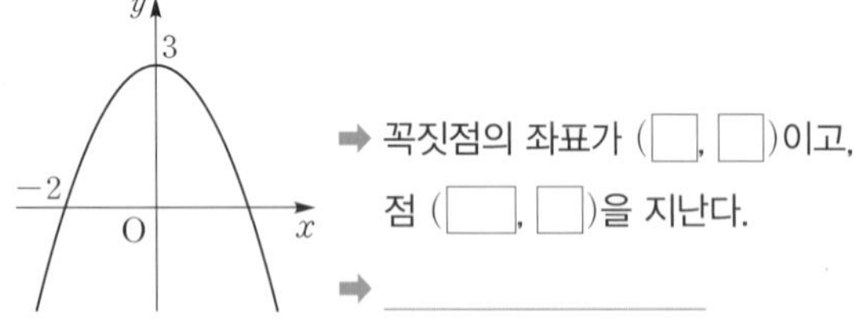

➡ 꼭짓점의 좌표가 (□, □)이고, 점 (□, □)을 지난다.

➡ ____________

다음 그래프를 나타내는 이차함수의 식을 $y=ax^2+bx+c$ 꼴로 나타내어라.

1480

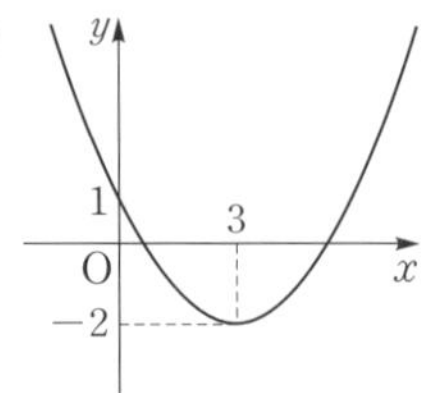

____

1481

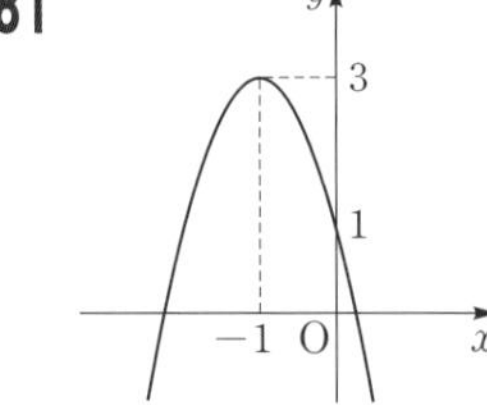

____

1482

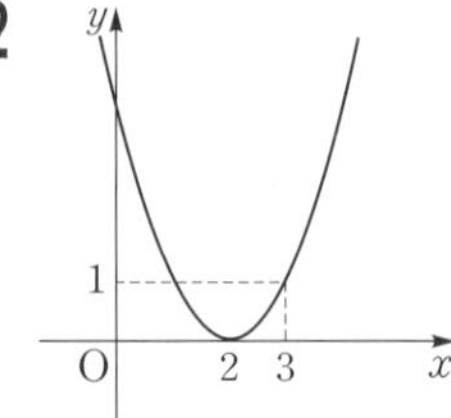

____

1483

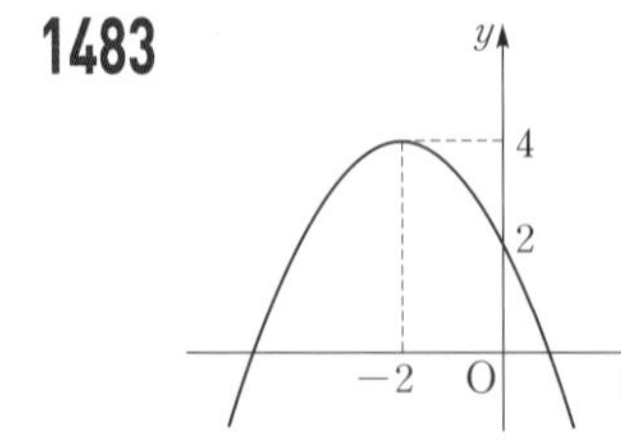

____

08 축의 방정식이 주어진 이차함수의 식 (1)

날짜 : 월 일

Subnote ➔ 61쪽

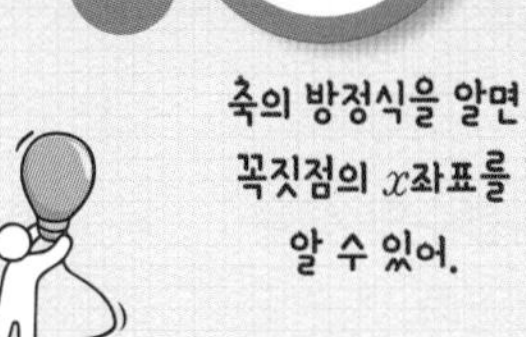

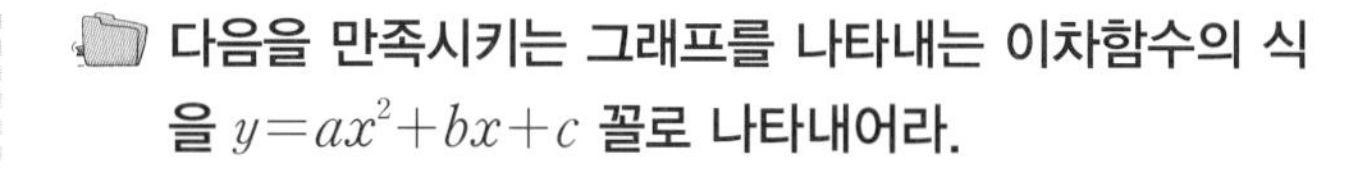

축의 방정식 $x=p$와 서로 다른 두 점의 좌표를 알 때
❶ 이차함수의 식을 $y=a(x-p)^2+q$로 놓는다.
❷ 이 식에 두 점의 좌표를 각각 대입하여 a와 q의 값을 구한다.

다음을 만족시키는 그래프를 나타내는 이차함수의 식을 $y=a(x-p)^2+q$ 꼴로 나타내어라.

1484 축의 방정식이 $x=1$이고 두 점 $(-1, 8)$, $(2, -1)$을 지난다.

sol 이차함수의 식을 $y=a(x-\square)^2+q$로 놓고
$x=-1$, $y=8$을 대입하면 $8=\square$ ······ ㉠
$x=2$, $y=-1$을 대입하면 $-1=\square$ ······ ㉡
㉠, ㉡을 연립하여 풀면 $a=\square$, $q=\square$
따라서 구하는 이차함수의 식은 $y=\square$

1485 축의 방정식이 $x=4$이고 두 점 $(2, 2)$, $(8, 8)$을 지난다.

1486 축의 방정식이 $x=0$이고 두 점 $(-1, 3)$, $(2, -12)$를 지난다.

1487 축의 방정식이 $x=-1$이고 두 점 $(-3, -3)$, $(2, -13)$을 지난다.

1488 축의 방정식이 $x=-6$이고 두 점 $(-4, 1)$, $(-2, -5)$를 지난다.

다음을 만족시키는 그래프를 나타내는 이차함수의 식을 $y=ax^2+bx+c$ 꼴로 나타내어라.

1489 축의 방정식이 $x=-3$이고 두 점 $(0, 0)$, $(1, 7)$을 지난다.

1490 축의 방정식이 $x=2$이고 두 점 $(0, -15)$, $(3, -6)$을 지난다.

1491 축의 방정식이 $x=-4$이고 두 점 $(-2, 2)$, $(2, -6)$을 지난다.

1492 축의 방정식이 $x=5$이고 두 점 $(1, 12)$, $(2, -2)$를 지난다.

1493 학교 시험 맛보기

이차함수 $y=3x^2$의 그래프와 모양과 폭이 같고, 축의 방정식이 $x=-2$인 포물선이 점 $(-1, -1)$을 지날 때, 이 포물선이 y축과 만나는 점의 좌표를 구하여라.

09 축의 방정식이 주어진 이차함수의 식 (2)

다음 그래프를 나타내는 이차함수의 식을 $y=a(x-p)^2+q$ 꼴로 나타내어라.

1494

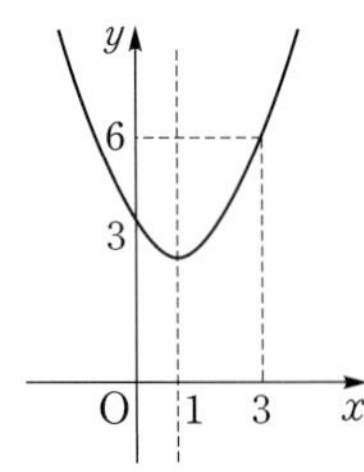

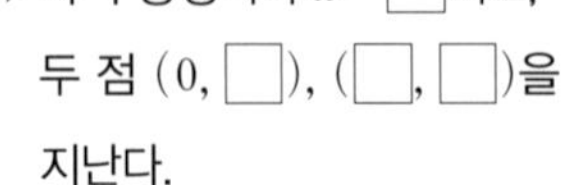

➡ 축의 방정식이 $x=$□이고, 두 점 (0, □), (□, □)을 지난다.

➡ ____________

1495

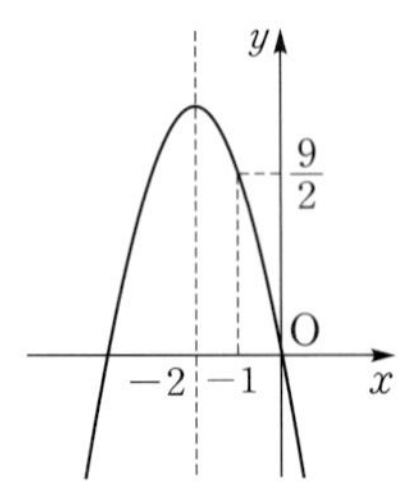

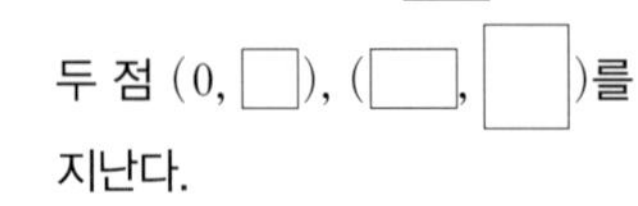

➡ 축의 방정식이 $x=$□이고, 두 점 (0, □), (□, □)를 지난다.

➡ ____________

1496

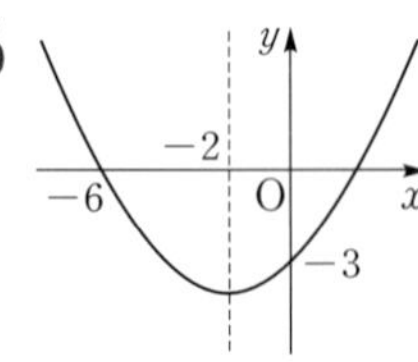

➡ 축의 방정식이 $x=$□이고, 두 점 (□, 0), (0, □)을 지난다.

➡ ____________

1497

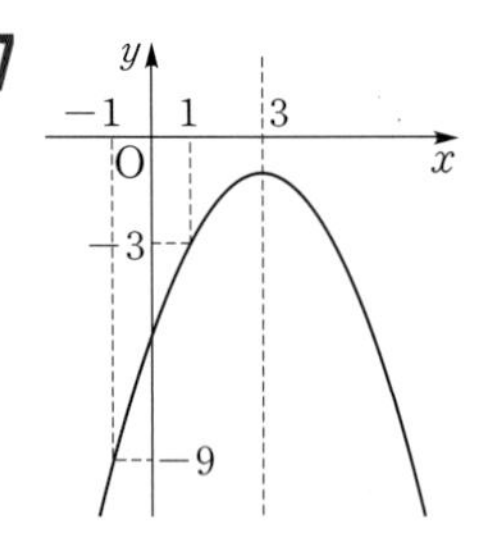

➡ 축의 방정식이 $x=$□이고, 두 점 (−1, □), (□, □)을 지난다.

➡ ____________

다음 그래프를 나타내는 이차함수의 식을 $y=ax^2+bx+c$ 꼴로 나타내어라.

1498

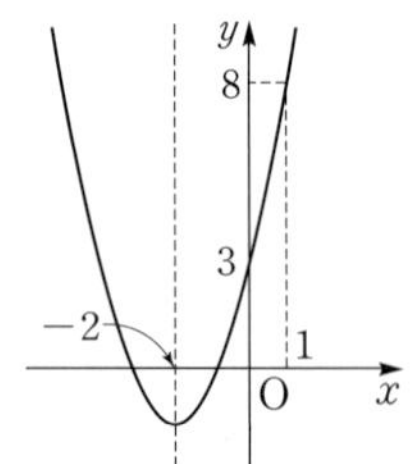

____

1499

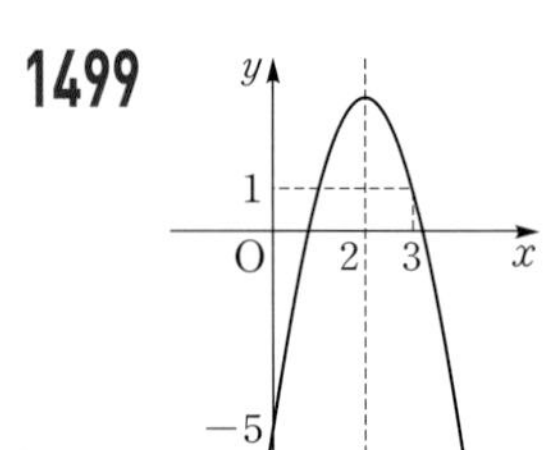

____

1500

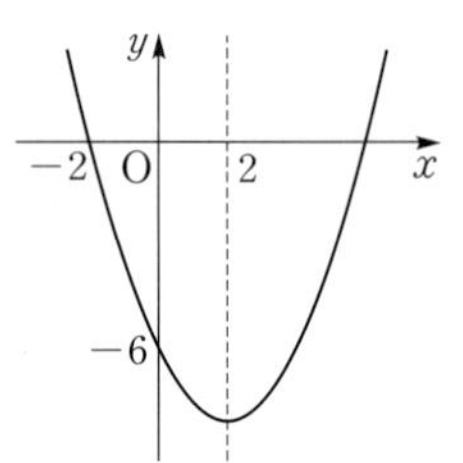

____

1501 학교 시험 맛보기

오른쪽 그림은 직선 $x=1$을 축으로 하는 이차함수의 그래프이다. 이 이차함수의 그래프가 점 $(-3, k)$를 지날 때, k의 값을 구하여라.

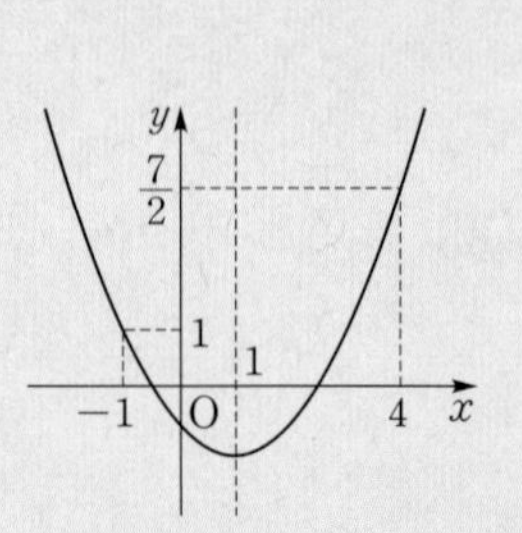

____

핵심 10 서로 다른 세 점이 주어진 이차함수의 식 (1)

Subnote 62쪽

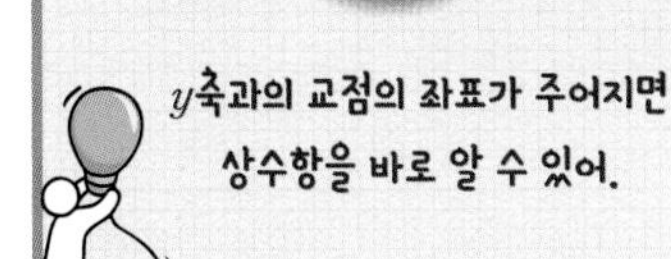

y축과의 교점의 좌표 $(0, k)$와 서로 다른 두 점의 좌표를 알 때

❶ 이차함수의 식을 $y=ax^2+bx+k$로 놓는다.

❷ 이 식에 두 점의 좌표를 대입하여 a, b의 값을 구한다.

다음 세 점을 지나는 그래프를 나타내는 이차함수의 식을 $y=ax^2+bx+c$ 꼴로 나타내어라.

1502 $(1, 6)$, $(0, -6)$, $(2, 10)$

sol 이차함수의 식을 $y=ax^2+bx-6$으로 놓고

$x=1$, $y=6$을 대입하면 $6=$☐ …… ㉠

$x=2$, $y=10$을 대입하면 $10=$☐ …… ㉡

㉠, ㉡을 연립하여 풀면 $a=$☐, $b=$☐

따라서 구하는 이차함수의 식은 $y=$☐

1503 $(3, 0)$, $(0, 3)$, $(6, 3)$ ________

1504 $(-1, -3)$, $(2, 3)$, $(0, 3)$ ________

1505 $(5, 0)$, $(0, -25)$, $(10, 15)$ ________

1506 $(-1, -5)$, $(1, 9)$, $(0, 6)$ ________

다음 그래프를 나타내는 이차함수의 식을 $y=ax^2+bx+c$ 꼴로 나타내어라.

1507

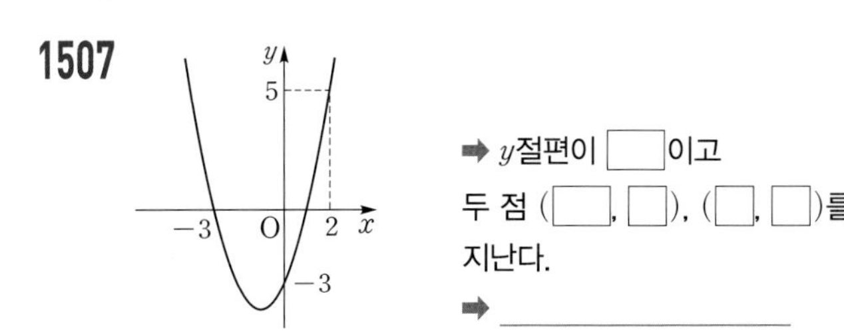

➡ y절편이 ☐이고 두 점 (☐, ☐), (☐, ☐)를 지난다.

➡ ________

1508

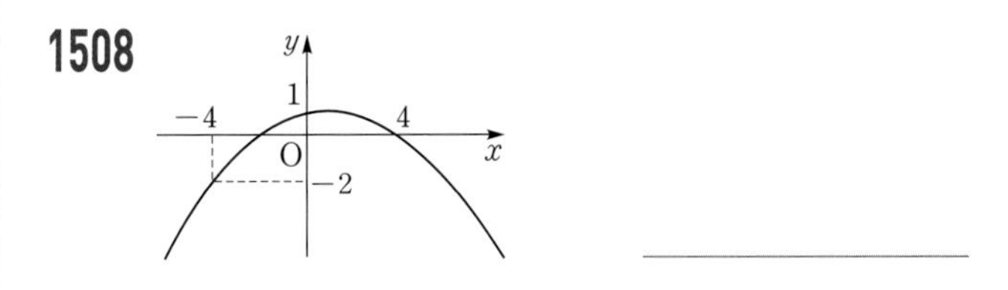

____

1509

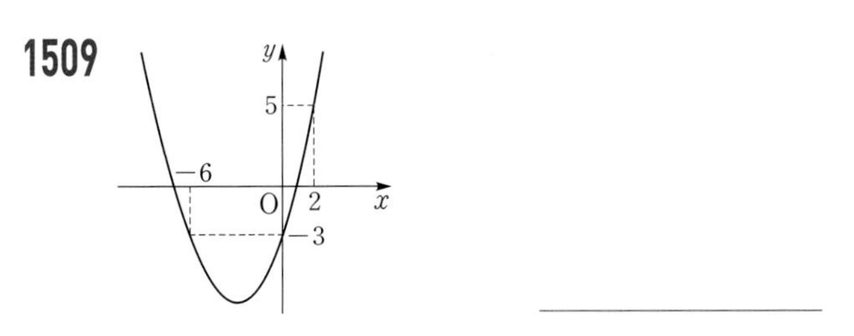

____

1510

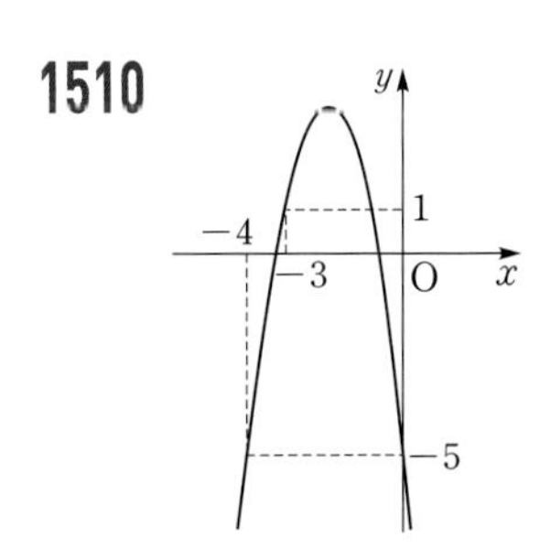

____

서로 다른 세 점이 주어진 이차함수의 식 (2)

Subnote ➔ 63쪽

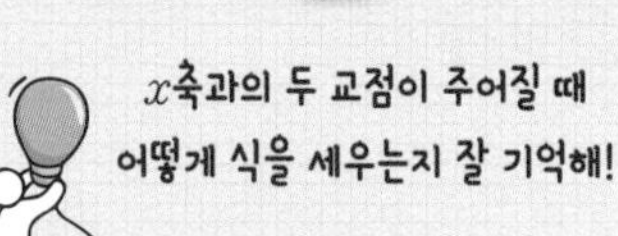

x축과의 두 교점의 좌표 $(m, 0)$, $(n, 0)$과 다른 한 점의 좌표를 알 때

❶ 이차함수의 식을 $y=a(x-m)(x-n)$으로 놓는다.

❷ 이 식에 한 점의 좌표를 대입하여 a의 값을 구한다.

다음 세 점을 지나는 그래프를 나타내는 이차함수의 식을 $y=ax^2+bx+c$ 꼴로 나타내어라.

1511 $(1, 0)$, $(4, 0)$, $(2, -4)$

sol 이차함수의 식을 $y=a(x-1)(x-4)$로 놓고
$x=2$, $y=-4$를 대입하면 $-4=\square$ $\quad\therefore a=\square$
따라서 구하는 이차함수의 식은
$y=\square(x-1)(x-4)=\square$

1512 $(2, 0)$, $(6, 0)$, $(0, 12)$

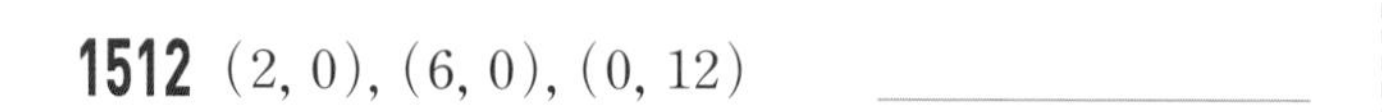

1513 $(-2, 0)$, $(6, 0)$, $(4, 6)$

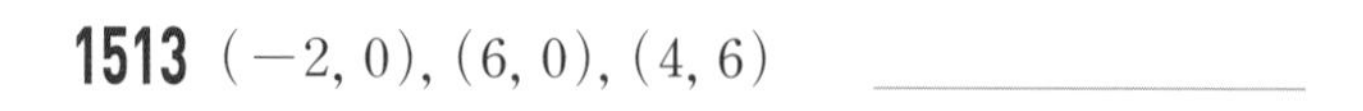

1514 $(-1, 0)$, $(2, 0)$, $(0, -6)$ __________

1515 $(-6, 0)$, $(3, 0)$, $(0, 12)$ __________

다음 그래프를 나타내는 이차함수의 식을 $y=ax^2+bx+c$ 꼴로 나타내어라.

1516

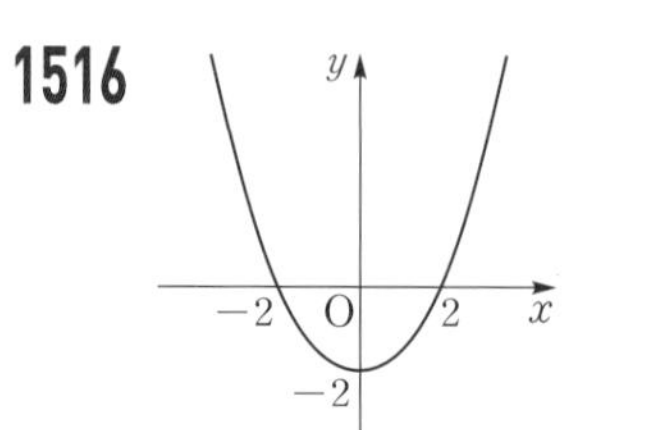

1517

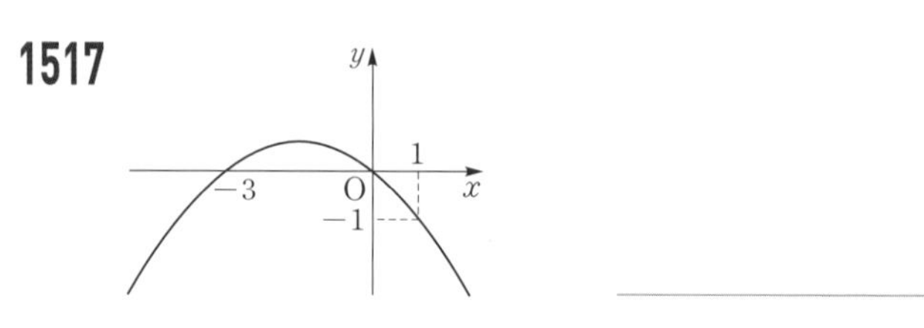

1518

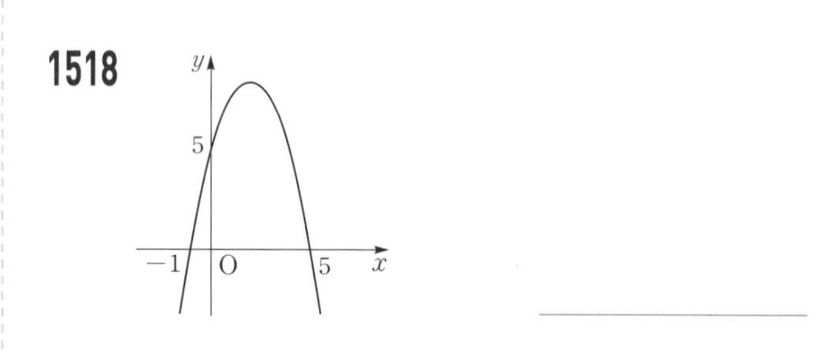

1519

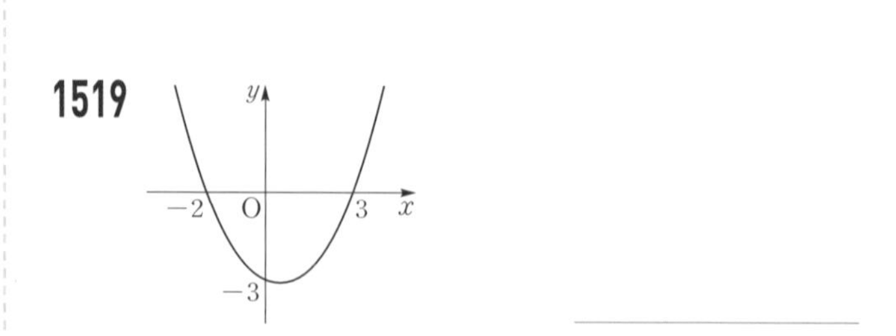

핵심 06~11

Mini Review Test

날짜 : 월 일

Subnote 64쪽

핵심 06

1520 꼭짓점의 좌표가 $(-2, 6)$이고, 점 $(-1, 2)$를 지나는 포물선을 그래프로 하는 이차함수의 식을 $y=ax^2+bx+c$라고 할 때, $ac+b$의 값은?

(단, a, b, c는 상수)

① 18 ② 24 ③ 36
④ 40 ⑤ 52

핵심 07

1521 오른쪽 그림과 같이 꼭짓점의 좌표가 $(2, -2)$이고, y축과의 교점의 좌표가 $(0, 2)$인 포물선을 그래프로 하는 이차함수의 식을 구하여라.

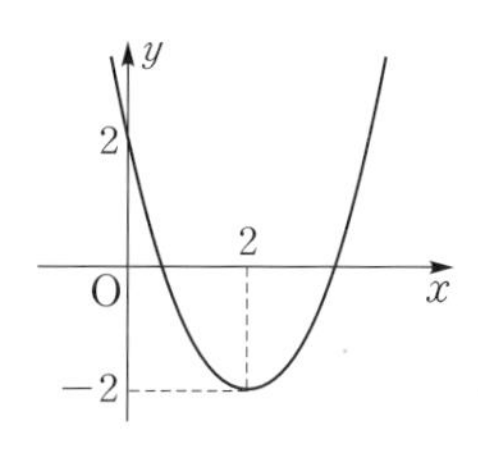

핵심 08

1522 축의 방정식이 $x=2$이고, 두 점 $(1, 9)$, $(-1, -15)$를 지나는 이차함수의 그래프가 점 $(3, k)$를 지날 때, k의 값은?

① -3 ② 3 ③ 6
④ 9 ⑤ 12

핵심 09

1523 오른쪽 그림과 같이 직선 $x=2$가 축인 포물선을 그래프로 하는 이차함수의 식을 $y=ax^2+bx+c$ 꼴로 나타내어라.

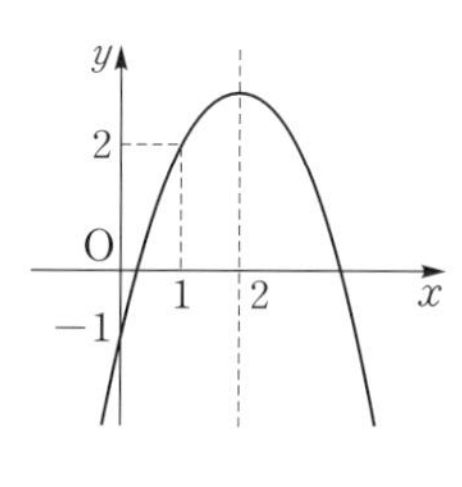

핵심 10 서술형

1524 세 점 $(-1, 2)$, $(0, -1)$, $(-3, -10)$을 지나는 포물선의 꼭짓점의 좌표를 구하여라.

핵심 10

1525 이차함수 $y=ax^2+bx+c$의 그래프가 오른쪽 그림과 같을 때, 상수 a, b, c에 대하여 $-a+b+c$의 값을 구하여라.

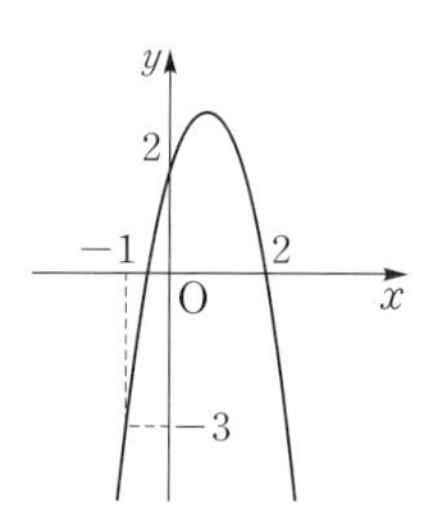

핵심 11

1526 x축과 두 점 $(-1, 0)$, $(3, 0)$에서 만나고 점 $(-3, -8)$을 지나는 포물선이 y축과 만나는 점의 y좌표를 구하여라.

Review

Talk Talk

YOU♡
$y=-x^2+4x+5$를 $y=a(x-p)^2+q$ 꼴로 나타내면?
(❶)
$y=-x^2+4x+5$의 그래프가 x축과 만나는 점의 좌표는?
(❷)
이차함수 $y=ax^2+bx+c$의 그래프가 오른쪽 그림과 같을 때, a, b, c의 부호는?
y
O
x
(❸)
꼭짓점의 좌표가 $(1, 2)$이고 점 $(0, 5)$를 지나는 포물선을 그래프로 하는 이차함수의 식은?
(❹)
x축과의 교점의 좌표가 $(1, 0)$, $(2, 0)$이고 점 $(-1, -6)$을 지나는 포물선을 그래프로 하는 이차함수의 식은?
(❺)
❶ $y=-(x-2)^2+9$ ❷ $(-1, 0)$, $(5, 0)$ ❸ $a<0, b<0, c>0$ ❹ $y=3(x-1)^2+2$ ❺ $y=-x^2+3x-2$

Memo

Memo

숨마쿰라우데

[반복 수학 문제집]

한 개념씩 쉬운 문제로 **매일매일 공부하자!**

스타트업 중학수학

3-상

SUB NOTE 정답 및 해설

스타트업 중학 수학 3-상

SUB NOTE

정답 및 해설

❶ 제곱근과 실수

1. 제곱근의 뜻과 성질

01 제곱근의 뜻 (1)

본문 ◎ 15쪽

0001 -3 **0002** $5,\ -5$ **0003** $0.1,\ -0.1$

0004 $0.8,\ -0.8$ **0005** $\frac{1}{6},\ -\frac{1}{6}$

0006 $\frac{9}{10},\ -\frac{9}{10}$ **0007** $16,\ 16,\ 4,\ -4$

0008 $7,\ -7$ **0009** $12,\ -12$ **0010** $0.2,\ -0.2$

0011 $0.6,\ -0.6$ **0012** $\frac{2}{11},\ -\frac{2}{11}$

02 제곱근의 뜻 (2)

본문 ◎ 16쪽

0013 $1,\ -1$ **0014** 0 **0015** 없다. **0016** $2,\ -2$

0017 $3,\ -3$ **0018** $0.8,\ -0.8$ **0019** 없다.

0020 × **0021** ○ **0022** × **0023** ×

0024 ○ **0025** ○ **0026** ×

0020 0의 제곱근은 0이다.

0022 제곱하여 0.09가 되는 수, 즉 0.09의 제곱근은 $0.3,\ -0.3$이다.

0023 -16의 제곱근은 없다.

0025 81의 제곱근은 $9,\ -9$의 2개이므로 두 제곱근의 합은
$9+(-9)=0$

0026 양수의 제곱근은 2개, 0의 제곱근은 1개, 음수의 제곱근은 없다.

03 제곱근의 표현

본문 ◎ 17쪽

0027 $\sqrt{3}$ **0028** $-\sqrt{3}$ **0029** $\pm\sqrt{3}$ **0030** $-\sqrt{10}$

0031 $-\sqrt{\frac{1}{5}}$ **0032** $\pm\sqrt{0.7}$ **0033** $9,\ 3$ **0034** $25,\ -5$

0035 0.4 **0036** -1.2 **0037** $\frac{11}{9}$

0038 $x=2,\ y=\pm\sqrt{10}$

0038 $\sqrt{16}=4$의 양의 제곱근은 2이므로 $x=2$
$\sqrt{100}=10$의 제곱근은 $\pm\sqrt{10}$이므로 $y=\pm\sqrt{10}$

04 a의 제곱근과 제곱근 a

본문 ◎ 18쪽

0039 $\pm1,\ 1$ **0040** $\pm\sqrt{5},\ \sqrt{5}$

0041 $\pm\frac{1}{2},\ \frac{1}{2}$ **0042** $\pm\sqrt{\frac{1}{11}},\ \sqrt{\frac{1}{11}}$

0043 $\pm\sqrt{0.5},\ \sqrt{0.5}$ **0044** $\pm0.5,\ 0.5$

0045 ○ **0046** ○ **0047** ○ **0048** ×

0049 × **0050** ○ **0051** ×

0048 $(-3)^2=9$의 제곱근은 ±3이다.

0049 -10의 제곱근은 없다.

0051 $\sqrt{16}=4$의 제곱근은 ±2이다.

05 제곱근의 성질 (1)

본문 ◎ 19쪽

0052 $3,\ 3$ **0053** 5 **0054** $\frac{1}{2}$ **0055** 0.1

0056 3 **0057** 7 **0058** $\frac{1}{6}$ **0059** 0.4

0060 $3,\ -3$ **0061** -6 **0062** $-\frac{1}{3}$ **0063** -1.2

0064 -3 **0065** -10 **0066** $-\frac{4}{5}$ **0067** -1.4

06 제곱근의 성질 (2)

본문 ◎ 20쪽

0068 양, 2 **0069** -11 **0070** 5 **0071** -13

0072 $\frac{5}{7}$ **0073** $-\frac{9}{8}$ **0074** -0.8 **0075** $3,\ 3$

0076 -6 **0077** ±15 **0078** 0.2 **0079** -1.2

0080 $\pm\frac{7}{4}$ **0081** ⑤

0081 ①, ②, ③, ④ 7 ⑤ -7

07 제곱근의 성질을 이용한 계산

본문 ◎ 21쪽

0082 $3,\ 10$ **0083** 8 **0084** 0 **0085** 20

0086 1 **0087** -1.3 **0088** $\frac{1}{3}$ **0089** $3,\ 27$

0090 -20 **0091** 7 **0092** -6 **0093** $\frac{3}{2}$

0094 $\frac{1}{2}$ **0095** (1) 4 (2) -4

0083 $(\sqrt{5})^2+(-\sqrt{3})^2=5+3=8$

0084 $\sqrt{6^2}-\sqrt{(-6)^2}=6-6=0$

0085 $\sqrt{121}+\sqrt{81}=11+9=20$

0086 $\sqrt{64}-\sqrt{49}=8-7=1$

0087 $-\sqrt{1.44}-\sqrt{(0.1)^2}=-1.2-0.1=-1.3$

0088 $-\left(\sqrt{\frac{4}{3}}\right)^2+\sqrt{\left(\frac{5}{3}\right)^2}=-\frac{4}{3}+\frac{5}{3}=\frac{1}{3}$

0090 $-\sqrt{(-4)^2}\times\sqrt{5^2}=-4\times5=-20$

0091 $(-\sqrt{14})^2\div\sqrt{(-2)^2}=14\div2=7$

0092 $-\sqrt{\frac{16}{25}}\times\sqrt{\left(\frac{15}{2}\right)^2}=-\frac{4}{5}\times\frac{15}{2}=-6$

0093 $\sqrt{225}\div(-\sqrt{10})^2=15\div10=15\times\frac{1}{10}=\frac{3}{2}$

0094 $\sqrt{\frac{9}{16}}\times\sqrt{\left(-\frac{2}{3}\right)^2}=\frac{3}{4}\times\frac{2}{3}=\frac{1}{2}$

0095 (1) $(-\sqrt{3})^2+\sqrt{25}-\sqrt{(-4)^2}=3+5-4=4$

(2) $-\sqrt{225}\div\sqrt{(-5)^2}\times\sqrt{\left(-\frac{4}{3}\right)^2}$

$=-15\div5\times\frac{4}{3}=-3\times\frac{4}{3}=-4$

핵심 01~07 Mini Review Test

본문 ○ 22쪽

0096 ③ **0097** 1 **0098** ②, ④
0099 (1) $\pm\sqrt{6}$ (2) $\pm\sqrt{0.8}$ **0100** ②, ③ **0101** ④
0102 18 **0103** 12

0096 ① 4의 제곱근은 ±2
② 0.25의 제곱근은 ±0.5
④ 8의 제곱근은 $\pm\sqrt{8}$
⑤ $\frac{3}{5}$의 제곱근은 $\pm\sqrt{\frac{3}{5}}$

0097 $\sqrt{81}=9$의 양의 제곱근은 3이므로 $x=3$
$(-2)^2=4$의 음의 제곱근은 -2이므로 $y=-2$
$\therefore x+y=3+(-2)=1$

0098 ① 3의 제곱근은 $\pm\sqrt{3}$
② $0.\dot{1}=\frac{1}{9}$의 제곱근은 $\pm\frac{1}{3}$
③ $\frac{1}{8}$의 제곱근은 $\pm\sqrt{\frac{1}{8}}$
④ 0.01의 제곱근은 ±0.1
⑤ 0.4의 제곱근은 $\pm\sqrt{0.4}$

0099 (1) $\sqrt{36}=6$의 제곱근은 $\pm\sqrt{6}$
(2) $\sqrt{0.64}=0.8$의 제곱근은 $\pm\sqrt{0.8}$

0100 ① 제곱근 12는 $\sqrt{12}$이다.
④ -2는 4의 음의 제곱근이다.
⑤ 0의 제곱근은 0으로 1개이다.

0101 ①, ②, ③, ⑤ 5 ④ -5

0102 $A=(\sqrt{4})^2+\sqrt{(-7)^2}-(-\sqrt{81})=4+7+9=20$ ······ ❶

$B=\sqrt{12^2}\times\sqrt{\left(-\frac{1}{8}\right)^2}\div\left\{-\left(-\sqrt{\frac{3}{4}}\right)^2\right\}$

$=12\times\frac{1}{8}\div\left(-\frac{3}{4}\right)=12\times\frac{1}{8}\times\left(-\frac{4}{3}\right)=-2$ ······ ❷

$\therefore A+B=20+(-2)=18$ ······ ❸

채점 기준	배점
❶ A의 값 구하기	40 %
❷ B의 값 구하기	40 %
❸ $A+B$의 값 구하기	20 %

0103 $(\sqrt{17})^2-\sqrt{(-6)^2}\div\sqrt{\left(-\frac{4}{3}\right)^2}-\sqrt{\left(\frac{1}{2}\right)^2}$

$=17-6\div\frac{4}{3}-\frac{1}{2}=17-6\times\frac{3}{4}-\frac{1}{2}$

$=17-\frac{9}{2}-\frac{1}{2}=12$

08 문자를 포함한 식에서 근호 없애기 (1)

본문 ○ 23쪽

0104 a **0105** $3a$ **0106** $-$, a **0107** $-2a$
0108 $5a$ **0109** $-a$ **0110** $-a$ **0111** $-4a$
0112 $-a$ **0113** $5a$ **0114** $-9a$ **0115** $2a+2b$

0108 $a>0$이므로 $\sqrt{\underbrace{(2a)^2}_{\text{양수}}}+\sqrt{\underbrace{(-3a)^2}_{\text{음수}}}=2a+3a=5a$

0109 $a>0$이므로 $\sqrt{\underbrace{(-4a)^2}_{\text{음수}}}-\sqrt{\underbrace{(5a)^2}_{\text{양수}}}=4a-5a=-a$

0114 $a<0$이므로 $\sqrt{\underset{\text{양수}}{(-3a)^2}}+\sqrt{\underset{\text{음수}}{(6a)^2}}=-3a-6a=-9a$

0115 $a>0$, $b<0$이므로
$\sqrt{\underset{\text{음수}}{(-2a)^2}}+\sqrt{\underset{\text{음수}}{(3b)^2}}-\sqrt{\underset{\text{양수}}{(-5b)^2}}=2a-3b-(-5b)=2a+2b$

09 문자를 포함한 식에서 근호 없애기 (2)

본문 ○ 24쪽

0116 $a-2$ **0117** $-a+2$ **0118** $-$, $a-2$
0119 $-$, $-a-2$ **0120** $a-2$ **0121** $1-a$
0122 $a+1$ **0123** $5-a$ **0124** $a-2$
0125 x, $-x+1$, x, $-x+1$, 1 **0126** 2
0127 $-2x$

0117 $a-2>0$이므로 $-\sqrt{(a-2)^2}=-(a-2)=-a+2$

0120 $a-2<0$이므로 $-\sqrt{(a-2)^2}=-\{-(a-2)\}=a-2$

0121 $1-a>0$이므로 $\sqrt{(1-a)^2}=1-a$
[참고] $a<-2$를 만족시키는 $a=-3$을 대입하면 $1-a>0$

0122 $a+1>0$이므로 $\sqrt{(a+1)^2}=a+1$

0123 $a-5<0$이므로 $\sqrt{(a-5)^2}=-(a-5)=5-a$

0124 $2-a>0$이므로 $-\sqrt{(2-a)^2}=-(2-a)=a-2$
[참고] $a<1$을 만족시키는 $a=0$을 대입하면 $2-a>0$

0126 $-1<x<1$일 때, $x-1<0$, $x+1>0$이므로
$\sqrt{(x-1)^2}+\sqrt{(x+1)^2}=-(x-1)+x+1=2$

0127 $-2<x<2$일 때, $2-x>0$, $-2-x<0$이므로
$\sqrt{(2-x)^2}-\sqrt{(-2-x)^2}=2-x-\{-(-2-x)\}$
$=2-x-2-x=-2x$

10 제곱수를 이용하여 근호 없애기 (1)

본문 ○ 25쪽

0128 3, 3, 3 **0129** 6 **0130** 2×3^2, 2, 2 **0131** 3
0132 10 **0133** 2, 2 **0134** 5
0135 $2^2\times3$, 3 **0136** 14 **0137** 24

0129 $\sqrt{2\times3\times x}$가 자연수가 되려면 $x=2\times3\times(\text{자연수})^2$ 꼴이어야 한다. 따라서 가장 작은 자연수 x의 값은 $2\times3=6$

0131 $\sqrt{27x}=\sqrt{3^3\times x}$가 자연수가 되려면 $x=3\times(\text{자연수})^2$ 꼴이어야 한다. 따라서 가장 작은 자연수 x의 값은 3이다.

0132 $\sqrt{40x}=\sqrt{2^3\times5\times x}$가 자연수가 되려면 $x=2\times5\times(\text{자연수})^2$ 꼴이어야 한다. 따라서 가장 작은 자연수 x의 값은
$2\times5=10$

0134 $\sqrt{\dfrac{2^2\times5}{x}}$가 자연수가 되려면 $x=5$, 5×2^2이어야 한다.
따라서 가장 작은 자연수 x의 값은 5이다.

0136 $\sqrt{\dfrac{56}{x}}=\sqrt{\dfrac{2^3\times7}{x}}$이 자연수가 되려면 $x=2\times7$, $2^3\times7$이어야 한다.
따라서 가장 작은 자연수 x의 값은 $2\times7=14$

0137 $\sqrt{96x}=\sqrt{2^5\times3\times x}$가 자연수가 되려면 $x=2\times3\times(\text{자연수})^2$ 꼴이어야 한다.
따라서 가장 작은 두 자리의 자연수 x의 값은
$2\times3\times2^2=24$

11 제곱수를 이용하여 근호 없애기 (2)

본문 ○ 26쪽

0138 9, 25, 4, 20, 4 **0139** 2 **0140** 5
0141 9 **0142** 7 **0143** 4 **0144** 1, 4, 5, 2
0145 11, 8, 3 **0146** 19, 16, 11, 4
0147 35, 32, 27, 20, 11 **0148** 39, 36, 31, 24, 15, 4
0149 3

0139 $\sqrt{14+x}$가 자연수가 되려면 $14+x$는 14보다 큰 제곱수이어야 한다. 즉, $14+x=16$, 25, 36, ⋯
이때 x가 가장 작은 자연수이므로
$14+x=16$ $\therefore x=2$

0140 $\sqrt{20+x}$가 자연수가 되려면 $20+x$는 20보다 큰 제곱수이어야 한다. 즉, $20+x=25$, 36, 49, ⋯
이때 x가 가장 작은 자연수이므로
$20+x=25$ $\therefore x=5$

0141 $\sqrt{27+x}$가 자연수가 되려면 $27+x$는 27보다 큰 제곱수이어야 한다. 즉, $27+x=36$, 49, 64, ⋯
이때 x가 가장 작은 자연수이므로
$27+x=36$ $\therefore x=9$

0142 $\sqrt{42+x}$가 자연수가 되려면 $42+x$는 42보다 큰 제곱수이어야 한다. 즉, $42+x=49$, 64, 81, ⋯

이때 x가 가장 작은 자연수이므로

$42+x=49 \quad \therefore x=7$

0143 $\sqrt{60+x}$가 자연수가 되려면 $60+x$는 60보다 큰 제곱수이어야 한다. 즉, $60+x=64, 81, \cdots$

이때 x가 가장 작은 자연수이므로

$60+x=64 \quad \therefore x=4$

0145 $\sqrt{12-x}$가 자연수가 되려면 $12-x$는 12보다 작은 제곱수이어야 하므로

$12-x=1, 4, 9 \quad \therefore x=11, 8, 3$

0146 $\sqrt{20-x}$가 자연수가 되려면 $20-x$는 20보다 작은 제곱수이어야 하므로

$20-x=1, 4, 9, 16 \quad \therefore x=19, 16, 11, 4$

0147 $\sqrt{36-x}$가 자연수가 되려면 $36-x$는 36보다 작은 제곱수이어야 한다. 즉, $36-x=1, 4, 9, 16, 25$

$\therefore x=35, 32, 27, 20, 11$

0148 $\sqrt{40-x}$가 자연수가 되려면 $40-x$는 40보다 작은 제곱수이어야 한다. 즉, $40-x=1, 4, 9, 16, 25, 36$

$\therefore x=39, 36, 31, 24, 15, 4$

0149 $\sqrt{9-x}$가 정수가 되려면 $9-x$는 0 또는 9보다 작은 제곱수이어야 하므로 $9-x=0, 1, 4$

$\therefore x=9, 8, 5$

따라서 구하는 자연수 x의 개수는 3이다.

12 제곱근의 대소 관계

본문 27쪽

0150 $<, <$ **0151** $<$ **0152** $>$ **0153** $>$
0154 $>$ **0155** $<$ **0156** $>, >, >$
0157 $<$ **0158** $<$ **0159** $>$ **0160** $>$
0161 $>$

0151 $14<17$이므로 $\sqrt{14}<\sqrt{17}$

0152 $\frac{1}{5}>\frac{1}{6}$이므로 $\sqrt{\frac{1}{5}}>\sqrt{\frac{1}{6}}$

0153 $\frac{3}{4}=\frac{9}{12}, \frac{2}{3}=\frac{8}{12}$이므로 $\frac{3}{4}>\frac{2}{3} \quad \therefore \sqrt{\frac{3}{4}}>\sqrt{\frac{2}{3}}$

0154 $\sqrt{3}<\sqrt{4}$이므로 $-\sqrt{3}>-\sqrt{4}$

0155 $\frac{4}{5}=\frac{16}{20}, \frac{3}{4}=\frac{15}{20}$이므로 $\frac{4}{5}>\frac{3}{4}, \sqrt{\frac{4}{5}}>\sqrt{\frac{3}{4}}$

$\therefore -\sqrt{\frac{4}{5}}<-\sqrt{\frac{3}{4}}$

0157 $6=\sqrt{36}$이고 $\sqrt{35}<\sqrt{36}$이므로 $\sqrt{35}<6$

0158 $0.1=\sqrt{0.01}$이고 $\sqrt{0.01}<\sqrt{0.1}$이므로 $0.1<\sqrt{0.1}$

0159 $0.4=\sqrt{0.16}$이고 $\sqrt{0.4}>\sqrt{0.16}$이므로 $\sqrt{0.4}>0.4$

0160 $0.7=\sqrt{0.49}$이고 $\sqrt{4.9}>\sqrt{0.49}$이므로 $\sqrt{4.9}>0.7$

0161 $\frac{1}{6}=\sqrt{\frac{1}{36}}$이고 $\sqrt{\frac{1}{6}}>\sqrt{\frac{1}{36}}$이므로 $\sqrt{\frac{1}{6}}>\frac{1}{6}$

13 제곱근을 포함한 부등식

본문 28쪽

0162 6, 3, 4, 5 **0163** 13, 14, 15, 16
0164 2, 3, 4, 5 **0165** 3, 4, 5, 6, 7, 8
0166 11, 12, 13, 14, 15, 16 **0167** 3, 4, 5
0168 3, 9, 5, 6, 7, 8 **0169** 1, 2, 3, 4, 5, 6, 7
0170 6, 4, 2 **0171** 3, 4 **0172** 1, 2, 3 **0173** 2

0163 $\sqrt{12}<\sqrt{x}<\sqrt{17}$의 각 변을 제곱하면 $12<x<17$

따라서 부등식을 만족시키는 자연수 x의 값은 13, 14, 15, 16이다.

0164 $2\leq\sqrt{3x}\leq4$의 각 변을 제곱하면 $4\leq3x\leq16$

각 변을 3으로 나누면 $\frac{4}{3}\leq x\leq\frac{16}{3}$

따라서 부등식을 만족시키는 자연수 x의 값은 2, 3, 4, 5이다.

0165 $1<\sqrt{\frac{x}{2}}\leq2$의 각 변을 제곱하면 $1<\frac{x}{2}\leq4$

각 변에 2를 곱하면 $2<x\leq8$

따라서 부등식을 만족시키는 자연수 x의 값은

3, 4, 5, 6, 7, 8이다.

0166 $3<\sqrt{x-1}<4$의 각 변을 제곱하면 $9<x-1<16$

$\therefore 10<x<17$

따라서 부등식을 만족시키는 자연수 x의 값은

11, 12, 13, 14, 15, 16이다.

0167 $2<\sqrt{2x-1}\leq3$의 각 변을 제곱하면

$4<2x-1\leq9, 5<2x\leq10 \quad \therefore \frac{5}{2}<x\leq5$

따라서 부등식을 만족시키는 자연수 x의 값은 3, 4, 5이다.

0169 $-4<-\sqrt{2x}<-1$에서 $1<\sqrt{2x}<4$
각 변을 제곱하면 $1<2x<16$
$\therefore \frac{1}{2}<x<8$
따라서 부등식을 만족시키는 자연수 x의 값은
1, 2, 3, 4, 5, 6, 7이다.

0171 $\sqrt{8}<x<\sqrt{17}$의 각 변을 제곱하면 $8<x^2<17$이므로
$x^2=9, 16$
따라서 부등식을 만족시키는 자연수 x의 값은 3, 4이다.

0172 $1\le x<\sqrt{11}$의 각 변을 제곱하면 $1\le x^2<11$이므로
$x^2=1, 4, 9$
따라서 부등식을 만족시키는 자연수 x의 값은 1, 2, 3이다.

0173 $\sqrt{20}<x<\sqrt{50}$의 각 변을 제곱하면 $20<x^2<50$이므로
$x^2=25, 36, 49$
즉, 부등식을 만족시키는 자연수 x의 값은 5, 6, 7이다.
따라서 $M=7$, $m=5$이므로
$M-m=7-5=2$

핵심 08~13 Mini Review Test 본문 ○ 29쪽

0174 ⑤	**0175** $-2a-4b$		**0176** a
0177 ④	**0178** 13	**0179** 5	**0180** ④
0181 13			

0174 ⑤ $a<0$이므로 $-5a>0$
$\therefore (-\sqrt{-5a})^2=(\sqrt{-5a})^2=-5a$

0175 $a<0$, $b>0$이므로
$-\sqrt{(3a)^2}-\sqrt{(-4b)^2}+\sqrt{(-5a)^2}$
$=-(-3a)-\{-(-4b)\}+(-5a)$
$=3a-4b-5a=-2a-4b$

0176 $a>b$, $ab<0$이므로 $b<0<a$
$\sqrt{(-2a)^2}+\sqrt{b^2}-\sqrt{(b-a)^2}=-(-2a)-b-\{-(b-a)\}$
$=2a-b+b-a=a$

0177 $\sqrt{72x}=\sqrt{2^3\times3^2\times x}$가 자연수가 되려면
$x=2\times$(자연수)^2 꼴이어야 한다.
① $2=2\times1^2$ ② $8=2\times2^2$ ③ $18=2\times3^2$
④ $24=2\times12$ ⑤ $32=2\times4^2$
따라서 x의 값이 아닌 것은 ④ 24이다.

0178 $\sqrt{3+x}$가 자연수가 되려면 $3+x$는 3보다 큰 제곱수이어야 한다. 즉, $3+x=4, 9, 16, 25, 36, \cdots$이므로
$x=1, 6, 13, 22, 33, \cdots$
따라서 구하는 가장 작은 두 자리의 자연수 x의 값은 13이다.

0179 $\sqrt{24-x}$가 정수가 되려면 $24-x$는 0 또는 24보다 작은 제곱수이어야 하므로 $24-x=0, 1, 4, 9, 16$
$\therefore x=24, 23, 20, 15, 8$
따라서 구하는 자연수 x의 개수는 5이다.

0180 ① $0.1=\sqrt{0.01}$이고 $\sqrt{0.01}<\sqrt{0.1}$이므로
$0.1<\sqrt{0.1}$
② $-4=-\sqrt{16}$이고 $-\sqrt{16}>-\sqrt{18}$이므로
$-4>-\sqrt{18}$
③ $7=\sqrt{49}$이고 $\sqrt{50}>\sqrt{49}$이므로
$\sqrt{50}>7$
⑤ $0.5=\sqrt{0.25}$이고 $\sqrt{2.5}>\sqrt{0.25}$이므로
$\sqrt{2.5}>0.5$

0181 $3<\sqrt{2x-1}<\sqrt{15}$의 각 변을 제곱하면
$9<2x-1<15$
$10<2x<16$ $\therefore 5<x<8$ ······ ❶
즉, 부등식을 만족시키는 자연수 x의 값은 6, 7이다. ······ ❷
따라서 그 합은 $6+7=13$ ······ ❸

채점 기준	배점
❶ 부등식을 만족시키는 x의 값의 범위 구하기	40 %
❷ 자연수 x의 값 구하기	40 %
❸ 자연수 x의 값의 합 구하기	20 %

2. 무리수와 실수

01 유리수와 무리수

본문 ◎ 33쪽

0182 무 **0183** 유 **0184** 무 **0185** 유
0186 무 **0187** 유 **0188** 유 **0189** 무
0190 ○ **0191** × **0192** × **0193** ○
0194 × **0195** $\frac{\pi}{4}$, $\sqrt{0.1}$, $1.234\cdots$

0183 $\sqrt{1}=\sqrt{1^2}=1$이므로 유리수이다.

0185 $0.\dot{5}=\frac{5}{9}$이므로 유리수이다.

0187 $\sqrt{0.64}=\sqrt{(0.8)^2}=0.8$이므로 유리수이다.

0188 $(-\sqrt{2})^2=2$이므로 유리수이다.

0191 $\sqrt{\frac{1}{9}}=\sqrt{\left(\frac{1}{3}\right)^2}=\frac{1}{3}$이므로 순환하지 않는 무한소수, 즉 무리수로 나타내어지지 않는다.

0192 $-\sqrt{4}=-\sqrt{2^2}=-2$이므로 순환하지 않는 무한소수, 즉 무리수로 나타내어지지 않는다.

0194 $5-\sqrt{9}=5-3=2$이므로 순환하지 않는 무한소수, 즉 무리수로 나타내어지지 않는다.

0195 $\sqrt{(-7)^2}=7$, $\sqrt{\frac{81}{4}}=\frac{9}{2}$는 유리수이다.

02 실수의 분류

본문 ◎ 34쪽

0196 $4+\sqrt{9}$ **0197** $-\sqrt{(-2)^2}$, 0, $4+\sqrt{9}$
0198 $0.\dot{5}$, 3.14, $-\sqrt{(-2)^2}$, 0, $4+\sqrt{9}$
0199 $\sqrt{3}-1$, $\frac{\pi}{2}$, $\sqrt{0.1}$
0200 $0.\dot{5}$, 3.14, $-\sqrt{(-2)^2}$, $\sqrt{3}-1$, $\frac{\pi}{2}$, 0, $\sqrt{0.1}$, $4+\sqrt{9}$
0201 × **0202** ○ **0203** × **0204** ×
0205 ○ **0206** × **0207** ○

0196 $4+\sqrt{9}=4+3=7$이므로 자연수이다.

0197 $-\sqrt{(-2)^2}=-2$이므로 음의 정수이다.

0201 순환하는 무한소수, 즉 순환소수는 유리수이다.

0203 근호 안이 제곱수이면 유리수이다.

0204 유리수는 유한소수 또는 순환소수이다.

0205 순환하는 무한소수는 유리수이다.

0206 순환소수는 모두 유리수이다.

03 제곱근표를 이용한 제곱근의 값

본문 ◎ 35쪽

0208 2.352 **0209** 2.369 **0210** 2.396 **0211** 2.412
0212 2.429 **0213** 11.6 **0214** 12.8 **0215** 10.6
0216 13.9 **0217** 14.5

04 무리수를 수직선 위에 나타내기 (1)

본문 ◎ 36쪽

0218 2, $\sqrt{2}$, $\sqrt{2}$, $1+\sqrt{2}$ **0219** $1-\sqrt{2}$
0220 $-1+\sqrt{2}$ **0221** $-1-\sqrt{2}$
0222 $P(2+\sqrt{2})$, $Q(2-\sqrt{2})$
0223 $P(-3+\sqrt{2})$, $Q(-3-\sqrt{2})$
0224 $P(-3+\sqrt{2})$, $Q(-2-\sqrt{2})$
0225 $P(3+\sqrt{2})$, $Q(4-\sqrt{2})$

05 무리수를 수직선 위에 나타내기 (2)

본문 ◎ 37쪽

0226 2, $\sqrt{8}$, $\sqrt{8}$ **0227** $3-\sqrt{10}$
0228 $-1+\sqrt{13}$ **0229** $2-\sqrt{13}$
0230 $P(\sqrt{5})$, $Q(-\sqrt{5})$
0231 $P(-1+\sqrt{5})$, $Q(-1-\sqrt{5})$
0232 $P(\sqrt{10})$, $Q(-\sqrt{10})$
0233 $P(1+\sqrt{10})$, $Q(1-\sqrt{10})$

0227 $\overline{AC}=\sqrt{1^2+3^2}=\sqrt{10}$, 즉 점 P는 기준점 $A(3)$에서 왼쪽으로 $\sqrt{10}$만큼 떨어져 있으므로 점 P에 대응하는 수는 $3-\sqrt{10}$이다.

0228 $\overline{AC}=\sqrt{3^2+2^2}=\sqrt{13}$, 즉 점 P는 기준점 $A(-1)$에서 오른쪽으로 $\sqrt{13}$만큼 떨어져 있으므로 점 P에 대응하는 수는 $-1+\sqrt{13}$이다.

0229 $\overline{AC}=\sqrt{2^2+3^2}=\sqrt{13}$, 즉 점 P는 기준점 A(2)에서 왼쪽으로 $\sqrt{13}$만큼 떨어져 있으므로 점 P에 대응하는 수는 $2-\sqrt{13}$이다.

0230 □ABCD는 정사각형이므로 $\overline{BC}=\overline{CD}=\sqrt{2^2+1^2}=\sqrt{5}$
점 P는 기준점 C(0)에서 오른쪽으로 $\sqrt{5}$만큼 떨어져 있으므로 점 P의 좌표는 $P(\sqrt{5})$이다.
점 Q는 기준점 C(0)에서 왼쪽으로 $\sqrt{5}$만큼 떨어져 있으므로 점 Q의 좌표는 $Q(-\sqrt{5})$이다.

0231 □ABCD는 정사각형이므로 $\overline{BC}=\overline{CD}=\sqrt{1^2+2^2}=\sqrt{5}$
점 P는 기준점 C(−1)에서 오른쪽으로 $\sqrt{5}$만큼 떨어져 있으므로 점 P의 좌표는 $P(-1+\sqrt{5})$이다.
점 Q는 기준점 C(−1)에서 왼쪽으로 $\sqrt{5}$만큼 떨어져 있으므로 점 Q의 좌표는 $Q(-1-\sqrt{5})$이다.

0232 □ABCD는 정사각형이므로 $\overline{BC}=\overline{CD}=\sqrt{3^2+1^2}=\sqrt{10}$
점 P는 기준점 C(0)에서 오른쪽으로 $\sqrt{10}$만큼 떨어져 있으므로 점 P의 좌표는 $P(\sqrt{10})$이다.
점 Q는 기준점 C(0)에서 왼쪽으로 $\sqrt{10}$만큼 떨어져 있으므로 점 Q의 좌표는 $Q(-\sqrt{10})$이다.

0233 □ABCD는 정사각형이므로 $\overline{BC}=\overline{CD}=\sqrt{3^2+1^2}=\sqrt{10}$
점 P는 기준점 C(1)에서 오른쪽으로 $\sqrt{10}$만큼 떨어져 있으므로 점 P의 좌표는 $P(1+\sqrt{10})$이다.
점 Q는 기준점 C(1)에서 왼쪽으로 $\sqrt{10}$만큼 떨어져 있으므로 점 Q의 좌표는 $Q(1-\sqrt{10})$이다.

06 실수와 수직선

본문 ◎ 38쪽

0234 ○	**0235** ×	**0236** ○	**0237** ×
0238 ○	**0239** ×	**0240** ○	**0241** ○
0242 ○	**0243** ×	**0244** ○	**0245** ×

0235 $\sqrt{2}$와 $\sqrt{4}$ 사이에는 무수히 많은 무리수가 있다.

0237 0과 5 사이의 정수는 1, 2, 3, 4이다.

0239 $1-\sqrt{5}$에 대응하는 점은 수직선 위에 나타낼 수 있다.

0243 유리수와 무리수에 대응하는 점으로 수직선을 완전히 메울 수 있다.

0245 서로 다른 두 유리수 사이에는 무리수가 많다.

07 무리수의 정수 부분과 소수 부분

본문 ◎ 39쪽

0246 1, $\sqrt{3}-1$	**0247** 2, $\sqrt{8}-2$
0248 3, $\sqrt{10}-3$	**0249** 3, $\sqrt{14}-3$
0250 4, $\sqrt{18}-4$	**0251** 5, $\sqrt{27}-5$
0252 4, 5, $\sqrt{2}-1$	**0253** 5, $\sqrt{6}-2$
0254 2, $3-\sqrt{5}$	**0255** 0, $3-\sqrt{7}$
0256 1, $4-\sqrt{10}$	**0257** $x=5$, $y=\sqrt{40}-6$

0247 $\sqrt{4}<\sqrt{8}<\sqrt{9}$이므로 $2<\sqrt{8}<3$
따라서 $\sqrt{8}$의 정수 부분은 2이고, 소수 부분은 $\sqrt{8}-2$이다.

0248 $\sqrt{9}<\sqrt{10}<\sqrt{16}$이므로 $3<\sqrt{10}<4$
따라서 $\sqrt{10}$의 정수 부분은 3이고, 소수 부분은 $\sqrt{10}-3$이다.

0249 $\sqrt{9}<\sqrt{14}<\sqrt{16}$이므로 $3<\sqrt{14}<4$
따라서 $\sqrt{14}$의 정수 부분은 3이고, 소수 부분은 $\sqrt{14}-3$이다.

0250 $\sqrt{16}<\sqrt{18}<\sqrt{25}$이므로 $4<\sqrt{18}<5$
따라서 $\sqrt{18}$의 정수 부분은 4이고, 소수 부분은 $\sqrt{18}-4$이다.

0251 $\sqrt{25}<\sqrt{27}<\sqrt{36}$이므로 $5<\sqrt{27}<6$
따라서 $\sqrt{27}$의 정수 부분은 5이고, 소수 부분은 $\sqrt{27}-5$이다.

0253 $\sqrt{4}<\sqrt{6}<\sqrt{9}$이므로 $2<\sqrt{6}<3$ $\quad\therefore 5<3+\sqrt{6}<6$
따라서 $3+\sqrt{6}$의 정수 부분은 5이고, 소수 부분은 $\sqrt{6}-2$이다.

0254 $\sqrt{4}<\sqrt{5}<\sqrt{9}$이므로 $2<\sqrt{5}<3$
$-3<-\sqrt{5}<-2$ $\quad\therefore 2<5-\sqrt{5}<3$
따라서 $5-\sqrt{5}$의 정수 부분은 2이고, 소수 부분은 $3-\sqrt{5}$이다.

0255 $\sqrt{4}<\sqrt{7}<\sqrt{9}$이므로 $2<\sqrt{7}<3$
$-3<-\sqrt{7}<-2$ $\quad\therefore 0<3-\sqrt{7}<1$
따라서 $3-\sqrt{7}$의 정수 부분은 0이고, 소수 부분은 $3-\sqrt{7}$이다.

0256 $\sqrt{9}<\sqrt{10}<\sqrt{16}$이므로 $3<\sqrt{10}<4$
$-4<-\sqrt{10}<-3$ $\quad\therefore 1<5-\sqrt{10}<2$
따라서 $5-\sqrt{10}$의 정수 부분은 1이고, 소수 부분은 $4-\sqrt{10}$이다.

0257 $\sqrt{25}<\sqrt{30}<\sqrt{36}$이므로 $5<\sqrt{30}<6$ $\quad\therefore x=5$
$\sqrt{36}<\sqrt{40}<\sqrt{49}$, $6<\sqrt{40}<7$ $\quad\therefore 3<\sqrt{40}-3<4$
따라서 $\sqrt{40}-3$의 정수 부분은 3이므로 소수 부분은 $\sqrt{40}-6$이다.
$\therefore y=\sqrt{40}-6$

핵심 01~07 Mini Review Test	본문 ○ 40쪽

0258 ②, ⑤ **0259** ④ **0260** 645
0261 P$(2+\sqrt{10})$, Q$(-3-\sqrt{5})$
0262 ③, ⑤ **0263** $a=4$, $b=4-\sqrt{10}$

0258 ② $\sqrt{0.\dot{4}}=\sqrt{\frac{4}{9}}=\sqrt{\left(\frac{2}{3}\right)^2}=\frac{2}{3}$
⑤ $\pm\sqrt{1.69}=\pm\sqrt{(1.3)^2}=\pm1.3$

0259 ④ $\sqrt{3}$은 유리수가 아니므로 기약분수로 나타낼 수 없다.

0260 $a=6.099$, $b=35.1$이므로
$100a+b=609.9+35.1=645$

0261 정사각형 ㈎의 한 변의 길이는 $\sqrt{1^2+2^2}=\sqrt{5}$
점 Q는 기준점 -3에서 왼쪽으로 $\sqrt{5}$만큼 떨어져 있으므로
점 Q의 좌표는 Q$(-3-\sqrt{5})$이다.
정사각형 ㈏의 한 변의 길이는 $\sqrt{1^2+3^2}=\sqrt{10}$
점 P는 기준점 2로부터 오른쪽으로 $\sqrt{10}$만큼 떨어져 있으므로
점 P의 좌표는 P$(2+\sqrt{10})$이다.

0262 ① 순환소수는 모두 유리수이다.
② 근호 안이 제곱수이면 유리수이다.
④ 수직선은 실수에 대응하는 점으로 완전히 메울 수 있다.

0263 $2<\sqrt{6}<3$이므로 $4<2+\sqrt{6}<5$ $\quad\therefore a=4$ …… ❶
$3<\sqrt{10}<4$, $-4<-\sqrt{10}<-3$, $1<5-\sqrt{10}<2$
$\therefore b=(5-\sqrt{10})-1=4-\sqrt{10}$ …… ❷

채점 기준	배점
❶ a의 값 구하기	50 %
❷ b의 값 구하기	50 %

❷ 제곱근을 포함한 식의 계산

3. 제곱근의 곱셈과 나눗셈

01 제곱근의 곱셈

본문 ○ 45쪽

0264 5, 15 **0265** $\sqrt{42}$ **0266** 4 **0267** $\sqrt{6}$
0268 $-\sqrt{2}$ **0269** $\sqrt{30}$ **0270** $\sqrt{20}$
0271 5, 3, $15\sqrt{6}$ **0272** $-24\sqrt{7}$ **0273** $12\sqrt{10}$
0274 60 **0275** $-30\sqrt{2}$ **0276** 12 **0277** $12\sqrt{3}$

0265 $\sqrt{6}\sqrt{7}=\sqrt{6\times7}=\sqrt{42}$

0266 $\sqrt{2}\times\sqrt{8}=\sqrt{2\times8}=\sqrt{16}=\sqrt{4^2}=4$

0267 $\sqrt{\frac{1}{3}}\times\sqrt{18}=\sqrt{\frac{1}{3}\times18}=\sqrt{6}$

0268 $-\sqrt{\frac{7}{2}}\times\sqrt{\frac{4}{7}}=-\sqrt{\frac{7}{2}\times\frac{4}{7}}=-\sqrt{2}$

0269 $\sqrt{2}\times\sqrt{3}\times\sqrt{5}=\sqrt{2\times3\times5}=\sqrt{30}$

0270 $\sqrt{3}\times\sqrt{8}\times\sqrt{\frac{5}{6}}=\sqrt{3\times8\times\frac{5}{6}}=\sqrt{20}$

0272 $4\sqrt{7}\times(-6)=4\times(-6)\times\sqrt{7}=-24\sqrt{7}$

0273 $3\sqrt{2}\times4\sqrt{5}=3\times4\times\sqrt{2\times5}=12\sqrt{10}$

0274 $2\sqrt{6}\times5\sqrt{6}=2\times5\times\sqrt{6\times6}=10\sqrt{6^2}=10\times6=60$

0275 $6\sqrt{\frac{11}{4}}\times\left(-5\sqrt{\frac{8}{11}}\right)=6\times(-5)\times\sqrt{\frac{11}{4}\times\frac{8}{11}}=-30\sqrt{2}$

0276 $(-\sqrt{2.4})\times(-2\sqrt{15})=(-1)\times(-2)\times\sqrt{2.4\times15}$
$=2\sqrt{36}=2\sqrt{6^2}=2\times6=12$

0277 $4\sqrt{\frac{15}{6}}\times3\sqrt{\frac{4}{3}}\times\sqrt{0.9}=4\sqrt{\frac{15}{6}}\times3\sqrt{\frac{4}{3}}\times\sqrt{\frac{9}{10}}$
$=4\times3\times\sqrt{\frac{15}{6}\times\frac{4}{3}\times\frac{9}{10}}=12\sqrt{3}$

02 제곱근의 나눗셈 (1)

본문 46쪽

0278 6, 2 **0279** $\sqrt{3}$ **0280** 2 **0281** $-\sqrt{\frac{1}{5}}$

0282 $\sqrt{3}$ **0283** $-\sqrt{\frac{7}{2}}$ **0284** 7, $3\sqrt{2}$ **0285** -8

0286 $-2\sqrt{5}$ **0287** $4\sqrt{5}$ **0288** $3\sqrt{7}$ **0289** $-2\sqrt{\frac{2}{3}}$

0279 $\frac{\sqrt{15}}{\sqrt{5}}=\sqrt{\frac{15}{5}}=\sqrt{3}$

0280 $\sqrt{48}\div\sqrt{12}=\frac{\sqrt{48}}{\sqrt{12}}=\sqrt{\frac{48}{12}}=\sqrt{4}=2$

0281 $(-\sqrt{7})\div\sqrt{35}=-\frac{\sqrt{7}}{\sqrt{35}}=-\sqrt{\frac{7}{35}}=-\sqrt{\frac{1}{5}}$

0282 $(-\sqrt{45})\div(-\sqrt{15})=\frac{-\sqrt{45}}{-\sqrt{15}}=\sqrt{\frac{45}{15}}=\sqrt{3}$

0283 $\sqrt{42}\div(-\sqrt{12})=-\frac{\sqrt{42}}{\sqrt{12}}=-\sqrt{\frac{42}{12}}=-\sqrt{\frac{7}{2}}$

0285 $4\sqrt{52}\div(-\sqrt{13})=-\frac{4\sqrt{52}}{\sqrt{13}}=-4\sqrt{\frac{52}{13}}=-4\sqrt{4}=-8$

0286 $(-10\sqrt{60})\div5\sqrt{12}=-\frac{10\sqrt{60}}{5\sqrt{12}}=\frac{-10}{5}\sqrt{\frac{60}{12}}=-2\sqrt{5}$

0287 $24\sqrt{15}\div6\sqrt{3}=\frac{24\sqrt{15}}{6\sqrt{3}}=\frac{24}{6}\sqrt{\frac{15}{3}}=4\sqrt{5}$

0288 $(-9\sqrt{42})\div(-3\sqrt{6})=\frac{-9\sqrt{42}}{-3\sqrt{6}}=\frac{-9}{-3}\sqrt{\frac{42}{6}}=3\sqrt{7}$

0289 $(-14\sqrt{12})\div7\sqrt{18}=-\frac{14\sqrt{12}}{7\sqrt{18}}=-2\sqrt{\frac{12}{18}}=-2\sqrt{\frac{2}{3}}$

03 제곱근의 나눗셈 (2)

본문 47쪽

0290 $\sqrt{5}$, 5, 100, 10 **0291** $-\sqrt{21}$ **0292** $\frac{1}{3}$

0293 $-\sqrt{15}$ **0294** $\sqrt{10}$ **0295** $-\sqrt{6}$ **0296** 6, 6, $\sqrt{6}$

0297 $\sqrt{\frac{3}{2}}$ **0298** 2 **0299** $\frac{\sqrt{3}}{4}$ **0300** $-\frac{2\sqrt{3}}{5}$

0301 $\sqrt{6}$

0291 $(-\sqrt{7})\div\frac{1}{\sqrt{3}}=(-\sqrt{7})\times\sqrt{3}=-\sqrt{7\times3}=-\sqrt{21}$

0292 $\frac{\sqrt{2}}{\sqrt{3}}\div\sqrt{6}=\frac{\sqrt{2}}{\sqrt{3}}\times\frac{1}{\sqrt{6}}=\sqrt{\frac{2}{3\times6}}=\sqrt{\frac{1}{9}}=\frac{1}{3}$

0293 $(-\sqrt{35})\div\frac{\sqrt{14}}{\sqrt{6}}=(-\sqrt{35})\times\frac{\sqrt{6}}{\sqrt{14}}=-\sqrt{35\times\frac{6}{14}}=-\sqrt{15}$

0294 $\sqrt{26}\div\sqrt{\frac{13}{5}}=\sqrt{26}\times\sqrt{\frac{5}{13}}=\sqrt{26\times\frac{5}{13}}=\sqrt{10}$

0295 $(-\sqrt{34})\div\frac{\sqrt{17}}{\sqrt{3}}=(-\sqrt{34})\times\frac{\sqrt{3}}{\sqrt{17}}=-\sqrt{34\times\frac{3}{17}}=-\sqrt{6}$

0297 $\frac{\sqrt{3}}{\sqrt{5}}\div\frac{\sqrt{6}}{\sqrt{15}}=\frac{\sqrt{3}}{\sqrt{5}}\times\frac{\sqrt{15}}{\sqrt{6}}=\sqrt{\frac{3}{5}\times\frac{15}{6}}=\sqrt{\frac{3}{2}}$

0298 $\left(-\frac{\sqrt{20}}{\sqrt{6}}\right)\div\left(-\frac{\sqrt{10}}{\sqrt{12}}\right)=\left(-\frac{\sqrt{20}}{\sqrt{6}}\right)\times\left(-\frac{\sqrt{12}}{\sqrt{10}}\right)$

$=\sqrt{\frac{20}{6}\times\frac{12}{10}}=\sqrt{4}=2$

0299 $\frac{\sqrt{2}}{\sqrt{8}}\div\frac{2}{\sqrt{3}}=\frac{\sqrt{2}}{\sqrt{8}}\times\frac{\sqrt{3}}{2}=\frac{1}{2}\times\frac{\sqrt{3}}{2}=\frac{\sqrt{3}}{4}$

0300 $\frac{\sqrt{30}}{5}\div\left(-\frac{\sqrt{10}}{2}\right)=\frac{\sqrt{30}}{5}\times\left(-\frac{2}{\sqrt{10}}\right)=-\frac{2\sqrt{3}}{5}$

0301 $a=\sqrt{20}\div\sqrt{14}=\sqrt{20}\times\frac{1}{\sqrt{14}}=\sqrt{\frac{10}{7}}$

$b=\sqrt{\frac{22}{7}}\div\sqrt{\frac{66}{5}}=\sqrt{\frac{22}{7}}\times\sqrt{\frac{5}{66}}=\sqrt{\frac{22}{7}\times\frac{5}{66}}=\sqrt{\frac{5}{21}}$

$\therefore a\div b=\sqrt{\frac{10}{7}}\div\sqrt{\frac{5}{21}}=\sqrt{\frac{10}{7}}\times\sqrt{\frac{21}{5}}=\sqrt{\frac{10}{7}\times\frac{21}{5}}=\sqrt{6}$

04 근호가 있는 식의 변형 (1)

본문 48쪽

0302 3 **0303** $4\sqrt{3}$ **0304** $-3\sqrt{6}$ **0305** $3\sqrt{7}$

0306 $-7\sqrt{2}$ **0307** $6\sqrt{3}$ **0308** 3 **0309** $\frac{\sqrt{5}}{4}$

0310 $-\frac{\sqrt{21}}{10}$ **0311** $\frac{\sqrt{3}}{10}$ **0312** $-\frac{\sqrt{17}}{10}$ **0313** 10

0303 $\sqrt{48}=\sqrt{3\times4^2}=4\sqrt{3}$

0304 $-\sqrt{54}=-\sqrt{6\times3^2}=-3\sqrt{6}$

0305 $\sqrt{63}=\sqrt{3^2\times7}=3\sqrt{7}$

0306 $-\sqrt{98}=-\sqrt{2\times7^2}=-7\sqrt{2}$

0307 $\sqrt{108}=\sqrt{3\times6^2}=6\sqrt{3}$

0309 $\sqrt{\frac{5}{16}}=\sqrt{\frac{5}{4^2}}=\frac{\sqrt{5}}{4}$

0310 $-\sqrt{\frac{21}{100}}=-\sqrt{\frac{21}{10^2}}=-\frac{\sqrt{21}}{10}$

0311 $\sqrt{0.03}=\sqrt{\frac{3}{100}}=\sqrt{\frac{3}{10^2}}=\frac{\sqrt{3}}{10}$

0312 $-\sqrt{0.17}=-\sqrt{\frac{17}{100}}=-\sqrt{\frac{17}{10^2}}=-\frac{\sqrt{17}}{10}$

0313 $\sqrt{112}=\sqrt{4^2\times7}=4\sqrt{7}=a\sqrt{7}$ $\quad\therefore a=4$

$\sqrt{\frac{22}{72}}=\sqrt{\frac{11}{36}}=\sqrt{\frac{11}{6^2}}=\frac{\sqrt{11}}{6}=\frac{\sqrt{11}}{b}$ $\quad\therefore b=6$

$\therefore a+b=4+6=10$

05 근호가 있는 식의 변형 (2)

본문 ◎ 49쪽

0314 2, 12 **0315** $-\sqrt{24}$ **0316** $\sqrt{45}$ **0317** $\sqrt{32}$

0318 $-\sqrt{75}$ **0319** $-\sqrt{72}$ **0320** 3, 9 **0321** $-\sqrt{\frac{5}{4}}$

0322 $\sqrt{\frac{6}{25}}$ **0323** $-\sqrt{\frac{15}{49}}$ **0324** $-\sqrt{\frac{11}{100}}$ **0325** 90

0315 $-2\sqrt{6}=-\sqrt{2^2\times6}=-\sqrt{24}$

0316 $3\sqrt{5}=\sqrt{3^2\times5}=\sqrt{45}$

0317 $4\sqrt{2}=\sqrt{4^2\times2}=\sqrt{32}$

0318 $-5\sqrt{3}=-\sqrt{5^2\times3}=-\sqrt{75}$

0319 $-6\sqrt{2}=-\sqrt{6^2\times2}=-\sqrt{72}$

0321 $-\frac{\sqrt{5}}{2}=-\sqrt{\frac{5}{2^2}}=-\sqrt{\frac{5}{4}}$

0322 $\frac{\sqrt{6}}{5}=\sqrt{\frac{6}{5^2}}=\sqrt{\frac{6}{25}}$

0323 $-\frac{\sqrt{15}}{7}=-\sqrt{\frac{15}{7^2}}=-\sqrt{\frac{15}{49}}$

0324 $-\frac{\sqrt{11}}{10}=-\sqrt{\frac{11}{10^2}}=-\sqrt{\frac{11}{100}}$

0325 $4\sqrt{5}=\sqrt{4^2\times5}=\sqrt{80}=\sqrt{a}$ $\quad\therefore a=80$

$\frac{3\sqrt{2}}{4}=\frac{\sqrt{3^2\times2}}{\sqrt{4^2}}=\frac{\sqrt{18}}{\sqrt{16}}=\sqrt{\frac{9}{8}}=\sqrt{b}$ $\quad\therefore b=\frac{9}{8}$

$\therefore ab=80\times\frac{9}{8}=90$

06 분모의 유리화 (1)

본문 ◎ 50쪽

0326 $\frac{\sqrt{3}}{3}$ **0327** $\frac{\sqrt{10}}{10}$ **0328** $\sqrt{5}$, $\sqrt{5}$, $\frac{2\sqrt{5}}{5}$

0329 $\frac{3\sqrt{7}}{7}$ **0330** $\frac{2\sqrt{6}}{3}$ **0331** $-\frac{\sqrt{15}}{5}$

0332 $\sqrt{2}$, $\sqrt{2}$, $\frac{\sqrt{6}}{2}$ **0333** $\frac{\sqrt{15}}{5}$ **0334** $\frac{\sqrt{14}}{7}$

0335 $\frac{\sqrt{30}}{6}$ **0336** $\frac{\sqrt{70}}{10}$ **0337** $\frac{\sqrt{42}}{14}$

0327 $\frac{1}{\sqrt{10}}=\frac{1\times\sqrt{10}}{\sqrt{10}\times\sqrt{10}}=\frac{\sqrt{10}}{10}$

0329 $\frac{3}{\sqrt{7}}=\frac{3\times\sqrt{7}}{\sqrt{7}\times\sqrt{7}}=\frac{3\sqrt{7}}{7}$

0330 $\frac{4}{\sqrt{6}}=\frac{4\times\sqrt{6}}{\sqrt{6}\times\sqrt{6}}=\frac{4\sqrt{6}}{6}=\frac{2\sqrt{6}}{3}$

0331 $-\frac{3}{\sqrt{15}}=-\frac{3\times\sqrt{15}}{\sqrt{15}\times\sqrt{15}}=-\frac{3\sqrt{15}}{15}=-\frac{\sqrt{15}}{5}$

0333 $\frac{\sqrt{3}}{\sqrt{5}}=\frac{\sqrt{3}\times\sqrt{5}}{\sqrt{5}\times\sqrt{5}}=\frac{\sqrt{15}}{5}$

0334 $\frac{\sqrt{2}}{\sqrt{7}}=\frac{\sqrt{2}\times\sqrt{7}}{\sqrt{7}\times\sqrt{7}}=\frac{\sqrt{14}}{7}$

0335 $\frac{\sqrt{5}}{\sqrt{6}}=\frac{\sqrt{5}\times\sqrt{6}}{\sqrt{6}\times\sqrt{6}}=\frac{\sqrt{30}}{6}$

0336 $\sqrt{\frac{7}{10}}=\frac{\sqrt{7}}{\sqrt{10}}=\frac{\sqrt{7}\times\sqrt{10}}{\sqrt{10}\times\sqrt{10}}=\frac{\sqrt{70}}{10}$

0337 $\sqrt{\frac{3}{14}}=\frac{\sqrt{3}}{\sqrt{14}}=\frac{\sqrt{3}\times\sqrt{14}}{\sqrt{14}\times\sqrt{14}}=\frac{\sqrt{42}}{14}$

07 분모의 유리화 (2)

본문 ○ 51쪽

0338 $\sqrt{5}$, $\sqrt{5}$, $\frac{\sqrt{5}}{10}$ **0339** $\frac{5\sqrt{2}}{6}$ **0340** $\frac{\sqrt{15}}{6}$

0341 $\frac{\sqrt{42}}{18}$ **0342** $\frac{\sqrt{10}}{2}$ **0343** $\frac{2\sqrt{15}}{9}$

0344 $\sqrt{2}$, $\sqrt{2}$, $\frac{\sqrt{2}}{4}$ **0345** $\frac{2\sqrt{3}}{3}$ **0346** $\frac{3\sqrt{5}}{10}$

0347 $\frac{\sqrt{42}}{6}$ **0348** $\frac{\sqrt{15}}{6}$ **0349** $\frac{5}{2}$

0339 $\frac{5}{3\sqrt{2}}=\frac{5\times\sqrt{2}}{3\sqrt{2}\times\sqrt{2}}=\frac{5\sqrt{2}}{6}$

0340 $\frac{\sqrt{5}}{2\sqrt{3}}=\frac{\sqrt{5}\times\sqrt{3}}{2\sqrt{3}\times\sqrt{3}}=\frac{\sqrt{15}}{6}$

0341 $\frac{\sqrt{7}}{3\sqrt{6}}=\frac{\sqrt{7}\times\sqrt{6}}{3\sqrt{6}\times\sqrt{6}}=\frac{\sqrt{42}}{18}$

0342 $\frac{5\sqrt{2}}{2\sqrt{5}}=\frac{5\sqrt{2}\times\sqrt{5}}{2\sqrt{5}\times\sqrt{5}}=\frac{5\sqrt{10}}{10}=\frac{\sqrt{10}}{2}$

0343 $\frac{2\sqrt{5}}{3\sqrt{3}}=\frac{2\sqrt{5}\times\sqrt{3}}{3\sqrt{3}\times\sqrt{3}}=\frac{2\sqrt{15}}{9}$

0345 $\frac{4}{\sqrt{12}}=\frac{4}{2\sqrt{3}}=\frac{2}{\sqrt{3}}=\frac{2\times\sqrt{3}}{\sqrt{3}\times\sqrt{3}}=\frac{2\sqrt{3}}{3}$

0346 $\frac{3}{\sqrt{20}}=\frac{3}{2\sqrt{5}}=\frac{3\times\sqrt{5}}{2\sqrt{5}\times\sqrt{5}}=\frac{3\sqrt{5}}{10}$

0347 $\frac{2\sqrt{7}}{\sqrt{24}}=\frac{2\sqrt{7}}{2\sqrt{6}}=\frac{\sqrt{7}}{\sqrt{6}}=\frac{\sqrt{7}\times\sqrt{6}}{\sqrt{6}\times\sqrt{6}}=\frac{\sqrt{42}}{6}$

0348 $\frac{2\sqrt{5}}{\sqrt{48}}=\frac{2\sqrt{5}}{4\sqrt{3}}=\frac{\sqrt{5}}{2\sqrt{3}}=\frac{\sqrt{5}\times\sqrt{3}}{2\sqrt{3}\times\sqrt{3}}=\frac{\sqrt{15}}{6}$

0349 $\frac{2\sqrt{5}}{\sqrt{32}}=\frac{2\sqrt{5}}{4\sqrt{2}}=\frac{\sqrt{5}}{2\sqrt{2}}=\frac{\sqrt{5}\times\sqrt{2}}{2\sqrt{2}\times\sqrt{2}}=\frac{\sqrt{10}}{4}=a\sqrt{10}$ $\quad\therefore a=\frac{1}{4}$

$\frac{\sqrt{2}}{2\sqrt{10}}=\frac{\sqrt{2}\times\sqrt{10}}{2\sqrt{10}\times\sqrt{10}}=\frac{\sqrt{20}}{20}=\frac{2\sqrt{5}}{20}=\frac{\sqrt{5}}{10}=\frac{\sqrt{5}}{b}$ $\quad\therefore b=10$

$\therefore ab=\frac{1}{4}\times 10=\frac{5}{2}$

08 제곱근의 곱셈과 나눗셈

본문 ○ 52쪽

0350 2, 2, $6\sqrt{6}$ **0351** $8\sqrt{5}$ **0352** $15\sqrt{6}$

0353 $14\sqrt{5}$ **0354** $2\sqrt{15}$ **0355** $15\sqrt{10}$

0356 2, $\sqrt{3}$, $\sqrt{3}$, $\frac{\sqrt{6}}{2}$ **0357** $\frac{3\sqrt{2}}{2}$ **0358** $2\sqrt{2}$

0359 $\frac{\sqrt{7}}{14}$ **0360** $\sqrt{6}$ **0361** $\sqrt{3}$

0351 $2\sqrt{2}\times\sqrt{40}=2\sqrt{2}\times2\sqrt{10}=4\sqrt{20}=4\times2\sqrt{5}=8\sqrt{5}$

0352 $\sqrt{27}\times\sqrt{50}=3\sqrt{3}\times5\sqrt{2}=15\sqrt{6}$

0353 $\sqrt{28}\times\sqrt{35}=2\sqrt{7}\times\sqrt{5\times7}=14\sqrt{5}$

0354 $\sqrt{10}\times\sqrt{3}\times\sqrt{2}=\sqrt{10\times3\times2}=\sqrt{60}=\sqrt{2^2\times15}=2\sqrt{15}$

0355 $\sqrt{20}\times\frac{\sqrt{75}}{2}\times\sqrt{6}=2\sqrt{5}\times\frac{5\sqrt{3}}{2}\times\sqrt{6}=5\sqrt{90}=5\times3\sqrt{10}=15\sqrt{10}$

0357 $\sqrt{63}\div\sqrt{14}=3\sqrt{7}\div\sqrt{14}=\frac{3\sqrt{7}}{\sqrt{14}}=\frac{3}{\sqrt{2}}=\frac{3\times\sqrt{2}}{\sqrt{2}\times\sqrt{2}}=\frac{3\sqrt{2}}{2}$

0358 $\sqrt{96}\div2\sqrt{3}=4\sqrt{6}\div2\sqrt{3}=\frac{4\sqrt{6}}{2\sqrt{3}}=2\sqrt{2}$

0359 $\sqrt{75}\div10\sqrt{21}=5\sqrt{3}\div10\sqrt{21}=\frac{5\sqrt{3}}{10\sqrt{21}}=\frac{1}{2\sqrt{7}}$

$=\frac{1\times\sqrt{7}}{2\sqrt{7}\times\sqrt{7}}=\frac{\sqrt{7}}{14}$

0360 $4\sqrt{15}\div\sqrt{40}=4\sqrt{15}\div2\sqrt{10}=\frac{4\sqrt{15}}{2\sqrt{10}}=\frac{2\sqrt{15}}{\sqrt{10}}=2\sqrt{\frac{3}{2}}$

$=\frac{2\sqrt{3}\times\sqrt{2}}{\sqrt{2}\times\sqrt{2}}=\sqrt{6}$

0361 $3\sqrt{18}\div\sqrt{54}=9\sqrt{2}\div3\sqrt{6}=\frac{9\sqrt{2}}{3\sqrt{6}}=\frac{3}{\sqrt{3}}=\frac{3\times\sqrt{3}}{\sqrt{3}\times\sqrt{3}}=\sqrt{3}$

09 제곱근의 곱셈과 나눗셈의 혼합 계산

본문 ○ 53쪽

0362 6, 6, 8, 2, 6 **0363** $\sqrt{3}$ **0364** $\frac{\sqrt{2}}{2}$

0365 $-2\sqrt{2}$ **0366** $\sqrt{6}$ **0367** $-12\sqrt{6}$ **0368** $\frac{\sqrt{42}}{7}$

0369 $\frac{4\sqrt{5}}{5}$ **0370** $-\frac{\sqrt{2}}{15}$ **0371** $-\frac{4\sqrt{5}}{5}$ **0372** $2\sqrt{2}$ cm

0363 $\sqrt{7}\times\sqrt{6}\div\sqrt{14}=\sqrt{7}\times\sqrt{6}\times\frac{1}{\sqrt{14}}=\sqrt{7\times6\times\frac{1}{14}}=\sqrt{3}$

0364 $\sqrt{5}\div\sqrt{20}\times\sqrt{2}=\sqrt{5}\times\frac{1}{2\sqrt{5}}\times\sqrt{2}=\frac{1}{2}\times\sqrt{5\times\frac{1}{5}\times2}=\frac{\sqrt{2}}{2}$

0365 $-\frac{\sqrt{14}}{\sqrt{2}}\times\frac{\sqrt{6}}{3}\div\frac{\sqrt{7}}{\sqrt{12}}=-\frac{\sqrt{14}}{\sqrt{2}}\times\frac{\sqrt{6}}{3}\times\frac{2\sqrt{3}}{\sqrt{7}}$

$=-\frac{2}{3}\times\sqrt{\frac{14}{2}\times6\times\frac{3}{7}}$

$=-\frac{2}{3}\sqrt{18}=-2\sqrt{2}$

0366 $3\sqrt{2}\times\sqrt{5}\div\sqrt{15}=3\sqrt{2}\times\sqrt{5}\times\frac{1}{\sqrt{15}}$

$=3\sqrt{2\times5\times\frac{1}{15}}=3\sqrt{\frac{2}{3}}$

$=\frac{3\sqrt{2}\times\sqrt{3}}{\sqrt{3}\times\sqrt{3}}=\frac{3\sqrt{6}}{3}=\sqrt{6}$

0367 $(-\sqrt{24})\div\frac{\sqrt{2}}{3}\times\sqrt{8}=(-2\sqrt{6})\times\frac{3}{\sqrt{2}}\times2\sqrt{2}$

$=(-2)\times3\times2\times\sqrt{6\times\frac{1}{2}\times2}$

$=-12\sqrt{6}$

0368 $\sqrt{3}\div\sqrt{7}\times\sqrt{2}=\sqrt{3}\times\frac{1}{\sqrt{7}}\times\sqrt{2}=\sqrt{3\times\frac{1}{7}\times2}$

$=\sqrt{\frac{6}{7}}=\frac{\sqrt{6}\times\sqrt{7}}{\sqrt{7}\times\sqrt{7}}=\frac{\sqrt{42}}{7}$

0369 $\sqrt{12}\times\sqrt{8}\div\sqrt{30}=2\sqrt{3}\times2\sqrt{2}\times\frac{1}{\sqrt{30}}$

$=2\times2\times\sqrt{3\times2\times\frac{1}{30}}=\frac{4}{\sqrt{5}}=\frac{4\sqrt{5}}{5}$

0370 $\left(-\frac{1}{\sqrt{3}}\right)\div\left(-\frac{3\sqrt{5}}{\sqrt{2}}\right)\times\left(-\frac{\sqrt{6}}{\sqrt{10}}\right)$

$=\left(-\frac{1}{\sqrt{3}}\right)\times\left(-\frac{\sqrt{2}}{3\sqrt{5}}\right)\times\left(-\frac{\sqrt{6}}{\sqrt{10}}\right)$

$=-\frac{1}{3}\times\sqrt{\frac{1}{3}\times\frac{2}{5}\times\frac{6}{10}}=-\frac{1}{3}\sqrt{\frac{2}{25}}=\frac{\sqrt{2}}{15}$

0371 $\frac{4}{3\sqrt{6}}\times\left(-\frac{\sqrt{18}}{2}\right)\div\frac{\sqrt{15}}{6}=\frac{4}{3\sqrt{6}}\times\left(-\frac{3\sqrt{2}}{2}\right)\times\frac{6}{\sqrt{15}}$

$=-\frac{4}{3}\times\frac{3}{2}\times6\times\sqrt{\frac{1}{6}\times2\times\frac{1}{15}}$

$=-\frac{12}{\sqrt{45}}=-\frac{12}{3\sqrt{5}}=-\frac{4}{\sqrt{5}}$

$=-\frac{4\sqrt{5}}{5}$

0372 (직육면체의 부피)$=2\sqrt{3}\times3\sqrt{6}\times$(높이)$=72\ (\text{cm}^3)$

$18\sqrt{2}\times$(높이)$=72$

$\therefore$ (높이)$=\frac{72}{18\sqrt{2}}=\frac{4}{\sqrt{2}}=\frac{4\sqrt{2}}{2}=2\sqrt{2}\ (\text{cm})$

10 제곱근표에 없는 제곱근의 값 구하기

본문 ◎ 54쪽

0373 100, 10, 10, 14.14 **0374** 44.72 **0375** 141.4
0376 100, 10, 10, 0.4472 **0377** 0.1414 **0378** 0.04472
0379 18 **0380** 56.92 **0381** 180 **0382** 0.5692
0383 0.18 **0384** 96.9

0374 $\sqrt{2000}=\sqrt{20\times100}=10\sqrt{20}=10\times4.472=44.72$

0375 $\sqrt{20000}=\sqrt{2\times10000}=100\sqrt{2}=100\times1.414=141.4$

0377 $\sqrt{0.02}=\sqrt{\frac{2}{100}}=\frac{\sqrt{2}}{10}=\frac{1.414}{10}=0.1414$

0378 $\sqrt{0.002}=\sqrt{\frac{20}{10000}}=\frac{\sqrt{20}}{100}=\frac{4.472}{100}=0.04472$

0379 $\sqrt{324}=\sqrt{3.24\times100}=10\sqrt{3.24}=10\times1.8=18$

0380 $\sqrt{3240}=\sqrt{32.4\times100}=10\sqrt{32.4}=10\times5.692=56.92$

0381 $\sqrt{32400}=\sqrt{3.24\times10000}=100\sqrt{3.24}=100\times1.8=180$

0382 $\sqrt{0.324}=\sqrt{\frac{32.4}{100}}=\frac{\sqrt{32.4}}{10}=\frac{5.692}{10}=0.5692$

0383 $\sqrt{0.0324}=\sqrt{\frac{3.24}{100}}=\frac{\sqrt{3.24}}{10}=\frac{1.8}{10}=0.18$

0384 $\sqrt{542}=\sqrt{5.42\times100}=10\sqrt{5.42}=10\times2.328=23.28$

$\sqrt{5420}=\sqrt{54.2\times100}=10\sqrt{54.2}=10\times7.362=73.62$

$\therefore\ \sqrt{542}+\sqrt{5420}=23.28+73.62=96.9$

핵심 01~10 Mini Review Test

본문 ◎ 55쪽

0385 $-8\sqrt{21}$ **0386** ⑤ **0387** $3\sqrt{3}$ **0388** 25
0389 ④ **0390** 20 **0391** $\frac{3\sqrt{10}}{2}$ cm
0392 895.24

0385 $4\sqrt{5}\times\sqrt{0.\dot{7}}\times(-2\sqrt{6})=4\sqrt{5}\times\sqrt{\frac{7}{10}}\times(-2\sqrt{6})$

$=4\times(-2)\times\sqrt{5\times\frac{7}{10}\times6}$

$=-8\sqrt{21}$

0386 ⑤ $\frac{\sqrt{5}}{6}\div\frac{3}{\sqrt{10}}=\frac{\sqrt{5}}{6}\times\frac{\sqrt{10}}{3}=\frac{\sqrt{50}}{18}=\frac{5\sqrt{2}}{18}$

0387 $\frac{\sqrt{54}}{5}\div\frac{\sqrt{3}}{\sqrt{10}}\div\frac{2}{\sqrt{15}}=\frac{3\sqrt{6}}{5}\times\frac{\sqrt{10}}{\sqrt{3}}\times\frac{\sqrt{15}}{2}$

$=\frac{3}{5}\times\frac{1}{2}\times\sqrt{6\times\frac{10}{3}\times15}$

$=\frac{3}{10}\times\sqrt{300}=3\sqrt{3}$

0388 $\sqrt{208}=\sqrt{4^2\times13}=4\sqrt{13}=a\sqrt{13}$ $\quad\therefore a=4$

$\sqrt{\frac{112}{3}}=\sqrt{\frac{4^2\times7}{3}}=\frac{4\sqrt{7}\times\sqrt{3}}{\sqrt{3}\times\sqrt{3}}=\frac{4\sqrt{21}}{3}=\frac{4\sqrt{b}}{3}$

$\therefore b=21$

$\therefore a+b=4+21=25$

0389 ① $4\sqrt{3}=\sqrt{4^2\times3}=\sqrt{48}$

② $5\sqrt{2}=\sqrt{5^2\times2}=\sqrt{50}$

③ $3\sqrt{5}=\sqrt{3^2\times5}=\sqrt{45}$

④ $3\sqrt{7}=\sqrt{3^2\times7}=\sqrt{63}$

⑤ $2\sqrt{15}=\sqrt{2^2\times15}=\sqrt{60}$

0390 $\frac{3\sqrt{5}}{7\sqrt{6}}=\frac{3\sqrt{5}\times\sqrt{6}}{7\sqrt{6}\times\sqrt{6}}=\frac{3\sqrt{30}}{42}=\frac{\sqrt{30}}{14}=\frac{\sqrt{30}}{a}$

$\therefore a=14$

$\frac{\sqrt{5}}{\sqrt{12}}=\frac{\sqrt{5}}{2\sqrt{3}}=\frac{\sqrt{5}\times\sqrt{3}}{2\sqrt{3}\times\sqrt{3}}=\frac{\sqrt{15}}{6}=\frac{\sqrt{15}}{b}$

$\therefore b=6 \quad \therefore a+b=20$

0391 (직육면체의 부피)$=3\sqrt{2}\times2\sqrt{5}\times$(높이)$=90\,(\text{cm}^3)$ ······ ❶

$6\sqrt{10}\times$(높이)$=90$

$\therefore$ (높이)$=\frac{90}{6\sqrt{10}}=\frac{90\sqrt{10}}{60}=\frac{3\sqrt{10}}{2}\,(\text{cm})$ ······ ❷

채점 기준	배점
❶ 직육면체의 부피에 대한 식 세우기	30 %
❷ 직육면체의 높이 구하기	70 %

0392 $\sqrt{753}=\sqrt{7.53\times100}=10\sqrt{7.53}=27.44$

$\sqrt{753000}=\sqrt{75.3\times10000}=100\sqrt{75.3}=867.8$

$\therefore \sqrt{753}+\sqrt{753000}=27.44+867.8=895.24$

4. 제곱근의 덧셈과 뺄셈

01 제곱근의 덧셈과 뺄셈 (1)

본문 ◎ 59쪽

0393 3, $5\sqrt{3}$ **0394** $6\sqrt{5}$ **0395** 6, $-2\sqrt{7}$

0396 $-8\sqrt{6}$ **0397** $-\frac{\sqrt{2}}{4}$ **0398** $-\frac{11\sqrt{10}}{12}$

0399 1, $9\sqrt{2}$ **0400** $4\sqrt{3}$ **0401** $-10\sqrt{7}$ **0402** $\sqrt{6}$

0403 $\sqrt{5}$ **0404** $\frac{\sqrt{11}}{4}$

0394 $2\sqrt{5}+4\sqrt{5}=(2+4)\sqrt{5}=6\sqrt{5}$

0396 $-11\sqrt{6}+3\sqrt{6}=(-11+3)\sqrt{6}=-8\sqrt{6}$

0397 $-\frac{\sqrt{2}}{2}+\frac{\sqrt{2}}{4}=-\frac{2\sqrt{2}}{4}+\frac{\sqrt{2}}{4}=-\frac{\sqrt{2}}{4}$

0398 $-\frac{\sqrt{10}}{4}-\frac{2\sqrt{10}}{3}=-\frac{3\sqrt{10}}{12}-\frac{8\sqrt{10}}{12}=-\frac{11\sqrt{10}}{12}$

0400 $7\sqrt{3}-5\sqrt{3}+2\sqrt{3}=(7-5+2)\sqrt{3}=4\sqrt{3}$

0401 $\sqrt{7}-5\sqrt{7}-6\sqrt{7}=(1-5-6)\sqrt{7}=-10\sqrt{7}$

0402 $9\sqrt{6}-3\sqrt{6}-5\sqrt{6}=(9-3-5)\sqrt{6}=\sqrt{6}$

0403 $\frac{2\sqrt{5}}{3}+\frac{\sqrt{5}}{2}-\frac{\sqrt{5}}{6}=\frac{4\sqrt{5}}{6}+\frac{3\sqrt{5}}{6}-\frac{\sqrt{5}}{6}$

$=\left(\frac{4}{6}+\frac{3}{6}-\frac{1}{6}\right)\sqrt{5}$

$=\sqrt{5}$

0404 $\frac{\sqrt{11}}{3}-\frac{\sqrt{11}}{4}+\frac{\sqrt{11}}{6}=\frac{4\sqrt{11}}{12}-\frac{3\sqrt{11}}{12}+\frac{2\sqrt{11}}{12}$

$=\left(\frac{4}{12}-\frac{3}{12}+\frac{2}{12}\right)\sqrt{11}$

$=\frac{3\sqrt{11}}{12}=\frac{\sqrt{11}}{4}$

02 제곱근의 덧셈과 뺄셈 (2)

본문 ◎ 60쪽

0405 5, 1, $8\sqrt{2}+5\sqrt{3}$
0406 $5\sqrt{2}-3\sqrt{5}$
0407 $4\sqrt{7}+2\sqrt{3}$
0408 $-2\sqrt{6}+\sqrt{2}$
0409 $4\sqrt{10}-4\sqrt{5}$
0410 $-3\sqrt{3}+5\sqrt{11}$
0411 $-2\sqrt{6}+\sqrt{3}$
0412 $4\sqrt{14}-9\sqrt{5}$
0413 $-\frac{\sqrt{2}}{2}+\frac{\sqrt{6}}{6}$
0414 $-\frac{\sqrt{10}}{10}+\frac{5\sqrt{15}}{6}$
0415 $\frac{5\sqrt{7}}{12}+\frac{2\sqrt{14}}{15}$
0416 $\frac{\sqrt{5}+7\sqrt{15}}{12}$

0406 $4\sqrt{2}-3\sqrt{5}+\sqrt{2}=(4+1)\sqrt{2}-3\sqrt{5}=5\sqrt{2}-3\sqrt{5}$

0407 $-\sqrt{7}+2\sqrt{3}+5\sqrt{7}=(-1+5)\sqrt{7}+2\sqrt{3}=4\sqrt{7}+2\sqrt{3}$

0408 $\sqrt{6}-7\sqrt{2}-3\sqrt{6}+8\sqrt{2}=(1-3)\sqrt{6}+(-7+8)\sqrt{2}$
$=-2\sqrt{6}+\sqrt{2}$

0409 $\sqrt{10}+\sqrt{5}-5\sqrt{5}+3\sqrt{10}=(1+3)\sqrt{10}+(1-5)\sqrt{5}$
$=4\sqrt{10}-4\sqrt{5}$

0410 $3\sqrt{3}+4\sqrt{11}+\sqrt{11}-6\sqrt{3}=(3-6)\sqrt{3}+(4+1)\sqrt{11}$
$=-3\sqrt{3}+5\sqrt{11}$

0411 $2\sqrt{6}+4\sqrt{3}-4\sqrt{6}-3\sqrt{3}=(2-4)\sqrt{6}+(4-3)\sqrt{3}$
$=-2\sqrt{6}+\sqrt{3}$

0412 $6\sqrt{14}-10\sqrt{5}-2\sqrt{14}+\sqrt{5}=(6-2)\sqrt{14}+(-10+1)\sqrt{5}$
$=4\sqrt{14}-9\sqrt{5}$

0413 $\frac{3\sqrt{2}}{2}-\frac{5\sqrt{6}}{6}-2\sqrt{2}+\sqrt{6}=\left(\frac{3\sqrt{2}}{2}-\frac{4\sqrt{2}}{2}\right)+\left(-\frac{5\sqrt{6}}{6}+\frac{6\sqrt{6}}{6}\right)$
$=-\frac{\sqrt{2}}{2}+\frac{\sqrt{6}}{6}$

0414 $\frac{\sqrt{10}}{2}+\frac{2\sqrt{15}}{3}-\frac{3\sqrt{10}}{5}+\frac{\sqrt{15}}{6}$
$=\left(\frac{5\sqrt{10}}{10}-\frac{6\sqrt{10}}{10}\right)+\left(\frac{4\sqrt{15}}{6}+\frac{\sqrt{15}}{6}\right)$
$=-\frac{\sqrt{10}}{10}+\frac{5\sqrt{15}}{6}$

0415 $\frac{3\sqrt{7}}{4}+\frac{\sqrt{14}}{5}-\frac{\sqrt{14}}{15}-\frac{\sqrt{7}}{3}$
$=\left(\frac{9\sqrt{7}}{12}-\frac{4\sqrt{7}}{12}\right)+\left(\frac{3\sqrt{14}}{15}-\frac{\sqrt{14}}{15}\right)$
$=\frac{5\sqrt{7}}{12}+\frac{2\sqrt{14}}{15}$

0416 $\frac{\sqrt{5}+\sqrt{15}}{3}-\frac{\sqrt{5}-\sqrt{15}}{4}=\frac{4\sqrt{5}+4\sqrt{15}-3\sqrt{5}+3\sqrt{15}}{12}$
$=\frac{\sqrt{5}+7\sqrt{15}}{12}$

03 제곱근의 덧셈과 뺄셈 (3)

본문 ◎ 61쪽

0417 2, 3, $5\sqrt{3}$
0418 $5\sqrt{7}$
0419 $-\sqrt{6}$
0420 $-\sqrt{10}$
0421 $2\sqrt{2}$
0422 $4\sqrt{5}$
0423 -4, 8, $6\sqrt{2}-2\sqrt{3}$
0424 $3\sqrt{2}+9\sqrt{3}$
0425 $13\sqrt{2}-2\sqrt{6}$
0426 $\sqrt{2}-3\sqrt{6}$
0427 $3\sqrt{13}+5\sqrt{5}$
0428 14

0418 $\sqrt{28}+\sqrt{63}=2\sqrt{7}+3\sqrt{7}=5\sqrt{7}$

0419 $\sqrt{24}-\sqrt{54}=2\sqrt{6}-3\sqrt{6}=-\sqrt{6}$

0420 $-\sqrt{40}-\sqrt{90}+4\sqrt{10}=-2\sqrt{10}-3\sqrt{10}+4\sqrt{10}=-\sqrt{10}$

0421 $\sqrt{18}+\sqrt{50}-\sqrt{72}=3\sqrt{2}+5\sqrt{2}-6\sqrt{2}$
$=(3+5-6)\sqrt{2}=2\sqrt{2}$

0422 $3\sqrt{5}-\sqrt{125}+\sqrt{180}=3\sqrt{5}-5\sqrt{5}+6\sqrt{5}$
$=(3-5+6)\sqrt{5}=4\sqrt{5}$

0424 $\sqrt{98}+\sqrt{108}-\sqrt{32}+\sqrt{27}=7\sqrt{2}+6\sqrt{3}-4\sqrt{2}+3\sqrt{3}$
$=(7-4)\sqrt{2}+(6+3)\sqrt{3}$
$=3\sqrt{2}+9\sqrt{3}$

0425 $2\sqrt{18}+\sqrt{24}+\sqrt{98}-\sqrt{96}=6\sqrt{2}+2\sqrt{6}+7\sqrt{2}-4\sqrt{6}$
$=(6+7)\sqrt{2}+(2-4)\sqrt{6}$
$=13\sqrt{2}-2\sqrt{6}$

0426 $3\sqrt{8}+\sqrt{54}-\sqrt{216}-5\sqrt{2}=6\sqrt{2}+3\sqrt{6}-6\sqrt{6}-5\sqrt{2}$
$=(6-5)\sqrt{2}+(3-6)\sqrt{6}$
$=\sqrt{2}-3\sqrt{6}$

0427 $\sqrt{13}-\sqrt{45}+2\sqrt{80}+\sqrt{52}=\sqrt{13}-3\sqrt{5}+8\sqrt{5}+2\sqrt{13}$
$=(1+2)\sqrt{13}+(-3+8)\sqrt{5}$
$=3\sqrt{13}+5\sqrt{5}$

0428 $2\sqrt{75}+\sqrt{72}+\sqrt{147}-3\sqrt{18}=10\sqrt{3}+6\sqrt{2}+7\sqrt{3}-9\sqrt{2}$
$=(10+7)\sqrt{3}+(6-9)\sqrt{2}$
$=17\sqrt{3}-3\sqrt{2}$
따라서 $a=-3$, $b=17$이므로 $a+b=-3+17=14$

04 제곱근의 덧셈과 뺄셈 (4)

본문 ◎ 62쪽

0429 $\sqrt{3}$, $\sqrt{3}$, $2\sqrt{3}$, $2\sqrt{3}$, $6\sqrt{3}$ **0430** $-3\sqrt{2}$ **0431** $\frac{4\sqrt{10}}{5}$

0432 $\frac{\sqrt{2}}{2}$ **0433** $-\frac{\sqrt{14}}{21}$ **0434** $\frac{7\sqrt{6}}{6}$

0435 $2\sqrt{3}+5\sqrt{5}$ **0436** $5\sqrt{6}+\sqrt{3}$

0437 $-2\sqrt{2}$ **0438** $-11\sqrt{6}+14\sqrt{2}$

0439 $-3\sqrt{10}+6\sqrt{2}$ **0440** $\sqrt{30}+\frac{\sqrt{6}}{3}$

0430 $\frac{4}{\sqrt{2}}-5\sqrt{2}=\frac{4\sqrt{2}}{2}-5\sqrt{2}=2\sqrt{2}-5\sqrt{2}=-3\sqrt{2}$

0431 $-\frac{\sqrt{2}}{\sqrt{5}}+\sqrt{10}=-\frac{\sqrt{10}}{5}+\frac{5\sqrt{10}}{5}=\frac{4\sqrt{10}}{5}$

0432 $\frac{4}{\sqrt{8}}-\frac{1}{\sqrt{2}}=\frac{4}{2\sqrt{2}}-\frac{1}{\sqrt{2}}=\frac{2}{\sqrt{2}}-\frac{1}{\sqrt{2}}=\frac{2\sqrt{2}}{2}-\frac{\sqrt{2}}{2}=\frac{\sqrt{2}}{2}$

0433 $-\frac{2}{\sqrt{14}}-\frac{\sqrt{2}}{3\sqrt{7}}+\frac{\sqrt{14}}{7}=-\frac{2\sqrt{14}}{14}-\frac{\sqrt{14}}{21}+\frac{\sqrt{14}}{7}$

$=-\frac{\sqrt{14}}{7}-\frac{\sqrt{14}}{21}+\frac{\sqrt{14}}{7}=-\frac{\sqrt{14}}{21}$

0434 $\frac{12}{\sqrt{6}}-\frac{6}{\sqrt{24}}-\frac{\sqrt{2}}{\sqrt{3}}=\frac{12\sqrt{6}}{6}-\frac{6}{2\sqrt{6}}-\frac{\sqrt{6}}{3}$

$=\frac{12\sqrt{6}}{6}-\frac{3\sqrt{6}}{6}-\frac{2\sqrt{6}}{6}=\frac{7\sqrt{6}}{6}$

0435 $\sqrt{27}+\sqrt{45}-\frac{3}{\sqrt{3}}+\frac{10}{\sqrt{5}}=3\sqrt{3}+3\sqrt{5}-\frac{3\sqrt{3}}{3}+\frac{10\sqrt{5}}{5}$

$=3\sqrt{3}+3\sqrt{5}-\sqrt{3}+2\sqrt{5}$

$=(3-1)\sqrt{3}+(3+2)\sqrt{5}$

$=2\sqrt{3}+5\sqrt{5}$

0436 $\frac{6}{\sqrt{6}}-\frac{9}{\sqrt{3}}+\sqrt{48}+\sqrt{96}=\frac{6\sqrt{6}}{6}-\frac{9\sqrt{3}}{3}+4\sqrt{3}+4\sqrt{6}$

$=\sqrt{6}-3\sqrt{3}+4\sqrt{3}+4\sqrt{6}$

$=(1+4)\sqrt{6}+(-3+4)\sqrt{3}$

$=5\sqrt{6}+\sqrt{3}$

0437 $-\frac{8}{\sqrt{32}}-\frac{9}{\sqrt{18}}+\frac{2}{\sqrt{8}}=-\frac{8}{4\sqrt{2}}-\frac{9}{3\sqrt{2}}+\frac{2}{2\sqrt{2}}$

$=-\frac{2}{\sqrt{2}}-\frac{3}{\sqrt{2}}+\frac{1}{\sqrt{2}}$

$=-\sqrt{2}-\frac{3\sqrt{2}}{2}+\frac{\sqrt{2}}{2}$

$=\left(-1-\frac{3}{2}+\frac{1}{2}\right)\sqrt{2}=-2\sqrt{2}$

0438 $\frac{\sqrt{24}}{2}-\frac{6\sqrt{72}}{\sqrt{3}}+3\sqrt{18}+\frac{10}{\sqrt{2}}=\frac{2\sqrt{6}}{2}-6\sqrt{24}+9\sqrt{2}+\frac{10\sqrt{2}}{2}$

$=\sqrt{6}-12\sqrt{6}+9\sqrt{2}+5\sqrt{2}$

$=-11\sqrt{6}+14\sqrt{2}$

0439 $\sqrt{10}+\frac{2\sqrt{10}}{\sqrt{5}}-2\sqrt{40}+\sqrt{32}=\sqrt{10}+2\sqrt{2}-4\sqrt{10}+4\sqrt{2}$

$=(1-4)\sqrt{10}+(2+4)\sqrt{2}$

$=-3\sqrt{10}+6\sqrt{2}$

0440 $\frac{2\sqrt{3}}{\sqrt{10}}+\frac{4}{\sqrt{6}}+\frac{4\sqrt{6}}{\sqrt{5}}-\frac{6}{\sqrt{54}}$

$=\frac{2\sqrt{30}}{10}+\frac{4\sqrt{6}}{6}+\frac{4\sqrt{30}}{5}-\frac{6}{3\sqrt{6}}$

$=\frac{\sqrt{30}}{5}+\frac{2\sqrt{6}}{3}+\frac{4\sqrt{30}}{5}-\frac{\sqrt{6}}{3}$

$=\left(\frac{1}{5}+\frac{4}{5}\right)\sqrt{30}+\left(\frac{2}{3}-\frac{1}{3}\right)\sqrt{6}=\sqrt{30}+\frac{\sqrt{6}}{3}$

05 근호가 있는 식의 분배법칙

본문 ◎ 63쪽

0441 $\sqrt{2}$, $\sqrt{2}$, $\sqrt{6}$, $\sqrt{10}$ **0442** $\sqrt{6}+3\sqrt{2}$

0443 $-5\sqrt{2}-5$ **0444** $4\sqrt{3}-2\sqrt{6}$

0445 $-7\sqrt{2}+7\sqrt{3}$ **0446** $-12+12\sqrt{3}$

0447 $\sqrt{2}$, $\sqrt{2}$, 2, $\sqrt{6}$ **0448** $\sqrt{35}+\sqrt{30}$

0449 $3\sqrt{2}-2\sqrt{3}$ **0450** $\sqrt{15}-6$

0451 $10\sqrt{2}-2\sqrt{5}$ **0452** 12

0442 $\sqrt{3}(\sqrt{2}+\sqrt{6})=\sqrt{3}\times\sqrt{2}+\sqrt{3}\times\sqrt{6}$

$=\sqrt{6}+\sqrt{18}$

$=\sqrt{6}+3\sqrt{2}$

0443 $-\sqrt{5}(\sqrt{10}+\sqrt{5})=-\sqrt{5}\times\sqrt{10}-\sqrt{5}\times\sqrt{5}$

$=-\sqrt{50}-5$

$=-5\sqrt{2}-5$

0444 $2\sqrt{2}(\sqrt{6}-\sqrt{3})=2\sqrt{2}\times\sqrt{6}-2\sqrt{2}\times\sqrt{3}$

$=2\sqrt{12}-2\sqrt{6}$

$=4\sqrt{3}-2\sqrt{6}$

0445 $-\sqrt{7}(\sqrt{14}-\sqrt{21})=-\sqrt{7}\times\sqrt{14}+\sqrt{7}\times\sqrt{21}$

$=-7\sqrt{2}+7\sqrt{3}$

0446 $-3\sqrt{2}(\sqrt{8}-\sqrt{24})=-3\sqrt{2}\times\sqrt{8}+3\sqrt{2}\times\sqrt{24}$

$=-3\sqrt{16}+3\sqrt{48}$

$=-12+12\sqrt{3}$

0448 $(\sqrt{7}+\sqrt{6})\sqrt{5}=\sqrt{7}\times\sqrt{5}+\sqrt{6}\times\sqrt{5}=\sqrt{35}+\sqrt{30}$

0449 $(\sqrt{3}-\sqrt{2})\sqrt{6}=\sqrt{3}\times\sqrt{6}-\sqrt{2}\times\sqrt{6}$
$=\sqrt{18}-\sqrt{12}$
$=3\sqrt{2}-2\sqrt{3}$

0450 $(\sqrt{5}-2\sqrt{3})\sqrt{3}=\sqrt{5}\times\sqrt{3}-2\sqrt{3}\times\sqrt{3}=\sqrt{15}-6$

0451 $(2\sqrt{5}-\sqrt{2})\sqrt{10}=2\sqrt{5}\times\sqrt{10}-\sqrt{2}\times\sqrt{10}$
$=2\sqrt{50}-\sqrt{20}$
$=10\sqrt{2}-2\sqrt{5}$

0452 $\sqrt{2}x+\sqrt{3}y=\sqrt{2}(3\sqrt{2}-\sqrt{3})+\sqrt{3}(\sqrt{2}+2\sqrt{3})$
$=\sqrt{2}\times3\sqrt{2}-\sqrt{2}\times\sqrt{3}+\sqrt{3}\times\sqrt{2}+\sqrt{3}\times2\sqrt{3}$
$=6-\sqrt{6}+\sqrt{6}+6=12$

06 분배법칙을 이용한 분모의 유리화

본문 ○ 64쪽

0453 $\sqrt{2}, \sqrt{2}, \sqrt{2}, \sqrt{7}, \sqrt{5}$ **0454** $2-\sqrt{5}$ **0455** $-2-\sqrt{3}$
0456 $3-\sqrt{6}$ **0457** $-2+\sqrt{10}$
0458 $-\sqrt{7}+\sqrt{3}$ **0459** $\sqrt{2}, \sqrt{2}, \frac{\sqrt{10}+\sqrt{6}}{2}$
0460 $\frac{\sqrt{6}+\sqrt{21}}{3}$ **0461** $\sqrt{5}-2$
0462 $\sqrt{3}+\frac{\sqrt{6}}{2}$ **0463** $\sqrt{2}-\frac{\sqrt{3}}{6}$ **0464** $\frac{3}{2}$

0454 $(\sqrt{12}-\sqrt{15})\div\sqrt{3}=\frac{\sqrt{12}-\sqrt{15}}{\sqrt{3}}=\frac{\sqrt{12}}{\sqrt{3}}-\frac{\sqrt{15}}{\sqrt{3}}$
$=\sqrt{4}-\sqrt{5}=2-\sqrt{5}$

0455 $(\sqrt{24}+\sqrt{18})\div(-\sqrt{6})=\frac{\sqrt{24}+\sqrt{18}}{-\sqrt{6}}=-\sqrt{4}-\sqrt{3}$
$=-2-\sqrt{3}$

0456 $(\sqrt{18}-\sqrt{12})\div\sqrt{2}=\frac{\sqrt{18}-\sqrt{12}}{\sqrt{2}}=\sqrt{9}-\sqrt{6}$
$=3-\sqrt{6}$

0457 $(\sqrt{8}-\sqrt{20})\div(-\sqrt{2})=\frac{\sqrt{8}-\sqrt{20}}{-\sqrt{2}}=-\sqrt{4}+\sqrt{10}$
$=-2+\sqrt{10}$

0458 $(7-\sqrt{21})\div(-\sqrt{7})=\frac{7-\sqrt{21}}{-\sqrt{7}}=-\sqrt{7}+\sqrt{3}$

0460 $\frac{\sqrt{2}+\sqrt{7}}{\sqrt{3}}=\frac{(\sqrt{2}+\sqrt{7})\times\sqrt{3}}{\sqrt{3}\times\sqrt{3}}=\frac{\sqrt{6}+\sqrt{21}}{3}$

0461 $\frac{5-\sqrt{20}}{\sqrt{5}}=\frac{5}{\sqrt{5}}-\frac{\sqrt{20}}{\sqrt{5}}=\sqrt{5}-\sqrt{4}=\sqrt{5}-2$

0462 $\frac{6+3\sqrt{2}}{2\sqrt{3}}=\frac{6}{2\sqrt{3}}+\frac{3\sqrt{2}}{2\sqrt{3}}=\frac{3}{\sqrt{3}}+\frac{3\sqrt{6}}{6}=\sqrt{3}+\frac{\sqrt{6}}{2}$

0463 $\frac{4\sqrt{3}-\sqrt{2}}{2\sqrt{6}}=\frac{4\sqrt{3}}{2\sqrt{6}}-\frac{\sqrt{2}}{2\sqrt{6}}=\frac{2}{\sqrt{2}}-\frac{1}{2\sqrt{3}}=\sqrt{2}-\frac{\sqrt{3}}{6}$

0464 $\frac{\sqrt{5}+5\sqrt{2}}{\sqrt{10}}=\frac{\sqrt{5}}{\sqrt{10}}+\frac{5\sqrt{2}}{\sqrt{10}}=\frac{1}{\sqrt{2}}+\frac{5}{\sqrt{5}}=\frac{\sqrt{2}}{2}+\sqrt{5}$

따라서 $a=\frac{1}{2}$, $b=1$이므로 $a+b=\frac{1}{2}+1=\frac{3}{2}$

07 근호를 포함한 식의 혼합 계산

본문 ○ 65쪽

0465 18, 6, 9 **0466** $-2\sqrt{14}$ **0467** $2\sqrt{5}$ **0468** $8\sqrt{3}$
0469 $2\sqrt{3}+\sqrt{6}$ **0470** $28\sqrt{3}$
0471 $\sqrt{7}-3\sqrt{5}$ **0472** $\sqrt{2}+2$
0473 $9\sqrt{3}+2\sqrt{10}$ **0474** $4\sqrt{6}+\sqrt{15}$
0475 $5-\sqrt{6}$ **0476** 25

0466 $\sqrt{14}-3\sqrt{2}\times\sqrt{7}=\sqrt{14}-3\sqrt{14}=-2\sqrt{14}$

0467 $4\sqrt{15}\div\sqrt{3}-\sqrt{20}=\frac{4\sqrt{15}}{\sqrt{3}}-2\sqrt{5}=4\sqrt{5}-2\sqrt{5}=2\sqrt{5}$

0468 $\frac{\sqrt{48}}{2}+\sqrt{18}\div\frac{1}{\sqrt{6}}=\frac{4\sqrt{3}}{2}+\sqrt{18}\times\sqrt{6}$
$=2\sqrt{3}+6\sqrt{3}=8\sqrt{3}$

0469 $\sqrt{6}\times\frac{4}{\sqrt{8}}+\sqrt{12}\div\frac{\sqrt{8}}{2}=\sqrt{6}\times\frac{4}{2\sqrt{2}}+2\sqrt{3}\times\frac{2}{2\sqrt{2}}$
$=2\sqrt{3}+\frac{2\sqrt{3}}{\sqrt{2}}=2\sqrt{3}+\sqrt{6}$

0470 $3\sqrt{2}\times5\sqrt{6}-2\sqrt{21}\div\sqrt{7}=15\sqrt{12}-\frac{2\sqrt{21}}{\sqrt{7}}$
$=30\sqrt{3}-2\sqrt{3}=28\sqrt{3}$

0471 $(\sqrt{35}+7)\div\sqrt{7}-\sqrt{80}=\frac{\sqrt{35}+7}{\sqrt{7}}-4\sqrt{5}$
$=\sqrt{5}+\sqrt{7}-4\sqrt{5}=\sqrt{7}-3\sqrt{5}$

0472 $(\sqrt{24}+\sqrt{12})\times\frac{1}{\sqrt{3}}-2\sqrt{5}\div\sqrt{10}$

$=\sqrt{8}+\sqrt{4}-\frac{2\sqrt{5}}{\sqrt{10}}=2\sqrt{2}+2-\frac{2}{\sqrt{2}}$

$=2\sqrt{2}+2-\sqrt{2}=\sqrt{2}+2$

0473 $8\sqrt{6}\div2\sqrt{2}+\left(\sqrt{15}+\frac{4}{\sqrt{2}}\right)\times\sqrt{5}$

$=\frac{8\sqrt{6}}{2\sqrt{2}}+\sqrt{15}\times\sqrt{5}+\frac{4}{\sqrt{2}}\times\sqrt{5}$

$=4\sqrt{3}+5\sqrt{3}+\frac{4\sqrt{10}}{2}$

$=9\sqrt{3}+2\sqrt{10}$

0474 $\sqrt{3}(3\sqrt{2}+2\sqrt{5})-(5\sqrt{3}-\sqrt{30})\div\sqrt{5}$

$=\sqrt{3}\times3\sqrt{2}+\sqrt{3}\times2\sqrt{5}-\frac{5\sqrt{3}-\sqrt{30}}{\sqrt{5}}$

$=3\sqrt{6}+2\sqrt{15}-\frac{5\sqrt{15}}{5}+\sqrt{6}$

$=4\sqrt{6}+\sqrt{15}$

0475 $\frac{4\sqrt{3}-\sqrt{2}}{\sqrt{2}}+(2\sqrt{3}-3\sqrt{2})\times\sqrt{3}$

$=\frac{4\sqrt{3}}{\sqrt{2}}-1+2\sqrt{3}\times\sqrt{3}-3\sqrt{2}\times\sqrt{3}$

$=\frac{4\sqrt{6}}{2}-1+6-3\sqrt{6}$

$=2\sqrt{6}-1+6-3\sqrt{6}=5-\sqrt{6}$

0476 $\frac{\sqrt{48}-4}{\sqrt{8}}+2\sqrt{2}(3+\sqrt{12})$

$=\frac{\sqrt{48}}{\sqrt{8}}-\frac{4}{\sqrt{8}}+6\sqrt{2}+2\sqrt{24}$

$=\sqrt{6}-\frac{4}{2\sqrt{2}}+6\sqrt{2}+4\sqrt{6}$

$=\sqrt{6}-\sqrt{2}+6\sqrt{2}+4\sqrt{6}=5\sqrt{2}+5\sqrt{6}$

따라서 $a=5$, $b=5$이므로 $ab=25$

08 제곱근의 계산 결과가 유리수가 될 조건

본문 ○ 66쪽

0477 -3	**0478** -6	**0479** 3	**0480** -8
0481 2	**0482** -3	**0483** 5, 8, 8, 8	**0484** -2
0485 1	**0486** -8	**0487** -6	**0488** 2

0478 $1+6\sqrt{5}-2a+a\sqrt{5}=(1-2a)+(6+a)\sqrt{5}$

$6+a=0$이어야 하므로 $a=-6$

0479 $4+a\sqrt{6}-\sqrt{6}-2\sqrt{6}=4+(a-3)\sqrt{6}$

$a-3=0$이어야 하므로 $a=3$

0480 $5\sqrt{3}+a\sqrt{3}+3\sqrt{3}-2=-2+(8+a)\sqrt{3}$

$8+a=0$이어야 하므로 $a=-8$

0481 $-4\sqrt{7}+2(3+a\sqrt{7})=-4\sqrt{7}+6+2a\sqrt{7}$

$=6+(-4+2a)\sqrt{7}$

$-4+2a=0$이어야 하므로 $a=2$

0482 $3\sqrt{2}-a(1-\sqrt{2})=3\sqrt{2}-a+a\sqrt{2}$

$=-a+(3+a)\sqrt{2}$

$3+a=0$이어야 하므로 $a=-3$

0484 $\sqrt{96}-\sqrt{24}+a\sqrt{6}=4\sqrt{6}-2\sqrt{6}+a\sqrt{6}$

$=(2+a)\sqrt{6}$

$2+a=0$이어야 하므로 $a=-2$

0485 $a\sqrt{8}-\frac{4}{\sqrt{2}}+7=2a\sqrt{2}-\frac{4\sqrt{2}}{2}+7$

$=(2a-2)\sqrt{2}+7$

$2a-2=0$이어야 하므로 $a=1$

0486 $\sqrt{125}+\sqrt{45}+\frac{5}{\sqrt{5}}a-11=5\sqrt{5}+3\sqrt{5}+\sqrt{5}a-11$

$=(8+a)\sqrt{5}-11$

$8+a=0$이어야 하므로 $a=-8$

0487 $\sqrt{12}(a\sqrt{3}-\sqrt{6})-a\sqrt{2}-2=6a-6\sqrt{2}-a\sqrt{2}-2$

$=(6a-2)+(-6-a)\sqrt{2}$

$-6-a=0$이어야 하므로 $a=-6$

0488 $\sqrt{48}(\sqrt{3}-1)-a(2-\sqrt{12})=4\sqrt{3}(\sqrt{3}-1)-a(2-2\sqrt{3})$

$=12-4\sqrt{3}-2a+2a\sqrt{3}$

$=(12-2a)+(-4+2a)\sqrt{3}$

$-4+2a=0$이어야 하므로 $a=2$

09 뺄셈을 이용한 실수의 대소 관계

본문 ○ 67쪽

0489 $<$, $<$, $<$		**0490** $<$	**0491** $>$
0492 $<$	**0493** $>$	**0494** $>$	**0495** $<$
0496 $>$, 3, 27, 25, $>$, $>$		**0497** $<$	**0498** $<$
0499 $>$	**0500** $>$	**0501** $>$	**0502** A

0490 $(\sqrt{7}-\sqrt{5})-(-\sqrt{5}+\sqrt{8})=\sqrt{7}-\sqrt{8}<0$

$\therefore \sqrt{7}-\sqrt{5}<-\sqrt{5}+\sqrt{8}$

0491 $(2-\sqrt{3})-(2-\sqrt{5})=-\sqrt{3}+\sqrt{5}>0$
$\therefore 2-\sqrt{3}>2-\sqrt{5}$

0492 $(\sqrt{15}+\sqrt{3})-(4+\sqrt{3})=\sqrt{15}-4=\sqrt{15}-\sqrt{16}<0$
$\therefore \sqrt{15}+\sqrt{3}<4+\sqrt{3}$

0493 $4-(\sqrt{7}+1)=3-\sqrt{7}=\sqrt{9}-\sqrt{7}>0$
$\therefore 4>\sqrt{7}+1$

0494 $(7-\sqrt{3})-5=2-\sqrt{3}=\sqrt{4}-\sqrt{3}>0$
$\therefore 7-\sqrt{3}>5$

0495 $(\sqrt{21}-4)-1=\sqrt{21}-5=\sqrt{21}-\sqrt{25}<0$
$\therefore \sqrt{21}-4<1$

0497 $(\sqrt{7}+6)-(12-\sqrt{7})=-6+2\sqrt{7}=-\sqrt{36}+\sqrt{28}<0$
$\therefore \sqrt{7}+6<12-\sqrt{7}$

0498 $(4\sqrt{3}-2\sqrt{2})-(\sqrt{3}+2\sqrt{2})=3\sqrt{3}-4\sqrt{2}=\sqrt{27}-\sqrt{32}<0$
$\therefore 4\sqrt{3}-2\sqrt{2}<\sqrt{3}+2\sqrt{2}$

0499 $(2\sqrt{3}+2)-\sqrt{27}=(2\sqrt{3}+2)-3\sqrt{3}=\sqrt{4}-\sqrt{3}>0$
$\therefore 2\sqrt{3}+2>\sqrt{27}$

0500 $(\sqrt{75}-\sqrt{7})-\sqrt{28}=(\sqrt{75}-\sqrt{7})-2\sqrt{7}$
$=\sqrt{75}-3\sqrt{7}$
$=\sqrt{75}-\sqrt{63}>0$
$\therefore \sqrt{75}-\sqrt{7}>\sqrt{28}$

0501 $(\sqrt{32}-\sqrt{6})-(-\sqrt{18}+\sqrt{54})$
$=(4\sqrt{2}-\sqrt{6})-(-3\sqrt{2}+3\sqrt{6})$
$=7\sqrt{2}-4\sqrt{6}$
$=\sqrt{98}-\sqrt{96}>0$
$\therefore \sqrt{32}-\sqrt{6}>-\sqrt{18}+\sqrt{54}$

0502 $A-B=(3\sqrt{2}+2)-(5+\sqrt{2})$
$=2\sqrt{2}-3$
$=\sqrt{8}-\sqrt{9}<0$
$\therefore A<B$
$B-C=(5+\sqrt{2})-(2\sqrt{2}+4)$
$=1-\sqrt{2}$
$=\sqrt{1}-\sqrt{2}<0$
$\therefore B<C$
$\therefore A<B<C$
따라서 가장 작은 수는 A이다.

핵심 01~09 Mini **Review** Test 본문 68쪽

0503 ② **0504** $-\frac{3\sqrt{2}}{2}+\frac{3\sqrt{6}}{2}$ **0505** 9
0506 $\frac{5\sqrt{10}}{4}-\frac{8\sqrt{3}}{3}$ **0507** $9-2\sqrt{6}$
0508 $9-3\sqrt{2}$ **0509** $8-4\sqrt{6}-\sqrt{2}$ **0510** C

0503 ② $\sqrt{3}+\sqrt{6}$은 더 이상 계산할 수 없다.

0504 $A=\sqrt{2}+4\sqrt{6}-3\sqrt{2}-2\sqrt{6}$
$=(1-3)\sqrt{2}+(4-2)\sqrt{6}$
$=-2\sqrt{2}+2\sqrt{6}$ ······ ❶
$B=\frac{\sqrt{2}}{3}-\frac{\sqrt{6}}{2}+\frac{\sqrt{2}}{6}$
$=\left(\frac{2\sqrt{2}}{6}+\frac{\sqrt{2}}{6}\right)-\frac{\sqrt{6}}{2}$
$=\frac{\sqrt{2}}{2}-\frac{\sqrt{6}}{2}$ ······ ❷
$\therefore A+B=(-2\sqrt{2}+2\sqrt{6})+\left(\frac{\sqrt{2}}{2}-\frac{\sqrt{6}}{2}\right)$
$=\left(-\frac{4\sqrt{2}}{2}+\frac{\sqrt{2}}{2}\right)+\left(\frac{4\sqrt{6}}{2}-\frac{\sqrt{6}}{2}\right)$
$=-\frac{3\sqrt{2}}{2}+\frac{3\sqrt{6}}{2}$ ······ ❸

채점 기준	배점
❶ A의 값 구하기	30 %
❷ B의 값 구하기	30 %
❸ $A+B$의 값 구하기	40 %

0505 $\sqrt{24}-\sqrt{54}+\sqrt{75}+\sqrt{150}$
$=2\sqrt{6}-3\sqrt{6}+5\sqrt{3}+5\sqrt{6}$
$=5\sqrt{3}+(2-3+5)\sqrt{6}$
$=5\sqrt{3}+4\sqrt{6}$
따라서 $a=5$, $b=4$이므로
$a+b=9$

0506 $\sqrt{40}+\frac{12}{\sqrt{27}}-\sqrt{48}-\frac{\sqrt{45}}{2\sqrt{2}}$
$=2\sqrt{10}+\frac{12}{3\sqrt{3}}-4\sqrt{3}-\frac{3\sqrt{5}}{2\sqrt{2}}$
$=2\sqrt{10}+\frac{4\sqrt{3}}{3}-4\sqrt{3}-\frac{3\sqrt{10}}{4}$
$=\frac{8\sqrt{10}}{4}-\frac{3\sqrt{10}}{4}+\frac{4\sqrt{3}}{3}-\frac{12\sqrt{3}}{3}$
$=\frac{5\sqrt{10}}{4}-\frac{8\sqrt{3}}{3}$

0507 $\sqrt{2}a-\sqrt{3}b=\sqrt{2}(3\sqrt{2}+\sqrt{3})-\sqrt{3}(3\sqrt{2}-\sqrt{3})$
$=6+\sqrt{6}-3\sqrt{6}+3$
$=9-2\sqrt{6}$

0508 $\frac{\sqrt{50}-10}{\sqrt{2}}+\frac{\sqrt{48}+\sqrt{24}}{\sqrt{3}}$
$=\frac{\sqrt{50}}{\sqrt{2}}-\frac{10}{\sqrt{2}}+\frac{\sqrt{48}}{\sqrt{3}}+\frac{\sqrt{24}}{\sqrt{3}}$
$=\sqrt{25}-\frac{10\sqrt{2}}{2}+\sqrt{16}+\sqrt{8}$
$=5-5\sqrt{2}+4+2\sqrt{2}$
$=9-3\sqrt{2}$

0509 $\frac{3\sqrt{2}-\sqrt{6}}{\sqrt{3}}+(4\sqrt{2}-5\sqrt{3})\times\sqrt{2}$
$=\frac{3\sqrt{2}}{\sqrt{3}}-\frac{\sqrt{6}}{\sqrt{3}}+4\sqrt{2}\times\sqrt{2}-5\sqrt{3}\times\sqrt{2}$
$=\sqrt{6}-\sqrt{2}+8-5\sqrt{6}$
$=8-4\sqrt{6}-\sqrt{2}$

0510 $A-B=(4\sqrt{5}+3\sqrt{6})-(5\sqrt{5}+2\sqrt{6})=-\sqrt{5}+\sqrt{6}>0$
$\therefore A>B$
$A-C=(4\sqrt{5}+3\sqrt{6})-(3\sqrt{5}+5\sqrt{6})$
$=\sqrt{5}-2\sqrt{6}<0$
$\therefore A<C$
$\therefore B<A<C$
따라서 가장 큰 수는 C이다.

❸ 다항식의 곱셈과 인수분해

5. 다항식의 곱셈

01 (다항식)×(다항식)

본문 ◎ 73쪽

0511 2, $4x$, 8 **0512** $3xy-3x+2y-2$
0513 $-2ab+4a-b+2$ **0514** $-2xy-10x+3y+15$
0515 $8x^2-14xy-15y^2$ **0516** $-2x^2-x+3$
0517 3, 3, 9, 3, 9, 3 **0518** $2x^2-3xy+3x+y^2-3y$
0519 $x^2-2xy+2x-2y+1$ **0520** $a^2-3a+ab-2b+2$
0521 $x^2-xy-4x-2y^2+11y-5$ **0522** -1

0515 $(4x+3y)(2x-5y)=8x^2-20xy+6xy-15y^2$
$=8x^2-14xy-15y^2$

0516 $(2x+3)(1-x)=2x-2x^2+3-3x$
$=-2x^2-x+3$

0518 $(x-y)(2x-y+3)=2x^2-xy+3x-2xy+y^2-3y$
$=2x^2-3xy+3x+y^2-3y$

0519 $(x+1)(x-2y+1)=x^2-2xy+x+x-2y+1$
$=x^2-2xy+2x-2y+1$

0520 $(a+b-1)(a-2)=a^2-2a+ab-2b-a+2$
$=a^2-3a+ab-2b+2$

0521 $(x+y-5)(x-2y+1)$
$=x^2-2xy+x+xy-2y^2+y-5x+10y-5$
$=x^2-xy-4x-2y^2+11y-5$

0522 $xy-2xy=-xy$
따라서 xy의 계수는 -1이다.

02 곱셈 공식 (1)－합의 제곱

본문 ◎ 74쪽

0523 2, 8, 16 **0524** x^2+6x+9
0525 y^2+4y+4 **0526** $9x^2+6x+1$
0527 $a^2+\frac{1}{2}a+\frac{1}{16}$ **0528** $4x^2-20xy+25y^2$
0529 14 **0530** 5, 25 **0531** 8, 64 **0532** 2, 4
0533 3, 9 **0534** 3

0534 $(5x+A)^2=25x^2+10Ax+A^2$이므로

$10A=B,\ A^2=\frac{1}{9}$

A, B는 양수이므로 $A=\frac{1}{3},\ B=\frac{10}{3}$

$\therefore B-A=\frac{10}{3}-\frac{1}{3}=3$

03 곱셈 공식 (1) – 차의 제곱

본문 ○ 75쪽

0535 2, 4, 4
0536 $a^2-14a+49$
0537 $x^2-8xy+16y^2$
0538 $9x^2-6x+1$
0539 $4a^2-20ab+25b^2$
0540 $9x^2+12xy+4y^2$
0541 12
0542 $\frac{1}{3}$
0543 $\frac{1}{4}$, 3
0544 -2
0545 $-\frac{1}{2}$
0546 ㄹ

04 곱셈 공식 (2) – 합과 차의 곱

본문 ○ 76쪽

0547 x^2-9
0548 a^2-49
0549 $1-x^2$
0550 $x^2-\frac{1}{4}$
0551 $9-x^2$
0552 a^2-25b^2
0553 $9a^2-b^2$
0554 $4x^2-25$
0555 $\frac{1}{9}x^2-y^2$
0556 $\frac{1}{4}x^2-\frac{4}{9}y^2$
0557 $\frac{9}{16}x^2-\frac{1}{25}y^2$
0558 ③

0558 $(a+b)(a-b)=a^2-b^2$

① $-a^2+b^2$　② $-a^2-2ab-b^2$

③ a^2-b^2　④ $-a^2+b^2$

⑤ $-a^2+2ab-b^2$

05 곱셈 공식 (2)

본문 ○ 77쪽

0559 3, $5x$, 9, 25
0560 $4-a^2$
0561 $25-a^2$
0562 $16-x^2$
0563 $9y^2-x^2$
0564 $4y^2-\frac{1}{9}x^2$
0565 $x^2-1,\ x^4-1$
0566 x^4-81
0567 x^4-y^4
0568 $1-a^8$
0569 $x^{16}-1$
0570 $3x^2+11$

0566 $(x-3)(x+3)(x^2+9)=(x^2-9)(x^2+9)=x^4-81$

0567 $(x-y)(x+y)(x^2+y^2)=(x^2-y^2)(x^2+y^2)$
$=x^4-y^4$

0568 $(1-a)(1+a)(1+a^2)(1+a^4)$
$=(1-a^2)(1+a^2)(1+a^4)$
$=(1-a^4)(1+a^4)$
$=1-a^8$

0569 $(x-1)(x+1)(x^2+1)(x^4+1)(x^8+1)$
$=(x^2-1)(x^2+1)(x^4+1)(x^8+1)$
$=(x^4-1)(x^4+1)(x^8+1)$
$=(x^8-1)(x^8+1)=x^{16}-1$

0570 $(6-x)(x+6)+(-2x-5)(-2x+5)$
$=(6-x)(6+x)+(-2x)^2-5^2$
$=36-x^2+4x^2-25$
$=3x^2+11$

06 곱셈 공식 (3) – x의 계수가 1인 두 일차식의 곱

본문 ○ 78쪽

0571 1, 2, 1, 2, 3
0572 $a^2+7a+10$
0573 $x^2-11x+24$
0574 x^2-8x+7
0575 $a^2+5a-24$
0576 y^2-y-12
0577 b^2+4b-5
0578 a^2-a-30
0579 $x^2+\frac{1}{4}x-\frac{1}{8}$
0580 $y^2+\frac{1}{6}y-\frac{1}{6}$
0581 $x^2-\frac{4}{5}x-\frac{1}{5}$
0582 13

0582 $(x+3)(x-2)=x^2+x-6$이므로 $a=1$

$(x+2)(x+7)=x^2+9x+14$이므로 $b=14$

$\therefore b-a=14-1=13$

07 곱셈 공식 (3)

본문 ○ 79쪽

0583 $x^2+9xy+14y^2$
0584 $x^2-6xy-55y^2$
0585 $x^2-11xy+30y^2$
0586 $a^2-5ab-36b^2$
0587 $x^2+\frac{5}{6}xy+\frac{1}{6}y^2$
0588 $x^2-\frac{1}{12}xy-\frac{1}{12}y^2$
0589 3, 8
0590 3, 12
0591 4, 8
0592 8, 16
0593 $13y,\ 13y^2$
0594 -14

0594 $(x+Ay)(x-8y)=x^2+(A-8)xy-8Ay^2$

따라서 $A-8=B,\ -8A=24$이므로

$A=-3,\ B=-11$　$\therefore A+B=-14$

08 곱셈 공식(4)－x의 계수가 1이 아닌 두 일차식의 곱

본문 ○ 80쪽

0595 2, 3, 1, 1, 5
0596 $2x^2+7x+3$
0597 $10x^2+27x+5$
0598 $10x^2-7x+1$
0599 $12x^2-17x+6$
0600 $-15b^2-7b+2$
0601 $6a^2+a-2$
0602 $-5x^2+37x-42$
0603 $-28y^2-18y-2$
0604 $2a^2+\frac{5}{2}a-3$
0605 $\frac{1}{15}a^2-4a+60$
0606 -17

0606 $(2x+1)(3x-5)=6x^2-7x-5$에서 x의 계수는 -7이다.
$(x-3)(4x+2)=4x^2-10x-6$에서 x의 계수는 -10이다.
따라서 x의 계수의 합은 -17이다.

09 곱셈 공식(4)

본문 ○ 81쪽

0607 $10x^2+xy-3y^2$
0608 $3x^2-7xy+2y^2$
0609 $3x^2-10xy-8y^2$
0610 $-4x^2+7xy+2y^2$
0611 $-6x^2+17xy-5y^2$
0612 $-35x^2+19xy-2y^2$
0613 1 **0614** 3, 11 **0615** 3, 2 **0616** 2, 13
0617 -4, 38 **0618** 5

0618 $(ax+y)(bx-5y)$의 전개식에서 xy의 계수가 -7이므로
$ax\times(-5y)+y\times bx=(-5a+b)xy=-7xy$
$\therefore -5a+b=-7$ ······ ㉠
$(x-a)(3x+b)$의 전개식에서 x의 계수가 -3이므로
$x\times b-a\times 3x=(b-3a)x=-3x$
$\therefore b-3a=-3$ ······ ㉡
㉠－㉡을 하면 $-2a=-4$ $\therefore a=2$
$a=2$를 ㉠에 대입하면 $-10+b=-7$ $\therefore b=3$
$\therefore a+b=5$

10 곱셈 공식(종합)

본문 ○ 82쪽

0619 $2x^2-2x+13$
0620 $2x+2$
0621 $-6x-17$
0622 $-x^2-14x-24$
0623 $2x^2-x-24$
0624 $2x^2-2x+9$
0625 $2xy-2y^2$
0626 $2x^2+2y^2$
0627 $15x^2-2x+1$
0628 $-2x^2-11x+4$
0629 $10x^2-27xy+7y^2$
0630 $x^2+33x+9$

0619 $(x+2)^2+(x-3)^2=x^2+4x+4+x^2-6x+9$
$=2x^2-2x+13$

0620 $(x+1)^2-(x-1)(x+1)=x^2+2x+1-(x^2-1)$
$=x^2+2x+1-x^2+1$
$=2x+2$

0621 $(x-3)(x+3)-(x+2)(x+4)$
$=x^2-9-(x^2+6x+8)$
$=x^2-9-x^2-6x-8$
$=-6x-17$

0622 $2(x-3)(x+2)-3(x+2)^2$
$=2(x^2-x-6)-3(x^2+4x+4)$
$=2x^2-2x-12-3x^2-12x-12$
$=-x^2-14x-24$

0623 $(x-4)(x+7)-(x-2)(2-x)$
$=x^2+3x-28+(x-2)(x-2)$
$=x^2+3x-28+x^2-4x+4$
$=2x^2-x-24$

0624 $(x-1)(x-5)+(-x-2)^2=x^2-6x+5+(x^2+4x+4)$
$=2x^2-2x+9$

0625 $(x-y)(x+y)-(x-y)^2$
$=x^2-y^2-(x^2-2xy+y^2)$
$=x^2-y^2-x^2+2xy-y^2$
$=2xy-2y^2$

0626 $(-x+y)^2+(-x-y)^2$
$=x^2-2xy+y^2+x^2+2xy+y^2$
$=2x^2+2y^2$

0627 $(3x-1)^2+2x(3x+2)$
$=9x^2-6x+1+6x^2+4x$
$=15x^2-2x+1$

0628 $(-2x+1)^2-(2x+3)(3x-1)$
$=4x^2-4x+1-(6x^2+7x-3)$
$=4x^2-4x+1-6x^2-7x+3$
$=-2x^2-11x+4$

0629 $(4x+y)(x-3y)-2(-x+y)(3x-5y)$
$=4x^2-11xy-3y^2-2(-3x^2+8xy-5y^2)$
$=4x^2-11xy-3y^2+6x^2-16xy+10y^2$
$=10x^2-27xy+7y^2$

0630 $(3x+4)(4-3x)+(-2x-7)(-5x+1)$

$=(4+3x)(4-3x)+(2x+7)(5x-1)$

$=16-9x^2+10x^2+33x-7$

$=x^2+33x+9$

핵심 01~10 **Mini Review Test** 본문 ○ 83쪽

0631 ①	**0632** ③	**0633** ⑤	**0634** ⑤
0635 ③	**0636** ④	**0637** ⑤	**0638** 33

0631 $-4xy-3xy=-7xy$

따라서 xy의 계수는 -7이다.

0632 ③ $(3x-y)^2=9x^2-6xy+y^2$

0633 $(1-a)(1+a)(1+a^2)(1+a^4)(1+a^8)$

$=(1-a^2)(1+a^2)(1+a^4)(1+a^8)$

$=(1-a^4)(1+a^4)(1+a^8)$

$=(1-a^8)(1+a^8)=1-a^{16}$

$\therefore \square=16$

0634 $(x-3)(x+a)=x^2+(-3+a)x-3a$이므로

$-3+a=4 \qquad \therefore a=7$

따라서 상수항은 $-3a=-3\times7=-21$

0636 $(3x+a)(4x-9)=12x^2+(-27+4a)x-9a$이므로

$-27+4a=b,\ -9a=-45$

$\therefore a=5,\ b=-7 \qquad \therefore a+b=-2$

0637 $(3x-1)^2-(2x+1)(2x-1)$

$=9x^2-6x+1-(4x^2-1)$

$=9x^2-6x+1-4x^2+1$

$=5x^2-6x+2$

0638 $(x+4)(3x+1)-2(x-5)^2$

$=3x^2+13x+4-2(x^2-10x+25)$

$=3x^2+13x+4-2x^2+20x-50$

$=x^2+33x-46$ ······ ❶

따라서 일차항의 계수는 33이다. ······ ❷

채점 기준	배점
❶ 주어진 식 전개하기	60 %
❷ 일차항의 계수 구하기	40 %

11 치환을 이용한 식의 전개

본문 ○ 84쪽

0639 $A-1,\ 2,\ a+b,\ a+b,\ a^2+2ab+b^2-2a-2b+1$

0640 $x^2-2xy+y^2-6x+6y+9$

0641 $x^2+2xy+y^2+2xz+2yz+z^2$

0642 $x^2+6xy+9y^2+2x+6y+1$

0643 $9x^2-12xy+4y^2-6xz+4yz+z^2$

0644 $A-1,\ a+b,\ a^2+2ab+b^2-1$

0645 $x^2+2xy+y^2-x-y-6$

0646 $a^2-b^2+2bc-c^2$ **0647** $x^2-2x+1-y^2$

0648 3

0640 $x-y=A$로 놓으면

$(x-y-3)^2=(A-3)^2=A^2-6A+9$

$=(x-y)^2-6(x-y)+9$

$=x^2-2xy+y^2-6x+6y+9$

0641 $x+y=A$로 놓으면

$(x+y+z)^2=(A+z)^2=A^2+2Az+z^2$

$=(x+y)^2+2z(x+y)+z^2$

$=x^2+2xy+y^2+2xz+2yz+z^2$

0642 $x+3y=A$로 놓으면

$(x+3y+1)^2=(A+1)^2=A^2+2A+1$

$=(x+3y)^2+2(x+3y)+1$

$=x^2+6xy+9y^2+2x+6y+1$

0643 $3x-2y=A$로 놓으면

$(3x-2y-z)^2=(A-z)^2=A^2-2Az+z^2$

$=(3x-2y)^2-2z(3x-2y)+z^2$

$=9x^2-12xy+4y^2-6xz+4yz+z^2$

0645 $x+y=A$로 놓으면

$(x+y+2)(x+y-3)=(A+2)(A-3)=A^2-A-6$

$=(x+y)^2-(x+y)-6$

$=x^2+2xy+y^2-x-y-6$

0646 $b-c=A$로 놓으면

$(a+b-c)(a-b+c)=(a+A)(a-A)=a^2-A^2$

$=a^2-(b-c)^2=a^2-(b^2-2bc+c^2)$

$=a^2-b^2+2bc-c^2$

0647 $-x+1=A$로 놓으면

$(-x+1+y)(-x-y+1)=(A+y)(A-y)=A^2-y^2$

$=(-x+1)^2-y^2$

$=x^2-2x+1-y^2$

0648 $2x+1=A$로 놓으면

$(2x+1+y)(2x+1-y)=(A+y)(A-y)=A^2-y^2$
$=(2x+1)^2-y^2$
$=4x^2+4x+1-y^2$

따라서 $a=4$, $b=1$이므로 $a-b=3$

12 곱셈 공식의 활용-수의 제곱의 계산

본문 85쪽

0649 3, 3, 3, 1006009 **0650** 10404 **0651** 1008016
0652 2704 **0653** 91809 **0654** 102.01
0655 2, 2, 2, 996004 **0656** 2401 **0657** 998001
0658 6241 **0659** 39204 **0660** 94.09

0650 $102^2=(100+2)^2$
$=100^2+2\times100\times2+2^2$
$=10000+400+4=10404$

0651 $1004^2=(1000+4)^2$
$=1000^2+2\times1000\times4+4^2$
$=1000000+8000+16=1008016$

0652 $52^2=(50+2)^2$
$=50^2+2\times50\times2+2^2$
$=2500+200+4=2704$

0653 $303^2=(300+3)^2$
$=300^2+2\times300\times3+3^2$
$=90000+1800+9=91809$

0654 $10.1^2=(10+0.1)^2$
$=10^2+2\times10\times0.1+0.1^2$
$=100+2+0.01=102.01$

0656 $49^2=(50-1)^2$
$=50^2-2\times50+1$
$=2500-100+1=2401$

0657 $999^2=(1000-1)^2$
$=1000^2-2\times1000+1$
$=1000000-2000+1=998001$

0658 $79^2=(80-1)^2$
$=80^2-2\times80+1$
$=6400-160+1=6241$

0659 $198^2=(200-2)^2$
$=200^2-2\times200\times2+2^2$
$=40000-800+4=39204$

0660 $9.7^2=(10-0.3)^2$
$=10^2-2\times10\times0.3+0.3^2$
$=100-6+0.09=94.09$

13 곱셈 공식의 활용-두 수의 곱의 계산

본문 86쪽

0661 3, 3, 100, 3, 10000, 9, 9991 **0662** 6396
0663 39999 **0664** 999999 **0665** 359975 **0666** 35.96
0667 3, 2, 1, 6, 10094 **0668** 1890 **0669** 4968
0670 10260 **0671** 10914 **0672** ③

0662 $82\times78=(80+2)(80-2)=80^2-2^2$
$=6400-4=6396$

0663 $201\times199=(200+1)(200-1)=200^2-1$
$=40000-1=39999$

0664 $999\times1001=(1000-1)(1000+1)=1000^2-1$
$=1000000-1=999999$

0665 $605\times595=(600+5)(600-5)=600^2-5^2$
$=360000-25=359975$

0666 $5.8\times6.2=(6-0.2)(6+0.2)=6^2-0.2^2$
$=36-0.04=35.96$

0668 $45\times42=(40+5)(40+2)$
$=40^2+7\times40+10$
$=1600+280+10=1890$

0669 $72\times69=(70+2)(70-1)$
$=70^2+70-2$
$=4900+70-2=4968$

0670 $108\times95=(100+8)(100-5)$
$=100^2+3\times100-40$
$=10000+300-40=10260$

0671 $102\times107=(100+2)(100+7)$
$=100^2+9\times100+14$
$=10000+900+14=10914$

0672 ① $101^2=(100+1)^2 \Rightarrow (a+b)^2=a^2+2ab+b^2$

② $399^2=(400-1)^2 \Rightarrow (a-b)^2=a^2-2ab+b^2$

③ $84\times76=(80+4)(80-4) \Rightarrow (a+b)(a-b)=a^2-b^2$

④ $997^2=(1000-3)^2 \Rightarrow (a-b)^2=a^2-2ab+b^2$

⑤ $97\times103=(100-3)(100+3)$

$\Rightarrow (a+b)(a-b)=a^2-b^2$

14 곱셈 공식의 활용 - 근호를 포함한 식의 계산

본문 ◎ 87쪽

0673 3, 6, 12 **0674** $19+6\sqrt{2}$ **0675** $53+12\sqrt{10}$
0676 3, 5, 9, -4 **0677** 14 **0678** 10
0679 3, 3, 4, 3, 5, 4 **0680** $-4\sqrt{2}$ **0681** $1+\sqrt{10}$
0682 $18+3\sqrt{10}$ **0683** $12-7\sqrt{6}$ **0684** 8

0674 $(3\sqrt{2}+1)^2=(3\sqrt{2})^2+2\times3\sqrt{2}+1$

$=18+6\sqrt{2}+1=19+6\sqrt{2}$

0675 $(2\sqrt{2}+3\sqrt{5})^2=(2\sqrt{2})^2+2\times2\sqrt{2}\times3\sqrt{5}+(3\sqrt{5})^2$

$=8+12\sqrt{10}+45=53+12\sqrt{10}$

0677 $(3\sqrt{2}+2)(3\sqrt{2}-2)=(3\sqrt{2})^2-2^2=18-4=14$

0678 $(2\sqrt{3}-\sqrt{2})(2\sqrt{3}+\sqrt{2})=(2\sqrt{3})^2-(\sqrt{2})^2=12-2=10$

0680 $(2\sqrt{2}+2)(2\sqrt{2}-4)=8-8\sqrt{2}+4\sqrt{2}-8=-4\sqrt{2}$

0681 $(\sqrt{5}-\sqrt{2})(\sqrt{5}+2\sqrt{2})=5+2\sqrt{10}-\sqrt{10}-4=1+\sqrt{10}$

0682 $(2\sqrt{10}-1)(\sqrt{10}+2)=20+4\sqrt{10}-\sqrt{10}-2=18+3\sqrt{10}$

0683 $(2\sqrt{3}-\sqrt{2})(\sqrt{3}-3\sqrt{2})=6-6\sqrt{6}-\sqrt{6}+6=12-7\sqrt{6}$

0684 $\sqrt{3}=1.732\cdots$이므로 $x=\sqrt{3}-1$

$\therefore (x+2)^2-(1-\sqrt{3})x=(\sqrt{3}+1)^2-(1-\sqrt{3})(\sqrt{3}-1)$

$=(\sqrt{3}+1)^2+(\sqrt{3}-1)^2$

$=4+2\sqrt{3}+4-2\sqrt{3}=8$

15 곱셈 공식의 활용 - 분모의 유리화

본문 ◎ 88쪽

0685 $2+\sqrt{3}$, $2+\sqrt{3}$, $2+\sqrt{3}$, $2+\sqrt{3}$, $2+\sqrt{3}$ **0686** $7+4\sqrt{3}$
0687 $\sqrt{7}+\sqrt{3}$ **0688** $2+\sqrt{2}$
0689 $\sqrt{3}+\sqrt{2}$, $\sqrt{3}+\sqrt{2}$, $\sqrt{3}+\sqrt{2}$, 2, $5+2\sqrt{6}$ **0690** $7+4\sqrt{3}$
0691 $\sqrt{5}+2$, $\sqrt{5}+2$, $\sqrt{5}-2$, $\sqrt{5}-2$, $2\sqrt{5}$ **0692** $2\sqrt{6}$
0693 $\sqrt{10}$ **0694** 34 **0695** 12 **0696** 10

0692 $\dfrac{2}{\sqrt{6}+2}+\dfrac{2}{\sqrt{6}-2}=\dfrac{2(\sqrt{6}-2)}{(\sqrt{6}+2)(\sqrt{6}-2)}+\dfrac{2(\sqrt{6}+2)}{(\sqrt{6}-2)(\sqrt{6}+2)}$

$=\sqrt{6}-2+\sqrt{6}+2=2\sqrt{6}$

0693 $\dfrac{\sqrt{2}}{\sqrt{5}-\sqrt{3}}+\dfrac{\sqrt{2}}{\sqrt{5}+\sqrt{3}}$

$=\dfrac{\sqrt{2}(\sqrt{5}+\sqrt{3})}{(\sqrt{5}-\sqrt{3})(\sqrt{5}+\sqrt{3})}+\dfrac{\sqrt{2}(\sqrt{5}-\sqrt{3})}{(\sqrt{5}+\sqrt{3})(\sqrt{5}-\sqrt{3})}$

$=\dfrac{\sqrt{10}+\sqrt{6}}{2}+\dfrac{\sqrt{10}-\sqrt{6}}{2}$

$=\dfrac{2\sqrt{10}}{2}=\sqrt{10}$

0694 $\dfrac{3+2\sqrt{2}}{3-2\sqrt{2}}+\dfrac{3-2\sqrt{2}}{3+2\sqrt{2}}$

$=\dfrac{(3+2\sqrt{2})^2}{(3-2\sqrt{2})(3+2\sqrt{2})}+\dfrac{(3-2\sqrt{2})^2}{(3+2\sqrt{2})(3-2\sqrt{2})}$

$=\dfrac{9+12\sqrt{2}+8}{9-8}+\dfrac{9-12\sqrt{2}+8}{9-8}=34$

0695 $\dfrac{\sqrt{7}-\sqrt{5}}{\sqrt{7}+\sqrt{5}}+\dfrac{\sqrt{7}+\sqrt{5}}{\sqrt{7}-\sqrt{5}}$

$=\dfrac{(\sqrt{7}-\sqrt{5})^2}{(\sqrt{7}+\sqrt{5})(\sqrt{7}-\sqrt{5})}+\dfrac{(\sqrt{7}+\sqrt{5})^2}{(\sqrt{7}-\sqrt{5})(\sqrt{7}+\sqrt{5})}$

$=\dfrac{7-2\sqrt{35}+5}{2}+\dfrac{7+2\sqrt{35}+5}{2}$

$=\dfrac{12+12}{2}=12$

0696 $\dfrac{1-\sqrt{3}}{2+\sqrt{3}}+\dfrac{1+\sqrt{3}}{2-\sqrt{3}}=\dfrac{(1-\sqrt{3})(2-\sqrt{3})}{(2+\sqrt{3})(2-\sqrt{3})}+\dfrac{(1+\sqrt{3})(2+\sqrt{3})}{(2-\sqrt{3})(2+\sqrt{3})}$

$=2-\sqrt{3}-2\sqrt{3}+3+2+\sqrt{3}+2\sqrt{3}+3$

$=10$

16 곱셈 공식의 변형 (1)

본문 ◎ 89쪽

0697 $x+y$, 5, 25, 19 **0698** 7 **0699** 18
0700 2 **0701** 7 **0702** $x-y$, 4, 16, 4
0703 1 **0704** 49 **0705** 6 **0706** $\dfrac{10}{3}$

0698 $x^2+y^2=(x+y)^2-2xy=3^2-2=7$

0699 $x^2-xy+y^2=(x-y)^2+xy=4^2+2=18$

0700 $x^2+y^2=(x-y)^2+2xy$이므로

$8=2^2+2xy \qquad \therefore xy=2$

0701 $x^2+y^2=(x+y)^2-2xy=6^2-2\times4=28$

$\therefore \dfrac{x}{y}+\dfrac{y}{x}=\dfrac{x^2+y^2}{xy}=\dfrac{28}{4}=7$

0703 $(x+y)^2=(x-y)^2+4xy=3^2+4\times(-2)=1$

0704 $(x-y)^2=(x+y)^2-4xy=5^2-4\times(-6)=49$

0705 $a^2+b^2=(a+b)^2-2ab$이므로

$5=2^2-2ab \quad \therefore ab=-\dfrac{1}{2}$

$\therefore (a-b)^2=(a+b)^2-4ab=2^2-4\times\left(-\dfrac{1}{2}\right)=4+2=6$

0706 $x^2+y^2=(x+y)^2-2xy=8^2-2\times12=40$

$\therefore \dfrac{y}{x}+\dfrac{x}{y}=\dfrac{x^2+y^2}{xy}=\dfrac{40}{12}=\dfrac{10}{3}$

17 곱셈 공식의 변형 (2)

본문 ◎ 90쪽

0707 2, 2, 23 **0708** 7 **0709** 18 **0710** 8
0711 12 **0712** (1) 6, 6 (2) 2, 2, 34
0713 (1) 2 (2) 6 **0714** 23 **0715** $2\sqrt{5}$
0716 10

0708 $x^2+\dfrac{1}{x^2}=\left(x+\dfrac{1}{x}\right)^2-2=3^2-2=7$

0709 $x^2+\dfrac{1}{x^2}=\left(x-\dfrac{1}{x}\right)^2+2=4^2+2=18$

0710 $\left(a+\dfrac{1}{a}\right)^2=\left(a-\dfrac{1}{a}\right)^2+4=2^2+4=8$

0711 $\left(a-\dfrac{1}{a}\right)^2=\left(a+\dfrac{1}{a}\right)^2-4=4^2-4=12$

0713 (1) $x\neq0$이므로 $x^2-2x-1=0$의 양변을 x로 나누면

$x-2-\dfrac{1}{x}=0 \quad \therefore x-\dfrac{1}{x}=2$

(2) $x^2+\dfrac{1}{x^2}=\left(x-\dfrac{1}{x}\right)^2+2=2^2+2=6$

0714 $x\neq0$이므로 $x^2-5x+1=0$의 양변을 x로 나누면

$x-5+\dfrac{1}{x}=0 \quad \therefore x+\dfrac{1}{x}=5$

$\therefore x^2+\dfrac{1}{x^2}=\left(x+\dfrac{1}{x}\right)^2-2=5^2-2=23$

0715 $x\neq0$이므로 $x^2-4x-1=0$의 양변을 x로 나누면

$x-4-\dfrac{1}{x}=0,\ x-\dfrac{1}{x}=4$

$\left(x+\dfrac{1}{x}\right)^2=\left(x-\dfrac{1}{x}\right)^2+4=4^2+4=20$

$\therefore x+\dfrac{1}{x}=\sqrt{20}=2\sqrt{5}\ (\because x>0)$

0716 $x\neq0$이므로 $x^2-3x+1=0$의 양변을 x로 나누면

$x-3+\dfrac{1}{x}=0,\ x+\dfrac{1}{x}=3$

$x^2+\dfrac{1}{x^2}=\left(x+\dfrac{1}{x}\right)^2-2=9-2=7$

$\therefore x^2+x+\dfrac{1}{x}+\dfrac{1}{x^2}=x^2+\dfrac{1}{x^2}+x+\dfrac{1}{x}=7+3=10$

핵심 11~17 Mini Review Test

본문 ◎ 91쪽

0717 ④ **0718** ③ **0719** 2, 1, 1, 2, 100, 10098
0720 25 **0721** 6 **0722** $3+\sqrt{2}$ **0723** 21
0724 ⑤

0717 $a+b=A$로 놓으면

$(a+b-3)^2=(A-3)^2=A^2-6A+9$
$=(a+b)^2-6(a+b)+9$
$=a^2+2ab+b^2-6a-6b+9$

0718 ③ $502\times498=(500+2)(500-2)$

0720 $(3\sqrt{3}-\sqrt{2})(3\sqrt{3}+\sqrt{2})=(3\sqrt{3})^2-(\sqrt{2})^2=27-2=25$

0721 $x=(\sqrt{2}-1)^2=3-2\sqrt{2}$

$y=(\sqrt{2}+1)^2=3+2\sqrt{2}$

$\therefore x+y=6$

0722 $x=\sqrt{2}-1$이므로

$(\sqrt{2}+1)x+\dfrac{\sqrt{2}}{x}=(\sqrt{2}+1)(\sqrt{2}-1)+\dfrac{\sqrt{2}}{\sqrt{2}-1}$

$=2-1+\sqrt{2}(\sqrt{2}+1)=3+\sqrt{2}$

0723 $x^2+y^2=(x+y)^2-2xy=10^2-2\times8=84$

$\therefore \dfrac{2y}{x}+\dfrac{2x}{y}=\dfrac{2y^2+2x^2}{xy}=\dfrac{2\times84}{8}=21$

0724 $x^2+\dfrac{1}{x^2}=\left(x-\dfrac{1}{x}\right)^2+2=7^2+2=51$

6. 인수분해

01 인수와 인수분해의 뜻

본문 ○ 95쪽

0725 $-x^2+3x$
0726 $5x-5y+15$
0727 x^2+4x+4
0728 x^2-4
0729 $2x^2-9x-5$
0730 $-24x^2+34x-12$
0731 x, $x+2y$
0732 $2x$, $x-6$, $y(x-6)$
0733 3, $x+1$, $(x+1)(x-4)$
0734 $x-y$, x^2-y^2
0735 ⑤

02 공통인수를 이용한 인수분해

본문 ○ 96쪽

0736 x
0737 $2b$
0738 $-3a$, $4b$
0739 xy
0740 xy, 1
0741 a
0742 $x-2$, $x-2$
0743 $(x+5)(x-2)$
0744 $(2b+1)(a-2c)$
0745 $(x-4)(x+2)$
0746 $(2a-1)(1+3b)$
0747 ①, ④

0747 $x(a-1)-y(1-a)=x(a-1)+y(a-1)$
$=(x+y)(a-1)$

03 인수분해 공식 (1)

본문 ○ 97쪽

0748 3, 3, 3
0749 $(a+2)^2$
0750 $(x+4)^2$
0751 $(x+5)^2$
0752 $\left(x+\frac{1}{2}\right)^2$
0753 $\left(x+\frac{1}{4}\right)^2$
0754 $5a$, $5a$
0755 $(8x+1)^2$
0756 $(3a+4)^2$
0757 $(2x+3y)^2$
0758 $\left(\frac{1}{4}x+y\right)^2$
0759 $\left(\frac{1}{3}x+2y\right)^2$

04 인수분해 공식 (1)

본문 ○ 98쪽

0760 2, 2
0761 $(x-4)^2$
0762 $(x-5)^2$
0763 $(a-9)^2$
0764 $(a-3b)^2$
0765 $\left(x-\frac{1}{2}y\right)^2$
0766 $3x$, $3x$
0767 $(5x-1)^2$
0768 $(2x-1)^2$
0769 $(3x-8y)^2$
0770 $\left(\frac{1}{2}x-2y\right)^2$
0771 $(6a-5b)^2$

05 완전제곱식 - 이차항의 계수가 1인 경우

본문 ○ 99쪽

0772 25
0773 36
0774 49
0775 100
0776 $\frac{9}{4}$
0777 $\frac{4}{25}$
0778 ±16
0779 ±18
0780 ±20
0781 ±12
0782 ±4
0783 5

0783 $x^2+(a+1)x+9$가 완전제곱식이 되려면
$a+1=\pm2\sqrt{9}=\pm6$
$\therefore a=5$ 또는 $a=-7$
따라서 양수 a의 값은 5이다.

06 완전제곱식 - 이차항의 계수가 1이 아닌 경우

본문 ○ 100쪽

0784 16
0785 49
0786 1
0787 9
0788 $81y^2$
0789 $\frac{1}{4}b^2$
0790 ±20
0791 ±12
0792 ±42
0793 $\pm\frac{1}{3}$
0794 $\pm\frac{1}{2}$
0795 4

0795 $25x^2-20x+k=5^2x^2-2\times5\times2x+k$이므로
$k=2^2=4$

07 인수분해 공식 (2)

본문 ○ 101쪽

0796 8, 8
0797 $\left(x+\frac{1}{2}\right)\left(x-\frac{1}{2}\right)$
0798 $(10+x)(10-x)$
0799 $(a+3b)(a-3b)$
0800 $\left(a+\frac{1}{5}\right)\left(a-\frac{1}{5}\right)$
0801 $(a+2b)(a-2b)$
0802 $2x$, $2x$
0803 $(3a+4)(3a-4)$
0804 $\left(6x+\frac{1}{7}y\right)\left(6x-\frac{1}{7}y\right)$
0805 $(10x+9y)(10x-9y)$
0806 $\left(\frac{2}{3}y+\frac{1}{2}x\right)\left(\frac{2}{3}y-\frac{1}{2}x\right)$
0807 $a=9$, $b=5$

0806 $-\frac{1}{4}x^2+\frac{4}{9}y^2=\frac{4}{9}y^2-\frac{1}{4}x^2$
$=\left(\frac{2}{3}y+\frac{1}{2}x\right)\left(\frac{2}{3}y-\frac{1}{2}x\right)$

0807 $81x^2-25y^2=(9x+5y)(9x-5y)$이므로
$a=9$, $b=5$

08 인수분해 공식 (3)

본문 102쪽

0808 6, 3, -6, -3, 2, 3 **0809** 3, 4 **0810** 6, -1

0811 -4, 2 **0812** -4, -5 **0813** -3, -8 **0814** 3, 3

0815 $(x-4)(x+3)$ **0816** $(x-3)(x+2)$

0817 $(x-3)(x-5)$ **0818** $(x+7)(x-3)$

0819 $2x-12$

0819 $x^2-12x+20=(x-2)(x-10)$
따라서 두 일차식의 합은
$(x-2)+(x-10)=2x-12$

09 인수분해 공식 (3)

본문 103쪽

0820 $(x+6y)(x-y)$ **0821** $(x+2y)(x+3y)$

0822 $(x+8y)(x-y)$ **0823** $(x-5y)(x-4y)$

0824 $(x+13y)(x-y)$ **0825** $(x+4y)(x-3y)$

0826 6, $4y$ **0827** 2, $5y$ **0828** $24y^2$ **0829** $72y^2$, $12y$

0830 $24y^2$, $3y$ **0831** 15

0831 $x^2+2xy-ay^2=(x-3y)(x+\square y)$에서
$-3+\square=2$이므로 $\square=5$
$\therefore a=3\times\square=3\times5=15$

10 인수분해 공식 (4)

본문 104쪽

0832 1, 3, 1, 3, 2, 3 **0833** 5, 3, 5, -3, 10, -3

0834 $3x+1$, 1, 3, -4, -12, 1

0835 $2x-1$, $3x-2$, 2, 3, -1, -2, -3, -4

0836 $(x-3)(2x-1)$ **0837** $(3x+1)(x+2)$

0838 $(3x-4)(5x+2)$ **0839** $(4x+1)(5x-1)$

0840 $(x+1)(6x-1)$ **0841** $(x-3)(2x-5)$

0832 $2x^2+5x+3=(x+1)(2x+3)$

1 ╳ [1] → [2]
2 ╳ [3] → [3]
합: 5

0833 $2x^2+7x-15=(x+5)(2x-3)$

1 ╳ [5] → [10]
2 ╳ [-3] → [-3]
합: 7

0834 $3x^2-11x-4=(x-4)(3x+1)$

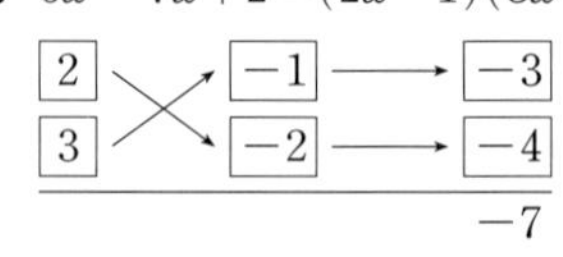

0835 $6x^2-7x+2=(2x-1)(3x-2)$

[2] ╳ [-1] → [-3]
[3] ╳ [-2] → [-4]
합: -7

0840 $(2x+1)(3x-1)+4x=6x^2+x-1+4x$
$=6x^2+5x-1=(x+1)(6x-1)$

0841 $(3x+2)(x-4)-(x^2+x-23)$
$=3x^2-10x-8-x^2-x+23$
$=2x^2-11x+15=(x-3)(2x-5)$

11 인수분해 공식 (4)

본문 105쪽

0842 $(2x+y)(3x-2y)$, -2, 3, -4

0843 $(3x-5y)(4x+3y)$, 4, -5, -20, 9

0844 $(2x+7y)(4x-3y)$, 2, 4, 7, -3, 28, -6

0845 $(9x-y)(3x-2y)$, 9, 3, -1, -2, -3, -18

0846 $(2x+7y)(3x-2y)$ **0847** $(2x-5y)(3x+y)$

0848 $(x-y)(2x+9y)$ **0849** $(x-y)(3x+5y)$

0850 $(2x-3y)(2x+y)$ **0851** 5

0842 $6x^2-xy-2y^2=(2x+y)(3x-2y)$

2 ╳ 1 → [3]
3 ╳ [-2] → [-4]
합: -1

0843 $12x^2-11xy-15y^2=(3x-5y)(4x+3y)$

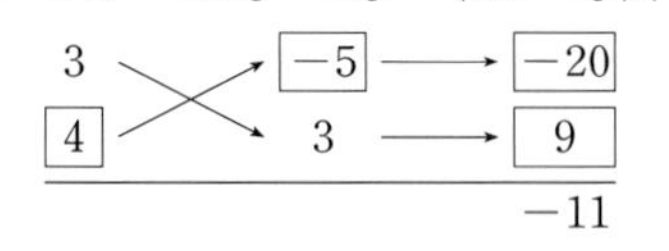

0844 $8x^2+22xy-21y^2=(2x+7y)(4x-3y)$

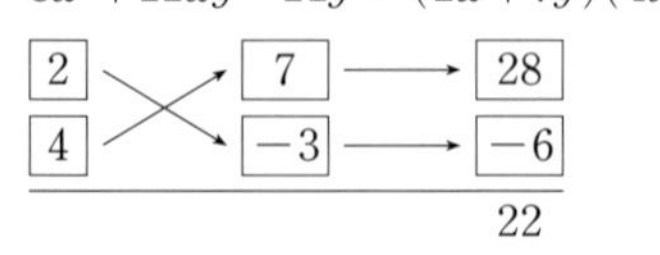

0845 $27x^2-21xy+2y^2=(9x-y)(3x-2y)$

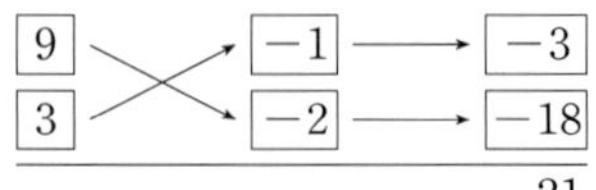

0849 $(x+y)(3x-y)-4y^2=3x^2+2xy-y^2-4y^2$
$=3x^2+2xy-5y^2$
$=(x-y)(3x+5y)$

0850 $(x-2y)(4x+y)+y(3x-y)=4x^2-7xy-2y^2+3xy-y^2$
$=4x^2-4xy-3y^2$
$=(2x-3y)(2x+y)$

0851 $ax^2+10xy-3y^2=(2x-by)(4x-y)$
$=8x^2+(-2-4b)xy+by^2$
따라서 $a=8$, $10=-2-4b$, $-3=b$이므로
$a=8$, $b=-3$ $\therefore a+b=5$

핵심 01~11 Mini Review Test 본문 ◎ 106쪽

0852 ④	**0853** ⑤	**0854** 11	**0855** ③
0856 ②	**0857** 21	**0858** $3x+2$	**0859** 11

0852 ④ $y+2$는 주어진 다항식의 인수가 아니다.

0853 $2x(a-2)-y(2-a)=2x(a-2)+y(a-2)$
$=(a-2)(2x+y)$

0854 $x^2+(a-3)x+16$이 완전제곱식이 되려면
$a-3=\pm2\sqrt{16}=\pm8$ $\therefore a=-5$ 또는 $a=11$
따라서 양수 a의 값은 11이다.

0855 $x^2-x-30=(x+5)(x-6)$
$x^2-36=(x+6)(x-6)$
따라서 공통인수는 $x-6$이다.

0856 ① $x^2-4x+4=(x-2)^2$
③ $x^2-4y^2=(x+2y)(x-2y)$
④ $2x^2+x-6=(2x-3)(x+2)$
⑤ $2x^2-15xy+27y^2=(2x-9y)(x-3y)$

0857 $x^2-10x+a=(x-3)(x+\square)$에서
$-10=-3+\square$이므로 $\square=-7$
$\therefore a=-3\times\square=-3\times(-7)=21$

0858 $(x+1)(x+4)+(x-3)(x+1)$
$=x^2+5x+4+x^2-2x-3$
$=2x^2+3x+1=(2x+1)(x+1)$ ······❶
따라서 두 일차식은 $2x+1$, $x+1$이므로 ······❷
그 합은 $2x+1+x+1=3x+2$ ······❸

채점 기준	배점
❶ 주어진 식을 인수분해하기	40 %
❷ 두 일차식 구하기	30 %
❸ 두 일차식의 합 구하기	30 %

0859 $ax^2-13xy-5y^2=(2x-by)(3x+y)$에서
$a=2\times3=6$이고, $-5=-b\times1$에서 $b=5$
$\therefore a+b=11$

12 복잡한 식의 인수분해 - 공통인수가 있는 경우 본문 ◎ 107쪽

0860 a, a, 2
0861 $z(x-y)^2$
0862 $4(x+4y)^2$
0863 25, 5
0864 $3x(4x+3y)(4x-3y)$
0865 $(a+2b)(a+b)(a-b)$
0866 x^2-4x+3, $x-3$
0867 $-2(a+3b)(2a-b)$
0868 $-a(x+5y)(x-y)$
0869 $(y-1)(1+x)(1-x)$
0870 $\frac{1}{16}yz(x-4y)^2$
0871 $2xyz(3y+4z)(3y-4z)$

0861 $x^2z-2xyz+y^2z=z(x^2-2xy+y^2)=z(x-y)^2$

0862 $4x^2+32xy+64y^2=4(x^2+8xy+16y^2)=4(x+4y)^2$

0864 $48x^3-27xy^2=3x(16x^2-9y^2)$
$=3x(4x+3y)(4x-3y)$

0865 $(a+2b)a^2-(a+2b)b^2=(a+2b)(a^2-b^2)$
$=(a+2b)(a+b)(a-b)$

0867 $-4a^2-10ab+6b^2=-2(2a^2+5ab-3b^2)$
$=-2(a+3b)(2a-b)$

0868 $-ax^2-4axy+5ay^2=-a(x^2+4xy-5y^2)$
$=-a(x+5y)(x-y)$

0869 $-x^2(y-1)-(1-y)=(y-1)(-x^2+1)$
$=(y-1)(1+x)(1-x)$

0870 $\frac{1}{16}x^2yz-\frac{1}{2}xy^2z+y^3z=\frac{1}{16}yz(x^2-8xy+16y^2)$
$=\frac{1}{16}yz(x-4y)^2$

0871 $18xy^3z-32xyz^3=2xyz(9y^2-16z^2)$
$=2xyz(3y+4z)(3y-4z)$

13 복잡한 식의 인수분해 - 치환을 이용한 인수분해 본문 ○ 108쪽

0872 A, 4, 4, 5, 2 **0873** $(x-6)(x+1)$
0874 $(4x-1)(2x+1)$ **0875** $3x(9x+5)$
0876 $(3x+2y-2)(3x+2y-7)$
0877 B, B, $2x-3$, $2x-3$, $x+7$
0878 $(x+y-1)(x-y-7)$ **0879** $16x(x-3y)$
0880 $(x+y)(x-y)(x^2+y^2)$
0881 $(x+y)(x-y)(x^2+y^2)(x^4+y^4)$

0873 $x-1=A$로 놓으면
$$\begin{aligned}(x-1)^2-3(x-1)-10&=A^2-3A-10\\&=(A-5)(A+2)\\&=(x-1-5)(x-1+2)\\&=(x-6)(x+1)\end{aligned}$$

0874 $2x-1=A$로 놓으면
$$\begin{aligned}2(2x-1)^2+5(2x-1)+2&=2A^2+5A+2\\&=(2A+1)(A+2)\\&=\{2(2x-1)+1\}(2x-1+2)\\&=(4x-1)(2x+1)\end{aligned}$$

0875 $3x+2=A$로 놓으면
$$\begin{aligned}3(3x+2)^2-7(3x+2)+2&=3A^2-7A+2\\&=(3A-1)(A-2)\\&=\{3(3x+2)-1\}(3x+2-2)\\&=3x(9x+5)\end{aligned}$$

0876 $3x+2y=A$로 놓으면
$$\begin{aligned}(3x+2y)(3x+2y-9)+14&=A(A-9)+14\\&=A^2-9A+14\\&=(A-2)(A-7)\\&=(3x+2y-2)(3x+2y-7)\end{aligned}$$

0878 $x-4=A$, $y+3=B$로 놓으면
$$\begin{aligned}&(x-4)^2-(y+3)^2\\&=A^2-B^2=(A+B)(A-B)\\&=\{(x-4)+(y+3)\}\{(x-4)-(y+3)\}\\&=(x+y-1)(x-y-7)\end{aligned}$$

0879 $5x-3y=A$, $x+y=B$로 놓으면
$$\begin{aligned}&(5x-3y)^2-9(x+y)^2\\&=A^2-9B^2=(A+3B)(A-3B)\\&=\{(5x-3y)+3(x+y)\}\{(5x-3y)-3(x+y)\}\\&=8x(2x-6y)=16x(x-3y)\end{aligned}$$

0880
$$\begin{aligned}x^4-y^4&=(x^2-y^2)(x^2+y^2)\\&=(x+y)(x-y)(x^2+y^2)\end{aligned}$$

0881
$$\begin{aligned}x^8-y^8&=(x^4-y^4)(x^4+y^4)\\&=(x^2-y^2)(x^2+y^2)(x^4+y^4)\\&=(x+y)(x-y)(x^2+y^2)(x^4+y^4)\end{aligned}$$

14 복잡한 식의 인수분해 - 항이 4개 본문 ○ 109쪽

0882 $x+y$, $x+y$, $x+y$ **0883** $(a+1)(b-1)$
0884 $(x+2)(y+2)$ **0885** $(a+b)(x+1)(x-1)$
0886 $(x-y)(x+y-5)$ **0887** $a-3$, $2b$, $a-3$, $a-3$
0888 $(x+y+2)(x-y+2)$ **0889** $(x+y+1)(x-y-1)$
0890 $(a-b+c)(a-b-c)$ **0891** ②, ④

0883
$$\begin{aligned}ab-a+b-1&=a(b-1)+b-1\\&=(a+1)(b-1)\end{aligned}$$

0884
$$\begin{aligned}xy+2x+2y+4&=x(y+2)+2(y+2)\\&=(x+2)(y+2)\end{aligned}$$

0885
$$\begin{aligned}ax^2-a+bx^2-b&=a(x^2-1)+b(x^2-1)\\&=(a+b)(x^2-1)\\&=(a+b)(x+1)(x-1)\end{aligned}$$

0886
$$\begin{aligned}x^2-y^2-5x+5y&=(x+y)(x-y)-5(x-y)\\&=(x-y)(x+y-5)\end{aligned}$$

0888
$$\begin{aligned}x^2+4x+4-y^2&=(x+2)^2-y^2\\&=(x+2+y)(x+2-y)\\&=(x+y+2)(x-y+2)\end{aligned}$$

0889
$$\begin{aligned}x^2-y^2-2y-1&=x^2-(y^2+2y+1)\\&=x^2-(y+1)^2\\&=(x+y+1)(x-y-1)\end{aligned}$$

0890
$$\begin{aligned}a^2+b^2-c^2-2ab&=a^2-2ab+b^2-c^2\\&=(a-b)^2-c^2\\&=(a-b+c)(a-b-c)\end{aligned}$$

0891
$$\begin{aligned}4-x^2-y^2-2xy&=4-(x^2+2xy+y^2)\\&=4-(x+y)^2\\&=(2+x+y)(2-x-y)\end{aligned}$$

15 인수분해 공식을 이용한 수의 계산 (1)

본문 ○ 110쪽

0892 17, 17, 1700 **0893** 78900 **0894** 640
0895 3900 **0896** 280 **0897** 120 **0898** 102, 100
0899 10000 **0900** 10000 **0901** 40000 **0902** 4900
0903 60

0893 $789\times24+789\times76=789(24+76)$
$=789\times100=78900$

0894 $64\times72-64\times62=64(72-62)$
$=64\times10=640$

0895 $65^2-65\times5=65(65-5)$
$=65\times60=3900$

0896 $28\times14-28\times6+28\times2=28(14-6+2)$
$=28\times10=280$

0897 $12\times17+12\times13-12\times20=12(17+13-20)$
$=12\times10=120$

0899 $99^2+2\times99\times1+1^2=(99+1)^2$
$=100^2=10000$

0900 $94^2+2\times94\times6+6^2=(94+6)^2$
$=100^2=10000$

0901 $195^2+10\times195+5^2=(195+5)^2$
$=200^2=40000$

0902 $78^2-16\times78+64=(78-8)^2$
$=70^2=4900$

0903 $\sqrt{56^2+8\times56+16}=\sqrt{(56+4)^2}$
$=\sqrt{60^2}=60$

16 인수분해 공식을 이용한 수의 계산 (2)

본문 ○ 111쪽

0904 125, 125, 1, 249 **0905** 2017 **0906** $20\sqrt{5}$
0907 44 **0908** 80 **0909** 400
0910 ㄱ, ㄴ, $60\sqrt{2}$ **0911** ㄱ, ㄷ, 200
0912 ㄱ, ㄹ, 8000 **0913** ㄱ, ㄹ, 420 **0914** 394

0905 $1009^2-1008^2=(1009+1008)(1009-1008)$
$=2017\times1=2017$

0906 $\sqrt{105^2-95^2}=\sqrt{(105+95)(105-95)}$
$=\sqrt{200\times10}=\sqrt{2000}=20\sqrt{5}$

0907 $7.2^2-2.8^2=(7.2+2.8)(7.2-2.8)$
$=10\times4.4=44$

0908 $\sqrt{4\times58^2-4\times42^2}=\sqrt{4(58^2-42^2)}$
$=\sqrt{4(58+42)(58-42)}$
$=\sqrt{4\times100\times16}$
$=\sqrt{6400}=80$

0909 $2\times27^2-2\times23^2=2(27^2-23^2)$
$=2(27+23)(27-23)$
$=2\times50\times4=400$

0910 $\sqrt{2\times57^2+12\times57+18}=\sqrt{2(57^2+6\times57+9)}$
$=\sqrt{2(57+3)^2}$
$=\sqrt{2\times60^2}=60\sqrt{2}$

0911 $\sqrt{4\times101^2-8\times101+4}=\sqrt{4(101^2-2\times101+1)}$
$=\sqrt{4(101-1)^2}$
$=\sqrt{4\times100^2}=200$

0912 $10\times54^2-10\times46^2=10(54^2-46^2)$
$=10(54+46)(54-46)$
$=10\times100\times8=8000$

0913 $6\times8.5^2-6\times1.5^2=6(8.5^2-1.5^2)$
$=6(8.5+1.5)(8.5-1.5)$
$=6\times10\times7=420$

0914 $100^2-99^2=(100+99)(100-99)=199$
$98^2-97^2=(98+97)(98-97)=195$
$\therefore$ (주어진 식)$=199+195=394$

17 인수분해 공식을 이용한 식의 값

본문 ○ 112쪽

0915 7, 7, 100, 10000 **0916** 10000 **0917** 8
0918 400 **0919** 5 **0920** 100, 600 **0921** $4\sqrt{3}$
0922 16 **0923** 8 **0924** $8\sqrt{5}$

0916 $x^2-10x+25=(x-5)^2=(105-5)^2$
$=100^2=10000$

0917 $x^2+10x+25=(x+5)^2=(-5+2\sqrt{2}+5)^2$
$=(2\sqrt{2})^2=8$

0918 $x^2-8x+16=(x-4)^2=(24-4)^2$
$=20^2=400$

0919 $(x+1)^2+4(x+1)+4=A^2+4A+4=(A+2)^2$
$=(x+3)^2$
$=(\sqrt{5}-3+3)^2=(\sqrt{5})^2=5$

0921 $x^2-y^2=(x+y)(x-y)$
$=\{(\sqrt{3}+1)+(\sqrt{3}-1)\}\{(\sqrt{3}+1)-(\sqrt{3}-1)\}$
$=2\sqrt{3}\times 2=4\sqrt{3}$

0922 $x^2+2xy+y^2=(x+y)^2=\{(2-\sqrt{3})+(2+\sqrt{3})\}^2=4^2=16$

0923 $x^2-2xy+y^2=(x-y)^2=\{(\sqrt{3}+\sqrt{2})-(\sqrt{3}-\sqrt{2})\}^2$
$=(2\sqrt{2})^2=8$

0924 $x=\frac{1}{\sqrt{5}-2}=\sqrt{5}+2$, $y=\frac{1}{\sqrt{5}+2}=\sqrt{5}-2$이므로
$x+y=(\sqrt{5}+2)+(\sqrt{5}-2)=2\sqrt{5}$,
$x-y=(\sqrt{5}+2)-(\sqrt{5}-2)=4$
$\therefore x^3y-xy^3=xy(x^2-y^2)$
$=xy(x+y)(x-y)$
$=(\sqrt{5}+2)(\sqrt{5}-2)\times 2\sqrt{5}\times 4$
$=(5-4)\times 2\sqrt{5}\times 4=8\sqrt{5}$

18 인수분해의 활용 – 문장제

본문 ○ 113쪽

0925 (1) $a=-7$, $b=-18$ (2) $(x-9)(x+2)$
0926 $3(x-4)(x+1)$
0927 $(2x+1)(x-6)$
0928 (1) $a=-2$, $b=-5$ (2) $x-5$
0929 13, $8x+6$

0925 (1) 다연이는 상수항을, 준서는 x의 계수를 바르게 보았다.
$(x+6)(x-3)=x^2+3x-18$에서 $b=-18$
$(x-4)(x-3)=x^2-7x+12$에서 $a=-7$
(2) $x^2-7x-18=(x-9)(x+2)$

0926 이룸이는 상수항을, 숨마는 x의 계수를 바르게 보았다.
$(x+3)(3x-4)=3x^2+5x-12$에서 처음 이차식의 상수항은 -12이다.
$3(x+2)(x-5)=3x^2-9x-30$에서 처음 이차식의 x의 계수는 -9이다.
따라서 처음 이차식은 $3x^2-9x-12$이므로 바르게 인수분해하면 $3x^2-9x-12=3(x^2-3x-4)=3(x-4)(x+1)$

0927 예진이는 상수항을, 하영이는 x의 계수를 바르게 보았다.
$(x+1)(2x-6)=2x^2-4x-6$에서 처음 이차식의 상수항은 -6이고, $(2x-1)(x-5)=2x^2-11x+5$에서 처음 이차식의 x의 계수는 -11이다.
따라서 처음 이차식은 $2x^2-11x-6$이므로 바르게 인수분해하면 $2x^2-11x-6=(2x+1)(x-6)$

0928 (1) $x^2+ax-15=(x+3)(x+b)$에서
$3b=-15$이므로 $b=-5$
$a=3+b=3+(-5)=-2$

0929 $3x^2+ax-10=(x+5)(3x+b)$로 놓으면
$-10=5\times b$에서 $b=-2$
$a=b+15=-2+15=13$
따라서 액자의 둘레의 길이는
$2\{(x+5)+(3x-2)\}=2(4x+3)=8x+6$

핵심 12~18 Mini Review Test

본문 ○ 114쪽

0930 ⑤ **0931** ③ **0932** ①, ③ **0933** 10
0934 $4\sqrt{15}$ **0935** 12 **0936** $4x-1$

0930 $2a^2(a+b)-2b^2(a+b)=(a+b)(2a^2-2b^2)$
$=2(a+b)(a^2-b^2)$
$=2(a+b)(a+b)(a-b)$
$=2(a+b)^2(a-b)$
따라서 인수가 아닌 것은 ⑤이다.

0931 $2x+4=A$, $x-2=B$로 놓으면
$(2x+4)^2-(x-2)^2=A^2-B^2=(A+B)(A-B)$
$=(2x+4+x-2)(2x+4-x+2)$
$=(3x+2)(x+6)$

0932 $9-x^2+2xy-y^2=9-(x^2-2xy+y^2)$
$=3^2-(x-y)^2$
$=(3+x-y)(3-x+y)$

0933 $98^2+4\times98+4=(98+2)^2=100^2=10000$

$55^2-45^2=(55+45)(55-45)=100\times10=1000$

$\therefore$ (주어진 식)$=\frac{10000}{1000}=10$

0934 $x+y=2\sqrt{3}$, $x-y=2\sqrt{5}$이므로

$x^2-y^2=(x+y)(x-y)=2\sqrt{3}\times2\sqrt{5}=4\sqrt{15}$

0935 $x=\frac{2}{\sqrt{3}-1}=\frac{2(\sqrt{3}+1)}{(\sqrt{3}-1)(\sqrt{3}+1)}=\sqrt{3}+1$

이때 $2x+1=\mathrm{A}$로 놓으면

$(2x+1)^2-6(2x+1)+9=\mathrm{A}^2-6\mathrm{A}+9=(\mathrm{A}-3)^2$

$=(2x+1-3)^2=(2x-2)^2$

$=(2\sqrt{3})^2=12$

0936 사다리꼴의 넓이는

$\frac{1}{2}\times\{(2x+1)+(4x+1)\}\times$(높이)$=12x^2+x-1$ ······ ❶

$(3x+1)\times$(높이)$=(3x+1)(4x-1)$ ······ ❷

$\therefore$ (높이)$=4x-1$ ······ ❸

채점 기준	배점
❶ 사다리꼴의 넓이 구하기	40 %
❷ ❶을 인수분해하기	40 %
❸ 높이 구하기	20 %

❹ 이차방정식 

7. 이차방정식의 풀이 (1)

01 이차방정식의 뜻

본문 ○ 119쪽

0937 × **0938** ○ **0939** × **0940** ×
0941 × **0942** ○ **0943** ○ **0944** 0
0945 $a\neq2$ **0946** $a\neq-3$ **0947** $a\neq1$ **0948** $a\neq4$
0949 ㄷ, ㄹ

0937 $3x+6=0$ (일차방정식) ➡ 이차방정식이 아니다.

0939 $4x^2-8x$ (이차식) ➡ 이차방정식이 아니다.

0940 $(x+2)^2=x^2$에서 $x^2+4x+4=x^2$

$\therefore$ $4x+4=0$ (일차방정식) ➡ 이차방정식이 아니다.

0941 $-x^3+2x^2-6=0$ ➡ 이차방정식이 아니다.

0942 $2x^2+3x-4=-x^2-x$에서

$3x^2+4x-4=0$ ➡ 이차방정식이다.

0943 $(x-3)(x+3)=-9$에서 $x^2-9=-9$ $\therefore$ $x^2=0$

➡ 이차방정식이다.

0945 $a-2\neq0$이어야 하므로 $a\neq2$

0946 $ax^2-2x+11=-3x^2+4x+5$에서

$(a+3)x^2-6x+6=0$

이 식이 이차방정식이 되려면 $a+3\neq0$

$\therefore$ $a\neq-3$

0947 $(ax-1)(x+3)=x^2+7$에서

$ax^2+(3a-1)x-3=x^2+7$

$(a-1)x^2+(3a-1)x-10=0$

이 식이 이차방정식이 되려면 $a-1\neq0$

$\therefore$ $a\neq1$

0948 $(2x-1)^2=ax^2$에서 $4x^2-4x+1=ax^2$

$(4-a)x^2-4x+1=0$

이 식이 이차방정식이 되려면 $4-a\neq0$

$\therefore$ $a\neq4$

0949 ㄱ. x^2+2x+3 (이차식) ➡ 이차방정식이 아니다.

ㄴ. $(x-1)^2=x^2$에서 $x^2-2x+1=x^2$

$\therefore -2x+1=0$ (일차방정식) ➡ 이차방정식이 아니다.

ㄷ. $3x^2-2x=2x$에서 $3x^2-4x=0$ ➡ 이차방정식이다.

ㄹ. $-\frac{1}{2}x^2=0$ ➡ 이차방정식이다.

따라서 이차방정식은 ㄷ, ㄹ이다.

02 이차방정식의 해

본문 ◎ 120쪽

0950 ○, 0, 1 **0951** × **0952** × **0953** ○
0954 ○ **0955** × **0956** 표는 풀이 참조, -2, 0
0957 표는 풀이 참조, -2 **0958** ㄴ, ㄹ

0951 $(-3-3)(-3+4)=-6\neq0$ (거짓)

0952 $2^2+2\times2+3=11\neq0$ (거짓)

0953 $(-2)^2+(-2)-2=0$ (참)

0954 $4^2=5\times4-4$ (참)

0955 $3\times1^2+2\times1=5\neq-5$ (거짓)

0956

x	좌변의 값	우변의 값	참, 거짓
-2	$(-2)^2+2\times(-2)=0$	0	참
-1	-1	0	거짓
0	0	0	참
1	3	0	거짓

0957

x	좌변의 값	우변의 값	참, 거짓
-2	0	0	참
-1	-5	0	거짓
0	-8	0	거짓
1	-9	0	거짓

0958 각 방정식에 $x=2$를 대입하여 등식이 성립하는 것을 찾는다.

ㄱ. $2^2+2\times2-3=5\neq0$ (거짓)

ㄴ. $2\times2^2-6\times2+4=0$ (참)

ㄷ. $2^2+6\times2+8=24\neq0$ (거짓)

ㄹ. $2^2-11\times2+18=0$ (참)

따라서 $x=2$를 해로 갖는 이차방정식은 ㄴ, ㄹ이다.

03 한 근이 주어질 때, 미지수의 값 구하기

본문 ◎ 121쪽

0959 4 **0960** 1 **0961** 1 **0962** -4
0963 -1 **0964** 3 **0965** a, a, 6 **0966** -8
0967 3 **0968** $\frac{4}{3}$ **0969** 2

0960 $x=-1$을 $x^2+2x+a=0$에 대입하면

$(-1)^2+2\times(-1)+a=0$, $-1+a=0$ $\therefore a=1$

0961 $x=3$을 $x^2+ax-12=0$에 대입하면

$3^2+a\times3-12=0$, $3a=3$ $\therefore a=1$

0962 $x=-2$를 $x^2-ax-a=0$에 대입하면

$(-2)^2-a\times(-2)-a=0$, $4+a=0$ $\therefore a=-4$

0963 $x=2$를 $(a-1)x^2+x+6=0$에 대입하면

$(a-1)\times2^2+2+6=0$, $4(a-1)=-8$ $\therefore a=-1$

0964 $x=-3$을 $x^2=ax+18$에 대입하면

$(-3)^2=a\times(-3)+18$, $3a=9$ $\therefore a=3$

0966 $x=a$를 $x^2+6x+8=0$에 대입하면 $a^2+6a+8=0$

$\therefore a^2+6a=-8$

0967 $x=a$를 $2x^2-4x-6=0$에 대입하면

$2a^2-4a-6=0$, $2(a^2-2a)=6$

$\therefore a^2-2a=3$

0968 $x=a$를 $3x^2+6x-4=0$에 대입하면

$3a^2+6a-4=0$, $3(a^2+2a)=4$

$\therefore a^2+2a=\frac{4}{3}$

0969 $x=a$를 $2x^2-x-1=0$에 대입하면 $2a^2-a-1=0$

이때 $a\neq0$이므로 위 식의 양변을 a^2으로 나누면

$2-\frac{1}{a}-\frac{1}{a^2}=0$ $\therefore \frac{1}{a^2}+\frac{1}{a}=2$

04 인수분해를 이용한 이차방정식의 풀이 (1)

본문 122쪽

0970 $-2, 5$
0971 $x=-3$ 또는 $x=3$
0972 $x=0$ 또는 $x=1$
0973 $x=-\frac{5}{4}$ 또는 $x=\frac{1}{4}$
0974 $x=-\frac{1}{2}$ 또는 $x=2$
0975 $x=-\frac{1}{3}$ 또는 $x=\frac{1}{2}$
0976 $x+6, 0, x+6, 0, -6$
0977 $x=0$ 또는 $x=4$
0978 $x=0$ 또는 $x=3$
0979 $x=0$ 또는 $x=-5$
0980 ㄷ

0977 $x^2-4x=0$에서 $x(x-4)=0$
$x=0$ 또는 $x-4=0$ $\therefore x=0$ 또는 $x=4$

0978 $2x^2-6x=0$에서 $2x(x-3)=0$
$x=0$ 또는 $x-3=0$ $\therefore x=0$ 또는 $x=3$

0979 $3x^2=-15x$에서 $3x^2+15x=0$
$3x(x+5)=0$ $\therefore x=0$ 또는 $x=-5$

0980 ㄱ, ㄴ, ㄹ. $x=-\frac{3}{2}$ 또는 $x=\frac{1}{2}$
ㄷ. $x=\frac{1}{2}$ 또는 $x=\frac{3}{2}$

05 인수분해를 이용한 이차방정식의 풀이 (2)

본문 123쪽

0981 $x+2, x+2, -2, 2$
0982 $x=-4$ 또는 $x=4$
0983 $x=-\frac{1}{3}$ 또는 $x=\frac{1}{3}$
0984 $x=-\frac{7}{5}$ 또는 $x=\frac{7}{5}$
0985 $x=-1$ 또는 $x=1$
0986 $x=-\frac{2}{3}$ 또는 $x=\frac{2}{3}$
0987 $x+3, -1, -3$
0988 $x=-3$ 또는 $x=4$
0989 $x=-5$ 또는 $x=2$
0990 $x=-3$ 또는 $x=5$
0991 $x=-5$ 또는 $x=-2$
0992 $x=2$ 또는 $x=10$

0982 $x^2-16=0$에서 $(x+4)(x-4)=0$
$\therefore x=-4$ 또는 $x=4$

0983 $9x^2-1=0$에서 $(3x+1)(3x-1)=0$
$\therefore x=-\frac{1}{3}$ 또는 $x=\frac{1}{3}$

0984 $25x^2-49=0$에서 $(5x+7)(5x-7)=0$
$\therefore x=-\frac{7}{5}$ 또는 $x=\frac{7}{5}$

0985 $3x^2-3=0$에서 $3(x^2-1)=0$
$3(x+1)(x-1)=0$
$\therefore x=-1$ 또는 $x=1$

0986 $9x^2-4=0$에서 $(3x+2)(3x-2)=0$
$\therefore x=-\frac{2}{3}$ 또는 $x=\frac{2}{3}$

0988 $x^2-x-12=0$에서 $(x+3)(x-4)=0$
$\therefore x=-3$ 또는 $x=4$

0989 $x^2+3x-10=0$에서 $(x+5)(x-2)=0$
$\therefore x=-5$ 또는 $x=2$

0990 $x^2-2x-15=0$에서 $(x+3)(x-5)=0$
$\therefore x=-3$ 또는 $x=5$

0991 $x^2+7x+10=0$에서 $(x+5)(x+2)=0$
$\therefore x=-5$ 또는 $x=-2$

0992 $x^2-12x+20=0$에서 $(x-2)(x-10)=0$
$\therefore x=2$ 또는 $x=10$

06 인수분해를 이용한 이차방정식의 풀이 (3)

본문 124쪽

0993 $2x-1, 2x-1, \frac{1}{2}, -2$
0994 $x=-\frac{2}{3}$ 또는 $x=3$
0995 $x=-\frac{7}{2}$ 또는 $x=\frac{1}{2}$
0996 $x=-2$ 또는 $x=\frac{3}{5}$
0997 $x=-\frac{3}{2}$ 또는 $x=\frac{5}{4}$
0998 $x=-\frac{1}{3}$ 또는 $x=\frac{3}{2}$
0999 $3, 7, 3x-1, 3x-1, \frac{1}{3}$
1000 $x=-\frac{2}{3}$ 또는 $x=\frac{3}{2}$
1001 $x=\frac{1}{2}$ 또는 $x=\frac{3}{2}$
1002 $x=-\frac{5}{2}$ 또는 $x=3$
1003 $x=-\frac{7}{3}$ 또는 $x=2$
1004 $x=-\frac{1}{5}$ 또는 $x=\frac{3}{2}$

0994 $3x^2-7x-6=0$에서 $(3x+2)(x-3)=0$
$\therefore x=-\frac{2}{3}$ 또는 $x=3$

0995 $4x^2+12x-7=0$에서 $(2x+7)(2x-1)=0$
$\therefore x=-\frac{7}{2}$ 또는 $x=\frac{1}{2}$

0996 $5x^2+7x-6=0$에서 $(x+2)(5x-3)=0$
$\therefore x=-2$ 또는 $x=\frac{3}{5}$

0997 $8x^2+2x-15=0$에서 $(2x+3)(4x-5)=0$

$\therefore x=-\frac{3}{2}$ 또는 $x=\frac{5}{4}$

0998 $6x^2-7x-3=0$에서 $(3x+1)(2x-3)=0$

$\therefore x=-\frac{1}{3}$ 또는 $x=\frac{3}{2}$

1000 $6x^2-3x-4=2x+2$에서 $6x^2-5x-6=0$

$(3x+2)(2x-3)=0$ $\quad\therefore x=-\frac{2}{3}$ 또는 $x=\frac{3}{2}$

1001 $4x(x-2)=-3$에서 $4x^2-8x+3=0$

$(2x-1)(2x-3)=0$ $\quad\therefore x=\frac{1}{2}$ 또는 $x=\frac{3}{2}$

1002 $(x+1)(2x-3)=12$에서 $2x^2-x-3=12$

$2x^2-x-15=0$, $(2x+5)(x-3)=0$

$\therefore x=-\frac{5}{2}$ 또는 $x=3$

1003 $(x+1)(3x-1)=x+13$에서 $3x^2+2x-1=x+13$

$3x^2+x-14=0$, $(3x+7)(x-2)=0$

$\therefore x=-\frac{7}{3}$ 또는 $x=2$

1004 $(10x-3)(x-1)=6$에서 $10x^2-13x+3=6$

$10x^2-13x-3=0$, $(5x+1)(2x-3)=0$

$\therefore x=-\frac{1}{5}$ 또는 $x=\frac{3}{2}$

07 한 근이 주어질 때, 다른 한 근 구하기

본문 ○ 125쪽

1005 3, 3, 2, -2, -2 **1006** $x=4$ **1007** $x=2$

1008 $x=-9$ **1009** $x=\frac{5}{3}$ **1010** $x=\frac{1}{2}$

1011 2, 3, 2, 2, 2, 20 **1012** 2 **1013** -6

1014 -5 **1015** -5

1006 $x^2-6x+a=0$에 $x=2$를 대입하면

$2^2-12+a=0$ $\quad\therefore a=8$

주어진 방정식은 $x^2-6x+8=0$이므로 인수분해하면

$(x-2)(x-4)=0$ $\quad\therefore x=2$ 또는 $x=4$

따라서 다른 한 근은 $x=4$이다.

1007 $x^2+x+a=0$에 $x=-3$을 대입하면

$(-3)^2-3+a=0$ $\quad\therefore a=-6$

주어진 방정식은 $x^2+x-6=0$이므로 인수분해하면

$(x+3)(x-2)=0$ $\quad\therefore x=-3$ 또는 $x=2$

따라서 다른 한 근은 $x=2$이다.

1008 $x^2+ax-9=0$에 $x=1$을 대입하면 $1+a-9=0$

$\therefore a=8$

주어진 방정식은 $x^2+8x-9=0$이므로 인수분해하면

$(x+9)(x-1)=0$ $\quad\therefore x=-9$ 또는 $x=1$

따라서 다른 한 근은 $x=-9$이다.

1009 $3x^2-2x+a=0$에 $x=-1$을 대입하면

$3\times(-1)^2-2\times(-1)+a=0$ $\quad\therefore a=-5$

주어진 방정식은 $3x^2-2x-5=0$이므로 인수분해하면

$(x+1)(3x-5)=0$ $\quad\therefore x=-1$ 또는 $x=\frac{5}{3}$

따라서 다른 한 근은 $x=\frac{5}{3}$이다.

1010 $2x^2+ax+2=0$에 $x=2$를 대입하면

$2\times2^2+2a+2=0$ $\quad\therefore a=-5$

주어진 방정식은 $2x^2-5x+2=0$이므로 인수분해하면

$(x-2)(2x-1)=0$ $\quad\therefore x=2$ 또는 $x=\frac{1}{2}$

따라서 다른 한 근은 $x=\frac{1}{2}$이다.

1012 A: $x^2-9=0$에서 $(x+3)(x-3)=0$

$\therefore x=-3$ 또는 $x=3$

따라서 $x=-3$을 B: $x^2+ax-3=0$에 대입하면

$(-3)^2+a\times(-3)-3=0$, $6-3a=0$ $\quad\therefore a=2$

1013 A: $x^2+x-2=0$에서 $(x+2)(x-1)=0$

$\therefore x=-2$ 또는 $x=1$

따라서 $x=-2$를 B: $x^2-x+a=0$에 대입하면

$(-2)^2-(-2)+a=0$ $\quad\therefore a=-6$

1014 A: $2x^2+x-1=0$에서 $(x+1)(2x-1)=0$

$\therefore x=-1$ 또는 $x=\frac{1}{2}$

따라서 $x=-1$을 B: $2x^2-3x+a=0$에 대입하면

$2\times(-1)^2-3\times(-1)+a=0$ $\quad\therefore a=-5$

1015 A: $x^2+3x-4=0$에서 $(x+4)(x-1)=0$

$\therefore x=-4$ 또는 $x=1$

따라서 $x=1$을 $x^2+ax+4=0$에 대입하면

$1+a+4=0$ $\quad\therefore a=-5$

08 두 이차방정식의 공통근

본문 ◎ 126쪽

1016 $-1, 3, -1, -4, -1$ **1017** $x=2$ **1018** $x=-4$
1019 $x=4$ **1020** $x=-1$ **1021** $x=4$
1022 $3, -8, -5$ **1023** -5 **1024** 7
1025 32 **1026** -18 **1027** 13

1017 $x^2+3x-10=0$에서 $(x+5)(x-2)=0$
$\therefore x=-5$ 또는 $x=2$
$3x^2-5x-2=0$에서 $(3x+1)(x-2)=0$
$\therefore x=-\frac{1}{3}$ 또는 $x=2$
따라서 두 방정식의 공통근은 $x=2$이다.

1018 $x^2+7x+12=0$에서 $(x+3)(x+4)=0$
$\therefore x=-4$ 또는 $x=-3$
$x^2-2x-24=0$에서 $(x+4)(x-6)=0$
$\therefore x=-4$ 또는 $x=6$
따라서 두 방정식의 공통근은 $x=-4$이다.

1019 $2x^2-7x-4=0$에서 $(2x+1)(x-4)=0$
$\therefore x=-\frac{1}{2}$ 또는 $x=4$
$x^2-2x-8=0$에서 $(x+2)(x-4)=0$
$\therefore x=-2$ 또는 $x=4$
따라서 두 방정식의 공통근은 $x=4$이다.

1020 $2x^2+3x+1=0$에서 $(2x+1)(x+1)=0$
$\therefore x=-\frac{1}{2}$ 또는 $x=-1$
$3x^2+2x-1=0$에서 $(x+1)(3x-1)=0$
$\therefore x=-1$ 또는 $x=\frac{1}{3}$
따라서 두 방정식의 공통근은 $x=-1$이다.

1021 $x^2-3x-4=0$에서 $(x+1)(x-4)=0$
$\therefore x=-1$ 또는 $x=4$
$5x^2-19x-4=0$에서 $(5x+1)(x-4)=0$
$\therefore x=-\frac{1}{5}$ 또는 $x=4$
따라서 두 방정식의 공통근은 $x=4$이다.

1023 $x^2-3x+a=0$, $x^2+bx+6=0$에 $x=-2$를 대입하면
$(-2)^2-3\times(-2)+a=0$, $10+a=0$ $\therefore a=-10$
$(-2)^2+b\times(-2)+6=0$, $10-2b=0$ $\therefore b=5$
$\therefore a+b=-10+5=-5$

1024 $x^2+ax+6=0$, $bx^2+7x+3=0$에 $x=-3$을 대입하면
$(-3)^2+a\times(-3)+6=0$, $15-3a=0$ $\therefore a=5$
$b\times(-3)^2+7\times(-3)+3=0$, $9b-18=0$ $\therefore b=2$
$\therefore a+b=5+2=7$

1025 $x^2-7x+a=0$, $x^2-9x+b=0$에 $x=4$를 대입하면
$4^2-7\times4+a=0$, $-12+a=0$ $\therefore a=12$
$4^2-9\times4+b=0$, $-20+b=0$ $\therefore b=20$
$\therefore a+b=12+20=32$

1026 $x^2+ax-7=0$, $x^2-11x+b=0$에 $x=-1$을 대입하면
$(-1)^2+a\times(-1)-7=0$, $-a-6=0$ $\therefore a=-6$
$(-1)^2-11\times(-1)+b=0$, $12+b=0$ $\therefore b=-12$
$\therefore a+b=(-6)+(-12)=-18$

1027 $x^2-9x+20=0$에서 $(x-4)(x-5)=0$
$\therefore x=4$ 또는 $x=5$
$x^2-7x+10=0$에서 $(x-2)(x-5)=0$
$\therefore x=2$ 또는 $x=5$
따라서 공통근은 $x=5$이므로
$5^2-5a+3a+1=0$, $26=2a$ $\therefore a=13$

09 이차방정식의 중근

본문 ◎ 127쪽

1028 $x=1$ (중근) **1029** $x=-\frac{1}{2}$ (중근)
1030 $x=2$ (중근) **1031** $x=-5$ (중근)
1032 $x=7$ (중근) **1033** $x=10$ (중근)
1034 $x=-\frac{1}{3}$ (중근) **1035** $x=\frac{1}{4}$ (중근)
1036 $x=-\frac{3}{2}$ (중근) **1037** $x=\frac{4}{5}$ (중근)
1038 $x=\frac{7}{6}$ (중근) **1039** ㄴ, ㄹ

1030 $x^2-4x+4=0$에서 $(x-2)^2=0$ $\therefore x=2$ (중근)

1031 $x^2+10x+25=0$에서 $(x+5)^2=0$ $\therefore x=-5$ (중근)

1032 $x^2-14x=-49$에서 $x^2-14x+49=0$
$(x-7)^2=0$ $\therefore x=7$ (중근)

1033 $x^2+100=20x$에서 $x^2-20x+100=0$
$(x-10)^2=0$ $\therefore x=10$ (중근)

1034 $9x^2+6x+1=0$에서 $(3x+1)^2=0$ $\therefore x=-\frac{1}{3}$ (중근)

1035 $16x^2-8x+1=0$에서 $(4x-1)^2=0$

$\therefore x=\frac{1}{4}$ (중근)

1036 $4x^2+12x+9=0$에서 $(2x+3)^2=0$

$\therefore x=-\frac{3}{2}$ (중근)

1037 $25x^2=40x-16$에서 $25x^2-40x+16=0$

$(5x-4)^2=0 \quad \therefore x=\frac{4}{5}$ (중근)

1038 $16x^2-64x+49=20x-20x^2$에서

$36x^2-84x+49=0$, $(6x-7)^2=0$

$\therefore x=\frac{7}{6}$ (중근)

1039 ㄱ. $x^2-4x=12$에서 $x^2-4x-12=0$

$(x-6)(x+2)=0 \quad \therefore x=6$ 또는 $x=-2$

ㄴ. $x^2=2x-1$에서 $x^2-2x+1=0$, $(x-1)^2=0$

$\therefore x=1$ (중근)

ㄷ. $x^2=4$에서 $x=\pm 2$

ㄹ. $3-x^2=6(x+2)$에서 $-x^2-6x-9=0$, $x^2+6x+9=0$

$(x+3)^2=0 \quad \therefore x=-3$ (중근)

따라서 중근을 갖는 것은 ㄴ, ㄹ이다.

10 이차방정식이 중근을 가질 조건

본문 ◎ 128쪽

1040 4, 4	**1041** 1	**1042** $\frac{9}{4}$	**1043** 8
1044 72	**1045** -16	**1046** 4, 2	**1047** 6
1048 10	**1049** 8	**1050** 4	**1051** -3

1041 $a=\left(\frac{-2}{2}\right)^2=1$

1042 $a=\left(\frac{3}{2}\right)^2=\frac{9}{4}$

1043 $2a=\left(\frac{-8}{2}\right)^2=16 \quad \therefore a=8$

1044 $2x^2+24x+a=0$에서 $x^2+12x+\frac{a}{2}=0$

즉, $\frac{a}{2}=\left(\frac{12}{2}\right)^2$이므로 $a=72$

1045 $4x^2-16x-a=0$에서 $x^2-4x-\frac{a}{4}=0$

즉, $-\frac{a}{4}=\left(\frac{-4}{2}\right)^2=4$이므로 $a=-16$

1047 $\left(\frac{-a}{2}\right)^2=9$이므로 $a^2=36 \quad \therefore a=6\ (\because a>0)$

1048 $\left(\frac{a}{2}\right)^2=25$이므로 $a^2=100 \quad \therefore a=10\ (\because a>0)$

1049 $\left(\frac{-2a}{2}\right)^2=64$이므로 $a^2=64 \quad \therefore a=8\ (\because a>0)$

1050 $2x^2+4ax+32=0$에서 $x^2+2ax+16=0$

$\left(\frac{2a}{2}\right)^2=16$, $a^2=16 \quad \therefore a=4\ (\because a>0)$

1051 $x^2+2ax-3a+4=0$에서 $a^2=-3a+4$

$a^2+3a-4=0$, $(a+4)(a-1)=0$

$\therefore a=-4$ 또는 $a=1$

따라서 상수 a의 값의 합은

$-4+1=-3$

핵심 01~10 Mini Review Test

본문 ◎ 129쪽

1052 ②, ⑤	**1053** ①	**1054** ⑤	**1055** -2
1056 ②	**1057** $x=\frac{1}{4}$	**1058** $x=-3$	**1059** -2

1052 ② $-x^2+4x$는 등식이 아니므로 방정식이 아니다.

③ $(x-1)^2=x$에서 $x^2-3x+1=0$ (이차방정식)

④ $2x^2+5x=3-x$에서 $2x^2+6x-3=0$ (이차방정식)

⑤ $(2-x)(2+x)=4x-x^2$에서 $4-4x=0$ (일차방정식)

1053 $a(x-1)^2=1-2x^2$에서 $ax^2-2ax+a=1-2x^2$

$(a+2)x^2-2ax+a-1=0$

이 식이 이차방정식이 되려면 $a+2\neq 0$

$\therefore a\neq -2$

1054 ① $(4-2)(4+4)=16\neq 0$ (거짓)

② $(-2)^2+4=8\neq 0$ (거짓)

③ (좌변)$=(-1)^2-1=0$

(우변)$=2\times(-1)\times(-1-1)=4$

$\therefore$ (좌변)$\neq$(우변) (거짓)

④ $(-7)^2-10\times(-7)+21=140\neq 0$ (거짓)

⑤ $5\times 3^2-16\times 3+3=0$ (참)

1055 $x^2+ax+6a-3=0$에 $x=-3$을 대입하면
$(-3)^2+a\times(-3)+6a-3=0$
$9-3a+6a-3=0$, $3a+6=0$ $\quad\therefore a=-2$

1056 ① $x^2-3x=0$에서 $x(x-3)=0$
따라서 $x=0$ 또는 $x=3$이므로 $0+3=3$
② $x^2+5x-24=0$에서 $(x+8)(x-3)=0$
따라서 $x=-8$ 또는 $x=3$이므로 $-8+3=-5$
③ $3x^2+7x-6=0$에서 $(x+3)(3x-2)=0$
따라서 $x=-3$ 또는 $x=\frac{2}{3}$이므로 $-3+\frac{2}{3}=-\frac{7}{3}$
④ $x^2+3x-18=0$에서 $(x+6)(x-3)=0$
따라서 $x=-6$ 또는 $x=3$이므로 $-6+3=-3$
⑤ $2x^2-7x+3=0$에서 $(2x-1)(x-3)=0$
따라서 $x=\frac{1}{2}$ 또는 $x=3$이므로 $\frac{1}{2}+3=\frac{7}{2}$

1057 $x^2-x-12=0$에서 $(x+3)(x-4)=0$
$\therefore x=-3$ 또는 $x=4$ ······ ❶
즉, $x=-3$을 $4x^2+11x+a=0$에 대입하면
$4\times(-3)^2+11\times(-3)+a=0$, $36-33+a=0$
$\therefore a=-3$ ······ ❷
즉, 주어진 방정식은 $4x^2+11x-3=0$이므로
$(x+3)(4x-1)=0$ $\quad\therefore x=-3$ 또는 $x=\frac{1}{4}$
따라서 다른 한 근은 $x=\frac{1}{4}$이다. ······ ❸

채점 기준	배점
❶ $x^2-x-12=0$의 근 구하기	30 %
❷ a의 값 구하기	30 %
❸ 답 구하기	40 %

1058 $2x^2+5x-3=0$에서 $(2x-1)(x+3)=0$
$\therefore x=\frac{1}{2}$ 또는 $x=-3$
$x^2+8x+15=0$에서 $(x+5)(x+3)=0$
$\therefore x=-5$ 또는 $x=-3$
따라서 두 방정식의 공통근은 $x=-3$이다.

1059 $x^2-4ax=8a+3$에서 $x^2-4ax-8a-3=0$
이 이차방정식이 중근을 가지려면
$(-2a)^2=-8a-3$, $4a^2+8a+3=0$
$(2a+1)(2a+3)=0$ $\quad\therefore a=-\frac{1}{2}$ 또는 $a=-\frac{3}{2}$
따라서 상수 a의 값의 합은
$-\frac{1}{2}+\left(-\frac{3}{2}\right)=-2$

8. 이차방정식의 풀이 (2)

01 제곱근을 이용한 이차방정식의 풀이 (1)

본문 ○ 133쪽

1060 3 **1061** $x=\pm2$
1062 $x=\pm5$ **1063** $x=\pm\sqrt{10}$
1064 $x=\pm2\sqrt{3}$ **1065** $x=\pm3\sqrt{2}$
1066 2, 2, $\pm\sqrt{2}$ **1067** $x=\pm3$
1068 $x=\pm\frac{1}{2}$ **1069** $x=\pm\frac{5}{3}$
1070 $x=\pm\frac{\sqrt{6}}{2}$ **1071** $x=\pm\frac{\sqrt{10}}{4}$

1061 $x^2=4$에서 $x=\pm\sqrt{4}=\pm2$

1062 $x^2=25$에서 $x=\pm\sqrt{25}=\pm5$

1063 $x^2-10=0$에서 $x^2=10$ $\quad\therefore x=\pm\sqrt{10}$

1064 $x^2-12=0$에서 $x^2=12$ $\quad\therefore x=\pm2\sqrt{3}$

1065 $x^2-20=-2$에서 $x^2=18$
$\therefore x=\pm\sqrt{18}=\pm3\sqrt{2}$

1067 $3x^2=27$에서 $x^2=9$
$\therefore x=\pm\sqrt{9}=\pm3$

1068 $4x^2=1$에서 $x^2=\frac{1}{4}$
$\therefore x=\pm\sqrt{\frac{1}{4}}=\pm\frac{1}{2}$

1069 $9x^2-9=16$에서 $9x^2=25$, $x^2=\frac{25}{9}$
$\therefore x=\pm\sqrt{\frac{25}{9}}=\pm\frac{5}{3}$

1070 $2x^2-3=0$에서 $2x^2=3$, $x^2=\frac{3}{2}$
$\therefore x=\pm\sqrt{\frac{3}{2}}=\pm\frac{\sqrt{6}}{2}$

1071 $8x^2+10=15$에서 $8x^2=5$, $x^2=\frac{5}{8}$
$\therefore x=\pm\sqrt{\frac{5}{8}}=\pm\frac{\sqrt{5}}{2\sqrt{2}}=\pm\frac{\sqrt{10}}{4}$

02 제곱근을 이용한 이차방정식의 풀이 (2)

본문 ◎ 134쪽

1072 $\sqrt{2}$, -1, $\sqrt{2}$
1073 $x=3\pm\sqrt{5}$
1074 $x=-5$ 또는 $x=1$
1075 $x=4\pm2\sqrt{3}$
1076 $x=\frac{1}{3}$ 또는 $x=1$
1077 $x=5\pm3\sqrt{3}$
1078 $x=\frac{1\pm2\sqrt{2}}{2}$
1079 3, 3, $2\pm\sqrt{3}$
1080 $x=-1\pm\sqrt{7}$
1081 $x=4\pm\sqrt{6}$
1082 $x=-5\pm2\sqrt{2}$
1083 $x=3\pm\sqrt{2}$
1084 $x=-9$ 또는 $x=-5$
1085 8

1073 $(x-3)^2=5$에서 $x-3=\pm\sqrt{5}$ $\quad\therefore x=3\pm\sqrt{5}$

1074 $(x+2)^2=9$에서 $x+2=\pm3$ $\quad\therefore x=-2\pm3$
$\therefore x=-5$ 또는 $x=1$

1075 $(x-4)^2=12$에서 $x-4=\pm2\sqrt{3}$ $\quad\therefore x=4\pm2\sqrt{3}$

1076 $\left(x-\frac{2}{3}\right)^2=\frac{1}{9}$에서 $x-\frac{2}{3}=\pm\frac{1}{3}$
$\therefore x=\frac{1}{3}$ 또는 $x=1$

1077 $(x-5)^2-27=0$에서 $(x-5)^2=27$
$x-5=\pm3\sqrt{3}$ $\quad\therefore x=5\pm3\sqrt{3}$

1078 $(2x-1)^2-8=0$에서 $(2x-1)^2=8$
$2x-1=\pm2\sqrt{2}$ $\quad\therefore x=\frac{1\pm2\sqrt{2}}{2}$

1080 $3(x+1)^2=21$에서 $(x+1)^2=7$
$x+1=\pm\sqrt{7}$ $\quad\therefore x=-1\pm\sqrt{7}$

1081 $5(x-4)^2=30$에서 $(x-4)^2=6$
$x-4=\pm\sqrt{6}$ $\quad\therefore x=4\pm\sqrt{6}$

1082 $4(x+5)^2-32=0$에서 $4(x+5)^2=32$
$(x+5)^2=8$, $x+5=\pm2\sqrt{2}$
$\therefore x=-5\pm2\sqrt{2}$

1083 $7(x-3)^2-14=0$에서 $7(x-3)^2=14$
$(x-3)^2=2$, $x-3=\pm\sqrt{2}$
$\therefore x=3\pm\sqrt{2}$

1084 $6(x+7)^2-24=0$에서 $6(x+7)^2=24$
$(x+7)^2=4$, $x+7=\pm2$ $\quad\therefore x=-7\pm2$
$\therefore x=-9$ 또는 $x=-5$

1085 $(x+p)^2=\frac{q}{2}$이므로 $x+p=\pm\sqrt{\frac{q}{2}}$
$\therefore x=-p\pm\sqrt{\frac{q}{2}}$
따라서 $-p=2$, $\frac{q}{2}=5$이므로
$p=-2$, $q=10$ $\quad\therefore p+q=8$

03 완전제곱식 꼴로 고치기

본문 ◎ 135쪽

1086 1, 1, 2, 1, 2, 1, 2
1087 $p=2$, $q=6$
1088 $p=-3$, $q=12$
1089 $p=5$, $q=23$
1090 $p=-\frac{1}{2}$, $q=\frac{5}{4}$
1091 -1, 4, 3, 2, 3, 2, 3
1092 $p=4$, $q=18$
1093 $p=\frac{3}{2}$, $q=\frac{5}{4}$
1094 $p=3$, $q=8$
1095 $p=-\frac{1}{4}$, $q=\frac{5}{16}$
1096 20

1087 $x^2+4x-2=0$에서 $x^2+4x=2$
$x^2+4x+2^2=2+2^2$, $(x+2)^2=6$
$\therefore p=2$, $q=6$

1088 $x^2-6x-3=0$에서 $x^2-6x=3$
$x^2-6x+3^2=3+3^2$, $(x-3)^2=12$
$\therefore p=-3$, $q=12$

1089 $x^2+10x+2=0$에서 $x^2+10x=-2$
$x^2+10x+5^2=-2+5^2$, $(x+5)^2=23$
$\therefore p=5$, $q=23$

1090 $x^2-x-1=0$에서 $x^2-x=1$
$x^2-x+\left(\frac{1}{2}\right)^2=1+\left(\frac{1}{2}\right)^2$, $\left(x-\frac{1}{2}\right)^2=\frac{5}{4}$
$\therefore p=-\frac{1}{2}$, $q=\frac{5}{4}$

1092 $3x^2+24x-6=0$에서 $x^2+8x-2=0$
$x^2+8x=2$, $x^2+8x+4^2=2+4^2$, $(x+4)^2=18$
$\therefore p=4$, $q=18$

1093 $4x^2+12x+4=0$에서 $x^2+3x+1=0$
$x^2+3x=-1$, $x^2+3x+\left(\frac{3}{2}\right)^2=-1+\left(\frac{3}{2}\right)^2$
$\left(x+\frac{3}{2}\right)^2=\frac{5}{4}$

$\therefore\ p=\frac{3}{2},\ q=\frac{5}{4}$

1094 $5x^2+30x+5=0$에서 $x^2+6x+1=0$

$x^2+6x=-1,\ x^2+6x+3^2=-1+3^2$

$(x+3)^2=8$

$\therefore\ p=3,\ q=8$

1095 $4x^2-2x-1=0$에서 $x^2-\frac{1}{2}x-\frac{1}{4}=0$

$x^2-\frac{1}{2}x=\frac{1}{4},\ x^2-\frac{1}{2}x+\left(\frac{1}{4}\right)^2=\frac{1}{4}+\left(\frac{1}{4}\right)^2$

$\left(x-\frac{1}{4}\right)^2=\frac{5}{16}$

$\therefore\ p=-\frac{1}{4},\ q=\frac{5}{16}$

1096 $x^2-8x+a=0$에서 $x^2-8x=-a$

$x^2-8x+4^2=-a+4^2,\ (x-4)^2=16-a$

따라서 $16-a=11,\ -4=-b$이므로 $a=5,\ b=4$

$\therefore\ ab=5\times4=20$

04 완전제곱식을 이용한 이차방정식의 풀이

본문 ◎ 136쪽

1097 7, 4, 11, 2, 11, 2, 11, $-2\pm\sqrt{11}$

1098 $x=-4\pm\sqrt{13}$ **1099** $x=7\pm\sqrt{35}$

1100 $x=-9\pm5\sqrt{2}$ **1101** $x=-\frac{5}{2}\pm\frac{\sqrt{37}}{2}$

1102 4, 1, 5, 1, 5, 1, 5, $1\pm\sqrt{5}$

1103 $x=-1\pm\frac{\sqrt{2}}{2}$ **1104** $x=-6\pm4\sqrt{2}$

1105 $x=3\pm\sqrt{5}$ **1106** 8

1198 $x^2+8x+3=0$에서 $x^2+8x=-3$

$x^2+8x+4^2=-3+4^2,\ (x+4)^2=13$

$x+4=\pm\sqrt{13}\qquad\therefore\ x=-4\pm\sqrt{13}$

1199 $x^2-14x+14=0$에서 $x^2-14x=-14$

$x^2-14x+7^2=-14+7^2,\ (x-7)^2=35$

$x-7=\pm\sqrt{35}\qquad\therefore\ x=7\pm\sqrt{35}$

1100 $x^2+18x+31=0$에서 $x^2+18x=-31$

$x^2+18x+9^2=-31+9^2,\ (x+9)^2=50$

$x+9=\pm5\sqrt{2}\qquad\therefore\ x=-9\pm5\sqrt{2}$

1101 $x^2+5x-3=0$에서 $x^2+5x=3$

$x^2+5x+\left(\frac{5}{2}\right)^2=3+\left(\frac{5}{2}\right)^2$

$\left(x+\frac{5}{2}\right)^2=\frac{37}{4},\ x+\frac{5}{2}=\pm\frac{\sqrt{37}}{2}$

$\therefore\ x=-\frac{5}{2}\pm\frac{\sqrt{37}}{2}$

1103 $6x^2+12x+3=0$에서 $x^2+2x+\frac{1}{2}=0$

$x^2+2x=-\frac{1}{2},\ x^2+2x+1^2=-\frac{1}{2}+1^2$

$(x+1)^2=\frac{1}{2},\ x+1=\pm\frac{\sqrt{2}}{2}$

$\therefore\ x=-1\pm\frac{\sqrt{2}}{2}$

1104 $3x^2+36x+12=0$에서 $x^2+12x+4=0$

$x^2+12x=-4,\ x^2+12x+6^2=-4+6^2$

$(x+6)^2=32,\ x+6=\pm4\sqrt{2}$

$\therefore\ x=-6\pm4\sqrt{2}$

1105 $4x^2-24x+16=0$에서 $x^2-6x+4=0$

$x^2-6x=-4,\ x^2-6x+3^2=-4+3^2$

$(x-3)^2=5,\ x-3=\pm\sqrt{5}$

$\therefore\ x=3\pm\sqrt{5}$

1106 $2x^2+20x+k=0$에서 $x^2+10x+\frac{k}{2}=0$

$x^2+10x=-\frac{k}{2},\ (x+5)^2=-\frac{k}{2}+25$

$\therefore\ x=-5\pm\sqrt{-\frac{k}{2}+25}$

따라서 $-\frac{k}{2}+25=21$이므로 $k=8$

05 이차방정식의 근의 공식 (1)

본문 ◎ 137쪽

1107 3, 1, -3, 3, 1, $\frac{-3\pm\sqrt{5}}{2}$

1108 $x=\frac{1\pm\sqrt{13}}{2}$ **1109** $x=\frac{-7\pm\sqrt{37}}{2}$

1110 $x=\frac{9\pm\sqrt{57}}{2}$ **1111** $x=\frac{-5\pm3\sqrt{5}}{2}$

1112 $x=\frac{3\pm\sqrt{29}}{2}$

1113 -3, -1, 3, -3, 2, -1, 2, $\frac{3\pm\sqrt{17}}{4}$

1114 $x=\frac{-3\pm\sqrt{21}}{6}$ **1115** $x=\frac{1\pm\sqrt{41}}{10}$

1116 $x=\frac{-3\pm\sqrt{41}}{8}$ **1117** $x=\frac{-1\pm\sqrt{29}}{14}$

1118 10

1108 $x=\frac{-(-1)\pm\sqrt{(-1)^2-4\times1\times(-3)}}{2\times1}=\frac{1\pm\sqrt{13}}{2}$

1109 $x=\frac{-7\pm\sqrt{7^2-4\times1\times3}}{2\times1}=\frac{-7\pm\sqrt{37}}{2}$

1110 $x=\frac{-(-9)\pm\sqrt{(-9)^2-4\times1\times6}}{2\times1}=\frac{9\pm\sqrt{57}}{2}$

1111 $x=\frac{-5\pm\sqrt{5^2-4\times1\times(-5)}}{2\times1}=\frac{-5\pm\sqrt{45}}{2}=\frac{-5\pm3\sqrt{5}}{2}$

1112 $x=\frac{-(-3)\pm\sqrt{(-3)^2-4\times1\times(-5)}}{2\times1}=\frac{3\pm\sqrt{29}}{2}$

1114 $x=\frac{-3\pm\sqrt{3^2-4\times3\times(-1)}}{2\times3}=\frac{-3\pm\sqrt{21}}{6}$

1115 $x=\frac{-(-1)\pm\sqrt{(-1)^2-4\times5\times(-2)}}{2\times5}=\frac{1\pm\sqrt{41}}{10}$

1116 $x=\frac{-3\pm\sqrt{3^2-4\times4\times(-2)}}{2\times4}=\frac{-3\pm\sqrt{41}}{8}$

1117 $x=\frac{-1\pm\sqrt{1^2-4\times7\times(-1)}}{2\times7}=\frac{-1\pm\sqrt{29}}{14}$

1118 $x=\frac{-7\pm\sqrt{7^2-4\times2\times4}}{2\times2}=\frac{-7\pm\sqrt{17}}{4}$
따라서 $a=-7$, $b=17$이므로
$a+b=(-7)+17=10$

06 이차방정식의 근의 공식 (2)

본문 ◎ 138쪽

1119 -1, 1, -1, 1, $1\pm\sqrt{2}$ **1120** $x=-2\pm\sqrt{11}$
1121 $x=3\pm\sqrt{7}$ **1122** $x=-4\pm\sqrt{11}$
1123 $x=5\pm\sqrt{19}$ **1124** $x=-7\pm2\sqrt{10}$
1125 2, 3, -3, 3, 2, 2, $\frac{-3\pm\sqrt{3}}{2}$
1126 $x=\frac{2\pm\sqrt{7}}{3}$ **1127** $x=\frac{3\pm\sqrt{6}}{2}$
1128 $x=\frac{-2\pm\sqrt{19}}{5}$ **1129** $x=\frac{2\pm3\sqrt{2}}{7}$
1130 12

1120 $x=-2\pm\sqrt{2^2-1\times(-7)}=-2\pm\sqrt{11}$

1121 $x=-(-3)\pm\sqrt{(-3)^2-1\times2}=3\pm\sqrt{7}$

1122 $x=-4\pm\sqrt{4^2-1\times5}=-4\pm\sqrt{11}$

1123 $x=-(-5)\pm\sqrt{(-5)^2-1\times6}=5\pm\sqrt{19}$

1124 $x=-7\pm\sqrt{7^2-1\times9}=-7\pm2\sqrt{10}$

1126 $x=\frac{-(-2)\pm\sqrt{(-2)^2-3\times(-1)}}{3}=\frac{2\pm\sqrt{7}}{3}$

1127 $x=\frac{-(-6)\pm\sqrt{(-6)^2-4\times3}}{4}=\frac{6\pm2\sqrt{6}}{4}=\frac{3\pm\sqrt{6}}{2}$

1128 $x=\frac{-2\pm\sqrt{2^2-5\times(-3)}}{5}=\frac{-2\pm\sqrt{19}}{5}$

1129 $x=\frac{-(-2)\pm\sqrt{(-2)^2-7\times(-2)}}{7}=\frac{2\pm3\sqrt{2}}{7}$

1130 $x^2-12x+a=0$의 해는 $x=6\pm\sqrt{(-6)^2-1\times a}$이므로
$b=6$, $36-a=30$ $\quad\therefore a=6$
$\therefore a+b=6+6=12$

07 괄호가 있는 이차방정식의 풀이

본문 ◎ 139쪽

1131 x^2-4x, x^2-4x-5, 1, 5, -1, 5
1132 $x=-1\pm\sqrt{5}$ **1133** $x=\frac{-1\pm\sqrt{33}}{2}$
1134 $x=\frac{7\pm\sqrt{53}}{2}$ **1135** $x=\frac{-1\pm\sqrt{3}}{2}$
1136 $x=\frac{2\pm\sqrt{31}}{3}$ **1137** $x=2$ 또는 $x=3$
1138 $x=7\pm\sqrt{43}$ **1139** $x=2\pm\sqrt{21}$
1140 $x=-3\pm\sqrt{10}$ **1141** $x=\frac{2\pm\sqrt{14}}{2}$
1142 12

1132 $x(x+2)=4$에서 $x^2+2x-4=0$
$\therefore x=-1\pm\sqrt{1^2-1\times(-4)}=-1\pm\sqrt{5}$

1133 $(x-1)(x+2)=6$에서 $x^2+x-2=6$, $x^2+x-8=0$
$\therefore x=\frac{-1\pm\sqrt{1^2-4\times1\times(-8)}}{2}=\frac{-1\pm\sqrt{33}}{2}$

1134 $(x+1)(x-1)=7x$에서 $x^2-1=7x$, $x^2-7x-1=0$
$\therefore x=\frac{-(-7)\pm\sqrt{(-7)^2-4\times1\times(-1)}}{2}=\frac{7\pm\sqrt{53}}{2}$

1135 $2(x-1)^2+6x-3=0$에서 $2x^2+2x-1=0$

$\therefore x=\frac{-1\pm\sqrt{1^2-2\times(-1)}}{2}=\frac{-1\pm\sqrt{3}}{2}$

1136 $3(x+1)(x-2)=x+3$에서 $3x^2-3x-6=x+3$

$3x^2-4x-9=0$

$\therefore x=\frac{-(-2)\pm\sqrt{(-2)^2-3\times(-9)}}{3}=\frac{2\pm\sqrt{31}}{3}$

1137 $(x-3)(x-4)=6-2x$에서 $x^2-7x+12=6-2x$

$x^2-5x+6=0$, $(x-2)(x-3)=0$

$\therefore x=2$ 또는 $x=3$

1138 $(x-3)^2=4(2x+1)-1$에서 $x^2-6x+9=8x+3$

$x^2-14x+6=0$

$\therefore x=-(-7)\pm\sqrt{(-7)^2-1\times6}=7\pm\sqrt{43}$

1139 $2(x-2)(x+3)=(x+1)(x+5)$에서

$2x^2+2x-12=x^2+6x+5$, $x^2-4x-17=0$

$\therefore x=-(-2)\pm\sqrt{(-2)^2-(-17)}=2\pm\sqrt{21}$

1140 $(x+3)(x-4)=-7x-11$에서 $x^2-x-12=-7x-11$

$x^2+6x-1=0$

$\therefore x=-3\pm\sqrt{3^2-1\times(-1)}=-3\pm\sqrt{10}$

1141 $3(x-2)(x+2)=x^2+4x-7$에서

$3x^2-12=x^2+4x-7$, $2x^2-4x-5=0$

$\therefore x=\frac{-(-2)\pm\sqrt{(-2)^2-2\times(-5)}}{2}=\frac{2\pm\sqrt{14}}{2}$

1142 $(x+1)^2=(x+2)(3x+1)$에서 $x^2+2x+1=3x^2+7x+2$

$2x^2+5x+1=0$

$\therefore x=\frac{-5\pm\sqrt{5^2-4\times2\times1}}{2\times2}=\frac{-5\pm\sqrt{17}}{4}$

따라서 $a=-5$, $b=17$이므로

$a+b=-5+17=12$

08 계수가 소수인 이차방정식의 풀이

본문 ○ 140쪽

1143 x^2-2x-3, 1, 3, -1, 3

1144 $x=\frac{5\pm\sqrt{17}}{2}$ **1145** $x=\frac{-1\pm\sqrt{6}}{5}$

1146 $x=\frac{3\pm\sqrt{3}}{2}$ **1147** $x=\frac{5\pm\sqrt{11}}{7}$

1148 $x=\frac{1}{3}$ 또는 $x=3$ **1149** $x=\frac{-1\pm\sqrt{33}}{8}$

1150 $x=-\frac{1}{5}$ 또는 $x=\frac{3}{2}$ **1151** $x=5$ 또는 $x=6$

1152 $x=10\pm2\sqrt{5}$ **1153** $x=-\frac{1}{2}$ 또는 $x=\frac{7}{2}$

1154 38

1144 $0.1x^2-0.5x+0.2=0$의 양변에 10을 곱하면

$x^2-5x+2=0$

$\therefore x=\frac{-(-5)\pm\sqrt{(-5)^2-4\times1\times2}}{2}=\frac{5\pm\sqrt{17}}{2}$

1145 $0.5x^2+0.2x-0.1=0$의 양변에 10을 곱하면

$5x^2+2x-1=0$

$\therefore x=\frac{-1\pm\sqrt{1^2-5\times(-1)}}{5}=\frac{-1\pm\sqrt{6}}{5}$

1146 $0.2x^2-0.6x+0.3=0$의 양변에 10을 곱하면

$2x^2-6x+3=0$

$\therefore x=\frac{-(-3)\pm\sqrt{(-3)^2-2\times3}}{2}=\frac{3\pm\sqrt{3}}{2}$

1147 $0.7x^2-x+0.2=0$의 양변에 10을 곱하면

$7x^2-10x+2=0$

$\therefore x=\frac{-(-5)\pm\sqrt{(-5)^2-7\times2}}{7}=\frac{5\pm\sqrt{11}}{7}$

1148 $0.3x^2-x+0.3=0$의 양변에 10을 곱하면

$3x^2-10x+3=0$, $(x-3)(3x-1)=0$

$\therefore x=\frac{1}{3}$ 또는 $x=3$

1149 $0.4x^2+0.1x-0.2=0$의 양변에 10을 곱하면

$4x^2+x-2=0$

$\therefore x=\frac{-1\pm\sqrt{1^2-4\times4\times(-2)}}{2\times4}=\frac{-1\pm\sqrt{33}}{8}$

1150 $x^2-1.3x-0.3=0$의 양변에 10을 곱하면

$10x^2-13x-3=0$, $(5x+1)(2x-3)=0$

$\therefore x=-\frac{1}{5}$ 또는 $x=\frac{3}{2}$

1151 $0.01x^2-0.11x+0.3=0$의 양변에 100을 곱하면

$x^2-11x+30=0$, $(x-5)(x-6)=0$

$\therefore x=5$ 또는 $x=6$

1152 $0.01x^2+0.2x+0.4=0.4(x-1)$의 양변에 100을 곱하면

$x^2+20x+40=40(x-1)$, $x^2-20x+80=0$

$\therefore x=-(-10)\pm\sqrt{(-10)^2-1\times80}=10\pm\sqrt{20}=10\pm2\sqrt{5}$

1153 $0.6x^2-0.5x+0.3=0.2x^2+0.7x+1$의 양변에 10을 곱하면

$6x^2-5x+3=2x^2+7x+10$

$4x^2-12x-7=0$, $(2x+1)(2x-7)=0$

$\therefore x=-\frac{1}{2}$ 또는 $x=\frac{7}{2}$

1154 $1.5x^2-x-0.5=0.3x^2+x+0.1$의 양변에 10을 곱하면

$15x^2-10x-5=3x^2+10x+1$

$12x^2-20x-6=0$, $6x^2-10x-3=0$

$\therefore x=\frac{-(-5)\pm\sqrt{(-5)^2-6\times(-3)}}{6}=\frac{5\pm\sqrt{43}}{6}$

따라서 $a=5$, $b=43$이므로

$b-a=43-5=38$

09 계수가 분수인 이차방정식의 풀이

본문 ○ 141쪽

1155 -2, 7

1156 $x=\frac{6\pm\sqrt{22}}{2}$

1157 $x=\frac{3\pm\sqrt{15}}{2}$

1158 $x=-1$ 또는 $x=4$

1159 $x=\frac{-3\pm\sqrt{41}}{4}$

1160 $x=1\pm\sqrt{7}$

1161 $x=\frac{1\pm\sqrt{37}}{9}$

1162 $x=2\pm\sqrt{19}$

1163 $x=\frac{9\pm\sqrt{17}}{4}$

1164 $x=\frac{-1\pm\sqrt{33}}{4}$

1165 $x=\frac{5\pm\sqrt{23}}{2}$

1166 $\sqrt{10}$

1156 $\frac{1}{2}x^2-3x+\frac{7}{4}=0$의 양변에 4를 곱하면 $2x^2-12x+7=0$

$\therefore x=\frac{-(-6)\pm\sqrt{(-6)^2-2\times7}}{2}=\frac{6\pm\sqrt{22}}{2}$

1157 $\frac{1}{3}x^2-x-\frac{1}{2}=0$의 양변에 6을 곱하면 $2x^2-6x-3=0$

$\therefore x=\frac{-(-3)\pm\sqrt{(-3)^2-2\times(-3)}}{2}=\frac{3\pm\sqrt{15}}{2}$

1158 $\frac{1}{6}x^2-\frac{1}{2}x-\frac{2}{3}=0$의 양변에 6을 곱하면 $x^2-3x-4=0$

$(x+1)(x-4)=0$ $\quad\therefore x=-1$ 또는 $x=4$

1159 $\frac{1}{6}x^2+\frac{1}{4}x-\frac{1}{3}=0$의 양변에 12를 곱하면 $2x^2+3x-4=0$

$\therefore x=\frac{-3\pm\sqrt{3^2-4\times2\times(-4)}}{2\times2}=\frac{-3\pm\sqrt{41}}{4}$

1160 $\frac{x^2}{4}-\frac{x+3}{2}=0$의 양변에 4를 곱하면 $x^2-2(x+3)=0$

$x^2-2x-6=0$

$\therefore x=-(-1)\pm\sqrt{(-1)^2-1\times(-6)}=1\pm\sqrt{7}$

1161 $\frac{3}{8}x^2-\frac{1}{12}x-\frac{1}{6}=0$의 양변에 24를 곱하면

$9x^2-2x-4=0$

$\therefore x=\frac{-(-1)\pm\sqrt{(-1)^2-9\times(-4)}}{9}=\frac{1\pm\sqrt{37}}{9}$

1162 $\frac{x(x+1)}{5}=\frac{(x-3)(x+2)}{3}$의 양변에 15를 곱하면

$3x(x+1)=5(x-3)(x+2)$, $3x^2+3x=5x^2-5x-30$

$2x^2-8x-30=0$, $x^2-4x-15=0$

$\therefore x=-(-2)\pm\sqrt{(-2)^2-1\times(-15)}=2\pm\sqrt{19}$

1163 $\frac{1}{3}x^2-\frac{3}{4}x+1=\frac{1}{6}x^2+\frac{1}{3}$의 양변에 12를 곱하면

$4x^2-9x+12=2x^2+4$, $2x^2-9x+8=0$

$\therefore x=\frac{-(-9)\pm\sqrt{(-9)^2-4\times2\times8}}{2\times2}=\frac{9\pm\sqrt{17}}{4}$

1164 $0.2x^2+\frac{1}{10}x-\frac{2}{5}=0$의 양변에 10을 곱하면 $2x^2+x-4=0$

$\therefore x=\frac{-1\pm\sqrt{1^2-4\times2\times(-4)}}{2\times2}=\frac{-1\pm\sqrt{33}}{4}$

1165 $\frac{1}{5}x^2-x+0.1=0$의 양변에 10을 곱하면 $2x^2-10x+1=0$

$\therefore x=\frac{-(-5)\pm\sqrt{(-5)^2-2\times1}}{2}=\frac{5\pm\sqrt{23}}{2}$

1166 $\frac{1}{3}x^2-0.3=\frac{2}{3}x+\frac{1}{5}$의 양변에 30을 곱하면

$10x^2-9=20x+6$, $10x^2-20x-15=0$, $2x^2-4x-3=0$

$\therefore x=\frac{-(-2)\pm\sqrt{(-2)^2-2\times(-3)}}{2}=\frac{2\pm\sqrt{10}}{2}$

따라서 $a=\frac{2+\sqrt{10}}{2}$이므로 $2a-2=\sqrt{10}$

10 치환을 이용한 이차방정식의 풀이

본문 ◎ 142쪽

1167 $-2,\ 5,\ -2,\ 5,\ -3,\ 4$ **1168** $x=3$ 또는 $x=4$
1169 $x=-3$ 또는 $x=5$ **1170** $x=-6$ 또는 $x=4$
1171 $x=-4$ 또는 $x=2$ **1172** $x=-2$ 또는 $x=0$
1173 $x=-2$ (중근) **1174** $x=-\frac{5}{3}$ 또는 $x=0$
1175 $x=\frac{3}{2}$ 또는 $x=\frac{11}{2}$ **1176** $x=3$ (중근)
1177 $x=\frac{8}{3}$ 또는 $x=4$ **1178** $\frac{11}{3}$

1168 $x-2=A$로 치환하면 $A^2-3A+2=0$
$(A-1)(A-2)=0$ $\quad\therefore A=1$ 또는 $A=2$
따라서 $x-2=1$ 또는 $x-2=2$이므로
$x=3$ 또는 $x=4$

1169 $x+1=A$로 치환하면 $A^2-4A-12=0$
$(A+2)(A-6)=0$ $\quad\therefore A=-2$ 또는 $A=6$
따라서 $x+1=-2$ 또는 $x+1=6$이므로
$x=-3$ 또는 $x=5$

1170 $x+2=A$로 치환하면 $A^2-2A-24=0$
$(A+4)(A-6)=0$ $\quad\therefore A=-4$ 또는 $A=6$
따라서 $x+2=-4$ 또는 $x+2=6$이므로
$x=-6$ 또는 $x=4$

1171 $x-1=A$로 치환하면 $A^2+4A-5=0$
$(A+5)(A-1)=0$ $\quad\therefore A=-5$ 또는 $A=1$
따라서 $x-1=-5$ 또는 $x-1=1$이므로
$x=-4$ 또는 $x=2$

1172 $x+3=A$로 치환하면 $A^2-4A+3=0$
$(A-1)(A-3)=0$ $\quad\therefore A=1$ 또는 $A=3$
따라서 $x+3=1$ 또는 $x+3=3$이므로
$x=-2$ 또는 $x=0$

1173 $x-1=A$로 치환하면 $A^2+6A+9=0$
$(A+3)^2=0$ $\quad\therefore A=-3$ (중근)
따라서 $x-1=-3$이므로 $x=-2$ (중근)

1174 $x+2=A$로 놓으면 $3A^2-7A+2=0$, $(A-2)(3A-1)=0$
$\therefore A=\frac{1}{3}$ 또는 $A=2$
따라서 $x+2=\frac{1}{3}$ 또는 $x+2=2$이므로
$x=-\frac{5}{3}$ 또는 $x=0$

1175 $x-2=A$로 놓으면 $4A^2-12A-7=0$
$(2A+1)(2A-7)=0$ $\quad\therefore A=-\frac{1}{2}$ 또는 $A=\frac{7}{2}$
따라서 $x-2=-\frac{1}{2}$ 또는 $x-2=\frac{7}{2}$이므로
$x=\frac{3}{2}$ 또는 $x=\frac{11}{2}$

1176 $x+1=A$로 놓으면 $\frac{1}{2}A^2=4A-8$, $A^2-8A+16=0$
$(A-4)^2=0$ $\quad\therefore A=4$ (중근)
따라서 $x+1=4$이므로 $x=3$ (중근)

1177 $x-3=A$로 놓으면 $\frac{1}{2}A^2=\frac{1}{3}A-\frac{1}{6}$, $3A^2-2A-1=0$
$(A-1)(3A+1)=0$ $\quad\therefore A=-\frac{1}{3}$ 또는 $A=1$
따라서 $x-3=-\frac{1}{3}$ 또는 $x-3=1$이므로
$x=\frac{8}{3}$ 또는 $x=4$

1178 $x-\frac{1}{2}=A$로 놓으면 $3A^2=-7A+6$, $3A^2+7A-6=0$
$(A+3)(3A-2)=0$ $\quad\therefore A=-3$ 또는 $A=\frac{2}{3}$
따라서 $x-\frac{1}{2}=-3$ 또는 $x-\frac{1}{2}=\frac{2}{3}$이므로
$x=-\frac{5}{2}$ 또는 $x=\frac{7}{6}$
따라서 두 근의 차는 $\frac{7}{6}-\left(-\frac{5}{2}\right)=\frac{7}{6}+\frac{15}{6}=\frac{22}{6}=\frac{11}{3}$

핵심 01~10 Mini Review Test

본문 ◎ 143쪽

1179 ⑤ **1180** 8 **1181** 44
1182 $a=10$, $b=3$ **1183** $\frac{4}{5}$ **1184** 27
1185 $x=-1$ **1186** 3

1179 $(x-7)^2=2-k$에서 $x-7=\pm\sqrt{2-k}$
$\therefore x=7\pm\sqrt{2-k}$
즉, 해를 가지려면 $2-k\geq 0$이어야 하므로 $k\leq 2$
따라서 k의 값으로 옳지 않은 것은 ⑤ 3이다.

1180 $3x^2+12x+a=0$에서 $x^2+4x+\frac{a}{3}=0$
$x^2+4x=-\frac{a}{3}$, $x^2+4x+2^2=-\frac{a}{3}+2^2$, $(x+2)^2=-\frac{a}{3}+4$
따라서 $-\frac{a}{3}+4=6$이므로 $a=-6$, $b=2$
$\therefore b-a=2-(-6)=8$

1181 $ax^2-7x+1=0$에서

$x=\frac{-(-7)\pm\sqrt{(-7)^2-4a}}{2a}=\frac{b\pm\sqrt{c}}{8}$

즉, $b=7$이고 $2a=8$이므로 $a=4$

$c=(-7)^2-4a=49-4\times4=33$

$\therefore a+b+c=4+7+33=44$

1182 $3x^2-8x+2=0$에서

$x=\frac{-(-4)\pm\sqrt{(-4)^2-3\times2}}{3}=\frac{4\pm\sqrt{10}}{3}$

$\therefore a=10, b=3$

1183 $(2+x)^2=(2x+1)(3x-2)+x$에서

$4+4x+x^2=6x^2-2$, $5x^2-4x-6=0$

$\therefore x=\frac{-(-2)\pm\sqrt{(-2)^2-5\times(-6)}}{5}=\frac{2\pm\sqrt{34}}{5}$

$\therefore \alpha+\beta=\frac{2+\sqrt{34}}{5}+\frac{2-\sqrt{34}}{5}=\frac{4}{5}$

1184 $0.2x^2-x+0.15=0$의 양변에 100을 곱하면

$20x^2-100x+15=0$, $4x^2-20x+3=0$

$\therefore x=\frac{-(-10)\pm\sqrt{(-10)^2-4\times3}}{4}=\frac{10\pm\sqrt{88}}{4}=\frac{5\pm\sqrt{22}}{2}$

따라서 $a=5$, $b=22$이므로

$a+b=5+22=27$

1185 $\frac{x^2}{3}+\frac{x}{4}-\frac{1}{12}=0$에서 $4x^2+3x-1=0$

$(x+1)(4x-1)=0$ $\quad\therefore x=-1$ 또는 $x=\frac{1}{4}$ ······ ❶

$0.2x^2+0.5x+0.3=0$에서 $2x^2+5x+3=0$

$(2x+3)(x+1)=0$ $\quad\therefore x=-\frac{3}{2}$ 또는 $x=-1$ ······ ❷

따라서 두 이차방정식의 공통근은 $x=-1$이다. ······ ❸

채점 기준	배점
❶ $\frac{x^2}{3}+\frac{x}{4}-\frac{1}{12}=0$의 근 구하기	40 %
❷ $0.2x^2+0.5x+0.3=0$의 근 구하기	40 %
❸ 공통근 구하기	20 %

1186 $3x+2=A$로 치환하면 $A^2+5A-14=0$

$(A+7)(A-2)=0$ $\quad\therefore A=-7$ 또는 $A=2$

즉, $3x+2=-7$ 또는 $3x+2=2$이므로

$x=-3$ 또는 $x=0$

따라서 $\alpha=0$, $\beta=-3$이므로

$\alpha-\beta=0-(-3)=3$

9. 이차방정식의 활용

01 이차방정식의 근의 개수

본문 ○ 147쪽

1187 5, 4, 9, >, 2 **1188** <, 0 **1189** =, 1
1190 >, 2 **1191** <, 0 **1192** =, 1 **1193** <, 0
1194 =, 1 **1195** ㄷ, ㄹ

1188 $(-1)^2-4\times1\times3=-11<0$이므로 근의 개수는 0이다.

1189 $12^2-4\times4\times9=0$이므로 근의 개수는 1이다.

1190 $(-7)^2-4\times2\times(-5)=89>0$이므로 근의 개수는 2이다.

1191 $(-8)^2-4\times3\times6=-8<0$이므로 근의 개수는 0이다.

1192 $1^2-4\times1\times\frac{1}{4}=0$이므로 근의 개수는 1이다.

1193 $(-4)^2-4\times1\times5=-4<0$이므로 근의 개수는 0이다.

1194 $6^2-4\times9\times1=0$이므로 근의 개수는 1이다.

1195 ㄱ. $(-6)^2-4\times3\times1=24>0$ (근이 2개)

ㄴ. $(-4)^2-4\times4\times1=0$ (근이 1개)

ㄷ. $(-4)^2-4\times3\times2=-8<0$ (근이 0개)

ㄹ. $\frac{1}{2}x^2-\frac{1}{3}x+\frac{1}{6}=0$에서 $3x^2-2x+1=0$

$(-2)^2-4\times3\times1=-8<0$ (근이 0개)

따라서 근이 없는 것은 ㄷ, ㄹ이다.

02 근의 개수에 따른 k의 값의 범위 구하기

본문 ○ 148쪽

1196 2, 1 **1197** $k<\frac{1}{8}$ **1198** $k>-4$
1199 $-3, 9, -\frac{9}{4}$ **1200** 10 **1201** 7
1202 $1, \frac{1}{4}$ **1203** $k\le3$ **1204** $-3\le k<0, 0<k$
1205 $-4, -4$ **1206** $k>1$ **1207** $k>\frac{1}{4}$

1197 $(-1)^2-4\times2\times k>0$이므로

$1-8k>0$ $\quad\therefore k<\frac{1}{8}$

1198 $4^2-4\times1\times(-k)>0$이므로

$16+4k>0 \quad \therefore k>-4$

1200 $(-6)^2-4\times1\times(k-1)=0$이므로
$36-4k+4=0 \quad \therefore k=10$

1201 $8^2-4\times2(k+1)=0$이므로
$64-8k-8=0 \quad \therefore k=7$

1203 $(-4)^2-4\times2\times(k-1)\ge0$이므로
$16-8k+8\ge0 \quad \therefore k\le3$

1204 $6^2-4\times k\times(-3)\ge0$이므로
$36+12k\ge0 \quad \therefore k\ge-3$
이때 $k\ne0$이므로 $-3\le k<0,\ 0<k$

1206 $2^2-4\times1\times k<0$이므로
$4-4k<0 \quad \therefore k>1$

1207 $(-5)^2-4\times1\times(k+6)<0$이므로
$25-4k-24<0 \quad \therefore k>\frac{1}{4}$

03 이차방정식 구하기

본문 ○ 149쪽

1208 3, 1, 2, 3　**1209** $x^2-5x+6=0$
1210 $2x^2+12x+16=0$　**1211** $-x^2+3x+4=0$
1212 $-2x^2+10x=0$　**1213** $-x^2+36=0$
1214 5, 10, 25　**1215** $2x^2+4x+2=0$
1216 $-x^2+4x-4=0$　**1217** $-\frac{1}{2}x^2+4x-8=0$
1218 $4x^2-4x+1=0$　**1219** 7

1209 $(x-2)(x-3)=0 \quad \therefore x^2-5x+6=0$

1210 $2(x+2)(x+4)=0 \quad \therefore 2x^2+12x+16=0$

1211 $-(x+1)(x-4)=0 \quad \therefore -x^2+3x+4=0$

1212 $-2x(x-5)=0 \quad \therefore -2x^2+10x=0$

1213 $-(x+6)(x-6)=0 \quad \therefore -x^2+36=0$

1215 $2(x+1)^2=0 \quad \therefore 2x^2+4x+2=0$

1216 $-(x-2)^2=0 \quad \therefore -x^2+4x-4=0$

1217 $-\frac{1}{2}(x-4)^2=0 \quad \therefore -\frac{1}{2}x^2+4x-8=0$

1218 $4\left(x-\frac{1}{2}\right)^2=0,\ 4\left(x^2-x+\frac{1}{4}\right)=0 \quad \therefore 4x^2-4x+1=0$

1219 $2(x+2)\left(x-\frac{3}{2}\right)=0 \quad \therefore 2x^2+x-6=0$
따라서 $a=1,\ b=-6$이므로 $a-b=1-(-6)=7$

04 이차방정식의 활용 (1) - 수

본문 ○ 150쪽

1220 (1) $\frac{n(n+1)}{2}=120$ (2) $n=15$ 또는 $n=-16$ (3) 15
1221 십이각형　**1222** 20명
1223 (1) $x+1$ (2) $x(x+1)=182$ (3) $x=-14$ 또는 $x=13$
(4) 13, 14
1224 10, 12　**1225** 24

1220 (2) $\frac{n(n+1)}{2}=120$에서 $n^2+n-240=0$
$(n-15)(n+16)=0 \quad \therefore n=15$ 또는 $n=-16$
(3) $n>0$이므로 $n=15$

1221 $\frac{n(n-3)}{2}=54$에서 $n^2-3n-108=0$
$(n+9)(n-12)=0 \quad \therefore n=12\ (\because n>0)$
따라서 십이각형이다.

1222 $\frac{n(n-1)}{2}=190$에서 $n^2-n-380=0$
$(n+19)(n-20)=0 \quad \therefore n=-19$ 또는 $n=20$
이때 $n>0$이므로 $n=20$
따라서 이 반 학생 수는 20명이다.

1223 (3) $x(x+1)=182$에서 $x^2+x-182=0$
$(x+14)(x-13)=0 \quad \therefore x=-14$ 또는 $x=13$
(4) $x>0$이므로 $x=13$
따라서 연속하는 두 자연수는 13, 14이다.

1224 연속하는 두 짝수를 $x,\ x+2$라고 하면
$x^2+(x+2)^2=244$에서 $2x^2+4x-240=0$
$x^2+2x-120=0,\ (x+12)(x-10)=0$
$\therefore x=10\ (\because x>0)$
따라서 연속하는 두 짝수는 10, 12이다.

1225 연속하는 세 자연수를 $x-1$, x, $x+1$이라고 하면
$(x-1)^2+x^2+(x+1)^2=194$, $3x^2+2=194$
$x^2=64$ $\therefore x=8$ 또는 $x=-8$
이때 $x>0$이므로 $x=8$
따라서 세 자연수는 7, 8, 9이므로 세 자연수의 합은
$7+8+9=24$

05 이차방정식의 활용 (2) - 수

본문 ○ 151쪽

1226 (1) $x-3$ (2) $x(x-3)=304$
(3) $x=-16$ 또는 $x=19$ (4) 19살
1227 (1) $x+5$ (2) $x^2+(x+5)^2=557$
(3) $x=-19$ 또는 $x=14$ (4) 14살
1228 (1) $x-4$ (2) $x(x-4)=192$
(3) $x=-12$ 또는 $x=16$ (4) 16명
1229 (1) $x+6$ (2) $x(x+6)=112$
(3) $x=-14$ 또는 $x=8$ (4) 8

1226 (3) $x(x-3)=304$에서 $x^2-3x-304=0$
$(x+16)(x-19)=0$
$\therefore x=-16$ 또는 $x=19$
(4) $x>0$이므로 $x=19$
따라서 선영이의 나이는 19살이다.

1227 (3) $x^2+(x+5)^2=557$에서 $2x^2+10x-532=0$
$x^2+5x-266=0$
$(x+19)(x-14)=0$
$\therefore x=-19$ 또는 $x=14$
(4) $x>0$이므로 $x=14$
따라서 지민이의 나이는 14살이다.

1228 (3) $x(x-4)=192$에서 $x^2-4x-192=0$
$(x-16)(x+12)=0$
$\therefore x=-12$ 또는 $x=16$
(4) $x>0$이므로 $x=16$
따라서 학생 수는 16명이다.

1229 (3) $x(x+6)=112$에서 $x^2+6x-112=0$
$(x+14)(x-8)=0$
$\therefore x=-14$ 또는 $x=8$
(4) $x>0$이므로 $x=8$
따라서 바나나의 개수는 8이다.

06 이차방정식의 활용 (3) - 도형

본문 ○ 152쪽

1230 (1) 가로의 길이 : $(x+5)$ cm, 세로의 길이 : $(x-3)$ cm
(2) $(x+5)(x-3)=65$ (3) $x=-10$ 또는 $x=8$
(4) 8 cm
1231 6 cm
1232 (1) 가로의 길이 : $(30-x)$ cm,
세로의 길이 : $(20-x)$ cm
(2) $(30-x)(20-x)=504$ (3) $x=2$ 또는 $x=48$
(4) 2 m
1233 2 m

1230 (3) $(x+5)(x-3)=65$에서 $x^2+2x-80=0$
$(x+10)(x-8)=0$ $\therefore x=-10$ 또는 $x=8$
(4) $x>0$이므로 $x=8$
따라서 정사각형의 한 변의 길이는 8 cm이다.

1231 처음 정사각형의 한 변의 길이를 x cm라고 하면
$(x+2)(x+3)=2x^2$, $x^2-5x-6=0$, $(x+1)(x-6)=0$
$\therefore x=-1$ 또는 $x=6$
이때 $x>0$이므로 $x=6$
따라서 처음 정사각형의 한 변의 길이는 6 cm이다.

1232 (3) $(30-x)(20-x)=504$에서 $x^2-50x+96=0$
$(x-2)(x-48)=0$ $\therefore x=2$ 또는 $x=48$
(4) $0<x<20$이므로 $x=2$
따라서 길의 폭은 2 m이다.

1233 길의 폭을 x m라고 하면
$(16-x)(12-x)=140$에서 $x^2-28x+52=0$
$(x-2)(x-26)=0$ $\therefore x=2$ 또는 $x=26$
이때 $0<x<12$이므로 $x=2$
따라서 길의 폭은 2 m이다.

07 이차방정식의 활용 (4) - 쏘아 올린 물체

본문 ○ 153쪽

1234 (1) ❶ $40x-5x^2=60$ ❷ $x=2$ 또는 $x=6$ ❸ 2초
(2) ❶ $40x-5x^2=0$ ❷ $x=0$ 또는 $x=8$ ❸ 8초
1235 (1) 3초 (2) 13초
1236 (1) 3초 또는 4초 (2) 8초

1234 (1) $40x-5x^2=60$에서 $x^2-8x+12=0$
$(x-2)(x-6)=0$ $\therefore x=2$ 또는 $x=6$
따라서 공의 높이가 처음으로 60 m가 되는 것은 공을 던진 지 2초 후이다.

(2) $40x-5x^2=0$에서 $x^2-8x=0$

$x(x-8)=0$ $\therefore x=0$ 또는 $x=8$

$x>0$이므로 $x=8$

따라서 공을 던진 지 8초 후 지면에 떨어진다.

1235 (1) $65x-5x^2=150$에서 $x^2-13x+30=0$

$(x-3)(x-10)=0$ $\therefore x=3$ 또는 $x=10$

따라서 공의 높이가 처음으로 150 m가 되는 것은 공을 던진 지 3초 후 이다.

(2) $65x-5x^2=0$에서 $x^2-13x=0$

$x(x-13)=0$ $\therefore x=0$ 또는 $x=13$

이때 $x>0$이므로 $x=13$

따라서 공을 던진 지 13초 후 지면에 떨어진다.

1236 (1) $40+35x-5x^2=100$에서 $x^2-7x+12=0$

$(x-3)(x-4)=0$ $\therefore x=3$ 또는 $x=4$

따라서 물체의 높이가 100 m가 되는 것은 물체를 쏘아 올린 지 3초 후 또는 4초 후이다.

(2) $40+35x-5x^2=0$에서 $x^2-7x-8=0$

$(x+1)(x-8)=0$ $\therefore x=-1$ 또는 $x=8$

이때 $x>0$이므로 $x=8$

따라서 물체가 지면에 떨어지는 것은 물체를 쏘아 올린 지 8초 후이다.

핵심 01~07 Mini Review Test 본문 ◐ 154쪽

1237 ⑤ **1238** 1 **1239** $x=-1$ 또는 $x=\frac{1}{4}$

1240 24 **1241** 15살 **1242** 10명 **1243** 4 cm

1244 (1) 2초 (2) 4초

1237 ① $(-4)^2-4\times2\times5=-24<0$ ➡ 근이 0개

② $1^2-4\times3\times2=-23<0$ ➡ 근이 0개

③ $x^2+2x+1=0$에서 $2^2-4\times1\times1=0$ ➡ 근이 1개

④ $x^2-3x+6=0$에서 $(-3)^2-4\times1\times6=-15<0$ ➡ 근이 0개

⑤ $2x^2-5x-1=0$에서 $(-5)^2-4\times2\times(-1)=33>0$ ➡ 근이 2개

1238 $(-4)^2-4\times2(2k-1)\geq0$이므로 $16-16k+8\geq0$

$-16k\geq-24$ $\therefore k\leq\frac{3}{2}$

따라서 주어진 방정식이 근을 갖도록 하는 가장 큰 정수 k의 값은 1이다.

1239 두 근이 -1, 4이고 x^2의 계수가 1인 이차방정식은

$(x+1)(x-4)=0$ $\therefore x^2-3x-4=0$

따라서 $a=-3$, $b=-4$이므로 $-4x^2-3x+1=0$

$4x^2+3x-1=0$, $(x+1)(4x-1)=0$

$\therefore x=-1$ 또는 $x=\frac{1}{4}$

1240 연속하는 세 짝수를 $x-2$, x, $x+2$라고 하면

$(x-2)^2+x^2+(x+2)^2=200$에서 $3x^2=192$

$x^2=64$ $\therefore x=8\,(\because x>0)$

따라서 구하는 세 짝수는 6, 8, 10이므로 세 짝수의 합은

$6+8+10=24$

1241 형의 나이를 x살이라고 하면 동생의 나이는 $(x-4)$살이므로

$8x=(x-4)^2-1$, $8x=x^2-8x+16-1$, $x^2-16x+15=0$

$(x-1)(x-15)=0$ $\therefore x=1$ 또는 $x=15$

그런데 $x>4$이므로 $x=15$

따라서 형의 나이는 15살이다.

1242 학생 수를 x명이라고 하면 한 학생이 받는 귤의 개수는

$(x+3)$이므로 $x(x+3)=130$

$x^2+3x-130=0$, $(x+13)(x-10)=0$

$\therefore x=-13$ 또는 $x=10$

이때 $x>0$이므로 $x=10$

따라서 학생 수는 10명이다.

1243 처음 정사각형의 한 변의 길이를 x cm라고 하면

$(x+4)(x+2)=3x^2$에서 $x^2-3x-4=0$ ...... ❶

$(x+1)(x-4)=0$ $\therefore x=-1$ 또는 $x=4$ ...... ❷

이때 $x>0$이므로 $x=4$

따라서 처음 정사각형의 한 변의 길이는 4 cm이다. ...... ❸

채점 기준	배점
❶ 이차방정식 세우기	40 %
❷ 이차방정식의 해 구하기	40 %
❸ 정사각형의 한 변의 길이 구하기	20 %

1244 (1) $20x-5x^2=20$에서 $x^2-4x+4=0$

$(x-2)^2=0$ $\therefore x=2$ (중근)

따라서 높이가 20 m인 지점에 도달할 때는 물체를 던진 지 2초 후이다.

(2) $20x-5x^2=0$에서 $x^2-4x=0$

$x(x-4)=0$ $\therefore x=0$ 또는 $x=4$

이때 $x>0$이므로 $x=4$

따라서 물체가 지면에 떨어지는 것은 물체를 던진 지 4초 후이다.

❺ 이차함수

10. 이차함수의 그래프 (1)

01 이차함수 (1)

본문 ○ 159쪽

1245 ×	1246 ○	1247 ×	1248 ×
1249 ○	1250 ×	1251 ×	1252 ○
1253 ○	1254 ×	1255 ○	1256 ㄴ, ㄷ

1245 $y=x+2$ (일차함수) ➡ 이차함수가 아니다.

1247 $-x^2+4=0$ (이차방정식) ➡ 이차함수가 아니다.

1248 $y=\frac{6}{x^2}$ ➡ 이차함수가 아니다.

1250 x^2+6x+9 (이차식) ➡ 이차함수가 아니다.

1251 $y=\frac{1}{4}x^3$ ➡ 이차함수가 아니다.

1252 $y=-3x(x-2)=-3x^2+6x$ ➡ 이차함수이다.

1253 $y=(x-1)(x+2)=x^2+x-2$ ➡ 이차함수이다.

1254 $y=x^2-(1-x)^2=2x-1$ (일차함수) ➡ 이차함수가 아니다.

1255 $y=x(x-3)+x^2=2x^2-3x$ ➡ 이차함수이다.

1256 ㄱ. $y=12$ ➡ 이차함수가 아니다.
ㄴ. $y=(x-2)^2+8x=x^2+4x+4$ ➡ 이차함수이다.
ㄷ. $y=(x+3)(x-3)=x^2-9$ ➡ 이차함수이다.
ㄹ. $y=x(1-2x)+2x^2=x$ (일차함수) ➡ 이차함수가 아니다.

02 이차함수 (2)

본문 ○ 160쪽

1257 $y=x^2+x$, ○	1258 $y=6x$, ×
1259 $y=\pi x^2$, ○	1260 $y=x^3$, ×
1261 $y=x^2-4x+4$, ○	1262 $y=70x$, ×
1263 $y=2\pi x^2$, ○	1264 $y=3x$, ×
1265 $y=\frac{1}{2}x^2-\frac{3}{2}x$, ○	1266 $y=2x^2$, ○

1257 $y=x(x+1)=x^2+x$ ➡ 이차함수이다.

1258 (정삼각형의 둘레의 길이)$=3\times$(한 변의 길이)이므로
$y=3\times 2x=6x$ (일차함수) ➡ 이차함수가 아니다.

1261 $y=(x-2)^2=x^2-4x+4$ ➡ 이차함수이다.

1262 (거리)=(속력)×(시간)이므로 $y=70x$ (일차함수)
➡ 이차함수가 아니다.

1263 $y=\frac{1}{3}\times\pi x^2\times 6=2\pi x^2$ ➡ 이차함수이다.

1264 (사다리꼴의 넓이)
$=\frac{1}{2}\times\{$(윗변의 길이)+(아랫변의 길이)$\}\times$(높이)
$\therefore y=\frac{1}{2}\times(x+2x)\times 2=3x$ (일차함수)
➡ 이차함수가 아니다.

1265 (x각형의 대각선의 개수)$=\frac{x(x-3)}{2}=\frac{1}{2}x^2-\frac{3}{2}x$
➡ 이차함수이다.

1266 직사각형의 가로의 길이는 $\frac{6x}{2}-x=2x$ (cm)이므로
$y=2x\times x=2x^2$ ➡ 이차함수이다.

03 이차함수의 함숫값

본문 ○ 161쪽

1267 3	1268 12	1269 3	1270 7
1271 1	1272 4	1273 1, 1, $2+k$, $2+k$, 2	
1274 3	1275 -1	1276 -2	1277 11

1267 $f(1)=1^2-2\times 1+4=3$

1268 $f(-2)=(-2)^2-2\times(-2)+4=12$

1269 $f(-1)=(-1)^2-2\times(-1)+4=7$
$f(2)=2^2-2\times 2+4=4$
$\therefore f(-1)-f(2)=7-4=3$

1270 $f(-1)=3\times(-1)^2-5\times(-1)-1=7$

1271 $f(2)=-2\times 2^2+3\times 2+1=-1$
$f\left(\frac{1}{2}\right)=-2\times\left(\frac{1}{2}\right)^2+3\times\frac{1}{2}+1=2$

$\therefore f(2)+f\left(\frac{1}{2}\right)=-1+2=1$

1272 $f(-3)=\frac{1}{3}\times(-3)^2+(-3)-1=-1$

$f(3)=\frac{1}{3}\times3^2+3-1=5$

$\therefore f(-3)+f(3)=-1+5=4$

1274 $f(2)=-2\times2^2+k\times2+1=-1$

$-8+2k+1=-1 \qquad \therefore k=3$

1275 $f(-2)=k\times(-2)^2-4\times(-2)-3=1$

$4k+8-3=1 \qquad \therefore k=-1$

1276 $f(-1)=3\times(-1)^2-(-1)+k=2$

$3+1+k=2 \qquad \therefore k=-2$

1277 $f(1)=-1^2-4\times1+k=2 \qquad \therefore k=7$

따라서 $f(x)=-x^2-4x+7$이므로

$f(-2)=-(-2)^2-4\times(-2)+7=11$

04 이차함수 $y=x^2$, $y=-x^2$의 그래프

본문 ○ 162쪽

1278 9, 4, 1, 0, 1, 4, 9 **1279** 풀이 참조

1280 (1) 아래, y (2) 감소, 증가 (3) 1, 2

1281 -9, -4, -1, 0, -1, -4, -9

1282 풀이 참조 **1283** 위, y, 증가, 감소, 3, 4

1279

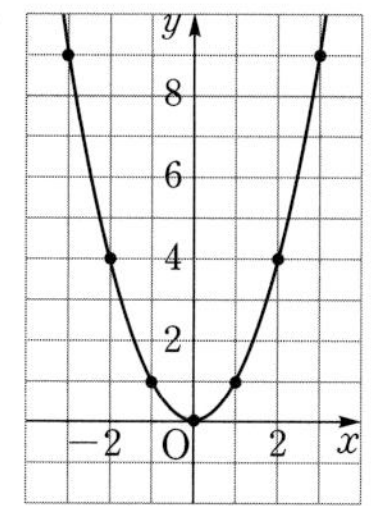

1282

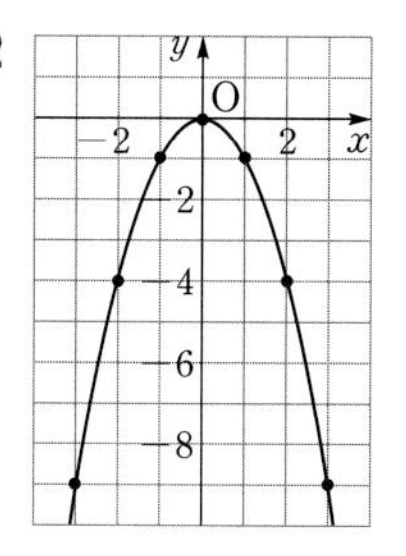

05 이차함수 $y=ax^2$의 그래프 그리기

본문 ○ 163쪽

그래프는 풀이 참조

1284 (1) 2 (2) x

1284

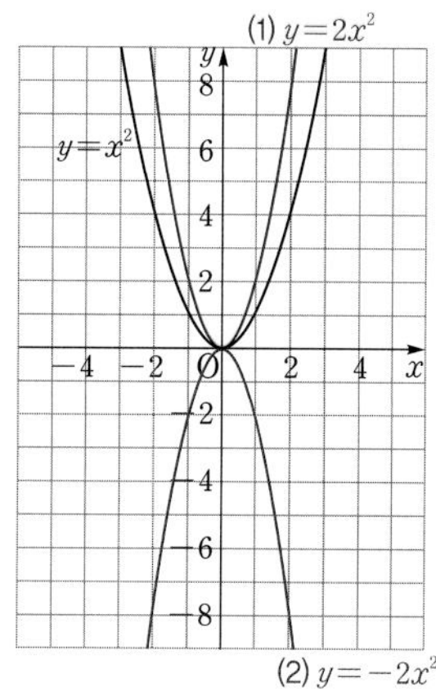

1285

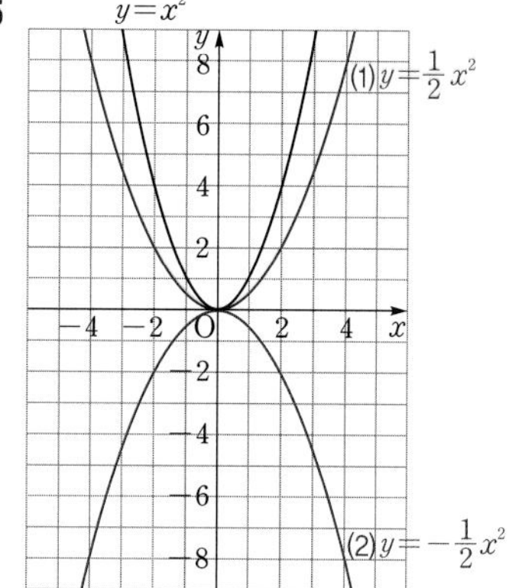

1286

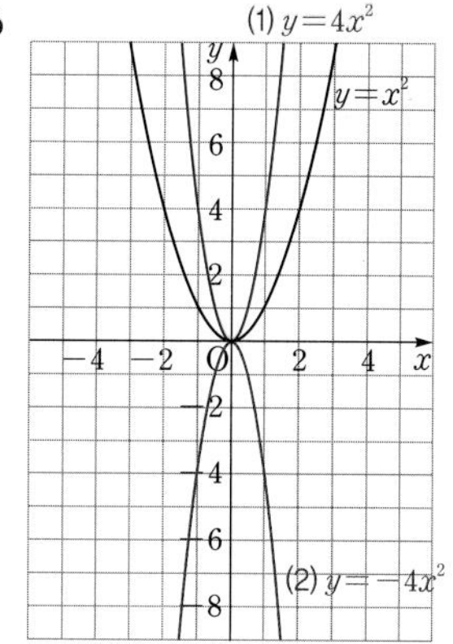

1287

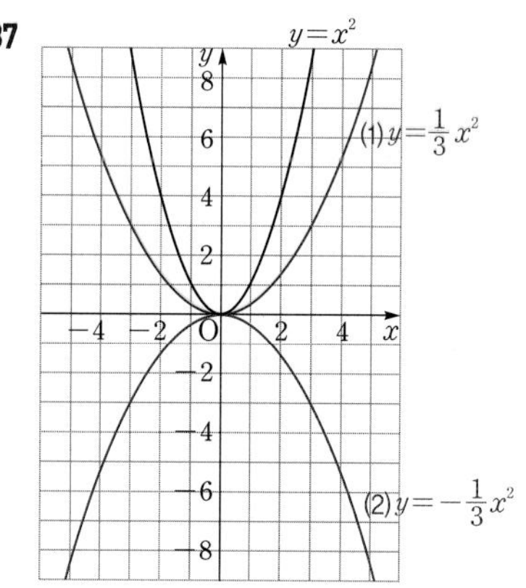

06 이차함수 $y=ax^2$의 그래프의 성질 (1)

본문 ◎ 164쪽

1288 0, 0　**1289** 아래　**1290** $x=0$　**1291** 감소
1292 1, 2　**1293** $-5x^2$　**1294** 20　**1295** 0, 0
1296 위　**1297** $x=0$　**1298** 증가　**1299** 3, 4
1300 $\frac{3}{4}x^2$　**1301** -3

1294 $x=-2$를 $y=5x^2$에 대입하면 $y=5\times(-2)^2=20$

1301 $x=2$를 $y=-\frac{3}{4}x^2$에 대입하면 $y=-\frac{3}{4}\times2^2=-3$

07 이차함수 $y=ax^2$의 그래프의 성질 (2)

본문 ◎ 165쪽

그래프는 풀이 참조
1302 ㄴ, ㄷ, ㄱ, ㄹ　**1303** ㄴ, ㄹ　**1304** ㄱ, ㄷ
1305 ㄱ, ㄷ　**1306** ㄴ, ㄹ　**1307** ㅂ　**1308** ㄱ, ㄷ, ㄹ
1309 ㄴ과 ㄹ, ㄷ과 ㅁ　**1310** ㄱ, ㄹ
1311 (1) ㄹ (2) ㄴ (3) ㄱ (4) ㄷ

1302 ~ 1306

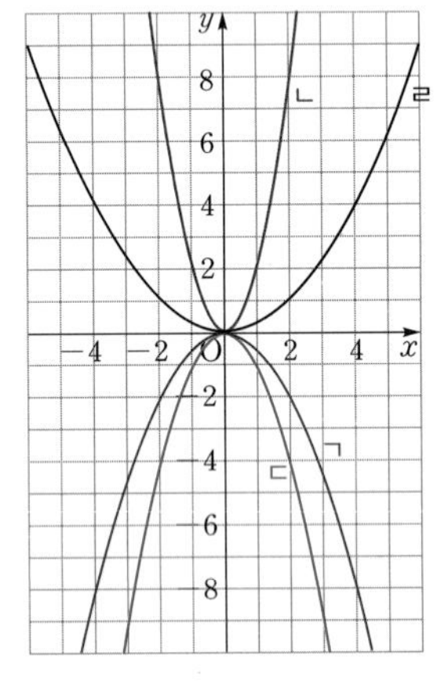

1310 포물선 (가)는 아래로 볼록하므로 x^2의 계수가 양수이어야 한다. 이때 x^2의 계수가 1보다 커야 하므로 ㄱ, ㄹ이 적합하다.

08 이차함수 $y=ax^2$의 그래프가 지나는 점

본문 ◎ 166쪽

1312 4, 4　**1313** $\frac{1}{2}$　**1314** -3　**1315** 2
1316 $-\frac{1}{3}$　**1317** -4, -1, $-x^2$, -1
1318 $a=-4$, $b=-16$　**1319** $a=\frac{3}{4}$, $b=27$
1320 $a=-9$, $b=-9$　**1321** $a=-\frac{1}{4}$, $b=-1$

1313 $y=ax^2$에 $x=-2$, $y=2$를 대입하면
$2=a\times(-2)^2$　$\therefore a=\frac{1}{2}$

1314 $y=ax^2$에 $x=\frac{1}{2}$, $y=-\frac{3}{4}$을 대입하면
$-\frac{3}{4}=a\times\left(\frac{1}{2}\right)^2$　$\therefore a=-3$

1315 그래프가 점 $(1, 2)$를 지나므로 $y=ax^2$에 $x=1$, $y=2$를 대입하면
$2=a\times1^2$　$\therefore a=2$

1316 그래프가 점 $(3, -3)$을 지나므로 $y=ax^2$에 $x=3$, $y=-3$을 대입하면
$-3=a\times3^2$　$\therefore a=-\frac{1}{3}$

1318 $y=ax^2$에 $x=-\frac{1}{2}$, $y=-1$을 대입하면
$-1=a\times\left(-\frac{1}{2}\right)^2$　$\therefore a=-4$
따라서 $y=-4x^2$에 $x=2$, $y=b$를 대입하면
$b=-4\times2^2=-16$

1319 $y=ax^2$에 $x=2$, $y=3$을 대입하면
$3=a\times2^2$　$\therefore a=\frac{3}{4}$
따라서 $y=\frac{3}{4}x^2$에 $x=6$, $y=b$를 대입하면
$b=\frac{3}{4}\times6^2=27$

1320 $y=ax^2$에 $x=\frac{1}{3}$, $y=-1$을 대입하면
$-1=a\times\left(\frac{1}{3}\right)^2$　$\therefore a=-9$
따라서 $y=-9x^2$에 $x=-1$, $y=b$를 대입하면
$b=-9\times(-1)^2=-9$

1321 이차함수 $y=ax^2$의 그래프가 두 점 $(-4, -4)$, $(2, b)$를 지난다.
$y=ax^2$에 $x=-4$, $y=-4$를 대입하면
$-4=a\times(-4)^2$　$\therefore a=-\frac{1}{4}$
따라서 $y=-\frac{1}{4}x^2$에 $x=2$, $y=b$를 대입하면
$b=-\frac{1}{4}\times2^2=-1$

핵심 01~08 **Mini Review Test** 본문 ◎ 167쪽

1322 ⑤ **1323** 15 **1324** ⑤ **1325** ③
1326 ④ **1327** 4

1322 ① $y=(x+1)^2=x^2+2x+1$ ➡ 이차함수이다.
② (거리)=(속력)×(시간)이므로
$y=x\times\frac{x}{2}=\frac{x^2}{2}$ ➡ 이차함수이다.
③ $y=4\pi x^2$ ➡ 이차함수이다.
④ $y=\pi x^2\times 5=5\pi x^2$ ➡ 이차함수이다.
⑤ $y=10\times x=10x$ (일차함수) ➡ 이차함수가 아니다.

1323 $f(1)=a\times 1^2-2\times 1+3=a+1=3$
$\therefore a=2$
따라서 $f(x)=2x^2-2x+3$이므로
$f(-2)=2\times(-2)^2-2\times(-2)+3=15$

1324 ⑤ $y=-x^2$의 그래프는 $x<0$일 때만 x의 값이 증가하면 y의 값도 증가한다.

1325 $y=ax^2$의 그래프가 위로 볼록하므로 $a<0$이고, a의 절댓값이 작을수록 폭이 넓어지므로 폭이 가장 넓은 이차함수는
③ $y=-\frac{2}{3}x^2$이다.

1326 ④ $\left|\frac{5}{4}\right|<|2|$이므로 $y=\frac{5}{4}x^2$의 그래프는 $y=2x^2$의 그래프보다 폭이 넓다.

1327 이차함수 $y=ax^2$의 그래프가 두 점 $\left(\frac{1}{2}, 1\right)$, $(-1, b)$를 지난다. …… ❶
$y=ax^2$에 $x=\frac{1}{2}$, $y=1$을 대입하면
$1=\frac{1}{4}a \quad \therefore a=4$ …… ❷
따라서 $y=4x^2$에 $x=-1$, $y=b$를 대입하면
$b=4\times(-1)^2=4$ …… ❸

채점 기준	배점
❶ $y=ax^2$의 그래프가 지나는 두 점의 좌표 구하기	20 %
❷ a의 값 구하기	40 %
❸ b의 값 구하기	40 %

11. 이차함수의 그래프 (2)

01 이차함수 $y=ax^2+q$의 그래프

본문 ◎ 171쪽

1328 y, 5 **1329** y, -1 **1330** y, -4 **1331** 1
1332 -3 **1333** $-\frac{3}{2}$
1334 (1) $y=2x^2+3$ (2) $(0, 3)$ (3) $x=0$
1335 (1) $y=-2x^2-3$ (2) $(0, -3)$ (3) $x=0$
1336 (1) $y=-\frac{2}{3}x^2+\frac{1}{3}$ (2) $\left(0, \frac{1}{3}\right)$ (3) $x=0$
1337 (1) $y=\frac{1}{3}x^2-2$ (2) $(0, -2)$ (3) $x=0$

02 이차함수 $y=ax^2+q$의 그래프 그리기

본문 ◎ 172쪽

그래프는 풀이 참조
1338 (1) $(0, 3)$ (2) $x=0$ **1339** (1) $(0, -2)$ (2) $x=0$
1340 (1) $(0, -1)$ (2) $x=0$ **1341** (1) $(0, 4)$ (2) $x=0$

1338
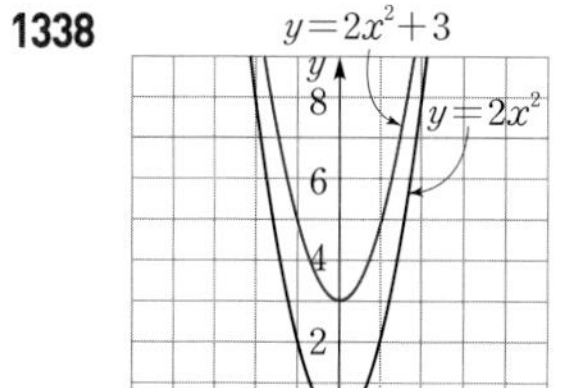

1339
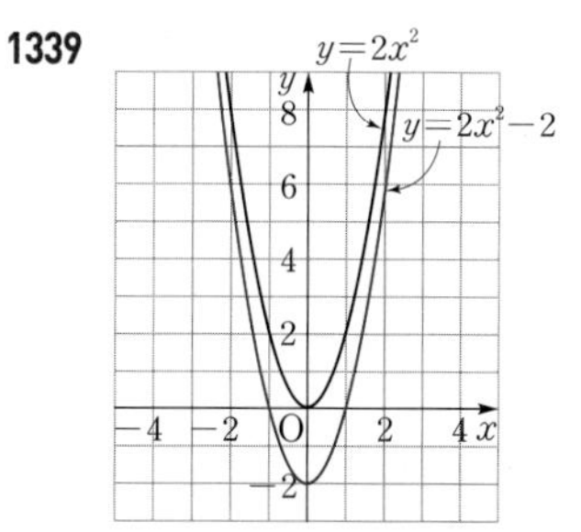

1340
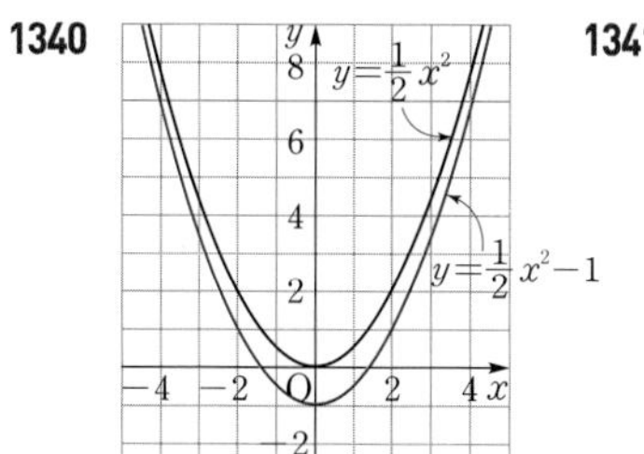

1341
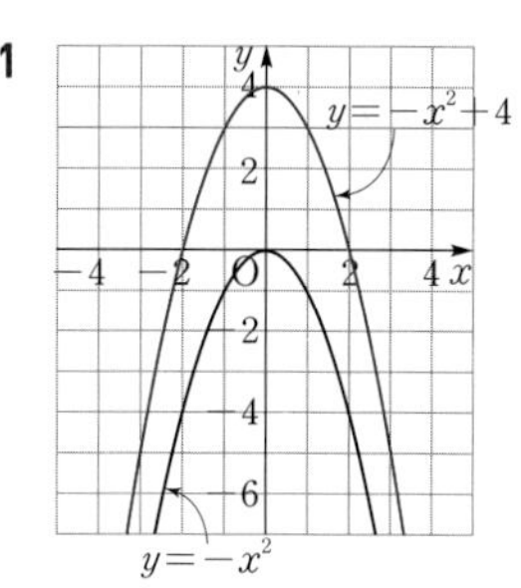

03 이차함수 $y=ax^2+q$의 그래프의 성질

본문 ◎ 173쪽

1342 × **1343** ○ **1344** × **1345** ○
1346 × **1347** ○ **1348** 2, 5 **1349** -4
1350 3 **1351** 2 **1352** 2

1342 $y=x^2-1$의 그래프는 y축에 대칭이다.

1344 $y=-\frac{3}{2}x^2+2$의 그래프는 위로 볼록한 포물선이다.

1345 $y=\frac{2}{3}x^2-3$에 $x=3$을 대입하면 $y=\frac{2}{3}\times 3^2-3=3$

1346 $y=-x^2-1$의 그래프는 오른쪽 그림과 같으므로 제3, 4사분면을 지난다.

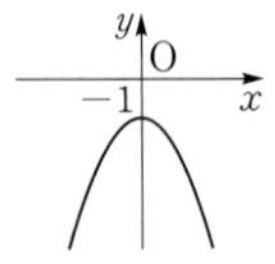

1349 평행이동한 그래프의 식은 $y=-\frac{1}{3}x^2-1$

이 식에 $x=-3$, $y=k$를 대입하면

$k=-\frac{1}{3}\times(-3)^2-1=-4$

1350 평행이동한 그래프의 식은 $y=-2x^2+k$

이 식에 $x=\frac{1}{2}$, $y=\frac{5}{2}$를 대입하면

$\frac{5}{2}=-2\times\left(\frac{1}{2}\right)^2+k \qquad \therefore k=\frac{5}{2}+\frac{1}{2}=3$

1351 평행이동한 그래프의 식은 $y=kx^2-3$

이 식에 $x=2$, $y=5$를 대입하면

$5=k\times 2^2-3$, $4k=8 \qquad \therefore k=2$

1352 평행이동한 그래프의 식은 $y=x^2-3$

이 식에 $x=k$, $y=1$을 대입하면

$1=k^2-3$, $k^2=4 \qquad \therefore k=2\ (\because k>0)$

04 이차함수 $y=a(x-p)^2$의 그래프

본문 ◎ 174쪽

1353 x, -3 **1354** x, 2 **1355** x, -6 **1356** -1

1357 4 **1358** -8

1359 (1) $y=3(x+2)^2$ (2) $(-2, 0)$ (3) $x=-2$

1360 (1) $y=-(x-5)^2$ (2) $(5, 0)$ (3) $x=5$

1361 (1) $y=\frac{1}{2}(x-3)^2$ (2) $(3, 0)$ (3) $x=3$

1362 (1) $y=-\frac{3}{2}(x+4)^2$ (2) $(-4, 0)$ (3) $x=-4$

05 이차함수 $y=a(x-p)^2$의 그래프 그리기

본문 ◎ 175쪽

그래프는 풀이 참조

1363 (1) $(3, 0)$ (2) $x=3$ (3) $x<3$

1364 (1) $(-2, 0)$ (2) $x=-2$ (3) $x>-2$

1365 (1) $(2, 0)$ (2) $x=2$ (3) $x<2$

1366 (1) $(-3, 0)$ (2) $x=-3$ (3) $x>-3$

1363

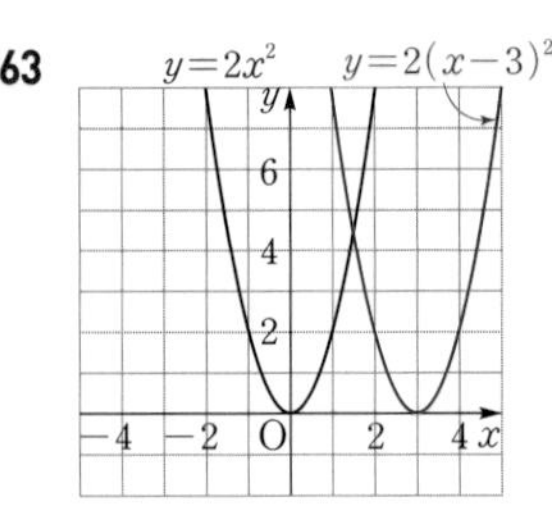

1364

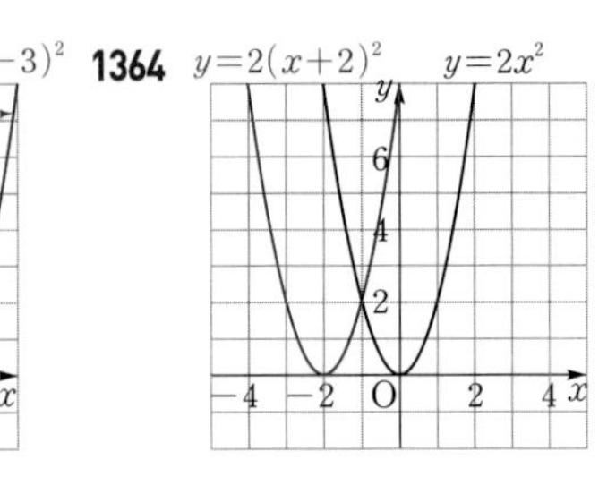

1365

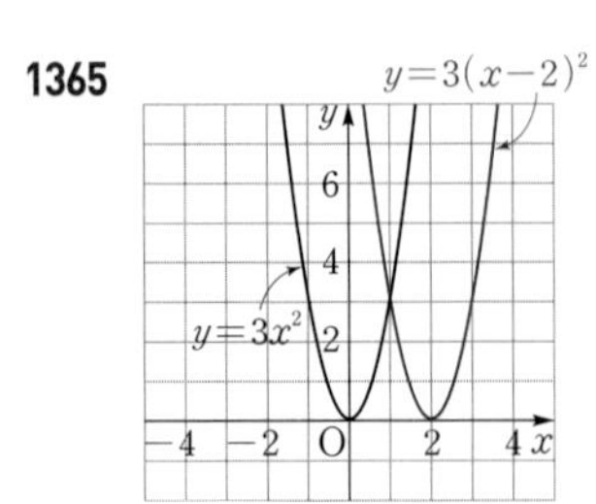

1366

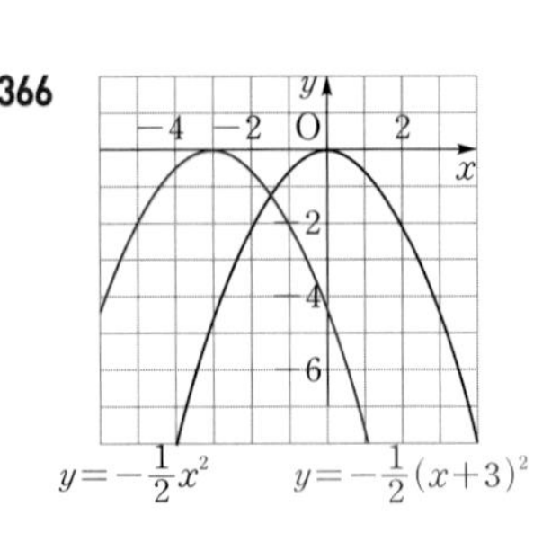

06 이차함수 $y=a(x-p)^2$의 그래프의 성질

본문 ◎ 176쪽

1367 ○ **1368** × **1369** × **1370** ○

1371 ○ **1372** × **1373** 4, -9 **1374** 12

1375 8 **1376** -12 **1377** -5

1368 $y=-3(x+2)^2$의 그래프의 축의 방정식은 $x=-2$이다.

1369 $y=5(x+3)^2$의 그래프는 아래로 볼록하다.

1372 $y=\frac{1}{4}(x-1)^2$의 그래프는 오른쪽 그림과 같으므로 제1, 2사분면만 지난다.

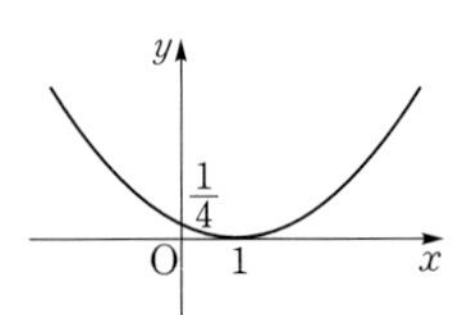

1374 평행이동한 그래프의 식은 $y=3(x+4)^2$

이 식에 $x=-2$, $y=k$를 대입하면 $k=3\times 2^2=12$

1375 평행이동한 그래프의 식은 $y=\frac{1}{2}(x-1)^2$

이 식에 $x=5$, $y=k$를 대입하면 $k=\frac{1}{2}\times 4^2=8$

1376 평행이동한 그래프의 식은 $y=-\frac{4}{3}(x-2)^2$

이 식에 $x=-1$, $y=k$를 대입하면 $k=-\frac{4}{3}\times(-3)^2=-12$

1377 평행이동한 그래프의 식은 $y=k(x-3)^2$

이 식에 $x=2$, $y=-5$를 대입하면 $-5=k\times(-1)^2$

$\therefore k=-5$

07 이차함수 $y=a(x-p)^2+q$의 그래프 본문 ◎ 177쪽

1378 $2,\ -3$ **1379** $-1,\ -2$ **1380** $\frac{1}{2},\ 4$ **1381** $3,\ -5$

1382 (1) $y=4(x-1)^2-2$ (2) $(1,\ -2)$ (3) $x=1$

1383 (1) $y=-5(x+2)^2+1$ (2) $(-2,\ 1)$ (3) $x=-2$

1384 (1) $y=-\frac{1}{2}(x+3)^2+5$ (2) $(-3,\ 5)$ (3) $x=-3$

1385 (1) $y=\frac{1}{8}(x-4)^2+2$ (2) $(4,\ 2)$ (3) $x=4$

08 이차함수 $y=a(x-p)^2+q$의 그래프 그리기 본문 ◎ 178쪽

그래프는 풀이 참조

1386 (1) $(2,\ -2)$ (2) $x=2$ (3) 제 1, 2, 4사분면

1387 (1) $(-3,\ 1)$ (2) $x=-3$ (3) 제 1, 2사분면

1388 (1) $(2,\ 1)$ (2) $x=2$ (3) 제 1, 3, 4사분면

1389 (1) $(-1,\ -2)$ (2) $x=-1$ (3) 제 3, 4사분면

1386

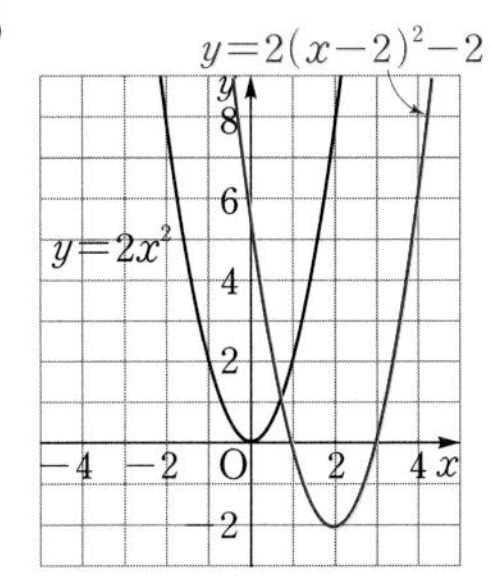

1387

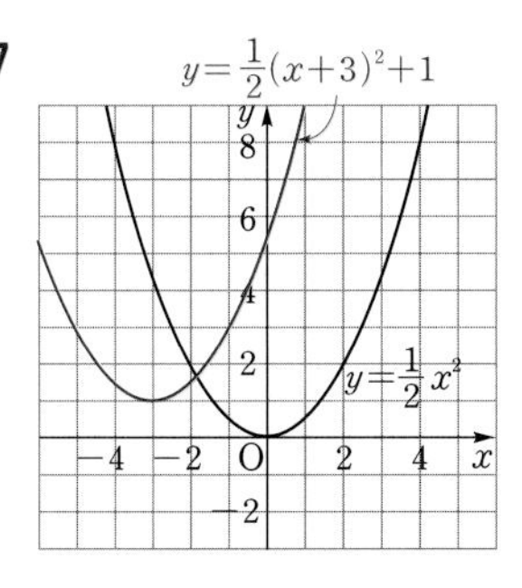

1388

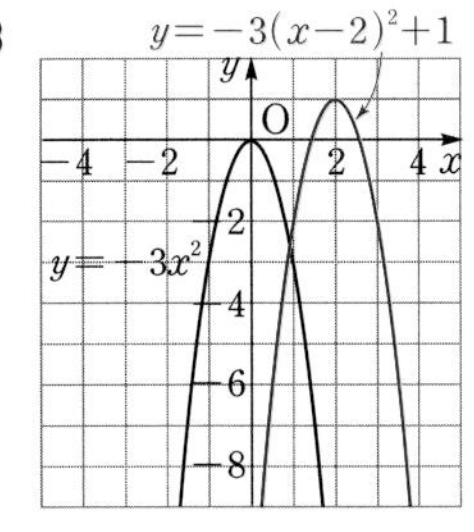

1389

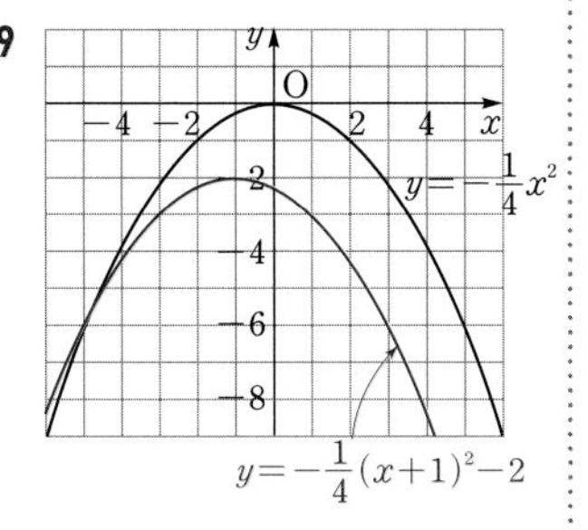

09 이차함수 $y=a(x-p)^2+q$의 그래프의 성질 본문 ◎ 179쪽

1390 ○ **1391** ○ **1392** × **1393** ○

1394 × **1395** ○ **1396** 9 **1397** 1

1398 -5 **1399** 3 **1400** 5

1392 $y=-\frac{1}{3}(x-3)^2-4$의 그래프의 축의 방정식은 $x=3$이다.

1394 $y=\left(x+\frac{1}{2}\right)^2+1$의 그래프는 오른쪽 그림과 같으므로 제1, 2사분면을 지난다.

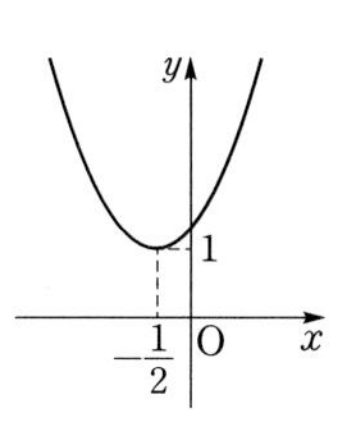

1396 $y=2(x-3)^2+1$에 $x=1$, $y=k$를 대입하면

$k=2\times(1-3)^2+1=9$

1397 $y=-\frac{1}{2}(x+4)^2+3$에 $x=-2$, $y=k$를 대입하면

$k=-\frac{1}{2}\times(-2+4)^2+3=1$

1398 평행이동한 그래프의 식은 $y=-(x+5)^2-1$

이 식에 $x=-3$, $y=k$를 대입하면 $k=-2^2-1=-5$

1399 평행이동한 그래프의 식은 $y=\frac{3}{2}(x-2)^2-3$

이 식에 $x=4$, $y=k$를 대입하면 $k=\frac{3}{2}(4-2)^2-3=3$

1400 평행이동한 그래프의 식은 $y=(x-k)^2-4$

이 식에 $x=2$, $y=k$를 대입하면 $k=(2-k)^2-4$

$k^2-5k=0$, $k(k-5)=0$ $\therefore k=5\ (\because k>0)$

10 이차함수 $y=a(x-p)^2+q$의 그래프에서 a, p, q의 부호 본문 ◎ 180쪽

1401 $>,\ >,\ <$ **1402** $>,\ <,\ >$

1403 $>,\ >,\ =$ **1404** $<,\ >,\ >$

1405 $<,\ <,\ <$ **1406** $<,\ =,\ >$

1402 그래프가 아래로 볼록하므로 $a>0$

꼭짓점이 제2사분면 위에 있으므로 $p<0$, $q>0$

1403 그래프가 아래로 볼록하므로 $a>0$

꼭짓점이 y축의 오른쪽인 x축 위에 있으므로 $p>0$, $q=0$

1404 그래프가 위로 볼록하므로 $a<0$

꼭짓점이 제1사분면 위에 있으므로 $p>0$, $q>0$

1405 그래프가 위로 볼록하므로 $a<0$

꼭짓점이 제3사분면 위에 있으므로 $p<0$, $q<0$

1406 그래프가 위로 볼록하므로 $a<0$

꼭짓점이 x축의 위쪽인 y축 위에 있으므로 $p=0$, $q>0$

핵심 01~10 Mini Review Test 본문 ◎ 181쪽

1407 ③ **1408** -1 **1409** $(3,\ 0)$
1410 $x=2$ 또는 $x=8$ **1411** 12 **1412** ③
1413 ⑤

1407 ③ y축에 대칭이다.

1408 평행이동한 그래프의 식은 $y=-3x^2+2$
이 식에 $x=-1$, $y=k$를 대입하면 $k=-3+2=-1$

1409 평행이동한 그래프의 식은 $y=-2(x-p)^2$
이 그래프의 축의 방정식이 $x=3$이므로 $p=3$
따라서 $y=-2(x-3)^2$의 그래프의 꼭짓점의 좌표는 $(3,\ 0)$이다.

1410 $y=\frac{4}{3}(x-p)^2$에 $x=5$, $y=12$를 대입하면
$12=\frac{4}{3}(5-p)^2$, $9=(5-p)^2$
$5-p=\pm3$ $\quad\therefore p=2$ 또는 $p=8$
따라서 이 그래프의 축의 방정식은 $x=2$ 또는 $x=8$

1411 $y=\frac{3}{2}(x-p)^2+q$의 그래프의 축의 방정식이 $x=4$이므로
$p=4$ $\quad\therefore y=\frac{3}{2}(x-4)^2+q$
이 식에 $x=2$, $y=-2$를 대입하면 $-2=6+q$ $\quad\therefore q=-8$
$\therefore p-q=4-(-8)=12$

1412 ㄱ. 축의 방정식은 $x=-1$이다.
ㄹ. $x<-1$일 때, x의 값이 증가하면 y의 값도 증가한다.
따라서 옳은 것은 ㄴ, ㄷ이다.

1413 그래프가 위로 볼록하므로 $a<0$
꼭짓점 $(p,\ q)$가 제2사분면 위에 있으므로 $p<0$, $q>0$

12. 이차함수의 그래프 (3)

01 이차함수 $y=ax^2+bx+c$의 그래프

본문 ◎ 185쪽

1414 2, 2, 1, 1, 1, 2, 1, 4 **1415** $y=(x-3)^2-1$
1416 $y=3(x+2)^2-3$ **1417** $y=\frac{1}{2}(x-4)^2-10$
1418 $y=\frac{3}{2}(x+1)^2-\frac{5}{2}$ **1419** 4, 4, 4, 2, 4, 2, 8
1420 $y=-2(x-1)^2+3$ **1421** $y=-\frac{1}{3}(x-3)^2-3$
1422 $y=-\frac{1}{2}(x+1)^2$ **1423** -15

1415 $y=x^2-6x+8=(x^2-6x)+8$
$=(x^2-6x+9-9)+8=(x-3)^2-1$

1416 $y=3x^2+12x+9=3(x^2+4x)+9$
$=3(x^2+4x+4-4)+9$
$=3(x^2+4x+4)-12+9=3(x+2)^2-3$

1417 $y=\frac{1}{2}x^2-4x-2=\frac{1}{2}(x^2-8x)-2$
$=\frac{1}{2}(x^2-8x+16-16)-2$
$=\frac{1}{2}(x^2-8x+16)-8-2=\frac{1}{2}(x-4)^2-10$

1418 $y=\frac{3}{2}x^2+3x-1=\frac{3}{2}(x^2+2x)-1$
$=\frac{3}{2}(x^2+2x+1-1)-1$
$=\frac{3}{2}(x^2+2x+1)-\frac{3}{2}-1$
$=\frac{3}{2}(x+1)^2-\frac{5}{2}$

1420 $y=-2x^2+4x+1=-2(x^2-2x)+1$
$=-2(x^2-2x+1-1)+1$
$=-2(x^2-2x+1)+2+1$
$=-2(x-1)^2+3$

1421 $y=-\frac{1}{3}x^2+2x-6=-\frac{1}{3}(x^2-6x)-6$
$=-\frac{1}{3}(x^2-6x+9-9)-6$
$=-\frac{1}{3}(x^2-6x+9)+3-6$
$=-\frac{1}{3}(x-3)^2-3$

1422 $y=-\frac{1}{2}x^2-x-\frac{1}{2}=-\frac{1}{2}(x^2+2x)-\frac{1}{2}$

$=-\frac{1}{2}(x^2+2x+1-1)-\frac{1}{2}$

$=-\frac{1}{2}(x^2+2x+1)+\frac{1}{2}-\frac{1}{2}=-\frac{1}{2}(x+1)^2$

1423 $y=-4x^2-12x+1=-4(x^2+3x)+1$

$=-4\left(x^2+3x+\frac{9}{4}-\frac{9}{4}\right)+1$

$=-4\left(x^2+3x+\frac{9}{4}\right)+9+1=-4\left(x+\frac{3}{2}\right)^2+10$

따라서 $p=-\frac{3}{2}$, $q=10$이므로

$pq=\left(-\frac{3}{2}\right)\times 10=-15$

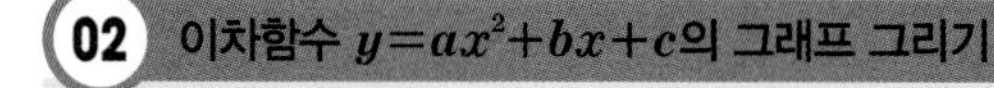

02 이차함수 $y=ax^2+bx+c$의 그래프 그리기

본문 ◎ 186쪽

그래프는 풀이 참조

1424 $y=(x+2)^2-1$, x^2, -2, -1

(1) $(-2, -1)$ (2) $x=-2$ (3) $(0, 3)$

1425 $y=2(x-1)^2+1$ (1) $(1, 1)$ (2) $x=1$ (3) $(0, 3)$

1426 $y=-3(x+2)^2+2$

(1) $(-2, 2)$ (2) $x=-2$ (3) $(0, -10)$

1427 $y=-\frac{1}{2}(x-2)^2+1$

(1) $(2, 1)$ (2) $x=2$ (3) $(0, -1)$

1424 $y=x^2+4x+3$

$=(x^2+4x)+3$

$=(x^2+4x+4-4)+3$

$=(x+2)^2-1$

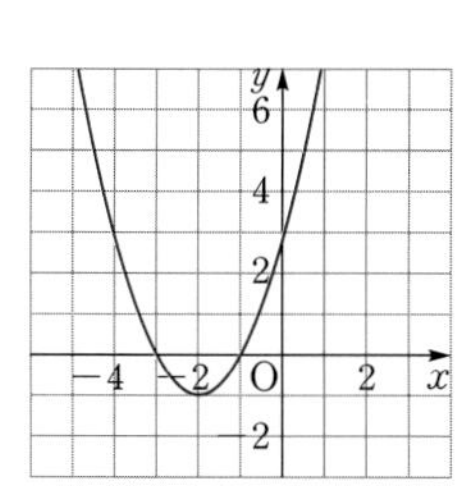

1425 $y=2x^2-4x+3$

$=2(x^2-2x)+3$

$=2(x^2-2x+1-1)+3$

$=2(x^2-2x+1)-2+3$

$=2(x-1)^2+1$

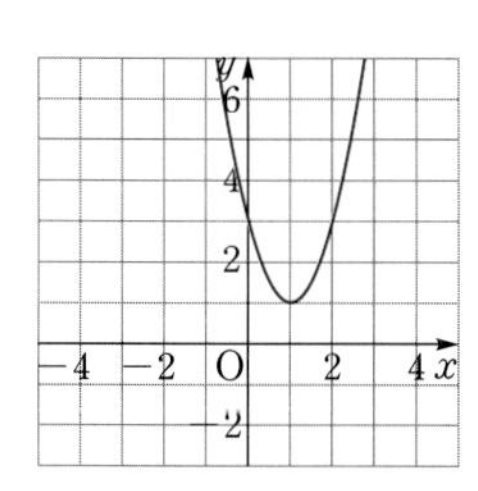

1426 $y=-3x^2-12x-10$

$=-3(x^2+4x)-10$

$=-3(x^2+4x+4-4)-10$

$=-3(x^2+4x+4)+12-10$

$=-3(x+2)^2+2$

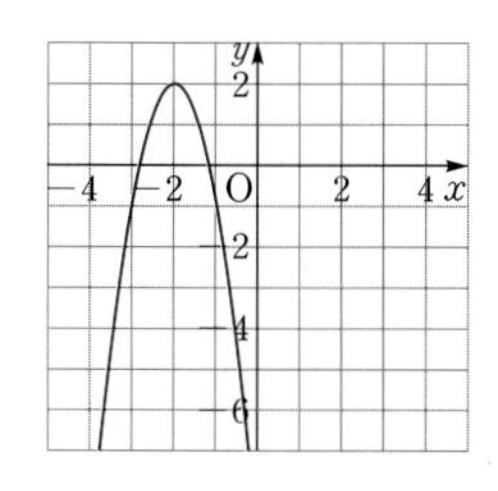

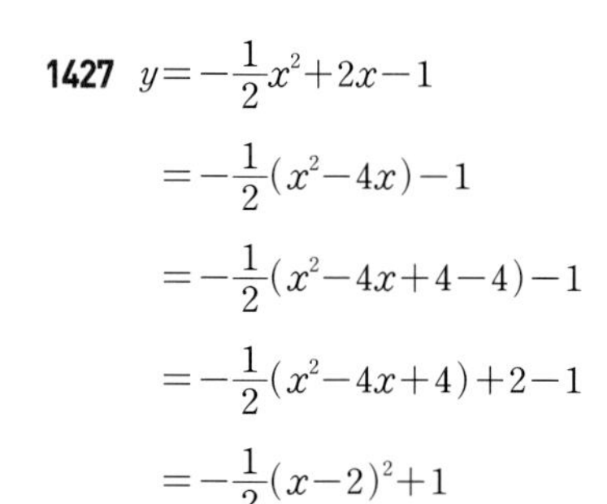

1427 $y=-\frac{1}{2}x^2+2x-1$

$=-\frac{1}{2}(x^2-4x)-1$

$=-\frac{1}{2}(x^2-4x+4-4)-1$

$=-\frac{1}{2}(x^2-4x+4)+2-1$

$=-\frac{1}{2}(x-2)^2+1$

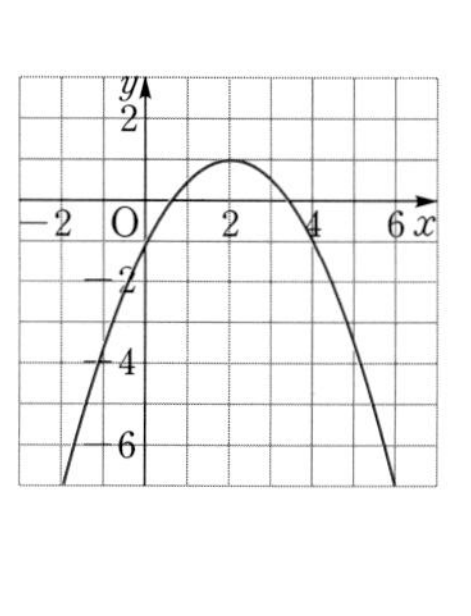

03 이차함수의 그래프와 x축과의 교점의 좌표

본문 ◎ 187쪽

1428 1, -1, -1

1429 $(-5, 0)$, $(2, 0)$

1430 $(3, 0)$

1431 $\left(\frac{1}{2}, 0\right)$, $(3, 0)$

1432 $\left(\frac{1}{2}, 0\right)$, $\left(\frac{3}{2}, 0\right)$

1433 $(0, 0)$, $(6, 0)$

1434 $(-1, 0)$, $(4, 0)$

1435 $\left(-\frac{5}{2}, 0\right)$, $(3, 0)$

1436 $\left(\frac{1}{3}, 0\right)$, $(1, 0)$

1437 $(-4, 0)$, $(2, 0)$

1438 $(-2, 0)$, $(4, 0)$

1439 16

1429 $y=0$을 대입하면 $x^2+3x-10=0$

$(x+5)(x-2)=0$ $\quad\therefore x=-5$ 또는 $x=2$

따라서 구하는 점의 좌표는 $(-5, 0)$, $(2, 0)$이다.

1430 $y=0$을 대입하면 $x^2-6x+9=0$

$(x-3)^2=0$ $\quad\therefore x=3$ (중근)

따라서 구하는 점의 좌표는 $(3, 0)$이다.

1431 $y=0$을 대입하면 $2x^2-7x+3=0$

$(2x-1)(x-3)=0$ $\quad\therefore x=\frac{1}{2}$ 또는 $x=3$

따라서 구하는 점의 좌표는 $\left(\frac{1}{2}, 0\right)$, $(3, 0)$이다.

1432 $y=0$을 대입하면 $4x^2-8x+3=0$

$(2x-1)(2x-3)=0$ $\quad\therefore x=\frac{1}{2}$ 또는 $x=\frac{3}{2}$

따라서 구하는 점의 좌표는 $\left(\frac{1}{2}, 0\right)$, $\left(\frac{3}{2}, 0\right)$이다.

1433 $y=0$을 대입하면 $\frac{1}{2}x^2-3x=0$, $x^2-6x=0$

$x(x-6)=0$ $\quad\therefore x=0$ 또는 $x=6$

따라서 구하는 점의 좌표는 $(0, 0)$, $(6, 0)$이다.

1434 $y=0$을 대입하면 $-x^2+3x+4=0$

$x^2-3x-4=0$, $(x+1)(x-4)=0$

$\therefore x=-1$ 또는 $x=4$

따라서 구하는 점의 좌표는 $(-1, 0)$, $(4, 0)$이다.

1435 $y=0$을 대입하면 $-2x^2+x+15=0$, $2x^2-x-15=0$

$(2x+5)(x-3)=0$ $\quad \therefore x=-\frac{5}{2}$ 또는 $x=3$

따라서 구하는 점의 좌표는 $\left(-\frac{5}{2}, 0\right)$, $(3, 0)$이다.

1436 $y=0$을 대입하면 $-3x^2+4x-1=0$

$3x^2-4x+1=0$, $(3x-1)(x-1)=0$

$\therefore x=\frac{1}{3}$ 또는 $x=1$

따라서 구하는 점의 좌표는 $\left(\frac{1}{3}, 0\right)$, $(1, 0)$이다.

1437 $y=0$을 대입하면 $-\frac{1}{2}x^2-x+4=0$

$\frac{1}{2}x^2+x-4=0$, $x^2+2x-8=0$

$(x+4)(x-2)=0$ $\quad \therefore x=-4$ 또는 $x=2$

따라서 구하는 점의 좌표는 $(-4, 0)$, $(2, 0)$이다.

1438 $y=0$을 대입하면 $-2x^2+4x+16=0$

$x^2-2x-8=0$, $(x+2)(x-4)=0$

$\therefore x=-2$ 또는 $x=4$

따라서 구하는 점의 좌표는 $(-2, 0)$, $(4, 0)$이다.

1439 $y=\frac{1}{4}x^2+3x-7$에 $y=0$을 대입하면

$\frac{1}{4}x^2+3x-7=0$, $x^2+12x-28=0$

$(x+14)(x-2)=0$ $\quad \therefore x=-14$ 또는 $x=2$

따라서 $A(-14, 0)$, $B(2, 0)$ 또는 $A(2, 0)$, $B(-14, 0)$

이므로 $\overline{AB}=2-(-14)=16$

04 이차함수 $y=ax^2+bx+c$의 그래프의 성질

본문 ◎ 188쪽

1440 ○	1441 ×	1442 ○	1443 ×
1444 ○	1445 ○	1446 ×	1447 ×
1448 ○	1449 ○	1450 ×	1451 ○

1441 $y=-x^2+4x-8=-(x^2-4x)-8$

$=-(x^2-4x+4-4)-8$

$=-(x^2-4x+4)+4-8$

$=-(x-2)^2-4$

따라서 $y=-x^2$의 그래프를 x축의 방향으로 2만큼, y축의 방향으로 -4만큼 평행이동한 그래프이다.

1443 $y=-x^2+4x-8$의 그래프는 x축과 만나지 않는다.

1444 $y=-x^2+4x-8$에 $x=3$을 대입하면

$y=-3^2+4\times3-8=-5$

즉, 점 $(3, -5)$를 지난다.

1445 $y=-x^2+4x-8=-(x-2)^2-4$

따라서 이 함수의 그래프는 오른쪽 그림과 같으므로 제1, 2사분면을 지나지 않는다.

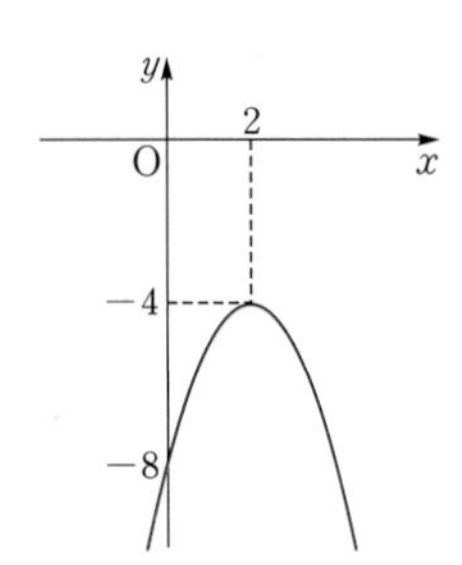

1446 $y=\frac{1}{2}x^2-x-\frac{3}{2}=\frac{1}{2}(x^2-2x)-\frac{3}{2}$

$=\frac{1}{2}(x^2-2x+1-1)-\frac{3}{2}$

$=\frac{1}{2}(x^2-2x+1)-\frac{1}{2}-\frac{3}{2}$

$=\frac{1}{2}(x-1)^2-2$

따라서 직선 $x=1$을 축으로 한다.

1447 꼭짓점의 좌표는 $(1, -2)$이다.

1449 $y=\frac{1}{2}x^2-x-\frac{3}{2}$에 $y=0$을 대입하면 $\frac{1}{2}x^2-x-\frac{3}{2}=0$

$x^2-2x-3=0$, $(x+1)(x-3)=0$

$\therefore x=-1$ 또는 $x=3$

따라서 x축과 만나는 두 점의 좌표는 $(-1, 0)$, $(3, 0)$이다.

1450 $y=\frac{1}{2}x^2-x-\frac{3}{2}$에 $x=-5$를 대입하면

$y=\frac{1}{2}\times(-5)^2-(-5)-\frac{3}{2}=16$

1451 $y=\frac{1}{2}x^2-x-\frac{3}{2}=\frac{1}{2}(x-1)^2-2$

따라서 이 함수의 그래프는 오른쪽 그림과 같으므로 모든 사분면을 지난다.

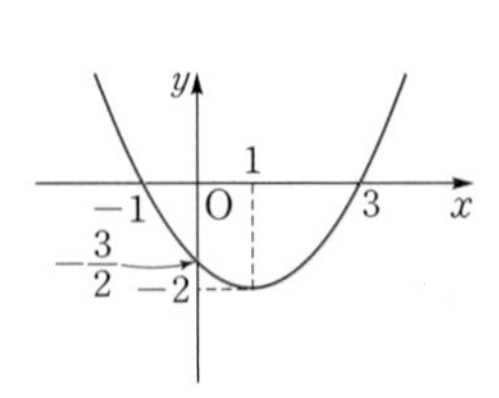

05 이차함수 $y=ax^2+bx+c$의 그래프와 a, b, c의 부호 본문 ○ 189쪽

1452 $>$, $<$, $<$, $>$ **1453** $>$, $>$, $<$
1454 $>$, $=$, $>$ **1455** $<$, $>$, $>$
1456 $<$, $<$, $<$ **1457** $<$, $>$, $=$
1458 제2사분면

1453 그래프가 아래로 볼록하므로 $a>0$
축이 y축의 왼쪽에 있으므로 $ab>0$ $\quad\therefore b>0$
y축과의 교점이 x축보다 아래쪽에 있으므로 $c<0$

1454 그래프가 아래로 볼록하므로 $a>0$
축이 y축이므로 $b=0$
y축과의 교점이 x축보다 위쪽에 있으므로 $c>0$

1455 그래프가 위로 볼록하므로 $a<0$
축이 y축의 오른쪽에 있으므로 $ab<0$ $\quad\therefore b>0$
y축과의 교점이 x축보다 위쪽에 있으므로 $c>0$

1456 그래프가 위로 볼록하므로 $a<0$
축이 y축의 왼쪽에 있으므로 $ab>0$ $\quad\therefore b<0$
y축과의 교점이 x축보다 아래쪽에 있으므로 $c<0$

1457 그래프가 위로 볼록하므로 $a<0$
축이 y축의 오른쪽에 있으므로 $ab<0$ $\quad\therefore b>0$
y축과의 교점이 원점이므로 $c=0$

1458 $a<0$이므로 그래프가 위로 볼록하다.
이때 $ab<0$이므로 축이 y축의 오른쪽에 있고 $c<0$이므로 y축과의 교점은 x축의 아래쪽에 있다.
따라서 이 함수의 그래프는 오른쪽 그림과 같이 두 가지 경우가 생기므로 그래프가 항상 지나지 않는 사분면은 제2사분면이다.

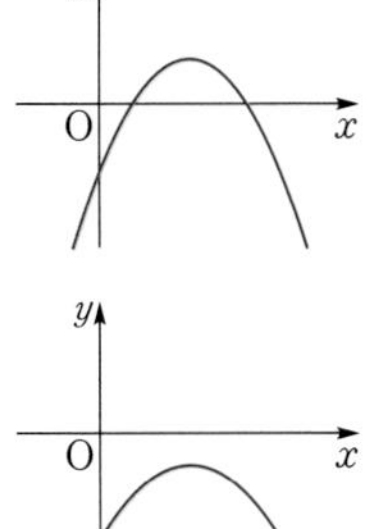

핵심 01~05 Mini Review Test 본문 ○ 190쪽

1459 -1 **1460** ② **1461** ③ **1462** 10
1463 ②, ④ **1464** ④ **1465** 제4사분면

1459 $y=3x^2-6x+1=3(x^2-2x)+1=3(x^2-2x+1-1)+1$
$=3(x^2-2x+1)-3+1=3(x-1)^2-2$
따라서 $p=1$, $q=-2$이므로 $p+q=1+(-2)=-1$

1460 $y=-\frac{1}{2}x^2-2x+1=-\frac{1}{2}(x^2+4x)+1$
$=-\frac{1}{2}(x^2+4x+4-4)+1$
$=-\frac{1}{2}(x+2)^2+3$
따라서 꼭짓점의 좌표가 $(-2, 3)$이고 위로 볼록한 함수의 그래프는 ②이다.

1461 ① $y=(x+1)^2-1$ → 제1, 2, 3사분면을 지난다.
② $y=-(x-2)^2$ → 제3, 4사분면을 지난다.
③ $y=3(x-1)^2-4$ → 모든 사분면을 지난다.
④ $y=\frac{1}{4}(x-2)^2+4$ → 제1, 2사분면을 지난다.
⑤ $y=-2(x-1)^2-1$ → 제3, 4사분면을 지난다.

1462 $y=0$을 대입하면 $-x^2+2x+24=0$, $x^2-2x-24=0$
$(x+4)(x-6)=0$ $\quad\therefore x=-4$ 또는 $x=6$
따라서 $\mathrm{A}(-4, 0)$, $\mathrm{B}(6, 0)$ 또는 $\mathrm{A}(6, 0)$, $\mathrm{B}(-4, 0)$이므로
$\overline{\mathrm{AB}}=6-(-4)=10$

1463 $y=\frac{1}{3}x^2+2x-9=\frac{1}{3}(x^2+6x)-9$
$=\frac{1}{3}(x^2+6x+9-9)-9$
$=\frac{1}{3}(x+3)^2-12$
② 이 함수의 그래프는 오른쪽 그림과 같으므로 모든 사분면을 지난다.

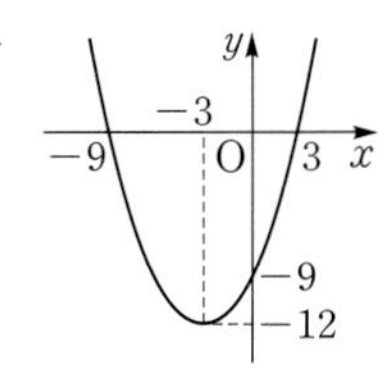

④ $y=0$을 대입하면 $\frac{1}{3}x^2+2x-9=0$
$x^2+6x-27=0$, $(x+9)(x-3)=0$
$\therefore x=-9$ 또는 $x=3$
따라서 x축과의 교점의 좌표는 $(-9, 0)$, $(3, 0)$이다.

1464 그래프가 위로 볼록하므로 $a<0$
축이 y축의 오른쪽에 있으므로 $ab<0$ $\quad\therefore b>0$
y축과의 교점이 x축보다 아래쪽에 있으므로 $c<0$

1465 $a>0$이므로 그래프가 아래로 볼록하다.
이때 $ab>0$이므로 축이 y축의 왼쪽에 있다.
또 $c=0$이므로 y축과의 교점은 원점이다.
즉, 이 함수의 그래프는 오른쪽 그림과 같다. ······ ❶
따라서 이 그래프가 항상 지나지 않는 사분면은 제4사분면이다. ······ ❷

채점 기준	배점
❶ 함수의 그래프 그리기	80 %
❷ 지나지 않는 사분면 구하기	20 %

06 꼭짓점의 좌표가 주어진 이차함수의 식 (1)

본문 ◎ 191쪽

1466 1, 4, -1, $-(x-1)^2+4$

1467 $y=(x+2)^2-5$ **1468** $y=-3(x-1)^2+6$

1469 $y=2(x-2)^2-3$ **1470** $y=-\frac{1}{2}(x+3)^2+\frac{7}{2}$

1471 $y=\frac{1}{2}x^2+1$ **1472** $y=-2x^2-12x-18$

1473 $y=5x^2+10x+1$ **1474** $y=3x^2-12x+7$

1475 -4

1467 이차함수의 식을 $y=a(x+2)^2-5$로 놓고
$x=0$, $y=-1$을 대입하면 $-1=4a-5$ $\therefore a=1$
$\therefore y=(x+2)^2-5$

1468 이차함수의 식을 $y=a(x-1)^2+6$으로 놓고
$x=2$, $y=3$을 대입하면 $3=a+6$ $\therefore a=-3$
$\therefore y=-3(x-1)^2+6$

1469 이차함수의 식을 $y=a(x-2)^2-3$으로 놓고
$x=4$, $y=5$를 대입하면 $5=4a-3$ $\therefore a=2$
$\therefore y=2(x-2)^2-3$

1470 이차함수의 식을 $y=a(x+3)^2+\frac{7}{2}$로 놓고
$x=-1$, $y=\frac{3}{2}$을 대입하면 $\frac{3}{2}=4a+\frac{7}{2}$ $\therefore a=-\frac{1}{2}$
$\therefore y=-\frac{1}{2}(x+3)^2+\frac{7}{2}$

1471 이차함수의 식을 $y=ax^2+1$로 놓고
$x=-2$, $y=3$을 대입하면 $3=4a+1$ $\therefore a=\frac{1}{2}$
$\therefore y=\frac{1}{2}x^2+1$

1472 이차함수의 식을 $y=a(x+3)^2$으로 놓고
$x=-1$, $y=-8$을 대입하면 $-8=4a$ $\therefore a=-2$
$\therefore y=-2(x+3)^2=-2x^2-12x-18$

1473 이차함수의 식을 $y=a(x+1)^2-4$로 놓고
$x=-2$, $y=1$을 대입하면 $1=a-4$ $\therefore a=5$
$\therefore y=5(x+1)^2-4=5x^2+10x+1$

1474 이차함수의 식을 $y=a(x-2)^2-5$로 놓고
$x=4$, $y=7$을 대입하면 $7=4a-5$ $\therefore a=3$
$\therefore y=3(x-2)^2-5=3x^2-12x+7$

1475 이차함수의 식을 $y=a(x+3)^2+4$로 놓고
$x=-2$, $y=2$를 대입하면 $2=a+4$ $\therefore a=-2$
$\therefore y=-2(x+3)^2+4=-2x^2-12x-14$
따라서 $a=-2$, $b=-12$, $c=-14$이므로
$a-b+c=-2-(-12)-14=-4$

07 꼭짓점의 좌표가 주어진 이차함수의 식 (2)

본문 ◎ 192쪽

1476 2, -4, 0, 4, $y=2(x-2)^2-4$

1477 2, 3, 0, 1, $y=-\frac{1}{2}(x-2)^2+3$

1478 -1, 1, 0, 2, $y=(x+1)^2+1$

1479 0, 3, -2, 0, $y=-\frac{3}{4}x^2+3$

1480 $y=\frac{1}{3}x^2-2x+1$ **1481** $y=-2x^2-4x+1$

1482 $y=x^2-4x+4$ **1483** $y=-\frac{1}{2}x^2-2x+2$

1476 이차함수의 식을 $y=a(x-2)^2-4$로 놓고
$x=0$, $y=4$를 대입하면
$4=4a-4$ $\therefore a=2$
$\therefore y=2(x-2)^2-4$

1477 이차함수의 식을 $y=a(x-2)^2+3$으로 놓고
$x=0$, $y=1$을 대입하면
$1=4a+3$ $\therefore a=-\frac{1}{2}$
$\therefore y=-\frac{1}{2}(x-2)^2+3$

1478 이차함수의 식을 $y=a(x+1)^2+1$로 놓고
$x=0$, $y=2$를 대입하면
$2=a+1$ $\therefore a=1$
$\therefore y=(x+1)^2+1$

1479 이차함수의 식을 $y=ax^2+3$으로 놓고
$x=-2$, $y=0$을 대입하면
$0=4a+3$ $\therefore a=-\frac{3}{4}$
$\therefore y=-\frac{3}{4}x^2+3$

1480 꼭짓점의 좌표가 $(3, -2)$이고 점 $(0, 1)$을 지난다.
이차함수의 식을 $y=a(x-3)^2-2$로 놓고
$x=0$, $y=1$을 대입하면
$1=9a-2$ $\therefore a=\frac{1}{3}$

$\therefore y=\frac{1}{3}(x-3)^2-2=\frac{1}{3}x^2-2x+1$

1481 꼭짓점의 좌표가 $(-1, 3)$이고 점 $(0, 1)$을 지난다.
이차함수의 식을 $y=a(x+1)^2+3$으로 놓고
$x=0$, $y=1$을 대입하면
$1=a+3$ $\therefore a=-2$
$\therefore y=-2(x+1)^2+3=-2x^2-4x+1$

1482 꼭짓점의 좌표가 $(2, 0)$이고 점 $(3, 1)$을 지난다.
이차함수의 식을 $y=a(x-2)^2$으로 놓고
$x=3$, $y=1$을 대입하면 $a=1$
$\therefore y=(x-2)^2=x^2-4x+4$

1483 꼭짓점의 좌표가 $(-2, 4)$이고 점 $(0, 2)$를 지난다.
이차함수의 식을 $y=a(x+2)^2+4$로 놓고
$x=0$, $y=2$를 대입하면
$2=4a+4$ $\therefore a=-\frac{1}{2}$
$\therefore y=-\frac{1}{2}(x+2)^2+4=-\frac{1}{2}x^2-2x+2$

08 축의 방정식이 주어진 이차함수의 식 (1)

본문 193쪽

1484 1, $4a+q$, $a+q$, 3, -4, $3(x-1)^2-4$
1485 $y=\frac{1}{2}(x-4)^2$ **1486** $y=-5x^2+8$
1487 $y=-2(x+1)^2+5$ **1488** $y=-\frac{1}{2}(x+6)^2+3$
1489 $y=x^2+6x$ **1490** $y=-3x^2+12x-15$
1491 $y=-\frac{1}{4}x^2-2x-1$ **1492** $y=2x^2-20x+30$
1493 $(0, 8)$

1485 이차함수의 식을 $y=a(x-4)^2+q$로 놓고
$x=2$, $y=2$를 대입하면 $2=4a+q$ ······ ㉠
$x=8$, $y=8$을 대입하면 $8=16a+q$ ······ ㉡
㉠, ㉡을 연립하여 풀면 $a=\frac{1}{2}$, $q=0$
$\therefore y=\frac{1}{2}(x-4)^2$

1486 이차함수의 식을 $y=ax^2+q$로 놓고
$x=-1$, $y=3$을 대입하면 $3=a+q$ ······ ㉠
$x=2$, $y=-12$를 대입하면 $-12=4a+q$ ······ ㉡
㉠, ㉡을 연립하여 풀면 $a=-5$, $q=8$
$\therefore y=-5x^2+8$

1487 이차함수의 식을 $y=a(x+1)^2+q$로 놓고
$x=-3$, $y=-3$을 대입하면 $-3=4a+q$ ······ ㉠
$x=2$, $y=-13$을 대입하면 $-13=9a+q$ ······ ㉡
㉠, ㉡을 연립하여 풀면 $a=-2$, $q=5$
$\therefore y=-2(x+1)^2+5$

1488 이차함수의 식을 $y=a(x+6)^2+q$로 놓고
$x=-4$, $y=1$을 대입하면 $1=4a+q$ ······ ㉠
$x=-2$, $y=-5$를 대입하면 $-5=16a+q$ ······ ㉡
㉠, ㉡을 연립하여 풀면 $a=-\frac{1}{2}$, $q=3$
$\therefore y=-\frac{1}{2}(x+6)^2+3$

1489 이차함수의 식을 $y=a(x+3)^2+q$로 놓고
$x=0$, $y=0$을 대입하면 $0=9a+q$ ······ ㉠
$x=1$, $y=7$을 대입하면 $7=16a+q$ ······ ㉡
㉠, ㉡을 연립하여 풀면 $a=1$, $q=-9$
$\therefore y=(x+3)^2-9=x^2+6x$

1490 이차함수의 식을 $y=a(x-2)^2+q$로 놓고
$x=0$, $y=-15$를 대입하면 $-15=4a+q$ ······ ㉠
$x=3$, $y=-6$을 대입하면 $-6=a+q$ ······ ㉡
㉠, ㉡을 연립하여 풀면 $a=-3$, $q=-3$
$\therefore y=-3(x-2)^2-3=-3x^2+12x-15$

1491 이차함수의 식을 $y=a(x+4)^2+q$로 놓고
$x=-2$, $y=2$를 대입하면 $2=4a+q$ ······ ㉠
$x=2$, $y=-6$을 대입하면 $-6=36a+q$ ······ ㉡
㉠, ㉡을 연립하여 풀면 $a=-\frac{1}{4}$, $q=3$
$\therefore y=-\frac{1}{4}(x+4)^2+3=-\frac{1}{4}x^2-2x-1$

1492 이차함수의 식을 $y=a(x-5)^2+q$로 놓고
$x=1$, $y=12$를 대입하면 $12=16a+q$ ······ ㉠
$x=2$, $y=-2$를 대입하면 $-2=9a+q$ ······ ㉡
㉠, ㉡을 연립하여 풀면 $a=2$, $q=-20$
$\therefore y=2(x-5)^2-20=2x^2-20x+30$

1493 이차함수의 식을 $y=3(x+2)^2+q$로 놓고
$x=-1$, $y=-1$을 대입하면
$-1=3+q$ $\therefore q=-4$
$\therefore y=3(x+2)^2-4=3x^2+12x+8$
따라서 이 포물선이 y축과 만나는 점의 좌표는 $(0, 8)$이다.

09 축의 방정식이 주어진 이차함수의 식 (2)

본문 ○ 194쪽

1494 1, 3, 3, 6, $y=(x-1)^2+2$

1495 -2, 0, -1, $\frac{9}{2}$, $y=-\frac{3}{2}(x+2)^2+6$

1496 -2, -6, -3, $y=\frac{1}{4}(x+2)^2-4$

1497 3, -9, 1, -3, $y=-\frac{1}{2}(x-3)^2-1$

1498 $y=x^2+4x+3$ **1499** $y=-2x^2+8x-5$

1500 $y=\frac{1}{2}x^2-2x-6$ **1501** 7

1494 이차함수의 식을 $y=a(x-1)^2+q$로 놓고
$x=0$, $y=3$을 대입하면 $3=a+q$ …… ㉠
$x=3$, $y=6$을 대입하면 $6=4a+q$ …… ㉡
㉠, ㉡을 연립하여 풀면 $a=1$, $q=2$
$\therefore y=(x-1)^2+2$

1495 이차함수의 식을 $y=a(x+2)^2+q$로 놓고
$x=0$, $y=0$을 대입하면 $0=4a+q$ …… ㉠
$x=-1$, $y=\frac{9}{2}$를 대입하면 $\frac{9}{2}=a+q$ …… ㉡
㉠, ㉡을 연립하여 풀면 $a=-\frac{3}{2}$, $q=6$
$\therefore y=-\frac{3}{2}(x+2)^2+6$

1496 이차함수의 식을 $y=a(x+2)^2+q$로 놓고
$x=-6$, $y=0$을 대입하면 $0=16a+q$ …… ㉠
$x=0$, $y=-3$을 대입하면 $-3=4a+q$ …… ㉡
㉠, ㉡을 연립하여 풀면 $a=\frac{1}{4}$, $q=-4$
$\therefore y=\frac{1}{4}(x+2)^2-4$

1497 이차함수의 식을 $y=a(x-3)^2+q$로 놓고
$x=-1$, $y=-9$를 대입하면 $-9=16a+q$ …… ㉠
$x=1$, $y=-3$을 대입하면 $-3=4a+q$ …… ㉡
㉠, ㉡을 연립하여 풀면 $a=-\frac{1}{2}$, $q=-1$
$\therefore y=-\frac{1}{2}(x-3)^2-1$

1498 축의 방정식이 $x=-2$이고 두 점 $(1, 8)$, $(0, 3)$을 지난다.
이차함수의 식을 $y=a(x+2)^2+q$로 놓고
$x=1$, $y=8$을 대입하면 $8=9a+q$ …… ㉠
$x=0$, $y=3$을 대입하면 $3=4a+q$ …… ㉡
㉠, ㉡을 연립하여 풀면 $a=1$, $q=-1$
$\therefore y=(x+2)^2-1=x^2+4x+3$

1499 축의 방정식이 $x=2$이고 두 점 $(3, 1)$, $(0, -5)$를 지난다.
이차함수의 식을 $y=a(x-2)^2+q$로 놓고
$x=3$, $y=1$을 대입하면 $1=a+q$ …… ㉠
$x=0$, $y=-5$를 대입하면 $-5=4a+q$ …… ㉡
㉠, ㉡을 연립하여 풀면 $a=-2$, $q=3$
$\therefore y=-2(x-2)^2+3=-2x^2+8x-5$

1500 축의 방정식이 $x=2$이고 두 점 $(-2, 0)$, $(0, -6)$을 지난다.
이차함수의 식을 $y=a(x-2)^2+q$로 놓고
$x=-2$, $y=0$을 대입하면 $0=16a+q$ …… ㉠
$x=0$, $y=-6$을 대입하면 $-6=4a+q$ …… ㉡
㉠, ㉡을 연립하여 풀면 $a=\frac{1}{2}$, $q=-8$
$\therefore y=\frac{1}{2}(x-2)^2-8=\frac{1}{2}x^2-2x-6$

1501 축의 방정식이 $x=1$이고 두 점 $(-1, 1)$, $\left(4, \frac{7}{2}\right)$을 지난다.
이차함수의 식을 $y=a(x-1)^2+q$로 놓고
$x=-1$, $y=1$을 대입하면 $1=4a+q$ …… ㉠
$x=4$, $y=\frac{7}{2}$을 대입하면 $\frac{7}{2}=9a+q$ …… ㉡
㉠, ㉡을 연립하여 풀면 $a=\frac{1}{2}$, $q=-1$
$\therefore y=\frac{1}{2}(x-1)^2-1$
이 이차함수의 그래프가 점 $(-3, k)$를 지나므로
$k=\frac{1}{2}(-3-1)^2-1=7$

10 서로 다른 세 점이 주어진 이차함수의 식 (1)

본문 ○ 195쪽

1502 $a+b-6$, $4a+2b-6$, -4, 16, $-4x^2+16x-6$

1503 $y=\frac{1}{3}x^2-2x+3$ **1504** $y=-2x^2+4x+3$

1505 $y=-\frac{1}{5}x^2+6x-25$ **1506** $y=-4x^2+7x+6$

1507 -3, -3, 0, 2, 5, $y=x^2+2x-3$

1508 $y=-\frac{1}{8}x^2+\frac{1}{4}x+1$ **1509** $y=\frac{1}{2}x^2+3x-3$

1510 $y=-2x^2-8x-5$

1503 이차함수의 식을 $y=ax^2+bx+3$으로 놓고
$x=3$, $y=0$을 대입하면
$0=9a+3b+3$ $\therefore 3a+b=-1$ …… ㉠
$x=6$, $y=3$을 대입하면
$3=36a+6b+3$ $\therefore 6a+b=0$ …… ㉡
㉠, ㉡을 연립하여 풀면 $a=\frac{1}{3}$, $b=-2$

$\therefore y=\frac{1}{3}x^2-2x+3$

1504 이차함수의 식을 $y=ax^2+bx+3$으로 놓고
$x=-1$, $y=-3$을 대입하면
$-3=a-b+3 \quad \therefore a-b=-6 \quad \cdots\cdots$ ㉠
$x=2$, $y=3$을 대입하면
$3=4a+2b+3 \quad \therefore 2a+b=0 \quad \cdots\cdots$ ㉡
㉠, ㉡을 연립하여 풀면 $a=-2$, $b=4$
$\therefore y=-2x^2+4x+3$

1505 이차함수의 식을 $y=ax^2+bx-25$로 놓고
$x=5$, $y=0$을 대입하면
$0=25a+5b-25 \quad \therefore 5a+b=5 \quad \cdots\cdots$ ㉠
$x=10$, $y=15$를 대입하면
$15=100a+10b-25 \quad \therefore 10a+b=4 \quad \cdots\cdots$ ㉡
㉠, ㉡을 연립하여 풀면 $a=-\frac{1}{5}$, $b=6$
$\therefore y=-\frac{1}{5}x^2+6x-25$

1506 이차함수의 식을 $y=ax^2+bx+6$으로 놓고
$x=-1$, $y=-5$를 대입하면
$-5=a-b+6 \quad \therefore a-b=-11 \quad \cdots\cdots$ ㉠
$x=1$, $y=9$를 대입하면
$9=a+b+6 \quad \therefore a+b=3 \quad \cdots\cdots$ ㉡
㉠, ㉡을 연립하여 풀면 $a=-4$, $b=7$
$\therefore y=-4x^2+7x+6$

1507 이차함수의 식을 $y=ax^2+bx-3$으로 놓고
$x=-3$, $y=0$을 대입하면
$0=9a-3b-3 \quad \therefore 3a-b=1 \quad \cdots\cdots$ ㉠
$x=2$, $y=5$를 대입하면
$5=4a+2b-3 \quad \therefore 2a+b=4 \quad \cdots\cdots$ ㉡
㉠, ㉡을 연립하여 풀면 $a=1$, $b=2$
$\therefore y=x^2+2x-3$

1508 y절편이 1이고 두 점 $(4, 0)$, $(-4, -2)$를 지난다.
이차함수의 식을 $y=ax^2+bx+1$로 놓고
$x=4$, $y=0$을 대입하면
$0=16a+4b+1 \quad \therefore 16a+4b=-1 \quad \cdots\cdots$ ㉠
$x=-4$, $y=-2$를 대입하면
$-2=16a-4b+1 \quad \therefore 16a-4b=-3 \quad \cdots\cdots$ ㉡
㉠, ㉡을 연립하여 풀면 $a=-\frac{1}{8}$, $b=\frac{1}{4}$
$\therefore y=-\frac{1}{8}x^2+\frac{1}{4}x+1$

1509 y절편이 -3이고 두 점 $(-6, -3)$, $(2, 5)$를 지난다.
이차함수의 식을 $y=ax^2+bx-3$으로 놓고
$x=-6$, $y=-3$을 대입하면
$-3=36a-6b-3 \quad \therefore 6a-b=0 \quad \cdots\cdots$ ㉠
$x=2$, $y=5$를 대입하면
$5=4a+2b-3 \quad \therefore 2a+b=4 \quad \cdots\cdots$ ㉡
㉠, ㉡을 연립하여 풀면 $a=\frac{1}{2}$, $b=3$
$\therefore y=\frac{1}{2}x^2+3x-3$

1510 y절편이 -5이고 두 점 $(-3, 1)$, $(-4, -5)$를 지난다.
이차함수의 식을 $y=ax^2+bx-5$로 놓고
$x=-3$, $y=1$을 대입하면
$1=9a-3b-5 \quad \therefore 3a-b=2 \quad \cdots\cdots$ ㉠
$x=-4$, $y=-5$를 대입하면
$-5=16a-4b-5 \quad \therefore 4a-b=0 \quad \cdots\cdots$ ㉡
㉠, ㉡을 연립하여 풀면 $a=-2$, $b=-8$
$\therefore y=-2x^2-8x-5$

11 서로 다른 세 점이 주어진 이차함수의 식 (2)

본문 ◎ 196쪽

1511 $-2a$, 2, 2, $2x^2-10x+8$
1512 $y=x^2-8x+12$
1513 $y=-\frac{1}{2}x^2+2x+6$
1514 $y=3x^2-3x-6$
1515 $y=-\frac{2}{3}x^2-2x+12$
1516 $y=\frac{1}{2}x^2-2$
1517 $y=-\frac{1}{4}x^2-\frac{3}{4}x$
1518 $y=-x^2+4x+5$
1519 $y=\frac{1}{2}x^2-\frac{1}{2}x-3$

1512 이차함수의 식을 $y=a(x-2)(x-6)$으로 놓고
$x=0$, $y=12$를 대입하면 $12=12a \quad \therefore a=1$
$\therefore y=(x-2)(x-6)=x^2-8x+12$

1513 이차함수의 식을 $y=a(x+2)(x-6)$으로 놓고
$x=4$, $y=6$을 대입하면 $6=-12a \quad \therefore a=-\frac{1}{2}$
$\therefore y=-\frac{1}{2}(x+2)(x-6)=-\frac{1}{2}x^2+2x+6$

1514 이차함수의 식을 $y=a(x+1)(x-2)$로 놓고
$x=0$, $y=-6$을 대입하면 $-6=-2a \quad \therefore a=3$
$\therefore y=3(x+1)(x-2)=3x^2-3x-6$

1515 이차함수의 식을 $y=a(x+6)(x-3)$으로 놓고
$x=0$, $y=12$를 대입하면 $12=-18a \quad \therefore a=-\frac{2}{3}$

$\therefore y=-\frac{2}{3}(x+6)(x-3)=-\frac{2}{3}x^2-2x+12$

1516 x축과 두 점 $(-2, 0)$, $(2, 0)$에서 만나므로 이차함수의 식을 $y=a(x+2)(x-2)$로 놓고 $x=0$, $y=-2$를 대입하면

$-2=-4a \quad \therefore a=\frac{1}{2}$

$\therefore y=\frac{1}{2}(x+2)(x-2)=\frac{1}{2}x^2-2$

1517 x축과 두 점 $(0, 0)$, $(-3, 0)$에서 만나므로 이차함수의 식을 $y=ax(x+3)$으로 놓고 $x=1$, $y=-1$을 대입하면

$-1=4a \quad \therefore a=-\frac{1}{4}$

$\therefore y=-\frac{1}{4}x(x+3)=-\frac{1}{4}x^2-\frac{3}{4}x$

1518 x축과 두 점 $(-1, 0)$, $(5, 0)$에서 만나므로 이차함수의 식을 $y=a(x+1)(x-5)$로 놓고 $x=0$, $y=5$를 대입하면

$5=-5a \quad \therefore a=-1$

$\therefore y=-(x+1)(x-5)=-x^2+4x+5$

1519 x축과 두 점 $(-2, 0)$, $(3, 0)$에서 만나므로 이차함수의 식을 $y=a(x+2)(x-3)$으로 놓고 $x=0$, $y=-3$을 대입하면

$-3=-6a \quad \therefore a=\frac{1}{2}$

$\therefore y=\frac{1}{2}(x+2)(x-3)=\frac{1}{2}x^2-\frac{1}{2}x-3$

핵심 06~11 **Mini Review Test** 본문 ◎ 197쪽

1520 ② **1521** $y=x^2-4x+2$ **1522** ④
1523 $y=-x^2+4x-1$ **1524** $(-1, 2)$
1525 7 **1526** 2

1520 이차함수의 식을 $y=a(x+2)^2+6$으로 놓고

$x=-1$, $y=2$를 대입하면 $2=a(-1+2)^2+6$

$\therefore a=-4$

따라서 $y=-4(x+2)^2+6=-4x^2-16x-10$이므로

$a=-4$, $b=-16$, $c=-10$

$\therefore ac+b=-4\times(-10)+(-16)$

$=40-16=24$

1521 꼭짓점의 좌표가 $(2, -2)$이고, 점 $(0, 2)$를 지난다.

이차함수의 식을 $y=a(x-2)^2-2$로 놓고

$x=0$, $y=2$를 대입하면

$2=a(0-2)^2-2 \quad \therefore a=1$

$\therefore y=(x-2)^2-2=x^2-4x+2$

1522 이차함수의 식을 $y=a(x-2)^2+q$로 놓고

$x=1$, $y=9$를 대입하면 $9=a+q$ …… ㉠

$x=-1$, $y=-15$를 대입하면 $-15=9a+q$ …… ㉡

㉠, ㉡을 연립하여 풀면 $a=-3$, $q=12$

$y=-3(x-2)^2+12$의 그래프가 점 $(3, k)$를 지나므로

$k=-3+12=9$

1523 축의 방정식이 $x=2$이고 두 점 $(1, 2)$, $(0, -1)$을 지난다.

이차함수의 식을 $y=a(x-2)^2+q$로 놓고

$x=1$, $y=2$를 대입하면 $2=a+q$ …… ㉠

$x=0$, $y=-1$을 대입하면 $-1=4a+q$ …… ㉡

㉠, ㉡을 연립하여 풀면 $a=-1$, $q=3$

$\therefore y=-(x-2)^2+3=-x^2+4x-1$

1524 이차함수의 식을 $y=ax^2+bx-1$로 놓고

$x=-1$, $y=2$를 대입하면

$2=a-b-1 \quad \therefore a-b=3$ …… ㉠

$x=-3$, $y=-10$을 대입하면

$-10=9a-3b-1 \quad \therefore 3a-b=-3$ …… ㉡

㉠, ㉡을 연립하여 풀면 $a=-3$, $b=-6$ …… ❶

$\therefore y=-3x^2-6x-1=-3(x+1)^2+2$ …… ❷

따라서 구하는 꼭짓점의 좌표는 $(-1, 2)$이다. …… ❸

채점 기준	배점
❶ $y=ax^2+bx-1$로 놓고 a, b의 값 구하기	50 %
❷ $y=a(x-p)^2+q$ 꼴로 바꾸기	30 %
❸ 꼭짓점의 좌표 구하기	20 %

1525 y절편이 2이므로 $c=2$

이차함수의 식을 $y=ax^2+bx+2$로 놓으면 두 점 $(-1, -3)$, $(2, 0)$을 지난다.

즉, $x=-1$, $y=-3$을 대입하면

$-3=a-b+2 \quad \therefore a-b=-5$ …… ㉠

$x=2$, $y=0$을 대입하면

$0=4a+2b+2 \quad \therefore 2a+b=-1$ …… ㉡

㉠, ㉡을 연립하여 풀면 $a=-2$, $b=3$

$\therefore -a+b+c=-(-2)+3+2=7$

1526 이차함수의 식을 $y=a(x+1)(x-3)$으로 놓고

$x=-3$, $y=-8$을 대입하면

$-8=a(-3+1)(-3-3) \quad \therefore a=-\frac{2}{3}$

따라서 $y=-\frac{2}{3}(x+1)(x-3)$의 그래프가 y축과 만나는 점의 y좌표는 $x=0$을 대입하면 $y=2$

숨마쿰라우데란 최고의 영예를 뜻하는 말입니다

숨마쿰라우데라는 말은 라틴어로 SUMMA CUM LAUDE라고 씁니다. 이는 최고의 영예를 뜻하는 말인데요. 보통 미국 아이비리그 명문 대학들의 최우수 졸업자에게 부여되는 칭호입니다. 우리나라로 치면 '수석 졸업'이라는 뜻이지요. 그러나 모든 일에 있어서 그렇듯 공부에 있어서도 결과 뿐 아니라 과정이 중요합니다. 최선을 다하는 과정이 있으면 좋은 결과가 따라올 뿐 아니라, 그 과정을 통해 얻어진 깨달음이 평생을 함께하기 때문입니다. 이룸이앤비 숨마쿰라우데는 바로 최선을 다하는 사람 모두에게 최고의 영예를 선사합니다.

반복 학습이 진정한 실력을 키운다!

수학을 어떻게 하면 잘 할 수 있을까요?
선생님께 여쭤보면 기초를 잘 다지는 것과 공부한 것을 꾸준히 반복하는 것만큼 중요한 것은 없다고 거듭 강조합니다. 『반복 학습이 기적을 만든다』라는 책의 저자는 "공부를 잘하는 학생은 '반복'에 강한 학생이다. 그들은 자기가 얼마만큼 '반복'하면 그 지식을 자기 것으로 만들 수 있는지 잘 알고 있다."고 말하면서 반복하는 습관을 가지는 것이 실력을 높이는 방법이라고 설명하였습니다. 숨마쿰라우데 스타트업은 반복 학습의 중요성을 담아 한 개념 한 개념 체계적으로 구성한 교재입니다. 한 개념 한 개념 매일매일 꾸준히 공부하고 부족한 개념은 반복하여 풀어 봄으로써 진정한 실력을 쌓을 수 있기를 바랍니다.